***ACCESO GRATIS** a la Lectura en la Nube + Actualizaciones*

Actualización permanente hasta por un año desde su publicación

Para visualizar el libro electrónico en la nube de lectura envíe junto a su nombre y apellidos una fotografía del código de barras situado en la contraportada del libro y otra del ticket de compra a la dirección:

ebooktirant@tirant.com

En un máximo de 72 horas laborables le enviaremos el código de acceso con sus instrucciones.

La visualización del libro en **NUBE DE LECTURA** excluye los usos bibliotecarios y públicos que puedan poner el archivo electrónico a disposición de una comunidad de lectores. Se permite tan solo un uso individual y privado.

CÓDIGO GENERAL DEL PROCESO

Concordado y con suplemento normativo

COMITÉ CIENTÍFICO DE LA EDITORIAL TIRANT LO BLANCH

María José Añón Roig
Catedrática de Filosofía del Derecho de la Universidad de Valencia

Ana Cañizares Laso
Catedrática de Derecho Civil de la Universidad de Málaga

Jorge A. Cerdio Herrán
Catedrático de Teoría y Filosofía del Derecho Instituto Tecnológico Autónomo de México

José Ramón Cossío Díaz
Ministro en retiro de la Suprema Corte de Justicia de la Nación y miembro de El Colegio Nacional

María Luisa Cuerda Arnau
Catedrática de Derecho Penal de la Universidad Jaume I de Castellón

Manuel Díaz Martínez
Catedrático de Derecho Procesal de la UNED

Carmen Domínguez Hidalgo
Catedrática de Derecho Civil de la Pontificia Universidad Católica de Chile

Eduardo Ferrer Mac-Gregor Poisot
Juez de la Corte Interamericana de Derechos Humanos Investigador del Instituto de Investigaciones Jurídicas de la UNAM

Owen Fiss
Catedrático emérito de Teoría del Derecho de la Universidad de Yale (EEUU)

José Antonio García-Cruces González
Catedrático de Derecho Mercantil de la UNED

José Luis González Cussac
Catedrático de Derecho Penal de la Universidad de Valencia

Luis López Guerra
Catedrático de Derecho Constitucional de la Universidad Carlos III de Madrid

Ángel M. López y López
Catedrático de Derecho Civil de la Universidad de Sevilla

Marta Lorente Sariñena
Catedrática de Historia del Derecho de la Universidad Autónoma de Madrid

Javier de Lucas Martín
Catedrático de Filosofía del Derecho y Filosofía Política de la Universidad de Valencia

Víctor Moreno Catena
Catedrático de Derecho Procesal de la Universidad Carlos III de Madrid

Francisco Muñoz Conde
Catedrático de Derecho Penal de la Universidad Pablo de Olavide de Sevilla

Angelika Nussberger
Catedrática de Derecho Constitucional e Internacional en la Universidad de Colonia (Alemania) Miembro de la Comisión de Venecia

Héctor Olasolo Alonso
Catedrático de Derecho Internacional de la Universidad del Rosario (Colombia) y Presidente del Instituto Ibero-Americano de La Haya (Holanda)

Luciano Parejo Alfonso
Catedrático de Derecho Administrativo de la Universidad Carlos III de Madrid

Consuelo Ramón Chornet
Catedrática de Derecho Internacional Público y Relaciones Internacionales de la Universidad de Valencia

Tomás Sala Franco
Catedrático de Derecho del Trabajo y de la Seguridad Social de la Universidad de Valencia

Ignacio Sancho Gargallo
Magistrado de la Sala Primera (Civil) del Tribunal Supremo de España

Elisa Speckman Guerra
Directora del Instituto de Investigaciones Históricas de la UNAM

Ruth Zimmerling
Catedrática de Ciencia Política de la Universidad de Mainz (Alemania)

Fueron miembros de este Comité:
Emilio Beltrán Sánchez, Rosario Valpuesta Fernández y Tomás S. Vives Antón

Procedimiento de selección de originales, ver página web:
www.tirant.net/index.php/editorial/procedimiento-de-seleccion-de-originales

CÓDIGO GENERAL DEL PROCESO

Concordado y con suplemento normativo

6ª Edición

ALEJANDRA GÓMEZ MORENO

NATHALIA FRANCS BARRERA

(Compiladoras)

tirant lo blanch

Bogotá D.C., 2026

Copyright ® 2026

Todos los derechos reservados. Ni la totalidad ni parte de este libro puede reproducirse o transmitirse por ningún procedimiento electrónico o mecánico, incluyendo fotocopia, grabación magnética, o cualquier almacenamiento de información y sistema de recuperación sin permiso escrito de los autores y del editor.

En caso de erratas y actualizaciones, la Editorial Tirant lo Blanch publicará la pertinente corrección en la página web www.tirant.com incorporada a la ficha del libro. En www.tirant.com dispondrá de un servicio con los textos legales básicos y sectoriales actualizados como complemento de su libro.

Los textos jurídicos que aparecen se ofrecen con una finalidad informativa o divulgativa. Tirant lo Blanch intentará cuidar por la actualidad, exactitud y veracidad de los mismos, si bien advierte que no son los textos oficiales y declina toda responsabilidad por los daños que puedan causarse debido a las inexactitudes o incorrecciones de los mismos.

Los únicos textos considerados legalmente válidos son los que aparecen en las publicaciones oficiales de los correspondientes organismos autonómicos o nacionales.

© ALEJANDRA GÓMEZ MORENO
NATHALIA FRANCS BARRERA

© TIRANT LO BLANCH
EDITA: TIRANT LO BLANCH
Calle 11 # 2-16 (Bogotá D.C.)
Telf.: 4660171
Email: tlb@tirant.com
Librería virtual: www.tirant.com/co/
ISBN: 979-13-7040-306-5

Si tiene alguna queja o sugerencia, envíenos un mail a: *atencioncliente@tirant.com*. En caso de no ser atendida su sugerencia, por favor, lea en *www.tirant.net/index.php/empresa/politicas-de-empresa* nuestro procedimiento de quejas.

Responsabilidad Social Corporativa: http://www.tirant.net/Docs/RSCTirant.pdf

NOTA DE LOS COMPILADORES

La presente obra contiene las principales normas y decisiones de las Altas Cortes de Colombia concordantes con los artículos del Código General del Proceso. Fueron incluidas normas, tanto de derecho sustancial como de derecho procesal, que facilitan la comprensión de los artículos del Código General del Proceso de manera sistemática en el ordenamiento jurídico colombiano.

Esta obra se ha venido actualizando constante y rigurosamente teniendo en cuenta los recientes pronunciamientos de las Altas Cortes o los cambios legislativos que inciden en la vigencia o interpretación de las normas del Código General del Proceso.

ÍNDICE

CÓDIGO GENERAL DEL PROCESO
LEY 1564 DE 2012
(julio 12)

LIBRO PRIMERO. SUJETOS DEL PROCESO

LIBRO TERCERO. PROCESOS

LIBRO CUARTO. MEDIDAS CAUTELARES Y CAUCIONES

LIBRO QUINTO. CUESTIONES VARIAS

ABREVIATURAS

Ac.	Acuerdo
art., arts.	Artículo, Artículos
CP	Constitución Política de Colombia de 1991
CPe	Código Penal de Colombia de 2000
cap.	Capítulo
cas.	Casación
CC	Código Civil
CCo	Código de Comercio
Corte Constitucional	Corte Constitucional de Colombia
CGP	Código General del Proceso
CPACA	Código de Procedimiento Administrativo y de lo Contencioso Administrativo
CPP	Código de Procedimiento Penal, Ley 906 de 2004
CPTSS	Código Procesal del Trabajo y de la Seguridad Social
CSJ	Corte Suprema de Justicia
CSJud.	Consejo Superior de la Judicatura
CST	Código Sustantivo del Trabajo
CE	Consejo de Estado
D	Decreto
DR	Decreto reglamentario
DL	Decreto legislativo
ET	Estatuto Tributario
Inc. incs.	Inciso, incisos
jul.	Julio
L	Ley
LE	Ley Estatutaria
LEAJ	Ley Estatutaria de la Administración de Justicia
lit, lits.	Literal, literales
modif.	Modificados (s)
num., nums.	Numeral, Numerales
n°	Número
p.	Página
pp.	Páginas
parag.	Parágrafo
Sec.	Sección
sent.	Sentencia
ss	Siguientes

CÓDIGO GENERAL DEL PROCESO
LEY 1564 DE 2012
(julio 12)

TÍTULO PRELIMINAR
DISPOSICIONES GENERALES

ARTÍCULO 1o. OBJETO

Este código regula la actividad procesal en los asuntos civiles, comerciales, de familia y agrarios. Se aplica, además, a todos los asuntos de cualquier jurisdicción o especialidad y a las actuaciones de particulares y autoridades administrativas, cuando ejerzan funciones jurisdiccionales, en cuanto no estén regulados expresamente en otras leyes.

- CPACA art. 306
- CPTSS art. 327
- CPP art. 25

ARTÍCULO 2o. ACCESO A LA JUSTICIA

Toda persona o grupo de personas tiene derecho a la tutela jurisdiccional efectiva para el ejercicio de sus derechos y la defensa de sus intereses, con sujeción a un debido proceso de duración razonable. Los términos procesales se observarán con diligencia y su incumplimiento injustificado será sancionado.

- CP art. 229
- CPACA art. 53
- LEAJ art. 2

ARTÍCULO 3o. PROCESO ORAL Y POR AUDIENCIAS

Las actuaciones se cumplirán en forma oral, pública y en audiencias, salvo las que expresamente se autorice realizar por escrito o estén amparadas por reserva.

- art. 107
- CPP arts. 8 lit. k; 9; y 10
- CPTSS art. 123
- LEAJ art. 4 y 22
- CSJ. SC2759-2021

ARTÍCULO 4o. IGUALDAD DE LAS PARTES

El juez debe hacer uso de los poderes que este código le otorga para lograr la igualdad real de las partes.

- arts. 11 y 42 num. 2
- CPACA art. 3; 53
- CPP art. 4

ARTÍCULO 5o. CONCENTRACIÓN

El juez deberá programar las audiencias y diligencias de manera que el objeto de cada una de ellas se cumpla sin solución de continuidad. No podrá aplazar una audiencia o diligencia, ni suspenderla, salvo por las razones que expresamente autoriza este código.

- CPP art. 17
- CSJ. SC2759-2021

ARTÍCULO 6o. INMEDIACIÓN

El juez deberá practicar personalmente todas las pruebas y las demás actuaciones judiciales que le correspondan. Solo podrá comisionar para la realización de actos procesales cuando expresamente este código se lo autorice.

Lo anterior, sin perjuicio de lo establecido respecto de las pruebas extraprocesales, las pruebas trasladadas y demás excepciones previstas en la ley.

- CPP art. 16
- CPTSS art. 5
- CSJ. SC2759-2021

ARTÍCULO 7o. LEGALIDAD

Los jueces, en sus providencias, están sometidos al imperio de la ley. Deberán tener en cuenta, además, la equidad, la costumbre, la jurisprudencia y la doctrina.

Cuando el juez se aparte de la doctrina probable, estará obligado a exponer clara y razonadamente los fundamentos jurídicos que justifican su decisión. De la misma manera procederá cuando cambie de criterio en relación con sus decisiones en casos análogos.

El proceso deberá adelantarse en la forma establecida en la ley.

- *Nota de vigencia:* El inc. segundo fue declarado exequible por la Corte Constitucional en la sentencia C-621 del 30 de septiembre de 2015
- CP arts. 29 y 230
- CPACA art. 3
- CPP art. 6

- CSJ. SC10304-2014
- Corte Constitucional. C-621 del 30 de septiembre de 2015

ARTÍCULO 8o. INICIACIÓN E IMPULSO DE LOS PROCESOS

Los procesos solo podrán iniciarse a petición de parte, salvo los que la ley autoriza promover de oficio.

Con excepción de los casos expresamente señalados en la ley, los jueces deben adelantar los procesos por sí mismos y son responsables de cualquier demora que ocurra en ellos si es ocasionada por negligencia suya.

- CPACA art. 3 num. 13; 4

ARTÍCULO 9o. INSTANCIAS

Los procesos tendrán dos instancias a menos que la ley establezca una sola.

- CP art. 29
- CPP art. 20
- LEAJ art. 27

ARTÍCULO 10. GRATUIDAD

El servicio de justicia que presta el Estado será gratuito, sin perjuicio del arancel judicial y de las costas procesales.

- CPP art. 13
- CPTSS art. 39
- LEAJ art. 6
- CSJ. AC-2515-2017

ARTÍCULO 11. INTERPRETACIÓN DE LAS NORMAS PROCESALES

Al interpretar la ley procesal el juez deberá tener en cuenta que el objeto de los procedimientos es la efectividad de los derechos reconocidos por la ley sustancial. Las dudas que surjan en la interpretación de las normas del presente código deberán aclararse mediante la aplicación de los principios constitucionales y generales del derecho procesal garantizando en todo caso el debido proceso, el derecho de defensa, la igualdad de las partes y los demás derechos constitucionales fundamentales. El juez se abstendrá de exigir y de cumplir formalidades innecesarias.

- CP art. 228
- CSJ. STC10844-2020; APL374-2020; STC16014-2019; STC14949-2017; STC6727-2016

ARTÍCULO 12. VACÍOS Y DEFICIENCIAS DEL CÓDIGO

Cualquier vacío en las disposiciones del presente código se llenará con las normas que regulen casos análogos. A falta de estas, el juez determinará la forma de realizar los actos procesales con observancia de los principios constitucionales y los generales del derecho procesal, procurando hacer efectivo el derecho sustancial.

- CSJ. AC3611-2020; STC10844-2020

ARTÍCULO 13. OBSERVANCIA DE NORMAS PROCESALES

Las normas procesales son de orden público y, por consiguiente, de obligatorio cumplimiento, y en ningún caso podrán ser derogadas, modificadas o sustituidas por los funcionarios o particulares, salvo autorización expresa de la ley.

Las estipulaciones de las partes que establezcan el agotamiento de requisitos de procedibilidad para acceder a cualquier operador de justicia no son de obligatoria observancia. El acceso a la justicia sin haberse agotado dichos requisitos convencionales, no constituirá incumplimiento del negocio jurídico en donde ellas se hubiesen establecido, ni impedirá al operador de justicia tramitar la correspondiente demanda.

Las estipulaciones de las partes que contradigan lo dispuesto en este artículo se tendrán por no escritas.

- *Nota de vigencia:* El inciso segundo fue declarado exequible por la Corte Constitucional en la sentencia C-602 del 11 de diciembre de 2019, por los cargos analizados
- Corte Constitucional C-602 del 11 de septiembre de 2019
- CSJ. AC1445-2023; SC2759-2021; AC2897-2021; AC2960-2021; AC2852-2021; AC2604-2021; AC2441-2021; AC1864-2021; AC1866-2021; AC1760-2021; AC1685-2021; AC1642-2021; AC1669-2021; AC1674-2021; AC1675-2021; AC1683-2021; AC1682-2021; AC009-2019; AC4659-2018; AC4273-2018; AC6701-2017

ARTÍCULO 14. DEBIDO PROCESO

El debido proceso se aplicará a todas las actuaciones previstas en este código. Es nula de pleno derecho la prueba obtenida con violación del debido proceso.

- CP art. 29
- CPACA art. 3
- CSJ. SC2759-2021

LIBRO PRIMERO
SUJETOS DEL PROCESO

SECCIÓN PRIMERA
ÓRGANOS JUDICIALES Y SUS AUXILIARES

TÍTULO I
JURISDICCIÓN Y COMPETENCIA

CAPÍTULO I
COMPETENCIA

ARTÍCULO 15. CLÁUSULA GENERAL O RESIDUAL DE COMPETENCIA

Corresponde a la jurisdicción ordinaria, el conocimiento de todo asunto que no esté atribuido expresamente por la ley a otra jurisdicción.

Corresponde a la jurisdicción ordinaria en su especialidad civil, el conocimiento de todo asunto que no esté atribuido expresamente por la ley a otra especialidad jurisdiccional ordinaria.

Corresponde a los jueces civiles del circuito todo asunto que no esté atribuido expresamente por la ley a otro juez civil.

- CSJ. AC029-2021; APL1218-2021; AC2057-2017

ARTÍCULO 16. PRORROGABILIDAD E IMPRORROGABILIDAD DE LA JURISDICCIÓN Y LA COMPETENCIA

La jurisdicción y la competencia por los factores subjetivo y funcional son improrrogables. Cuando se declare, de oficio o a petición de parte, la falta de jurisdicción o la falta de competencia por los factores subjetivo o funcional, lo actuado conservará validez, salvo la sentencia que se hubiere proferido que será nula, y el proceso se enviará de inmediato al juez competente. Lo actuado con posterioridad a la declaratoria de falta de jurisdicción o de competencia será nulo.

La falta de competencia por factores distintos del subjetivo o funcional es prorrogable cuando no se reclame en tiempo, y el juez seguirá conociendo del proceso. Cuando se alegue oportunamente lo actuado conservará validez y el proceso se remitirá al juez competente.

- *Nota de vigencia:* El texto subrayado fue declarado exequible por la Corte Constitucional en la sentencia C-537 del 5 de octubre de 2016, por los cargos analizados
- Corte Constitucional. C-537 del 5 de octubre de 2016

- CSJ. AC1445-2023; AC579-2023; AC4741-2022; AC3090-2022; AC2888-2022; AC2511-2022; AC2384-2022; AC2030-2022; AC1302-2022; AC1307-2022; AC279-2022; AC2945-2021; AC2852-2021; AC2844-2021; AC2604-2021; AC1747-2018; STC5594-2020

ARTÍCULO 17. COMPETENCIA DE LOS JUECES CIVILES MUNICIPALES EN ÚNICA INSTANCIA

Los jueces civiles municipales conocen en única instancia:

1. De los procesos contenciosos de mínima cuantía, incluso los originados en relaciones de naturaleza agraria, salvo los que correspondan a la jurisdicción contencioso administrativa.

También conocerán de los procesos contenciosos de mínima cuantía por responsabilidad médica, de cualquier naturaleza y origen, sin consideración a las partes, salvo los que correspondan a la jurisdicción contencioso administrativa.

2. De los procesos de sucesión de mínima cuantía, sin perjuicio de la competencia atribuida por la ley a los notarios.

3. De la celebración del matrimonio civil, sin perjuicio de la competencia atribuida a los notarios.

4. De los conflictos que se presenten entre los copropietarios o tenedores del edificio o conjunto o entre ellos y el administrador, el consejo de administración, o cualquier otro órgano de dirección o control de la persona jurídica, en razón de la aplicación o de la interpretación de la ley y del reglamento de propiedad horizontal.

5. De los casos que contemplan los artículos 913, 914, 916, 918, 931, 940 primer inciso, 1231, 1469 y 2026 del Código de Comercio.

6. De los asuntos atribuidos al juez de familia en única instancia, cuando en el municipio no haya juez de familia o promiscuo de familia.

7. De todos los requerimientos y diligencias varias, sin consideración a la calidad de las personas interesadas.

8. De los que conforme a disposición especial deba resolver el juez con conocimiento de causa, o breve y sumariamente, o a su prudente juicio, o a manera de árbitro.

9. De las controversias que se susciten en los procedimientos de insolvencia de personas naturales no comerciantes y de su liquidación patrimonial, sin perjuicio de las funciones jurisdiccionales otorgadas a las autoridades administrativas.

10. Los demás que les atribuya la ley.

PARÁGRAFO. Cuando en el lugar exista juez municipal de pequeñas causas y competencia múltiple, corresponderán a este los asuntos consagrados en los numerales 1, 2 y 3.

- CSJ. AC664-2023; AC5321-2021; AC032-2021; AC6701-2017; STP19116-2017

ARTÍCULO 18. COMPETENCIA DE LOS JUECES CIVILES MUNICIPALES EN PRIMERA INSTANCIA

Los jueces civiles municipales conocen en primera instancia:

1. De los procesos contenciosos de menor cuantía, incluso los originados en relaciones de naturaleza agraria, salvo los que correspondan a la jurisdicción contencioso administrativa.

También conocerán de los procesos contenciosos de menor cuantía por responsabilidad médica, de cualquier naturaleza y origen, sin consideración a las partes, salvo los que correspondan a la jurisdicción contencioso administrativa.

2. De los posesorios especiales que regula el Código Civil.

3. De los procesos especiales para el saneamiento de la titulación de la propiedad inmueble de que trata la Ley 1182 de 2008, o la que la modifique o sustituya.

4. De los procesos de sucesión de menor cuantía, sin perjuicio de la competencia atribuida por la ley a los notarios.

5. De las diligencias de apertura y publicación de testamento cerrado, o del otorgado ante cinco (5) testigos, y de la reducción a escrito de testamento verbal, sin perjuicio de la competencia atribuida por la ley a los notarios.

6. De la corrección, sustitución o adición de partidas de estado civil o de nombre o anotación del seudónimo en actas o folios del registro de aquel, sin perjuicio de la competencia atribuida por la ley a los notarios.

7. A prevención con los jueces civiles del circuito, de las peticiones sobre pruebas extraprocesales, sin consideración a la calidad de las personas interesadas, ni a la autoridad donde se hayan de aducir.

- NOTA: El inciso 1 del numeral 1 fue corregido por el Decreto 1736 de 2012 "por el que se corrigen unos yerros en la Ley 1564 del 12 de julio de 2012, "por medio de la cual se expide el Código General del Proceso y se dictan otras disposiciones"
- L 1561/2012 art. 8
- CSJ. AC889-2021; STC16692-2019; SL3510-2019; AC4965-2018; AC515-2018; STP19116-2017

ARTÍCULO 19. COMPETENCIA DE LOS JUECES CIVILES DEL CIRCUITO EN ÚNICA INSTANCIA

Los jueces civiles del circuito conocen en única instancia:

1. De los procesos relativos a propiedad intelectual previstos en leyes especiales como de única instancia.

2. De los trámites de insolvencia no atribuidos a la Superintendencia de Sociedades y, a prevención con esta, de los procesos de insolvencia de personas naturales comerciantes.

3. De la actuación para el nombramiento de árbitros, cuando su designación no pudo hacerse de común acuerdo por los interesados y no la hayan delegado a un tercero.

- CSJ. STC3668-2021; STC8123-2016

ARTÍCULO 20. COMPETENCIA DE LOS JUECES CIVILES DEL CIRCUITO EN PRIMERA INSTANCIA

Los jueces civiles del circuito conocen en primera instancia de los siguientes asuntos:

1. De los contenciosos de mayor cuantía, incluso los originados en relaciones de naturaleza agraria salvo los que le correspondan a la jurisdicción contencioso administrativa.

También conocerán de los procesos contenciosos de mayor cuantía por responsabilidad médica, de cualquier naturaleza y origen, sin consideración a las partes, salvo los que correspondan a la jurisdicción contencioso administrativa.

2. De los relativos a propiedad intelectual que no estén atribuidos a la jurisdicción contencioso administrativa, sin perjuicio de las funciones jurisdiccionales que este código atribuye a las autoridades administrativas.

3. De los de competencia desleal, sin perjuicio de las funciones jurisdiccionales atribuidas a las autoridades administrativas.

4. De todas las controversias que surjan con ocasión del contrato de sociedad, o por la aplicación de las normas que gobiernan las demás personas jurídicas de derecho privado, así como de los de nulidad, disolución y liquidación de tales personas, salvo norma en contrario.

5. De los de expropiación.

6. De los atribuidos a los jueces de familia en primera instancia, cuando en el circuito no exista juez de familia o promiscuo de familia.

7. De las acciones populares y de grupo no atribuidas a la jurisdicción de lo contencioso administrativo.

8. De la impugnación de actos de asambleas, juntas directivas, juntas de socios o de cualquier otro órgano directivo de personas jurídicas sometidas al derecho privado, sin perjuicio de la competencia atribuida a las autoridades administrativas en ejercicio de funciones jurisdiccionales.

9. De los procesos relacionados con el ejercicio de los derechos del consumidor.

10. A prevención con los jueces civiles municipales, de las peticiones sobre pruebas extraprocesales, sin consideración a la calidad de las personas interesadas, ni a la autoridad donde se hayan de aducir.

11. De los demás procesos o asuntos que no estén atribuidos a otro juez.

- NOTA: El inciso 1 del numeral 1 fue corregido por el Decreto 1736 de 2012. CE Sec. Primera sent. 2012-369/2018
- NOTA: El numeral 9 fue corregido por el Decreto 1736 de 2012. CE Sec. Primera sent. 2012-369/2018
- CSJ. STC4173-2021; STC12127-2019; SL3510-2019; STC11110-2019; AC3015-2019; STP19116-2017; AC3556-2015

ARTÍCULO 21. COMPETENCIA DE LOS JUECES DE FAMILIA EN ÚNICA INSTANCIA

Los jueces de familia conocen en única instancia de los siguientes asuntos:

1. De la protección del nombre de personas naturales.

2. De la suspensión y restablecimiento de la vida en común de los cónyuges y la separación de cuerpos y de bienes por mutuo acuerdo, sin perjuicio de la competencia atribuida a los notarios.

3. De la custodia, cuidado personal y visitas de los niños, niñas y adolescentes, sin perjuicio de la competencia atribuida a los notarios.

4. De la autorización para cancelar el patrimonio de familia inembargable, sin perjuicio de la competencia atribuida a los notarios.

5. De la citación judicial para el reconocimiento de hijo extramatrimonial, prevista en la ley.

6. De los permisos a menores de edad para salir del país, cuando haya desacuerdo al respecto entre sus representantes legales o entre estos y quienes detenten la custodia y cuidado personal.

7. De la fijación, aumento, disminución y exoneración de alimentos, de la oferta y ejecución de los mismos y de la restitución de pensiones alimentarias.

8. De las medidas de protección de la infancia en los casos de violencia intrafamiliar, cuando en el lugar no exista comisario de familia, y de los procedimientos judiciales para el restablecimiento de derechos de niños, niñas y adolescentes.

9. De las controversias que se susciten entre padres o cónyuges, o entre aquellos y sus hijos menores, respecto al ejercicio de la patria potestad y los litigios de igual naturaleza en los que el defensor de familia actúa en representación de los hijos.

10. De las diferencias que surjan entre los cónyuges sobre fijación y dirección del hogar, derecho a ser recibido en este y obligación de vivir juntos.

11. De la revisión de la declaratoria de adoptabilidad.

12. De la constitución, modificación o levantamiento de la afectación a vivienda familiar, sin perjuicio de la competencia atribuida a los notarios.

13. De la licencia para disponer o gravar bienes, en los casos previstos por la ley.

14. De los asuntos de familia en que por disposición legal sea necesaria la intervención del juez o este deba resolver con conocimiento de causa, o breve y sumariamente, o con prudente juicio o a manera de árbitro.

15. Del divorcio de común acuerdo, sin perjuicio de la competencia atribuida a los notarios.

16. De los conflictos de competencia en asuntos de familia que se susciten entre defensores de familia, comisarios de familia, notarios e inspectores de policía.

17. De la protección legal de las personas con discapacidad mental, sin perjuicio de la competencia atribuida por la ley a los notarios.

18. Homologación de decisiones proferidas por otras autoridades en asuntos de familia, en los casos previstos en la ley.

19. La revisión de las decisiones administrativas proferidas por el defensor de familia, el comisario de familia y el inspector de policía en los casos previstos en la ley.

20. Resolver sobre el restablecimiento de derechos de la infancia cuando el defensor de familia o el comisario de familia hubiere perdido competencia.

21. De la declaración como hijo/a de crianza así como el reconocimiento como padre o madre de crianza.

- El numeral 21 fue adicionado por el artículo 5 de la Ley 2388 de 2024 "Por medio de la cual se dictan disposiciones sobre la familia de crianza"
- CSJ. STC11245-2020; AC253-2020; AC3015-2019; AC6701-2017

ARTÍCULO 22. COMPETENCIA DE LOS JUECES DE FAMILIA EN PRIMERA INSTANCIA

Los jueces de familia conocen, en primera instancia, de los siguientes asuntos:

1. De los procesos contenciosos de nulidad, divorcio de matrimonio civil, cesación de efectos civiles del matrimonio religioso y separación de cuerpos y de bienes.

2. De la investigación e impugnación de la paternidad y maternidad y de los demás asuntos referentes al estado civil que lo modifiquen o alteren.

3. De la liquidación de sociedades conyugales o patrimoniales por causa distinta de la muerte de los cónyuges, o cuando la disolución haya sido declarada ante notario, o por juez diferente al de familia, sin perjuicio de la competencia atribuida por la ley a los notarios.

4. De la pérdida, suspensión y rehabilitación de la patria potestad y de la administración de los bienes de los hijos.

5. Derogado por el artículo 61 de la Ley 1996 de 2019.

6. Derogado por el artículo 61 de la Ley 1996 de 2019.

7. De la adjudicación, modificación y terminación de apoyos adjudicados judicialmente.

8. De la adopción.

9. De los procesos de sucesión de mayor cuantía, sin perjuicio de la competencia atribuida por la ley a los notarios.

10. De la nulidad, reforma y validez del testamento.

11. De la indignidad o incapacidad para suceder y del desheredamiento.

12. De la petición de herencia.

13. De las controversias sobre derechos a la sucesión por testamento o abintestato o por incapacidad de los asignatarios.

14. De las acciones relativas a la caducidad, a la inexistencia o a la nulidad de las capitulaciones matrimoniales.

15. De la revocación de la donación por causa del matrimonio.

16. Del litigio sobre propiedad de bienes, cuando se discuta si estos son propios del cónyuge o del compañero o compañera permanente o si pertenecen a la sociedad conyugal o patrimonial.

17. De las controversias sobre la subrogación de bienes o las compensaciones respecto del cónyuge o del compañero o compañera permanente y a cargo de la sociedad conyugal o patrimonial o a favor de estas o a cargo de aquellos en caso de disolución y liquidación de la sociedad conyugal o patrimonial.

18. De la reivindicación por el heredero sobre cosas hereditarias o por el cónyuge o compañero permanente sobre bienes sociales.

19. De la rescisión de la partición por lesión o nulidad en las sucesiones por causa de muerte y la liquidación de sociedades conyugales o patrimoniales entre compañeros permanentes.

20. De los procesos sobre declaración de existencia de unión marital de hecho y de la sociedad patrimonial entre compañeros permanentes, sin perjuicio de la competencia atribuida a los notarios.

21. De la declaración de ausencia y de la declaración de muerte por desaparecimiento, sin perjuicio de la competencia atribuida a los notarios.

22. De la sanción prevista en el artículo 1824 del Código Civil.

23. Derogado por el artículo 40 de la Ley 2524 de 2025.

- NOTA: Los nums. 5 y 6 fueron derogados por el art. 61 de la L 1996 de 2019 "por medio de la cual se establece el régimen para el ejercicio de la capacidad legal de las personas con discapacidad mayores de edad"
- NOTA: El num. 7 fue modificado por el art. 35 de la L 1996 de 2019. Rige a partir del 26 de agosto de 2021
- NOTA: El num. 23 fue derogado por el art. 40 de la L 2524 de 2025 "por medio de la cual se establece el procedimiento especial administrativo y judicial para la restitución internacional y/o garantía del derecho de visitas de niños, niñas y adolescentes"
- Corte Constitucional. C-118 del 29 de abril de 2021
- Corte Constitucional. C-022 del 4 de febrero de 2021
- CSJ. AC1583-2022; AC506-2021; STC4307-2020; AC515-2018; STC14437-2017
- CSJ. Sentencia 29 de abril de 2020 Rad. No. E 11001-02-03-000-2020-00029-00
- D 567/2020
- Corte Constitucional. C-193 del 24 de junio de 2020
- L 1996/2019
- L 2524/2025

ARTÍCULO 23. FUERO DE ATRACCIÓN

Cuando la sucesión que se esté tramitando sea de mayor cuantía, el juez que conozca de ella y sin necesidad de reparto, será competente para conocer de todos los juicios que versen sobre nulidad y validez del testamento, reforma del testamento, desheredamiento, indignidad o incapacidad para suceder, petición de herencia, reivindicación por el heredero sobre cosas hereditarias, controversias sobre derechos a la sucesión por testamento o abintestato o por incapacidad de los asignatarios, lo mismo que de los procesos sobre el régimen económico del matrimonio y la sociedad patrimonial entre compañeros permanentes, relativos a la rescisión de la partición por lesión y nulidad de la misma, las acciones que resulten de la caducidad, inexistencia o nulidad de las capitulaciones matrimoniales, la revocación de la donación por causa del matrimonio, el litigio sobre la propiedad de bienes, cuando se disputa si estos son propios o de la sociedad conyugal, y las controversias sobre subrogación de bienes o las compensaciones respecto de los cónyuges y a cargo de la sociedad conyugal o a favor de esta o a cargo de aquellos en caso de disolución y liquidación de la sociedad conyugal o sociedad patrimonial entre compañeros permanentes.

La solicitud y práctica de medidas cautelares extraprocesales que autorice la ley corresponde al juez que fuere competente para tramitar el proceso al que están destinadas.

La demanda podrá presentarse ante el mismo juez que decretó y practicó la medida cautelar, caso en el cual no será sometida a reparto. Las autoridades administrativas en ejercicio de funciones jurisdiccionales también podrán decretar y practicar las medidas cautelares extraprocesales autorizadas por la ley.

Salvo norma en contrario, dentro de los veinte (20) días siguientes a la práctica de la medida cautelar, el solicitante deberá presentar la demanda correspondiente, so pena de ser levantada inmediatamente. En todo caso el afectado conserva el derecho a reclamar, por medio de incidente, la liquidación de los perjuicios que se hayan causado. La liquidación de perjuicios se sujetará a lo previsto en el artículo 283.

- CSJ. AC867-2023; AC5699-2021; STC170-2020; AC4885-2019; AC413-2019; AC3953-2018; AC3894-2018; STC10326-2018; AC1408-2018; AC3743-2017; AC1870-2017

ARTÍCULO 24. EJERCICIO DE FUNCIONES JURISDICCIONALES POR AUTORIDADES ADMINISTRATIVAS

Las autoridades administrativas a que se refiere este artículo ejercerán funciones jurisdiccionales conforme a las siguientes reglas:

1. La Superintendencia de Industria y Comercio en los procesos que versen sobre:

a) Violación a los derechos de los consumidores establecidos en el Estatuto del Consumidor.

b) Violación a las normas relativas a la competencia desleal.

2. La Superintendencia Financiera de Colombia conocerá de las controversias que surjan entre los consumidores financieros y las entidades vigiladas relacionadas exclusivamente con la ejecución y el cumplimiento de las obligaciones contractuales que asuman con ocasión de la actividad financiera, bursátil, aseguradora y cualquier otra relacionada con el manejo, aprovechamiento e inversión de los recursos captados del público.

3. Las autoridades nacionales competentes en materia de propiedad intelectual:

a) La Superintendencia de Industria y Comercio en los procesos de infracción de derechos de propiedad industrial.

b) La Dirección Nacional de Derechos de Autor en los procesos relacionados con los derechos de autor y conexos.

c) El Instituto Colombiano Agropecuario en los procesos por infracción a los derechos de obtentor de variedades vegetales.

4. ~~El Ministerio de Justicia y del Derecho, o quien haga sus veces, a través de la dependencia que para tales efectos determine la estructura interna, podrá, bajo el principio de gradualidad en la oferta, operar servicios de justicia en todos los asuntos jurisdiccionales que de conformidad con lo establecido en la Ley 446 de 1998 sobre descongestión, eficiencia y acceso a la justicia han sido atribuidos a la Superintendencia de Industria y Comercio, Superintendencia Financiera y Superintendencia de Sociedades, así como en los asuntos jurisdiccionales relacionados con el trámite de insolvencia de personas naturales no comerciantes y los asuntos previstos en la Ley 1098 de 2006 de conocimiento de los defensores y comisarios de familia.~~ También podrá asesorar y ejercer la representación

judicial de las personas que inicien procesos judiciales de declaración de pertenencia con miras al saneamiento de sus propiedades.

5. La Superintendencia de Sociedades tendrá facultades jurisdiccionales en materia societaria, referidas a:

a) Las controversias relacionadas con el cumplimiento de los acuerdos de accionistas y la ejecución específica de las obligaciones pactadas en los acuerdos.

b) ~~La resolución de conflictos societarios~~, las diferencias que ocurran entre los accionistas, o entre estos y la sociedad o entre estos y sus administradores, en desarrollo del contrato social o del acto unilateral.

c) La impugnación de actos de asambleas, juntas directivas, juntas de socios o de cualquier otro órgano directivo de personas sometidas a su supervisión. Con todo, la acción indemnizatoria a que haya lugar por los posibles perjuicios que se deriven del acto o decisión que se declaren nulos será competencia exclusiva del Juez.

d) La declaratoria de nulidad de los actos defraudatorios y la desestimación de la personalidad jurídica de las sociedades sometidas a su supervisión, cuando se utilice la sociedad en fraude a la ley o en perjuicio de terceros, los accionistas y los administradores que hubieren realizado, participado o facilitado los actos defraudatorios, responderán solidariamente por las obligaciones nacidas de tales actos y por los perjuicios causados. Así mismo, conocerá de la acción indemnizatoria a que haya lugar por los posibles perjuicios que se deriven de los actos defraudatorios.

e) La declaratoria de nulidad absoluta de la determinación adoptada en abuso del derecho por ilicitud del objeto y la de indemnización de perjuicios, en los casos de abuso de mayoría, como en los de minoría y de paridad, cuando los accionistas no ejerzan su derecho a voto en interés de la compañía con el propósito de causar daño a la compañía o a otros accionistas o de obtener para sí o para un tercero ventaja injustificada, así como aquel voto del que pueda resultar un perjuicio para la compañía o para los otros accionistas.

6. La Superintendencia de Sociedades tendrá facultades jurisdiccionales en materia de garantías mobiliarias.

PARÁGRAFO 1o. Las funciones jurisdiccionales a que se refiere este artículo, generan competencia a prevención y, por ende, no excluyen la competencia otorgada por la ley a las autoridades judiciales y a las autoridades administrativas en estos determinados asuntos.

Cuando las autoridades administrativas ejercen funciones jurisdiccionales, el principio de inmediación se cumple con la realización del acto por parte de los funcionarios que, de acuerdo con la estructura interna de la entidad, estén habilitados para ello, su delegado o comisionado.

PARÁGRAFO 2o. Las autoridades administrativas que a la fecha de promulgación de esta ley no se encuentren ejerciendo funciones jurisdiccionales en las materias precisas que aquí se les atribuyen, administrarán justicia bajo el principio de gradualidad de la oferta. De acuerdo con lo anterior, estas autoridades informarán las condiciones y la fecha a partir de la cual ejercerán dichas funciones jurisdiccionales.

PARÁGRAFO 3o. Las autoridades administrativas tramitarán los procesos a través de las mismas vías procesales previstas en la ley para los jueces.

Las providencias que profieran las autoridades administrativas en ejercicio de funciones jurisdiccionales no son impugnables ante la jurisdicción contencioso administrativa.

Las apelaciones de providencias proferidas por las autoridades administrativas en primera instancia en ejercicio de funciones jurisdiccionales se resolverán por la autoridad judicial superior funcional del juez que hubiese sido competente en caso de haberse tramitado la primera instancia ante un juez y la providencia fuere apelable.

Cuando la competencia la hubiese podido ejercer el juez en única instancia, los asuntos atribuidos a las autoridades administrativas se tramitarán en única instancia.

PARÁGRAFO 4o. Las partes podrán concurrir directamente a los procesos que se tramitan ante autoridades administrativas en ejercicio de funciones jurisdiccionales sin necesidad de abogado, solamente en aquellos casos en que de haberse tramitado el asunto ante los jueces, tampoco hubiese sido necesaria la concurrencia a través de abogado.

PARÁGRAFO 5o. Las decisiones adoptadas en los procesos concursales y de reorganización, de liquidación y de validación de acuerdos extrajudiciales de reorganización, serán de única instancia, y seguirán los términos de duración previstos en el respectivo procedimiento.

PARÁGRAFO 6o. Las competencias que enuncia este artículo no excluyen las otorgadas por otras leyes especiales por la naturaleza del asunto.

- *Nota de vigencia:* El lit. b) del num. 3 fue declarado condicionalmente exequible en la sentencia de la Corte Constitucional C-436 del 10 de julio de 2013 "siempre y cuando la estructura y funcionamiento de la Dirección Nacional de Derechos de Autor garanticen los principios de imparcialidad e independencia, en el ejercicio de las funciones jurisdiccionales asignadas"
- *Nota de vigencia:* El texto tachado del num. 4 fue declarado inexequible en la sentencia de la Corte Constitucional C-156 del 20 de marzo de 2013
- *Nota de vigencia:* El texto tachado del literal b) del numeral 5 fue declarado inexequible en la sentencia de la Corte Constitucional C-318-23 del 15 de agosto de 2023
- NOTA: El num. 6 fue adicionado por el art. 91 de la L. 1676 de 2013
- LEAJ art. 13
- CSJ. SC1643-2022; STC4173-2021; AC1741-2018; AC022-2016
- Corte Constitucional. C-178 del 26 de marzo de 2014
- L 1676/2013
- Corte Constitucional. C-436 del 10 de julio de 2013
- Corte Constitucional. C-156 del 20 de marzo de 2013

ARTÍCULO 25. CUANTÍA

Cuando la competencia se determine por la cuantía, los procesos son de mayor, de menor y de mínima cuantía.

Son de mínima cuantía cuando versen sobre pretensiones patrimoniales que no excedan el equivalente a cuarenta salarios mínimos legales mensuales vigentes (40 smlmv).

Son de menor cuantía cuando versen sobre pretensiones patrimoniales que excedan el equivalente a cuarenta salarios mínimos legales mensuales vigentes (40 smlmv) sin exceder el equivalente a ciento cincuenta salarios mínimos legales mensuales vigentes (150 smlmv).

Son de mayor cuantía cuando versen sobre pretensiones patrimoniales que excedan el equivalente a ciento cincuenta salarios mínimos legales mensuales vigentes (150 smlmv).

El salario mínimo legal mensual a que se refiere este artículo, será el vigente al momento de la presentación de la demanda.

Cuando se reclame la indemnización de daños extrapatrimoniales se tendrán en cuenta, solo para efectos de determinar la competencia por razón de la cuantía, los parámetros jurisprudenciales máximos al momento de la presentación de la demanda.

PARÁGRAFO. ~~La Sala Administrativa del Consejo Superior de la Judicatura, previo concepto favorable del Gobierno Nacional, podrá modificar las cuantías previstas en el presente artículo, cuando las circunstancias así lo recomienden.~~

- *Nota de vigencia:* El parágrafo fue declarado inexequible en la sentencia de la Corte Constitucional C-507 del 16 de julio de 2014
- Corte Constitucional. C-507 del 16 de julio de 2014
- CSJ. AC4979-2022; AC576-2019; AC3015-2019; STC18135-2017; SC12994-2016; STC1168-2015

ARTÍCULO 26. DETERMINACIÓN DE LA CUANTÍA

La cuantía se determinará así:

1. Por el valor de todas las pretensiones al tiempo de la demanda, sin tomar en cuenta los frutos, intereses, multas o perjuicios reclamados como accesorios que se causen con posterioridad a su presentación.

2. En los procesos de deslinde y amojonamiento, por el avalúo catastral del inmueble en poder del demandante.

3. En los procesos de pertenencia, los de saneamiento de la titulación y los demás que versen sobre el dominio o la posesión de bienes, por el avalúo catastral de estos.

4. En los procesos divisorios que versen sobre bienes inmuebles por el valor del avalúo catastral y cuando versen sobre bienes muebles por el valor de los bienes objeto de la partición o venta.

5. En los procesos de sucesión, por el valor de los bienes relictos, que en el caso de los inmuebles será el avalúo catastral.

6. En los procesos de tenencia por arrendamiento, por el valor actual de la renta durante el término pactado inicialmente en el contrato, y si fuere a plazo indefinido por el valor de la renta de los doce (12) meses anteriores a la presentación de la demanda. Cuando la renta deba pagarse con los frutos naturales del bien arrendado, por el valor de aquellos en los últimos doce (12) meses. En los demás procesos de tenencia la cuantía se determinará por el valor de los bienes, que en el caso de los inmuebles será el avalúo catastral.

7. En los procesos de servidumbres, por el avalúo catastral del predio sirviente.

- CSJ. AC4979-2022; AC5527-2021; STP14772-2018

ARTÍCULO 27. CONSERVACIÓN Y ALTERACIÓN DE LA COMPETENCIA

La competencia no variará por la intervención sobreviniente de personas que tengan fuero especial o porque dejaren de ser parte en el proceso, salvo cuando se trate de un estado extranjero o un agente diplomático acreditado ante el Gobierno de la República frente a los cuales la Sala Civil de la Corte Suprema de Justicia tenga competencia.

La competencia por razón de la cuantía podrá modificarse solo en los procesos contenciosos que se tramitan ante juez municipal, por causa de reforma de demanda, demanda de reconvención o acumulación de procesos o de demandas.

Cuando se altere la competencia con arreglo a lo dispuesto en este artículo, lo actuado hasta entonces conservará su validez y el juez lo remitirá a quien resulte competente.

Se alterará la competencia cuando la Sala Administrativa del Consejo Superior de la Judicatura haya dispuesto que una vez en firme la sentencia deban remitirse los expedientes a las oficinas de apoyo u oficinas de ejecución de sentencias declarativas o ejecutivas. En este evento los funcionarios y empleados judiciales adscritos a dichas oficinas ejercerán las actuaciones jurisdiccionales y administrativas que sean necesarias para seguir adelante la ejecución ordenada en la sentencia.

- CSJ. STC6795-2022; AC3829-2017; AC1218-2016; AC2759-2016; AC6077-2016

ARTÍCULO 28. COMPETENCIA TERRITORIAL

La competencia territorial se sujeta a las siguientes reglas:

1. En los procesos contenciosos, salvo disposición legal en contrario, es competente el juez del domicilio del demandado. Si son varios los demandados o el demandado tiene varios domicilios, el de cualquiera de ellos a elección del demandante. Cuando el demandado carezca de domicilio en el país, será competente el juez de su residencia. Cuando tampoco tenga residencia en el país o esta se desconozca, será competente el juez del domicilio o de la residencia del demandante.

2. En los procesos de alimentos, nulidad de matrimonio civil y divorcio, cesación de efectos civiles, separación de cuerpos y de bienes, declaración de existencia de unión marital de hecho, liquidación de sociedad conyugal o patrimonial y en las medidas cautelares sobre personas o bienes vinculados a tales procesos o a la nulidad de matrimonio católico, será también competente el juez que corresponda al domicilio común anterior, mientras el demandante lo conserve.

En los procesos de alimentos, pérdida o suspensión de la patria potestad, investigación o impugnación de la paternidad o maternidad, custodias, cuidado personal y regulación de visitas, permisos para salir del país, medidas cautelares sobre personas o bienes vinculados a tales procesos, en los que el niño, niña o adolescente sea demandante o demandado, la competencia corresponde en forma privativa al juez del domicilio o residencia de aquel.

3. En los procesos originados en un negocio jurídico o que involucren títulos ejecutivos es también competente el juez del lugar de cumplimiento de cualquiera de las

obligaciones. La estipulación de domicilio contractual para efectos judiciales se tendrá por no escrita.

4. En los procesos de nulidad, disolución y liquidación de sociedades, y en los que se susciten por controversias entre los socios en razón de la sociedad, civil o comercial, aun después de su liquidación, es competente el juez del domicilio principal de la sociedad.

5. En los procesos contra una persona jurídica es competente el juez de su domicilio principal. Sin embargo, cuando se trate de asuntos vinculados a una sucursal o agencia serán competentes, a prevención, el juez de aquel y el de esta.

6. En los procesos originados en responsabilidad extracontractual es también competente el juez del lugar en donde sucedió el hecho.

7. En los procesos en que se ejerciten derechos reales, en los divisorios, de deslinde y amojonamiento, expropiación, servidumbres, posesorios de cualquier naturaleza, restitución de tenencia, declaración de pertenencia y de bienes vacantes y mostrencos, será competente, de modo privativo, el juez del lugar donde estén ubicados los bienes, y si se hallan en distintas circunscripciones territoriales, el de cualquiera de ellas a elección del demandante.

8. En los procesos concursales y de insolvencia, será competente, de manera privativa, el juez del domicilio del deudor.

9. En los procesos en que la nación sea demandante es competente el juez que corresponda a la cabecera de distrito judicial del domicilio del demandado y en los que la nación sea demandada, el del domicilio que corresponda a la cabecera de distrito judicial del demandante.

Cuando una parte esté conformada por la nación y cualquier otro sujeto, prevalecerá el fuero territorial de aquella.

10. En los procesos contenciosos en que sea parte una entidad territorial, o una entidad descentralizada por servicios o cualquier otra entidad pública, conocerá en forma privativa el juez del domicilio de la respectiva entidad.

Cuando la parte esté conformada por una entidad territorial, o una entidad descentralizada por servicios o cualquier otra entidad pública y cualquier otro sujeto, prevalecerá el fuero territorial de aquellas.

11. En los procesos de propiedad intelectual y de competencia desleal es también competente el juez del lugar donde se haya violado el derecho o realizado el acto, o donde este surta sus efectos si se ha realizado en el extranjero, o el del lugar donde funciona la empresa, local o establecimiento o donde ejerza la actividad el demandado cuando la violación o el acto esté vinculado con estos lugares.

12. En los procesos de sucesión será competente el juez del último domicilio del causante en el territorio nacional, y en caso de que a su muerte hubiere tenido varios, el que corresponda al asiento principal de sus negocios.

13. En los procesos de jurisdicción voluntaria la competencia se determinará así:

a) En los de guarda de niños, niñas o adolescentes, interdicción* y guarda de personas con discapacidad mental o de sordomudo, será competente el juez de la residencia del incapaz.

b) En los de declaración de ausencia o de muerte por desaparecimiento de una persona conocerá el juez del último domicilio que el ausente o el desaparecido haya tenido en el territorio nacional.

c) En los demás casos, el juez del domicilio de quien los promueva.

14. Para la práctica de pruebas extraprocesales, de requerimientos y diligencias varias, será competente el juez del lugar donde deba practicarse la prueba o del domicilio de la persona con quien debe cumplirse el acto, según el caso.

- L 1996/2019
- Corte Constitucional. C-036 del 30 de enero de 2019
- CSJ. AC1715-2023; AC1690-2023; AC1670-2023; AC1639-2023; AC1600-2023; AC1481-2023; AC1451-2023; AC1422-2023; AC2810-2019; AC1017-2021; AC083-2021; AC140-2020; AC1223-2018; AC002-2018; AC044-2018; AC747-2018; AC942-2017; AC2421-2017; AC2432-2017; AC3780-2017; AC4403-2017; AC2434-2017; AC3744-2017; AC2231-2017; AC3569-2017; AC4458-2017; AC3745-2017; AC2433-2017; AC-2909-2017; AC3828-2017; AC7385-2017; AC4569-2017; AC1396-2017; AC2334-2017; AC6494-2017; AC7293-2017; AC8161-2017; AC5924-2016; AC6312-2016; AC3347-2016; AC6076-2016; AC6045-2016; AC5892-2016; AC5889-2016; AC5937-2016; AC6795-2016; AC7310-2016; AC544-2016; AC3987-2015; AC4003-2015

ARTÍCULO 29. PRELACIÓN DE COMPETENCIA

Es prevalente la competencia establecida en consideración a la calidad de las partes.

Las reglas de competencia por razón del territorio se subordinan a las establecidas por la materia y por el valor.

- CSJ. AC1730-2023; AC1714-2023; AC1665-2023; AC1466-2023; AC1445-2023; AC1428-2023; AC3092-2022; AC1703-2022; AC1683-2021; SC2759-2021; AC2604-2021; AC2633-2016

ARTÍCULO 30. COMPETENCIA DE LA SALA DE CASACIÓN CIVIL DE LA CORTE SUPREMA DE JUSTICIA

La Corte Suprema de Justicia conoce en Sala de Casación Civil:

1. De los recursos de casación.

2. De los recursos de revisión que no estén atribuidos a los tribunales superiores.

3. Del recurso de queja cuando se niegue el de casación.

4. Del exequátur de sentencias proferidas en país extranjero, sin perjuicio de lo estipulado en los tratados internacionales.

5. Del exequátur de laudos arbitrales proferidos en el extranjero, de conformidad con las normas que regulan la materia.

6. De los procesos contenciosos en que sea parte un Estado extranjero, un agente diplomático acreditado ante el Gobierno de la República, en los casos previstos por el derecho internacional.

7. Del recurso de revisión contra laudos arbitrales que no estén atribuidos a la jurisdicción de lo contencioso administrativo.

8. De las peticiones de cambio de radicación de un proceso o actuación de carácter civil, comercial, agrario o de familia, que implique su remisión de un distrito judicial a otro.

El cambio de radicación se podrá disponer excepcionalmente cuando en el lugar en donde se esté adelantando existan circunstancias que puedan afectar el orden público, la imparcialidad o la independencia de la administración de justicia, las garantías procesales o la seguridad o integridad de los intervinientes. A la solicitud de cambio de radicación se adjuntarán las pruebas que se pretenda hacer valer y se resolverá de plano por auto que no admite recursos. La solicitud de cambio de radicación no suspende el trámite del proceso.

Adicionalmente, podrá ordenarse el cambio de radicación cuando se adviertan deficiencias de gestión y celeridad de los procesos, previo concepto de la Sala Administrativa del Consejo Superior de la Judicatura.

PARÁGRAFO. El Procurador General de la Nación o el Director de la Agencia Nacional de Defensa Jurídica del Estado también están legitimados para solicitar el cambio de radicación previsto en el numeral 8.

- CSJ. AC345-2021; AC064-2021; AC237-2021; AC2604-2021; AC848-2020; AC919-2020; AC3426-2019; AC1443-2019; AC043-2019; AC5453-2019; AC3251-2018; AC4991-2018; AC5081-2018; AC3449-2018; AC2893-2018; AC 6988-2017; AC3501-2015; AC4033-2015; AC4114-2015; AC5585-2015; AC5977-2015; AC6346-2015

ARTÍCULO 31. COMPETENCIA DE LAS SALAS CIVILES DE LOS TRIBUNALES SUPERIORES

Los tribunales superiores de distrito judicial conocen, en sala civil:

1. De la segunda instancia de los procesos que conocen en primera los jueces civiles de circuito.

2. De la segunda instancia de los procesos que conocen en primera instancia las autoridades administrativas en ejercicio de funciones jurisdiccionales, cuando el juez desplazado en su competencia sea el juez civil del circuito. En estos casos, conocerá el tribunal superior del distrito judicial de la sede principal de la autoridad administrativa o de la sede regional correspondiente al lugar en donde se adoptó la decisión, según fuere el caso.

3. Del recurso de queja contra los autos que nieguen apelaciones de providencias proferidas por las autoridades mencionadas en los numerales anteriores.

4. Del recurso de revisión contra las sentencias dictadas por los jueces civiles de circuito, civiles municipales y de pequeñas causas, y por las autoridades administrativas cuando ejerzan funciones jurisdiccionales.

5. Del recurso de anulación contra laudos arbitrales que no esté atribuido a la jurisdicción de lo contencioso administrativo.

6. De las peticiones de cambio de radicación de un proceso o actuación, que implique su remisión al interior de un mismo distrito judicial, de conformidad con lo previsto en el numeral 8 del artículo 30.

PARÁGRAFO. El Procurador General de la Nación o el Director de la Agencia Nacional de Defensa Jurídica del Estado también están legitimados para solicitar el cambio de radicación previsto en el numeral 6.

- CSJ. AC4661-2022; AC4100-2021; AC064-2021; AC3667-2017; AC2400-2015

ARTÍCULO 32. COMPETENCIA DE LAS SALAS DE FAMILIA DE LOS TRIBUNALES SUPERIORES

Los tribunales superiores de distrito judicial conocen, en sala de familia:

1. De la segunda instancia de los procesos que se tramiten en primera instancia ante los jueces de familia y civiles del circuito en asuntos de familia.
2. Del recurso de queja contra los autos que nieguen apelaciones de providencias dictadas por los jueces de familia.
3. Del recurso de revisión contra las sentencias dictadas en asuntos de familia por los jueces de familia y civiles.
4. Del levantamiento de la reserva de las diligencias administrativas o judiciales de adopción.
5. De las peticiones de cambio de radicación de un proceso o actuación de familia, que implique su remisión al interior de un mismo distrito judicial, de conformidad con lo previsto en el numeral 8 del artículo 30.
6. De los demás asuntos de familia que en segunda instancia le asigne la ley.

PARÁGRAFO. El Procurador General de la Nación o el Director de la Agencia Nacional de Defensa Jurídica del Estado también están legitimados para solicitar el cambio de radicación previsto en el numeral 5.

- CSJ. AC2591-2021; AC1443-2019; AC4991-2018; AC5081-2018; AC3449-2018; AC2893-2018; AC604-2018; AC531-2018; AC532-2018; AC8195-2017

ARTÍCULO 33. COMPETENCIA FUNCIONAL DE LOS JUECES CIVILES DEL CIRCUITO

Los jueces civiles del circuito conocerán en segunda instancia:

1. De los procesos atribuidos en primera a los jueces municipales, incluso los asuntos de familia, cuando en el respectivo circuito no haya juez de familia.
2. De los procesos atribuidos en primera a las autoridades administrativas en ejercicio de funciones jurisdiccionales, cuando el juez desplazado en su competencia sea el juez civil municipal. En estos casos, conocerá el juez civil del circuito de la sede principal de la autoridad administrativa o de la sede regional correspondiente al lugar en donde se adoptó la decisión, según fuere el caso.
3. Del recurso de queja contra los autos que nieguen apelaciones de providencias proferidas por las autoridades mencionadas en los numerales anteriores.

- arts. 18 y 24

- CSJ. Auto del 26 de agosto de 2014. EXP No. 1001-02-03-000-2014-01140-00
- CSJ. Auto del 07 de mayo de 2018. EXP. No. 11001-02-03-000-2018-00413-00

ARTÍCULO 34. COMPETENCIA FUNCIONAL DE LOS JUECES DE FAMILIA

Corresponde a los jueces de familia conocer en segunda instancia de los procesos de sucesión de menor cuantía atribuidos en primera al juez municipal, de los demás asuntos de familia que tramite en primera instancia el juez municipal, así como del recurso de queja de todos ellos.

- art. 18

CAPÍTULO II
MODO DE EJERCER SUS ATRIBUCIONES LA CORTE Y LOS TRIBUNALES

ARTÍCULO 35. ATRIBUCIONES DE LAS SALAS DE DECISIÓN Y DEL MAGISTRADO SUSTANCIADOR

Corresponde a las salas de decisión dictar las sentencias y los autos que decidan la apelación contra el que rechace el incidente de liquidación de perjuicios de condena impuesta en abstracto o el que rechace la oposición a la diligencia de entrega o resuelva sobre ella. El magistrado sustanciador dictará los demás autos que no correspondan a la sala de decisión.

Los autos que resuelvan apelaciones, dictados por la sala o por el magistrado sustanciador, no admiten recurso.

A solicitud del magistrado sustanciador, la sala plena especializada o única podrá decidir los recursos de apelación interpuestos contra autos o sentencias, cuando se trate de asuntos de trascendencia nacional, o se requiera unificar la jurisprudencia o establecer un precedente judicial.

- CSJ. AC3809-2021; AC3823-2021; AC3630-2021; AC3205-2021; AC3206-2021; AC2967-2021; AC2974-2021; AC2853-2021; AC2854-2021; AC2744-2021; AC2500-2021; AC2380-2021; AC2441-2021; AC2549-2020; AC1323-2020; AC1326-2020; AC1329-2020; AC254-2020; AC2289-2020

ARTÍCULO 36. AUDIENCIAS Y DILIGENCIAS

Las audiencias y diligencias que realicen los jueces colegiados serán presididas por el ponente, y a ellas deberán concurrir todos los magistrados que integran la Sala, so pena de nulidad.

- art. 107
- L. 2213 de 2022. art. 7

- Corte Constitucional. C-420 del 24 de septiembre de 2020
- CPACA arts. 180; 181; 182 y 186
- CPTSS arts. 122, 123, 124, 125, 126, 248, 258 y 259

TÍTULO II
COMISIÓN

ARTÍCULO 37. REGLAS GENERALES

La comisión solo podrá conferirse para la práctica de pruebas en los casos que autoriza el artículo 171, para la de otras diligencias que deban surtirse fuera de la sede del juez del conocimiento, y para secuestro y entrega de bienes en dicha sede, en cuanto fuere menester. No podrá comisionarse para la práctica de medidas cautelares extraprocesales.

La comisión podrá consistir en la solicitud, por cualquier vía expedita, de auxilio a otro servidor público para que realice las diligencias necesarias que faciliten la práctica de las pruebas por medio de videoconferencia, teleconferencia o cualquier otro medio idóneo de comunicación simultánea.

Cuando se ordene practicar medidas cautelares antes de la notificación del auto admisorio de la demanda o del mandamiento ejecutivo, a petición y costa de la parte actora y sin necesidad de que el juez lo ordene, se anexará al despacho comisorio una copia del auto admisorio de la demanda o del mandamiento ejecutivo, para efectos de que el comisionado realice la notificación personal.

El retiro y entrega de copias de la demanda y sus anexos así como la fecha a partir de la cual debe computarse el término de traslado de la demanda, estará sujeto a lo previsto en el artículo 91 de este código.

Cuando el despacho judicial comitente y el comisionado tengan habilitado el Plan de Justicia Digital, no será necesaria la remisión física de dichos documentos por parte del comitente.

- arts. 91 y 171
- Corte Constitucional. C-223 del 22 de mayo de 2019

ARTÍCULO 38. COMPETENCIA

La Corte podrá comisionar a las demás autoridades judiciales. Los tribunales superiores y los jueces podrán comisionar a las autoridades judiciales de igual o de inferior categoría.

Podrá comisionarse a las autoridades administrativas que ejerzan funciones jurisdiccionales o administrativas en lo que concierne a esa especialidad.

Cuando no se trate de recepción o práctica de pruebas podrá comisionarse a los alcaldes y demás funcionarios de policía*, sin perjuicio del auxilio que deban prestar, en la forma señalada en el artículo anterior.

El comisionado deberá tener competencia en el lugar de la diligencia que se le delegue, pero cuando esta verse sobre inmuebles ubicados en distintas jurisdicciones territoriales podrá comisionarse a cualquiera de las mencionadas autoridades de dichos territorios, la que ejercerá competencia en ellos para tal efecto.

El comisionado que carezca de competencia territorial para la diligencia devolverá inmediatamente el despacho al comitente. La nulidad por falta de competencia territorial del comisionado podrá alegarse hasta el momento de iniciarse la práctica de la diligencia.

PARÁGRAFO 1o. Cuando los alcaldes o demás funcionarios de policía sean comisionados o subcomisionados para los fines establecidos en este artículo, deberán ejecutar la comisión directamente o podrán subcomisionar a una autoridad que tenga jurisdicción y competencia de la respectiva alcaldía, quienes ejercerán transitoriamente como autoridad administrativa de policía. No se podrá comisionar a los cuerpos colegiados de policía.

PARÁGRAFO 2o. Cuando los alcaldes o demás autoridades sean comisionados para los fines establecidos en este artículo, deberán ejecutar la comisión exactamente en el mismo orden en que hayan sido recibidos para tal fin.

PARÁGRAFO 3o. La subcomisión de diligencias jurisdiccionales o administrativas de los alcaldes a los inspectores de policía solamente procederá cuando existan previamente o se creen las capacidades institucionales suficientes para el desarrollo de la nueva carga laboral que la subcomisión implica.

- NOTA: Los parágrafos 1, 2 y 3 fueron adicionados por el art. 1 de la L 2030 de 2020 "por medio de la cual se modifica el artículo 38 de la Ley 1564 de 2012 y los artículos 205 y 206 de la Ley 1801 de 2016"
- art. 171
- L 2030/2020 art. 1
- Corte Constitucional. C-223 del 22 de mayo de 2019
- CSJ. STC22050-2017
- L 1801/2016 arts. 205 y 206

ARTÍCULO 39. OTORGAMIENTO Y PRÁCTICA DE LA COMISIÓN

La providencia que confiera una comisión indicará su objeto con precisión y claridad. El despacho que se libre llevará una reproducción del contenido de aquella, de las piezas que haya ordenado el comitente y de las demás que soliciten las partes, siempre que suministren las expensas en el momento de la solicitud. En ningún caso se remitirá al comisionado el expediente original.

Cuando el despacho judicial comitente y el comisionado tengan habilitado el Plan de Justicia Digital, se le comunicará al juez comisionado la providencia que confiere la comisión sin necesidad de librar despacho comisorio y se le dará acceso a la totalidad del expediente.

Cuando la comisión tenga por objeto la práctica de pruebas el comitente señalará el término para su realización, teniendo en cuenta lo dispuesto en el artículo 121. En los demás casos, el comisionado fijará para tal efecto el día más próximo posible y la hora para su iniciación, en auto que se notificará por estado.

Concluida la comisión se devolverá el despacho al comitente, sin que sea permitido al comisionado realizar ninguna actuación posterior.

El comisionado que incumpla el término señalado por el comitente o retarde injustificadamente el cumplimiento de la comisión será sancionado con multa de cinco (5) a diez (10) salarios mínimos legales mensuales vigentes (smlmv) que le será impuesta por el comitente.

- art. 121
- Corte Constitucional. C-223 del 22 de mayo de 2019

ARTÍCULO 40. PODERES DEL COMISIONADO

El comisionado tendrá las mismas facultades del comitente en relación con la diligencia que se le delegue, inclusive las de resolver reposiciones y conceder apelaciones contra las providencias que dicte, susceptibles de esos recursos. Sobre la concesión de las apelaciones que se interpongan se resolverá al final de la diligencia.

Toda actuación del comisionado que exceda los límites de sus facultades es nula. La nulidad podrá alegarse a más tardar dentro de los cinco (5) días siguientes al de la notificación del auto que ordene agregar el despacho diligenciado al expediente. La petición de nulidad se resolverá de plano por el comitente, y el auto que la decida solo será susceptible de reposición.

- art. 39
- Corte Constitucional. C-223 del 22 de mayo de 2019

ARTÍCULO 41. COMISIÓN EN EL EXTERIOR

Cuando la diligencia haya de practicarse en territorio extranjero, el juez, según la naturaleza de la actuación y la urgencia de la misma, y con arreglo a los tratados y convenios internacionales de cooperación judicial, podrá:

1. Enviar carta rogatoria, por conducto del Ministerio de Relaciones Exteriores, a una de las autoridades judiciales del país donde ha de practicarse la diligencia, a fin de que la practique y devuelva por conducto del agente diplomático o consular de Colombia o el de un país amigo.

2. Comisionar directamente al cónsul o agente diplomático de Colombia en el país respectivo para que practique la diligencia de conformidad con las leyes nacionales y la devuelva directamente. Los cónsules y agentes diplomáticos de Colombia en el exterior quedan facultados para practicar todas las diligencias judiciales para las cuales sean comisionados.

Para los procesos concursales y de insolvencia se aplicarán los mecanismos de coordinación, comunicación y cooperación previstos en el régimen de insolvencia transfronteriza.

- CSJ. AC3572-2019

TÍTULO III
DEBERES Y PODERES DE LOS JUECES

ARTÍCULO 42. DEBERES DEL JUEZ

Son deberes del juez:

1. Dirigir el proceso, velar por su rápida solución, presidir las audiencias, adoptar las medidas conducentes para impedir la paralización y dilación del proceso y procurar la mayor economía procesal.

2. Hacer efectiva la igualdad de las partes en el proceso, usando los poderes que este código le otorga.

3. Prevenir, remediar, sancionar o denunciar por los medios que este código consagra, los actos contrarios a la dignidad de la justicia, lealtad, probidad y buena fe que deben observarse en el proceso, lo mismo que toda tentativa de fraude procesal.

4. Emplear los poderes que este código le concede en materia de pruebas de oficio para verificar los hechos alegados por las partes.

5. Adoptar las medidas autorizadas en este código para sanear los vicios de procedimiento o precaverlos, integrar el litisconsorcio necesario e interpretar la demanda de manera que permita decidir el fondo del asunto. Esta interpretación debe respetar el derecho de contradicción y el principio de congruencia.

6. Decidir aunque no haya ley exactamente aplicable al caso controvertido, o aquella sea oscura o incompleta, para lo cual aplicará las leyes que regulen situaciones o materias semejantes, y en su defecto la doctrina constitucional, la jurisprudencia, la costumbre y los principios generales del derecho sustancial y procesal.

7. Motivar la sentencia y las demás providencias, salvo los autos de mero trámite.

La sustentación de las providencias deberá también tener en cuenta lo previsto en el artículo 7 sobre doctrina probable.

8. Dictar las providencias dentro de los términos legales, fijar las audiencias y diligencias en la oportunidad legal y asistir a ellas.

9. Guardar reserva sobre las decisiones que deban dictarse en los procesos. El mismo deber rige para los empleados judiciales.

10. Presidir el reparto de los asuntos cuando corresponda.

11. Verificar con el secretario las cuestiones relativas al proceso y abstenerse de solicitarle por auto informe sobre hechos que consten en el expediente.

12. Realizar el control de legalidad de la actuación procesal una vez agotada cada etapa del proceso.

13. Usar la toga en las audiencias.

14. Usar el Plan de Justicia Digital cuando se encuentre implementado en su despacho judicial.

15. Los demás que se consagren en la ley.

- CSJ. STC14070-2022; STC5294-2021; STC229-2021; SC780-2020; STC11216-2020; STC16014-2019; STC16012-2018; STC4017-2017

ARTÍCULO 43. PODERES DE ORDENACIÓN E INSTRUCCIÓN

El juez tendrá los siguientes poderes de ordenación e instrucción:

1. Resolver los procesos en equidad si versan sobre derechos disponibles, las partes lo solicitan y son capaces, o la ley lo autoriza.

2. Rechazar cualquier solicitud que sea notoriamente improcedente o que implique una dilación manifiesta.

3. Ordenar a las partes aclaraciones y explicaciones en torno a las posiciones y peticiones que presenten.

4. Exigir a las autoridades o a los particulares la información que, no obstante haber sido solicitada por el interesado, no le haya sido suministrada, siempre que sea relevante para los fines del proceso. El juez también hará uso de este poder para identificar y ubicar los bienes del ejecutado.

5. Ratificar, por el medio más expedito posible, la autenticidad y veracidad de las excusas que presenten las partes o sus apoderados o terceros para justificar su inasistencia a audiencias o diligencias. En caso de encontrar inconsistencias o irregularidades, además de rechazar la excusa y aplicar las consecuencias legales que correspondan dentro del proceso o actuación, el juez compulsará copias para las investigaciones penales o disciplinarias a que haya lugar.

6. Los demás que se consagren en la ley.

- CSJ. STC6432-2020; STC17233-2017; STC4017-2017

ARTÍCULO 44. PODERES CORRECCIONALES DEL JUEZ

Sin perjuicio de la acción disciplinaria a que haya lugar, el juez tendrá los siguientes poderes correccionales:

1. Sancionar con arresto inconmutable hasta por cinco (5) días a quienes le falten al debido respeto en el ejercicio de sus funciones o por razón de ellas.

2. Sancionar con arresto inconmutable hasta por quince (15) días a quien impida u obstaculice la realización de cualquier audiencia o diligencia.

3. Sancionar con multas hasta por diez (10) salarios mínimos legales mensuales vigentes (smlmv) a sus empleados, a los demás empleados públicos y a los particulares que sin justa causa incumplan las órdenes que les imparta en ejercicio de sus funciones o demoren su ejecución.

4. Sancionar con multas hasta por diez (10) salarios mínimos legales mensuales vigentes (smlmv) a los empleadores o representantes legales que impidan la comparecencia al

despacho judicial de sus trabajadores o representados para rendir declaración o atender cualquier otra citación que les haga.

5. Expulsar de las audiencias y diligencias a quienes perturben su curso.

6. Ordenar que se devuelvan los escritos irrespetuosos contra los funcionarios, las partes o terceros.

7. Los demás que se consagren en la ley.

PARÁGRAFO. Para la imposición de las sanciones previstas en los cinco primeros numerales, el juez seguirá el procedimiento previsto en el artículo 59 de la Ley Estatutaria de la Administración de Justicia. El juez aplicará la respectiva sanción, teniendo en cuenta la gravedad de la falta.

Cuando el infractor no se encuentre presente, la sanción se impondrá por medio de incidente que se tramitará en forma independiente de la actuación principal del proceso.

Contra las sanciones correccionales solo procede el recurso de reposición, que se resolverá de plano.

- LEAJ art. 59
- CSJ. STP13000-2022; STL12977-2022; STC7192-2022; AC2984-2021; AL2314-2021; STP4648-2021; ATP1256-2020; STP2591-2020; AL1150-2019; STP2913-2019; STC16012-2018; STC8654-2018; ATP877-2018; STC6442-2016; STC11051-2015
- *Nota de vigencia:* el num. 1 y num. 2 fueron declarados exequibles por la Corte Constitucional mediante sentencia C-053-24 del 22 de febrero de 2024

TÍTULO IV
MINISTERIO PÚBLICO

ARTÍCULO 45. MINISTERIO PÚBLICO

Las funciones del Ministerio Público se ejercen:

1. Ante la Corte Suprema de Justicia y los tribunales superiores de distrito judicial, por el respectivo procurador delegado.

2. Ante los jueces del circuito, municipales y de familia, por los procuradores delegados. También podrán hacerlo a través de los personeros municipales del respectivo municipio, como delegados suyos y bajo su dirección.

3. Ante las autoridades administrativas que ejerzan funciones jurisdiccionales, a través de quien fuere competente en caso de haberse tramitado el proceso ante un juez o tribunal.

4. Ante los tribunales de arbitraje, de acuerdo con las reglas especiales que rigen la materia. A falta de norma expresa, a través de quien fuere competente en caso de haberse tramitado el proceso ante un juez o tribunal.

Los agentes del Ministerio Público deben declararse impedidos cuando ellos, su cónyuge o compañero permanente, o parientes dentro del cuarto grado de consanguinidad o civil, o segundo de afinidad, tengan interés en el proceso. Al declararse impedidos expresarán los hechos en que se fundan. Los impedimentos y las recusaciones deben ser resueltos por el superior del funcionario que actúe como agente del Ministerio Público y si las declara fundadas designará a quien deba reemplazarlo.

PARÁGRAFO. La función asignada a los procuradores delegados podrán cumplirla los procuradores judiciales que actúen bajo su delegación y dirección.

- CPACA arts. 300 y 303
- CPP arts. 109; 111 y 112
- CPTSS art. 18

ARTÍCULO 46. FUNCIONES DEL MINISTERIO PÚBLICO

Sin perjuicio de lo dispuesto en leyes especiales, el Ministerio Público ejercerá las siguientes funciones:

1. Intervenir en toda clase de procesos, en defensa del ordenamiento jurídico, las garantías y derechos fundamentales, sociales, económicos, culturales o colectivos.

2. Interponer acciones populares, de cumplimiento y de tutela, en defensa del ordenamiento jurídico, para la defensa de las garantías y derechos fundamentales, sociales, económicos, culturales o colectivos, así como de acciones encaminadas a la recuperación y protección de bienes de la nación y demás entidades públicas.

3. Ejercer las funciones de defensor de incapaces en los casos que determine la ley.

4. Además de las anteriores funciones, el Ministerio Público ejercerá en la jurisdicción ordinaria, de manera obligatoria, las siguientes:

a) Intervenir en los procesos en que sea parte la nación o una entidad territorial.

b) Rendir concepto, que no será obligatorio, en los casos de allanamiento a la demanda, desistimiento o transacción por parte de la nación o una entidad territorial.

c) Rendir concepto en el trámite de los exhortos consulares.

PARÁGRAFO. El Ministerio Público intervendrá como sujeto procesal especial con amplias facultades, entre ellas la de interponer recursos, emitir conceptos, solicitar nulidades, pedir, aportar y controvertir pruebas.

Cuando se trate del cumplimiento de una función específica del Ministerio Público, este podrá solicitar la práctica de medidas cautelares.

- CPACA arts. 300 y 303
- CPP arts. 109; 111 y 112
- CE. Sala de lo Contencioso Administrativo. Sección Tercera. Consejero Ponente: Enrique Gil Botero. 24 de noviembre de 2014. Expediente No. 37747
- CE. Consejero Ponente: Enrique Gil Botero. 27 de septiembre de 2012. Expediente No. 44541

TÍTULO V
AUXILIARES DE LA JUSTICIA

ARTÍCULO 47. NATURALEZA DE LOS CARGOS

Los cargos de auxiliares de la justicia son oficios públicos ocasionales que deben ser desempeñados por personas idóneas, imparciales, de conducta intachable y excelente reputación. Para cada oficio se requerirá idoneidad y experiencia en la respectiva materia y, cuando fuere el caso, garantía de su responsabilidad y cumplimiento. Se exigirá al auxiliar de la justicia tener vigente la licencia, matrícula o tarjeta profesional expedida por el órgano competente que la ley disponga, según la profesión, arte o actividad necesarios en el asunto en que deba actuar, cuando fuere el caso.

Los honorarios respectivos constituyen una equitativa retribución del servicio y no podrán gravar en exceso a quienes acceden a la administración de justicia.

- arts. 48 y 49
- Corte Constitucional. C-083 del 12 de febrero de 2014

ARTÍCULO 48. DESIGNACIÓN

Para la designación de los auxiliares de la justicia se observarán las siguientes reglas:

1. La de los secuestres, partidores, liquidadores, síndicos, intérpretes y traductores, se hará por el magistrado sustanciador o por el juez del conocimiento, de la lista oficial de auxiliares de la justicia. La designación será rotatoria, de manera que la misma persona no pueda ser nombrada por segunda vez sino cuando se haya agotado la lista.

En el auto de designación del partidor, liquidador, síndico, intérprete o traductor se incluirán tres (3) nombres, pero el cargo será ejercido por el primero que concurra a notificarse del auto que lo designó, y del admisorio de la demanda o del mandamiento de pago, si fuere el caso, con lo cual se entenderá aceptado el nombramiento. Los otros dos auxiliares nominados conservarán el turno de nombramiento en la lista. Si dentro de los cinco (5) días siguientes a la comunicación de la designación ninguno de los auxiliares nominados ha concurrido a notificarse, se procederá a su reemplazo con aplicación de la misma regla.

El secuestre será designado en forma uninominal por el juez de conocimiento, y el comisionado solo podrá relevarlo por las razones señaladas en este artículo. Solo podrán ser designados como secuestres las personas naturales o jurídicas que hayan obtenido licencia con arreglo a la reglamentación expedida por el Consejo Superior de la Judicatura, la cual deberá establecer las condiciones para su renovación. La licencia se concederá a quienes previamente hayan acreditado su idoneidad y hayan garantizado el cumplimiento de sus deberes y la indemnización de los perjuicios que llegaren a ocasionar por la indebida administración de los bienes a su cargo, mediante las garantías que determine la reglamentación que expida el Consejo Superior de la Judicatura.

Los requisitos de idoneidad que determine el Consejo Superior de la Judicatura para cada distrito judicial deberán incluir parámetros de solvencia, liquidez, experiencia, capacidad técnica, organización administrativa y contable, e infraestructura física.

2. Para la designación de los peritos, las partes y el juez acudirán a instituciones especializadas, públicas o privadas, o a profesionales de reconocida trayectoria e idoneidad. El director o representante legal de la respectiva institución designará la persona o personas que deben rendir el dictamen, quien, en caso de ser citado, deberá acudir a la audiencia.

3. Si al iniciarse o proseguirse una diligencia faltaren los auxiliares nombrados, serán relevados por cualquiera de los que figuren en la lista correspondiente y esté en aptitud para el desempeño inmediato del cargo. Esta regla no se aplicará respecto de los peritos.

4. Las partes, de consuno, podrán en cualquier momento designar al auxiliar de la justicia o reemplazarlo.

5. Las listas de auxiliares de la justicia serán obligatorias para magistrados, jueces y autoridades de policía. Cuando en la lista oficial del respectivo distrito no existiere el auxiliar requerido, podrá designarse de la lista de un distrito cercano.

6. El juez no podrá designar como auxiliar de la justicia al cónyuge, compañero permanente o alguno de los parientes dentro del cuarto grado de consanguinidad, segundo de afinidad o cuarto civil del funcionario que conozca del proceso, de los empleados del despacho, de las partes o los apoderados que actúen en él. Tampoco podrá designarse como auxiliar de la justicia a quien tenga interés, directo o indirecto, en la gestión o decisión objeto del proceso. Las mismas reglas se aplicarán respecto de la persona natural por medio de la cual una persona jurídica actúe como auxiliar de la justicia.

7. La designación del curador ad lítem recaerá en un abogado que ejerza habitualmente la profesión, quien desempeñará el cargo en forma gratuita como defensor de oficio. El nombramiento es de forzosa aceptación, salvo que el designado acredite estar actuando en más de cinco (5) procesos como defensor de oficio. En consecuencia, el designado deberá concurrir inmediatamente a asumir el cargo, so pena de las sanciones disciplinarias a que hubiere lugar, para lo cual se compulsarán copias a la autoridad competente.

PARÁGRAFO. Lo dispuesto en este artículo no afectará la competencia de las autoridades administrativas para la elaboración de las listas, la designación y exclusión, de conformidad con lo previsto en la ley.

- *Nota de vigencia:* El texto subrayado fue declarado exequible en las sentencias de la Corte Constitucional C-369 del 11 de junio de 2014 y C-083 del 12 de febrero de 2014
- Corte Constitucional. C-083 del 12 de febrero de 2014
- Corte Constitucional. C-369 del 11 de junio de 2014
- Corte Constitucional. C-389 del 25 de junio de 2014
- CSJ. STC3329-2023

ARTÍCULO 49. COMUNICACIÓN DEL NOMBRAMIENTO, ACEPTACIÓN DEL CARGO Y RELEVO DEL AUXILIAR DE LA JUSTICIA

El nombramiento del auxiliar de la justicia se le comunicará por telegrama enviado a la dirección que figure en la lista oficial, o por otro medio más expedito, o de preferencia a través de mensajes de datos. De ello se dejará constancia en el expediente. En la comunicación se indicará el día y la hora de la diligencia a la cual deba concurrir el auxiliar designado. En la misma forma se hará cualquier otra comunicación.

El cargo de auxiliar de la justicia es de obligatoria aceptación para quienes estén inscritos en la lista oficial. Siempre que el auxiliar designado no acepte el cargo dentro de los cinco (5) días siguientes a la comunicación de su nombramiento, se excuse de prestar el servicio, no concurra a la diligencia, no cumpla el encargo en el término otorgado, o incurra en causal de exclusión de la lista, será relevado inmediatamente.

- art. 50

ARTÍCULO 50. EXCLUSIÓN DE LA LISTA

El Consejo Superior de la Judicatura excluirá de las listas de auxiliares de la justicia:

1. A quienes por sentencia ejecutoriada hayan sido condenados por la comisión de delitos contra la administración de justicia o la Administración Pública o sancionados por la Sala Jurisdiccional Disciplinaria del Consejo Superior de la Judicatura o sus Seccionales.
2. A quienes se les haya suspendido o cancelado la matrícula o licencia.
3. A quienes hayan entrado a ejercer un cargo oficial.
4. A quienes hayan fallecido o se incapaciten física o mentalmente.
5. A quienes se ausenten definitivamente del respectivo distrito judicial.
6. A las personas jurídicas que se disuelvan.
7. A quienes como secuestres, liquidadores o administradores de bienes, no hayan rendido oportunamente cuenta de su gestión, o depositado los dineros habidos a órdenes del despacho judicial, o cubierto el saldo a su cargo, o reintegrado los bienes que se le confiaron, o los hayan utilizado en provecho propio o de terceros, o se les halle responsables de administración negligente.
8. A quienes no hayan realizado a cabalidad la actividad encomendada o no hayan cumplido con el encargo en el término otorgado.
9. A quienes sin causa justificada rehusaren la aceptación del cargo o no asistieren a la diligencia para la que fueron designados.
10. A quienes hayan convenido, solicitado o recibido indebidamente retribución de alguna de las partes.
11. A los secuestres cuya garantía de cumplimiento hubiere vencido y no la hubieren renovado oportunamente.

En los casos previstos en los numerales 7 y 10, una vez establecido el hecho determinante de la exclusión, el juez de conocimiento lo comunicará al Consejo Superior de la Judicatura, que podrá imponer sanciones de hasta veinte (20) salarios mínimos legales mensuales vigentes (smlmv). Lo mismo deberá hacer en los casos de los numerales 8 y 9, si dentro de los cinco (5) días siguientes al vencimiento del término o a la fecha de la diligencia el auxiliar no demuestra fuerza mayor o caso fortuito que le haya impedido el cumplimiento de su deber. Esta regla se aplicará a las personas jurídicas cuyos administradores o delegados incurran en las causales de los numerales 7, 8, 9 y 10.

PARÁGRAFO 1o. Las personas jurídicas no podrán actuar como auxiliares de la justicia por conducto de personas que hayan incurrido en las causales de exclusión previstas en este artículo.

PARÁGRAFO 2o. Siempre que un secuestre sea excluido de la lista se entenderá relevado del cargo en todos los procesos en que haya sido designado y deberá proceder inmediatamente a hacer entrega de los bienes que se le hayan confiado. El incumplimiento de este deber se sancionará con multa de cinco (5) salarios mínimos legales mensuales vigentes (smlmv) en cada proceso. Esta regla también se aplicará cuando habiendo terminado las funciones del secuestre, este se abstenga de entregar los bienes que se le hubieren confiado.

En los eventos previstos en este parágrafo el juez procederá, a solicitud de interesado, a realizar la entrega de bienes a quien corresponda.

PARÁGRAFO 3o. No podrá ser designada como perito la persona que haya incurrido en alguna de las causales de exclusión previstas en este artículo.

- arts. 47; 48; 49; 51; 52

ARTÍCULO 51. CUSTODIA DE BIENES Y DINEROS

Los auxiliares de la justicia que como depositarios, secuestres o administradores de bienes perciban sus productos en dinero, o reciban en dinero el resultado de la enajenación de los bienes o de sus frutos, constituirán inmediatamente certificado de depósito a órdenes del juzgado.

El juez podrá autorizar el pago de impuestos y expensas con los dineros depositados; igualmente cuando se trate de empresas industriales, comerciales o agropecuarias, podrá facultar al administrador para que, bajo su responsabilidad, lleve los dineros a una cuenta bancaria que tenga la denominación del cargo que desempeña. El banco respectivo enviará al despacho judicial copia de los extractos mensuales.

En todo caso, el depositario o administrador dará al juzgado informe mensual de su gestión, sin perjuicio del deber de rendir cuentas.

- arts. 50; 52
- CC arts. 714; 715

ARTÍCULO 52. FUNCIONES DEL SECUESTRE

El secuestre tendrá, como depositario, la custodia de los bienes que se le entreguen, y si se trata de empresa o de bienes productivos de renta, las atribuciones previstas para el mandatario en el Código Civil, sin perjuicio de las facultades y deberes de su cargo. Bajo su responsabilidad y con previa autorización judicial, podrá designar los dependientes que requiera para el buen desempeño del cargo y asignarles funciones. La retribución deberá ser autorizada por el juez.

Cuando los bienes secuestrados sean consumibles y se hallen expuestos a deteriorarse o perderse, y cuando se trate de muebles cuya depreciación por el paso del tiempo sea inevitable, el secuestre los enajenará en las condiciones normales del mercado, constituirá certificado de depósito a órdenes del juzgado con el dinero producto de la venta, y rendirá inmediatamente informe al juez.

- art. 50

SECCIÓN SEGUNDA
PARTES, REPRESENTANTES Y APODERADOS

TÍTULO ÚNICO
PARTES, TERCEROS Y APODERADOS

CAPÍTULO I
CAPACIDAD Y REPRESENTACIÓN

ARTÍCULO 53. CAPACIDAD PARA SER PARTE

Podrán ser parte en un proceso:

1. Las personas naturales y jurídicas.
2. Los patrimonios autónomos.
3. El concebido, para la defensa de sus derechos.
4. Los demás que determine la ley.

- CP art. 229
- CSJ. STC3329-2023; AC1710-2022; AC3975-2021; AC2128-2019

ARTÍCULO 54. COMPARECENCIA AL PROCESO

Las personas que puedan disponer de sus derechos tienen capacidad para comparecer por sí mismas al proceso. Las demás deberán comparecer por intermedio de sus representantes o debidamente autorizadas por estos con sujeción a las normas sustanciales.

Cuando los padres que ejerzan la patria potestad estuvieren en desacuerdo sobre la representación judicial del hijo, o cuando hubiere varios guardadores de un mismo pupilo en desacuerdo, el juez designará curador ad lítem, a solicitud de cualquiera de ellos o de oficio.

Las personas jurídicas y los patrimonios autónomos comparecerán al proceso por medio de sus representantes, con arreglo a lo que disponga la Constitución, la ley o los estatutos. En el caso de los patrimonios autónomos constituidos a través de sociedades fiduciarias, comparecerán por medio del representante legal o apoderado de la respectiva sociedad fiduciaria, quien actuará como su vocera.

Cuando la persona jurídica demandada tenga varios representantes o apoderados distintos de aquellos, podrá citarse a cualquiera de ellos, aunque no esté facultado para obrar separadamente. Las personas jurídicas también podrán comparecer a través de representantes legales para asuntos judiciales o apoderados generales debidamente inscritos.

Cuando la persona jurídica se encuentre en estado de liquidación deberá ser representada por su liquidador.

Los grupos de personas comparecerán al proceso conforme a las disposiciones de la ley que los regule.

Los concebidos comparecerán por medio de quienes ejercerían su representación si ya hubiesen nacido.

- art. 53
- CSJ. STC3329-2023; STC2708-2022; AC2128-2019

ARTÍCULO 55. DESIGNACIÓN DE CURADOR AD LÍTEM

Para la designación del curador ad lítem se procederá de la siguiente manera:

1. Cuando un incapaz haya de comparecer a un proceso en que no deba intervenir el defensor de familia y carezca de representante legal por cualquier causa o tenga conflicto de intereses con este, el juez le designará curador ad lítem, a petición del Ministerio Público, de uno de los parientes o de oficio.

Cuando intervenga el defensor de familia, este actuará en representación del incapaz.

2. Cuando el hijo de familia tuviere que litigar contra uno de sus progenitores y lo representare el otro, no será necesaria la autorización del juez. Tampoco será necesaria dicha autorización cuando en interés del hijo gestionare el defensor de familia.

- art. 48; 55; 56
- CSJ. STC20071-2017

ARTÍCULO 56. FUNCIONES Y FACULTADES DEL CURADOR AD LÍTEM

El curador ad lítem actuará en el proceso hasta cuando concurra la persona a quien representa, o un representante de esta. Dicho curador está facultado para realizar todos los actos procesales que no estén reservados a la parte misma, pero no puede recibir ni disponer del derecho en litigio.

- art. 55
- CSJ. STC3329-2023

ARTÍCULO 57. AGENCIA OFICIOSA PROCESAL

Se podrá demandar o contestar la demanda a nombre de una persona de quien no se tenga poder, siempre que ella se encuentre ausente o impedida para hacerlo; bastará afirmar dicha circunstancia bajo juramento que se entenderá prestado por la presentación de la demanda o la contestación.

El agente oficioso del demandante deberá prestar caución dentro de los diez (10) días siguientes a la notificación que se haga a aquel del auto que admita la demanda. Si la parte no la ratifica, dentro de los treinta (30) días siguientes, se declarará terminado el proceso y se condenará al agente oficioso a pagar las costas y los perjuicios causados al demandado. Si la ratificación se produce antes del vencimiento del término para prestar la caución, el agente oficioso quedará eximido de tal carga procesal.

La actuación se suspenderá una vez practicada la notificación al demandado del auto admisorio de la demanda, y ella comprenderá el término de ejecutoria y el de traslado. Ratificada oportunamente la demanda por la parte, el proceso se reanudará a partir de la notificación del auto que levante la suspensión. No ratificada la demanda o ratificada extemporáneamente, el proceso se declarará terminado.

Quien pretenda obrar como agente oficioso de un demandado deberá contestar la demanda dentro del término de traslado, manifestando que lo hace como agente oficioso.

Vencido el término del traslado de la demanda, el juez ordenará la suspensión del proceso por el término de treinta (30) días y fijará caución que deberá ser prestada en el término de diez (10) días.

Si la ratificación de la contestación de la demanda se produce antes del vencimiento del término para prestar la caución, el agente oficioso quedará eximido de tal carga procesal.

Si no se presta la caución o no se ratifica oportunamente la actuación del agente, la demanda se tendrá por no contestada y se reanudará la actuación.

El agente oficioso deberá actuar por medio de abogado, salvo en los casos exceptuados por la ley.

- arts. 73; 74; 75; 90; 96; 365
- CSJ. STC16455-2019

ARTÍCULO 58. REPRESENTACIÓN DE PERSONAS JURÍDICAS EXTRANJERAS Y ORGANIZACIONES NO GUBERNAMENTALES SIN ÁNIMO DE LUCRO

La representación de las sociedades extranjeras con negocios permanentes en Colombia se regirá por las normas del Código de Comercio.

Las demás personas jurídicas de derecho privado y las organizaciones no gubernamentales sin ánimo de lucro con domicilio en el exterior que establezcan negocios o deseen desarrollar su objeto social en Colombia, constituirán apoderados con capacidad para representarlas judicialmente. Para tal efecto protocolizarán en una notaría del respectivo circuito la prueba idónea de la existencia y representación de dichas personas jurídicas y del poder correspondiente. Además, un extracto de los documentos protocolizados se inscribirá en la oficina pública correspondiente.

Las personas jurídicas extranjeras que no tengan negocios permanentes en Colombia estarán representadas en los procesos por el apoderado que constituyan con las formalidades previstas en este código. Mientras no lo constituyan, llevarán su representación quienes les administren sus negocios en el país.

- arts. 73; 74; 75
- CCo arts. 263; 264

ARTÍCULO 59. AGENCIAS Y SUCURSALES DE SOCIEDADES NACIONALES

Las sociedades domiciliadas en Colombia deberán constituir apoderados, con capacidad para representarlas, en los lugares en donde se establezcan agencias, en la forma indicada en el inciso 2o del artículo precedente, pero el registro se efectuará en la respectiva Cámara de Comercio. Si no los constituyen llevará su representación quien tenga la dirección de la respectiva agencia.

Cuando se trate de sociedad domiciliada en Colombia que carezca de representante en alguna de sus sucursales, será representada por quien lleve la dirección de esta.

- art. 58; 73; 74; 75
- CCo arts. 263; 264

CAPÍTULO II
LITISCONSORTES Y OTRAS PARTES

ARTÍCULO 60. LITISCONSORTES FACULTATIVOS

Salvo disposición en contrario, los litisconsortes facultativos serán considerados en sus relaciones con la contraparte, como litigantes separados. Los actos de cada uno de ellos no redundarán en provecho ni en perjuicio de los otros, sin que por ello se afecte la unidad del proceso.

- art. 70
- CSJ. AC2044-2022; AC4043-2021; AC3689-2021; AC2128-2019; STL10047-2021; AC1323-2020; AC7203-2016

ARTÍCULO 61. LITISCONSORCIO NECESARIO E INTEGRACIÓN DEL CONTRADICTORIO

Cuando el proceso verse sobre relaciones o actos jurídicos respecto de los cuales, por su naturaleza o por disposición legal, haya de resolverse de manera uniforme y no sea posible decidir de mérito sin la comparecencia de las personas que sean sujetos de tales relaciones o que intervinieron en dichos actos, la demanda deberá formularse por todas o dirigirse contra todas; si no se hiciere así, el juez, en el auto que admite la demanda, ordenará notificar y dar traslado de esta a quienes falten para integrar el contradictorio, en la forma y con el término de comparecencia dispuestos para el demandado.

En caso de no haberse ordenado el traslado al admitirse la demanda, el juez dispondrá la citación de las mencionadas personas, de oficio o a petición de parte, mientras no se haya dictado sentencia de primera instancia, y concederá a los citados el mismo término para que comparezcan. El proceso se suspenderá durante dicho término.

Si alguno de los convocados solicita pruebas en el escrito de intervención, el juez resolverá sobre ellas y si las decreta fijará audiencia para practicarlas.

Los recursos y en general las actuaciones de cada litisconsorte favorecerán a los demás. Sin embargo, los actos que impliquen disposición del derecho en litigio solo tendrán eficacia si emanan de todos.

Cuando alguno de los litisconsortes necesarios del demandante no figure en la demanda, podrá pedirse su vinculación acompañando la prueba de dicho litisconsorcio.

- arts. 60; 70; 82; 87; 91; 96; 100 num. 9
- CSJ. STC5570-2023; SL200-2023; SL3780-2022; SC1627-2022; STP13703-2022; SL3446-2022; SL2095-2022

ARTÍCULO 62. LITISCONSORTES CUASINECESARIOS

Podrán intervenir en un proceso como litisconsortes de una parte y con las mismas facultades de esta, quienes sean titulares de una determinada relación sustancial a la cual se extiendan los efectos jurídicos de la sentencia, y que por ello estaban legitimados para demandar o ser demandados en el proceso.

Podrán solicitar pruebas si intervienen antes de ser decretadas las pedidas por las partes; si concurren después, tomarán el proceso en el estado en que se encuentre en el momento de su intervención.

- arts. 61; 70; 91

ARTÍCULO 63. INTERVENCIÓN EXCLUYENTE

Quien en proceso declarativo pretenda, en todo o en parte, la cosa o el derecho controvertido, podrá intervenir formulando demanda frente a demandante y demandado, hasta la audiencia inicial, para que en el mismo proceso se le reconozca.

La intervención se tramitará conjuntamente con el proceso principal y con ella se formará cuaderno separado.

En la sentencia se resolverá en primer término sobre la pretensión del interviniente.

- arts. 53; 70; 82; 372

- CSJ. AL698-2020; AL698-2019; AL8126-2017; STC1536-2017

ARTÍCULO 64. LLAMAMIENTO EN GARANTÍA

Quien afirme tener derecho legal o contractual a exigir de otro la indemnización del perjuicio que llegare a sufrir o el reembolso total o parcial del pago que tuviere que hacer como resultado de la sentencia que se dicte en el proceso que promueva o se le promueva, o quien de acuerdo con la ley sustancial tenga derecho al saneamiento por evicción, podrá pedir, en la demanda o dentro del término para contestarla, que en el mismo proceso se resuelva sobre tal relación.

- arts. 65; 66; 67; 70; 82; 91; 96
- CC art. 1895
- CSJ. SL4050-2022; SL3748-2022; SC2850-2022; STC6760-2019

ARTÍCULO 65. REQUISITOS DEL LLAMAMIENTO

La demanda por medio de la cual se llame en garantía deberá cumplir con los mismos requisitos exigidos en el artículo 82 y demás normas aplicables.

El convocado podrá a su vez llamar en garantía.

- arts. 64; 66; 82; 91

ARTÍCULO 66. TRÁMITE

Si el juez halla procedente el llamamiento, ordenará notificar personalmente al convocado y correrle traslado del escrito por el término de la demanda inicial. Si la notificación no se logra dentro de los seis (6) meses siguientes, el llamamiento será ineficaz. La misma regla se aplicará en el caso contemplado en el inciso segundo del artículo anterior.

El llamado en garantía podrá contestar en un solo escrito la demanda y el llamamiento, y solicitar las pruebas que pretenda hacer valer.

En la sentencia se resolverá, cuando fuere pertinente, sobre la relación sustancial aducida y acerca de las indemnizaciones o restituciones a cargo del llamado en garantía.

PARÁGRAFO. No será necesario notificar personalmente el auto que admite el llamamiento cuando el llamado actúe en el proceso como parte o como representante de alguna de las partes.

- arts. 64; 65; 91; 96; 290

ARTÍCULO 67. LLAMAMIENTO AL POSEEDOR O TENEDOR

El que tenga una cosa a nombre de otro y sea demandado como poseedor de ella, deberá expresarlo así en el término de traslado de la demanda, con la indicación del sitio donde pueda ser notificado el poseedor, so pena de ser condenado en el mismo proceso a pagar los perjuicios que su silencio cause al demandante y una multa de quince (15) a treinta (30) salarios mínimos legales mensuales. El juez ordenará notificar al poseedor designado.

Si el citado comparece y reconoce que es poseedor, se tendrá como parte en lugar del demandado, quien quedará fuera del proceso. En este caso, mediante auto que se notificará por estado, el juez ordenará correr traslado de la demanda al poseedor.

Si el citado no comparece o niega su calidad de poseedor, el proceso continuará con el demandado, pero la sentencia surtirá sus efectos respecto de este y del poseedor por él designado.

Lo dispuesto en el presente artículo se aplicará a quien fuere demandado como tenedor de una cosa, si la tenencia radica en otra persona.

Cuando en el expediente aparezca la prueba de que el verdadero poseedor o tenedor es persona diferente del demandado o del llamado, el juez de primera instancia, de oficio, ordenará su vinculación. En tal caso, el citado tendrá el mismo término del demandado para contestar la demanda.

- arts. 70; 91; 96; 290

ARTÍCULO 68. SUCESIÓN PROCESAL

Fallecido un litigante o declarado ausente, el proceso continuará con el cónyuge, el albacea con tenencia de bienes, los herederos o el correspondiente curador.

Si en el curso del proceso sobreviene la extinción, fusión o escisión de alguna persona jurídica que figure como parte, los sucesores en el derecho debatido podrán comparecer para que se les reconozca tal carácter. En todo caso la sentencia producirá efectos respecto de ellos aunque no concurran.

El adquirente a cualquier título de la cosa o del derecho litigioso podrá intervenir como litisconsorte del anterior titular. También podrá sustituirlo en el proceso, siempre que la parte contraria lo acepte expresamente.

Las controversias que se susciten con ocasión del ejercicio del derecho consagrado en el artículo 1971 del Código Civil se decidirán como incidente.

- NOTA: El primer inc. fue modificado por el art. 59 de la L 1996 de 2019 "por medio de la cual se establece el régimen para el ejercicio de la capacidad legal de las personas con discapacidad mayores de edad"
- arts. 60; 61; 70
- CC art. 1971
- CCo arts. 172 y ss
- L 222/1995; 3 y ss
- L 1996/2019; 59

- CSJ. AL1178-2023; AC5767-2022

ARTÍCULO 69. INTERVENCIÓN EN INCIDENTES O PARA TRÁMITES ESPECIALES

Cuando la intervención se concrete a un incidente o trámite, el interviniente solo será parte en ellos.

- art. 127 y ss

ARTÍCULO 70. IRREVERSIBILIDAD DEL PROCESO

Los intervinientes y sucesores de que trata este código tomarán el proceso en el estado en que se halle en el momento de su intervención.

- arts. 60; 61; 62; 63; 64; 65; 66; 67; 68

CAPÍTULO III
TERCEROS

ARTÍCULO 71. COADYUVANCIA

Quien tenga con una de las partes determinada relación sustancial a la cual no se extiendan los efectos jurídicos de la sentencia, pero que pueda afectarse si dicha parte es vencida, podrá intervenir en el proceso como coadyuvante de ella, mientras no se haya dictado sentencia de única o de segunda instancia.

El coadyuvante tomará el proceso en el estado en que se encuentre en el momento de su intervención y podrá efectuar los actos procesales permitidos a la parte que ayuda, en cuanto no estén en oposición con los de esta y no impliquen disposición del derecho en litigio.

La coadyuvancia solo es procedente en los procesos declarativos. La solicitud de intervención deberá contener los hechos y los fundamentos de derecho en que se apoya y a ella se acompañarán las pruebas pertinentes.

Si el juez estima procedente la intervención, la aceptará de plano y considerará las peticiones que hubiere formulado el interviniente.

La intervención anterior al traslado de la demanda se resolverá luego de efectuada esta.

- arts. 53; 54; 91; 368 y ss

ARTÍCULO 72. LLAMAMIENTO DE OFICIO

En cualquiera de las instancias, siempre que el juez advierta colusión, fraude o cualquier otra situación similar en el proceso, ordenará la citación de las personas que puedan resultar perjudicadas, para que hagan valer sus derechos.

El citado podrá solicitar pruebas si interviene antes de la audiencia de instrucción y juzgamiento.

- arts. 53; 54; 290

CAPÍTULO IV
APODERADOS

ARTÍCULO 73. DERECHO DE POSTULACIÓN

Las personas que hayan de comparecer al proceso deberán hacerlo por conducto de abogado legalmente autorizado, excepto en los casos en que la ley permita su intervención directa.

- art. 75
- CP art. 229
- CSJ. AC4477-2022; AC3619-2020; AC2979-2020; AC1194-2018; AC971-2018; AC 677-2016

ARTÍCULO 74. PODERES

Los poderes generales para toda clase de procesos solo podrán conferirse por escritura pública. El poder especial para uno o varios procesos podrá conferirse por documento privado. En los poderes especiales los asuntos deberán estar determinados y claramente identificados.

El poder especial puede conferirse verbalmente en audiencia o diligencia o por memorial dirigido al juez del conocimiento. El poder especial para efectos judiciales deberá ser presentado personalmente por el poderdante ante juez, oficina judicial de apoyo o notario. Las sustituciones de poder se presumen auténticas.

Los poderes podrán extenderse en el exterior, ante cónsul colombiano o el funcionario que la ley local autorice para ello; en ese último caso, su autenticación se hará en la forma establecida en el artículo 251.

Cuando quien otorga el poder fuere una sociedad, si el cónsul que lo autentica o ante quien se otorga hace constar que tuvo a la vista las pruebas de la existencia de aquella y que quien lo confiere es su representante, se tendrán por establecidas estas circunstancias. De la misma manera se procederá cuando quien confiera el poder sea apoderado de una persona.

Se podrá conferir poder especial por mensaje de datos con firma digital.

Los poderes podrán ser aceptados expresamente o por su ejercicio.

- arts. 75; 76; 77; 244; 251
- L. 2213 de 2022. art. 5
- Corte Constitucional. C-420 del 24 de septiembre de 2020

ARTÍCULO 75. DESIGNACIÓN Y SUSTITUCIÓN DE APODERADOS

Podrá conferirse poder a uno o varios abogados.

Igualmente podrá otorgarse poder a una persona jurídica cuyo objeto social principal sea la prestación de servicios jurídicos. En este evento, podrá actuar en el proceso cualquier profesional del derecho inscrito en su certificado de existencia y representación legal. Lo anterior, sin perjuicio de que la persona jurídica pueda otorgar o sustituir el poder a otros abogados ajenos a la firma. Las Cámaras de Comercio deberán proceder al registro de que trata este inciso.

En ningún caso podrá actuar simultáneamente más de un apoderado judicial de una misma persona.

El poder especial para un proceso prevalece sobre el general conferido por la misma parte.

Si se trata de procesos acumulados y una parte tiene en ellos distintos apoderados, continuará con dicho carácter el que ejercía el poder en el proceso más antiguo, mientras el poderdante no disponga otra cosa.

Podrá sustituirse el poder siempre que no esté prohibido expresamente.

El poder conferido por escritura pública, puede sustituirse para un negocio determinado, por medio de memorial.

Quien sustituya un poder podrá reasumirlo en cualquier momento, con lo cual quedará revocada la sustitución.

- arts. 73; 74; 76; 77; 78; 81

ARTÍCULO 76. TERMINACIÓN DEL PODER

El poder termina con la radicación en secretaría del escrito en virtud del cual se revoque o se designe otro apoderado, a menos que el nuevo poder se hubiese otorgado para recursos o gestiones determinadas dentro del proceso.

El auto que admite la revocación no tendrá recursos. Dentro de los treinta (30) días siguientes a la notificación de dicha providencia, el apoderado a quien se le haya revocado el poder podrá pedir al juez que se regulen sus honorarios mediante incidente que se tramitará con independencia del proceso o de la actuación posterior. Para la determinación del monto de los honorarios el juez tendrá como base el respectivo contrato y los criterios señalados en este código para la fijación de las agencias en derecho. Vencido el término indicado, la regulación de los honorarios podrá demandarse ante el juez laboral.

Igual derecho tienen los herederos y el cónyuge sobreviviente del apoderado fallecido.

La renuncia no pone término al poder sino cinco (5) días después de presentado el memorial de renuncia en el juzgado, acompañado de la comunicación enviada al poderdante en tal sentido.

La muerte del mandante o la extinción de las personas jurídicas no ponen fin al mandato judicial si ya se ha presentado la demanda, pero el poder podrá ser revocado por los herederos o sucesores.

Tampoco termina el poder por la cesación de las funciones de quien lo confirió como representante de una persona natural o jurídica, mientras no sea revocado por quien corresponda.

- arts. 73; 74; 75; 77; 127 y ss
- CE. Sala de lo Contencioso Administrativo. Sección Tercera. Consejero Ponente: Enrique Gil Botero. 24 de noviembre de 2014. Expediente No. 37747

ARTÍCULO 77. FACULTADES DEL APODERADO

Salvo estipulación en contrario, el poder para litigar se entiende conferido para solicitar medidas cautelares extraprocesales, pruebas extraprocesales y demás actos preparatorios del proceso, adelantar todo el trámite de este, solicitar medidas cautelares, interponer recursos ordinarios, de casación y de anulación y realizar las actuaciones posteriores que sean consecuencia de la sentencia y se cumplan en el mismo expediente, y cobrar ejecutivamente las condenas impuestas en aquella.

El apoderado podrá formular todas las pretensiones que estime conveniente para beneficio del poderdante.

El poder para actuar en un proceso habilita al apoderado para recibir la notificación del auto admisorio de la demanda o del mandamiento ejecutivo, prestar juramento estimatorio y confesar espontáneamente. Cualquier restricción sobre tales facultades se tendrá por no escrita. El poder también habilita al apoderado para reconvenir y representar al poderdante en todo lo relacionado con la reconvención y la intervención de otras partes o de terceros.

El apoderado no podrá realizar actos reservados por la ley a la parte misma; tampoco recibir, allanarse, ni disponer del derecho en litigio, salvo que el poderdante lo haya autorizado de manera expresa.

Cuando se confiera poder a una persona jurídica para que designe o reemplace apoderados judiciales, aquella indicará las facultades que tendrá el apoderado sin exceder las otorgadas por el poderdante a la persona jurídica.

- arts. 73 y ss; 78; 81; 98; 206; 291; 318 y ss; 330 y ss; 365 y ss; 371; 588; 589

CAPÍTULO V
DEBERES Y RESPONSABILIDADES DE LAS PARTES Y SUS APODERADOS

ARTÍCULO 78. DEBERES DE LAS PARTES Y SUS APODERADOS

Son deberes de las partes y sus apoderados:

1. Proceder con lealtad y buena fe en todos sus actos.

2. Obrar sin temeridad en sus pretensiones o defensas y en el ejercicio de sus derechos procesales.

3. Abstenerse de obstaculizar el desarrollo de las audiencias y diligencias.

4. Abstenerse de usar expresiones injuriosas en sus escritos y exposiciones orales, y guardar el debido respeto al juez, a los empleados de este, a las partes y a los auxiliares de la justicia.

5. Comunicar por escrito cualquier cambio de domicilio o del lugar señalado para recibir notificaciones personales, en la demanda o en su contestación o en el escrito de excepciones en el proceso ejecutivo, so pena de que estas se surtan válidamente en el anterior.

6. Realizar las gestiones y diligencias necesarias para lograr oportunamente la integración del contradictorio.

7. Concurrir al despacho cuando sean citados por el juez y acatar sus órdenes en las audiencias y diligencias.

8. Prestar al juez su colaboración para la práctica de pruebas y diligencias.

9. Abstenerse de hacer anotaciones marginales o interlineadas, subrayados o dibujos de cualquier clase en el expediente, so pena de incurrir en multa de un salario mínimo legal mensual vigente (1 smlmv).

10. Abstenerse de solicitarle al juez la consecución de documentos que directamente o por medio del ejercicio del derecho de petición hubiere podido conseguir.

11. Comunicar a su representado el día y la hora que el juez haya fijado para interrogatorio de parte, reconocimiento de documentos, inspección judicial o exhibición, en general la de cualquier audiencia y el objeto de la misma, y darle a conocer de inmediato la renuncia del poder.

Citar a los testigos cuya declaración haya sido decretada a instancia suya, por cualquier medio eficaz, y allegar al expediente la prueba de la citación.

12. Adoptar las medidas para conservar en su poder las pruebas y la información contenida en mensajes de datos que tenga relación con el proceso y exhibirla cuando sea exigida por el juez, de acuerdo con los procedimientos establecidos en este código.

13. Informar oportunamente al cliente sobre el alcance y consecuencia del juramento estimatorio, la demanda de reconvención y la vinculación de otros sujetos procesales.

14. Enviar a las demás partes del proceso después de notificadas, cuando hubieren suministrado una dirección de correo electrónico o un medio equivalente para la transmisión de datos, un ejemplar de los memoriales presentados en el proceso. Se exceptúa la petición de medidas cautelares. Este deber se cumplirá a más tardar el día siguiente a la presentación del memorial. El incumplimiento de este deber no afecta la validez de la

actuación, pero la parte afectada podrá solicitar al juez la imposición de una multa hasta por un salario mínimo legal mensual vigente (1 smlmv) por cada infracción.

15. Limitar las transcripciones o reproducciones de actas, decisiones, conceptos, citas doctrinales y jurisprudenciales a las que sean estrictamente necesarias para la adecuada fundamentación de la solicitud.

- *Nota de vigencia:* El numeral 10 fue declarado exequible en la sentencia de la Corte Constitucional C-099 de 2022 del 17 de marzo de 2022
- arts. 53 y ss; 73 y ss; 79; 80; 81
- L. 2213 de 2022. art. 3
- CSJ. AC1066-2021

ARTÍCULO 79. TEMERIDAD O MALA FE

Se presume que ha existido temeridad o mala fe en los siguientes casos:

1. Cuando sea manifiesta la carencia de fundamento legal de la demanda, excepción, recurso, oposición o incidente, o a sabiendas se aleguen hechos contrarios a la realidad.
2. Cuando se aduzcan calidades inexistentes.
3. Cuando se utilice el proceso, incidente o recurso para fines claramente ilegales o con propósitos dolosos o fraudulentos.
4. Cuando se obstruya, por acción u omisión, la práctica de pruebas.
5. Cuando por cualquier otro medio se entorpezca el desarrollo normal y expedito del proceso.
6. Cuando se hagan transcripciones o citas deliberadamente inexactas.

- arts. 78; 80; 81

ARTÍCULO 80. RESPONSABILIDAD PATRIMONIAL DE LAS PARTES

Cada una de las partes responderá por los perjuicios que con sus actuaciones procesales temerarias o de mala fe cause a la otra o a terceros intervinientes. Cuando en el proceso o incidente aparezca la prueba de tal conducta, el juez, sin perjuicio de las costas a que haya lugar, impondrá la correspondiente condena en la sentencia o en el auto que los decida. Si no le fuere posible fijar allí su monto, ordenará que se liquide por incidente.

A la misma responsabilidad y consiguiente condena están sujetos los terceros intervinientes en el proceso o incidente.

Siendo varios los litigantes responsables de los perjuicios, se les condenará en proporción a su interés en el proceso o incidente.

- arts. 60 y ss; 78; 79

ARTÍCULO 81. RESPONSABILIDAD PATRIMONIAL DE APODERADOS Y PODERDANTES

Al apoderado que actúe con temeridad o mala fe se le impondrá la condena de que trata el artículo anterior, la de pagar las costas del proceso, incidente o recurso y multa de diez (10) a cincuenta (50) salarios mínimos mensuales. Dicha condena será solidaria si el poderdante también obró con temeridad o mala fe.

Copia de lo pertinente se remitirá a la autoridad que corresponda con el fin de que adelante la investigación disciplinaria al abogado por faltas a la ética profesional.

- arts. 75; 78; 79

LIBRO SEGUNDO
ACTOS PROCESALES

SECCIÓN PRIMERA
OBJETO DEL PROCESO

TÍTULO ÚNICO
DEMANDA Y CONTESTACIÓN

CAPÍTULO I
DEMANDA

ARTÍCULO 82. REQUISITOS DE LA DEMANDA

Salvo disposición en contrario, la demanda con que se promueva todo proceso deberá reunir los siguientes requisitos:

1. La designación del juez a quien se dirija.
2. El nombre y domicilio de las partes y, si no pueden comparecer por sí mismas, los de sus representantes legales. Se deberá indicar el número de identificación del demandante y de su representante y el de los demandados si se conoce. Tratándose de personas jurídicas o de patrimonios autónomos será el número de identificación tributaria (NIT).
3. El nombre del apoderado judicial del demandante, si fuere el caso.
4. Lo que se pretenda, expresado con precisión y claridad.
5. Los hechos que le sirven de fundamento a las pretensiones, debidamente determinados, clasificados y numerados.
6. La petición de las pruebas que se pretenda hacer valer, con indicación de los documentos que el demandado tiene en su poder, para que este los aporte.
7. El juramento estimatorio, cuando sea necesario.
8. Los fundamentos de derecho.

9. La cuantía del proceso, cuando su estimación sea necesaria para determinar la competencia o el trámite.

10. El lugar, la dirección física y electrónica que tengan o estén obligados a llevar, donde las partes, sus representantes y el apoderado del demandante recibirán notificaciones personales.

11. Los demás que exija la ley.

PARÁGRAFO 1o. Cuando se desconozca el domicilio del demandado o el de su representante legal, o el lugar donde estos recibirán notificaciones, se deberá expresar esa circunstancia.

PARÁGRAFO 2o. Las demandas que se presenten en mensaje de datos no requerirán de la firma digital definida por la Ley 527 de 1999. En estos casos, bastará que el suscriptor se identifique con su nombre y documento de identificación en el mensaje de datos.

- arts. 17 y ss; 25; 26; 53; 54; 75; 83; 84; 85; 86; 87; 88; 89; 90; 91; 93; 94; 95; 148 y ss; 206; 290 y ss; 391
- L. 2213 de 2022. art. 3 y 6
- CSJ. AC3351-2016; AC3030-2017; AC1319-2020; AC2416-2020; AC086-2021; AC168-2021; AC455-2021; AC786-2021; AC1043-2021; AC614-2021

ARTÍCULO 83. REQUISITOS ADICIONALES

Las demandas que versen sobre bienes inmuebles los especificarán por su ubicación, linderos actuales, nomenclaturas y demás circunstancias que los identifiquen. No se exigirá transcripción de linderos cuando estos se encuentren contenidos en alguno de los documentos anexos a la demanda.

Cuando la demanda verse sobre predios rurales, el demandante deberá indicar su localización, los colindantes actuales y el nombre con que se conoce el predio en la región.

Las que recaigan sobre bienes muebles los determinarán por su cantidad, calidad, peso o medida, o los identificarán, según fuere el caso.

En los procesos declarativos en que se persiga, directa o indirectamente, una universalidad de bienes o una parte de ella, bastará que se reclamen en general los bienes que la integran o la parte o cuota que se pretenda.

En las demandas en que se pidan medidas cautelares se determinarán las personas o los bienes objeto de ellas, así como el lugar donde se encuentran.

- arts. 82; 84; 85; 588 y ss

ARTÍCULO 84. ANEXOS DE LA DEMANDA

A la demanda debe acompañarse:

1. El poder para iniciar el proceso, cuando se actúe por medio de apoderado.

2. La prueba de la existencia y representación de las partes y de la calidad en la que intervendrán en el proceso, en los términos del artículo 85.

3. Las pruebas extraprocesales y los documentos que se pretenda hacer valer y se encuentren en poder del demandante.

4. La prueba de pago del arancel judicial, cuando hubiere lugar.

5. Los demás que la ley exija.

- arts. 74; 75; 82; 83; 85
- Corte Constitucional. C-169 del 19 de marzo de 2014
- Corte Constitucional. C-279 de 7 de mayo de 2014

ARTÍCULO 85. PRUEBA DE LA EXISTENCIA, REPRESENTACIÓN LEGAL O CALIDAD EN QUE ACTÚAN LAS PARTES

La prueba de la existencia y representación de las personas jurídicas de derecho privado solo podrá exigirse cuando dicha información no conste en las bases de datos de las entidades públicas y privadas que tengan a su cargo el deber de certificarla. Cuando la información esté disponible por este medio, no será necesario certificado alguno.

En los demás casos, con la demanda se deberá aportar la prueba de la existencia y representación legal del demandante y del demandado, de su constitución y administración, cuando se trate de patrimonios autónomos, o de la calidad de heredero, cónyuge, compañero permanente, curador de bienes, albacea o administrador de comunidad o de patrimonio autónomo en la que intervendrán dentro del proceso.

Cuando en la demanda se exprese que no es posible acreditar las anteriores circunstancias, se procederá así:

1. Si se indica la oficina donde puede hallarse la prueba, el juez ordenará librarle oficio para que certifique la información y, de ser necesario, remita copia de los correspondientes documentos a costa del demandante en el término de cinco (5) días. Una vez se obtenga respuesta, se resolverá sobre la admisión de la demanda.

El juez se abstendrá de librar el mencionado oficio cuando el demandante podía obtener el documento directamente o por medio de derecho de petición, a menos que se acredite haber ejercido este sin que la solicitud se hubiese atendido.

2. Cuando se conozca el nombre del representante legal del demandado, el juez le ordenará a este, con las previsiones del inciso siguiente, que al contestar la demanda allegue las pruebas respectivas. Si no lo hiciere o guardare silencio, se continuará con el proceso. Si no tiene la representación, pero sabe quién es el verdadero representante, deberá informarlo al juez. También deberá informar sobre la inexistencia de la persona jurídica convocada si se le ha requerido como representante de ella.

El incumplimiento de cualquiera de los deberes señalados en el inciso anterior hará incurrir a la persona requerida en multa de diez (10) a veinte (20) salarios mínimos mensuales legales vigentes (smlmv) y en responsabilidad por los perjuicios que con su silencio cause al demandante.

Cuando la persona requerida afirme que no tiene la representación ni conoce quién la tenga, el juez requerirá al demandante para que en el término de cinco (5) días señale quién la tiene, so pena de rechazo de la demanda.

3. Cuando en el proceso no se demuestre la existencia de la persona jurídica o del patrimonio autónomo demandado, se pondrá fin a la actuación.

4. Cuando se ignore quién es el representante del demandado se procederá a su emplazamiento en la forma señalada en este código.

- *Nota de vigencia: Nota de vigencia:* El numeral 1 fue declarado exequible en la sentencia de la Corte Constitucional C-099 de 2022 del 17 de marzo de 2022
- arts. 82; 83; 84; 85; 86; 87
- CSJ. AC6304-2016; AC6298-2016; AC5675-2016; AC416-2017; AC2506-2017; AC2416-2020

ARTÍCULO 86. SANCIONES EN CASO DE INFORMACIONES FALSAS

Si se probare que el demandante o su apoderado, o ambos, faltaron a la verdad en la información suministrada, además de remitir las copias necesarias para las investigaciones penal y disciplinaria a que hubiere lugar, se impondrá a aquellos, mediante incidente, multa de diez (10) a cincuenta (50) salarios mínimos mensuales y se les condenará a indemnizar los perjuicios que hayan podido ocasionar, sin perjuicio de las demás consecuencias previstas en este código.

- arts. 78; 79; 80; 81; 82 y ss

ARTÍCULO 87. DEMANDA CONTRA HEREDEROS DETERMINADOS E INDETERMINADOS, DEMÁS ADMINISTRADORES DE LA HERENCIA Y EL CÓNYUGE

Cuando se pretenda demandar en proceso declarativo o de ejecución a los herederos de una persona cuyo proceso de sucesión no se haya iniciado y cuyos nombres se ignoren, la demanda deberá dirigirse indeterminadamente contra todos los que tengan dicha calidad, y el auto admisorio ordenará emplazarlos en la forma y para los fines previstos en este código. Si se conoce a alguno de los herederos, la demanda se dirigirá contra estos y los indeterminados.

La demanda podrá formularse contra quienes figuren como herederos abintestato o testamentarios, aun cuando no hayan aceptado la herencia. En este caso, si los demandados o ejecutados a quienes se les hubiere notificado personalmente el auto admisorio de la demanda o el mandamiento ejecutivo, no manifiestan su repudio de la herencia en el término para contestar la demanda, o para proponer excepciones en el proceso ejecutivo, se considerará que para efectos procesales la aceptan.

Cuando haya proceso de sucesión, el demandante, en proceso declarativo o ejecutivo, deberá dirigir la demanda contra los herederos reconocidos en aquel, los demás conocidos y los indeterminados, o solo contra estos si no existieren aquellos, contra el albacea con tenencia de bienes o el administrador de la herencia yacente, si fuere el caso, y contra el cónyuge si se trata de bienes o deudas sociales.

En los procesos de ejecución, cuando se demande solo a herederos indeterminados el juez designará un administrador provisional de bienes de la herencia.

Esta disposición se aplica también en los procesos de investigación de paternidad o de maternidad.

- arts. 82 y ss; 473 y ss

ARTÍCULO 88. ACUMULACIÓN DE PRETENSIONES

El demandante podrá acumular en una misma demanda varias pretensiones contra el demandado, aunque no sean conexas, siempre que concurran los siguientes requisitos:

1. Que el juez sea competente para conocer de todas, sin tener en cuenta la cuantía.
2. Que las pretensiones no se excluyan entre sí, salvo que se propongan como principales y subsidiarias.
3. Que todas puedan tramitarse por el mismo procedimiento.

En la demanda sobre prestaciones periódicas podrá pedirse que se condene al demandado a las que se llegaren a causar entre la presentación de aquella y el cumplimiento de la sentencia definitiva.

También podrán formularse en una demanda pretensiones de uno o varios demandantes o contra uno o varios demandados, aunque sea diferente el interés de unos y otros, en cualquiera de los siguientes casos:

a) Cuando provengan de la misma causa.
b) Cuando versen sobre el mismo objeto.
c) Cuando se hallen entre sí en relación de dependencia.
d) Cuando deban servirse de unas mismas pruebas.

En las demandas ejecutivas podrán acumularse las pretensiones de varias personas que persigan, total o parcialmente, los mismos bienes del demandado.

- arts. 82; 100
- CSJ. AC2389-2020

ARTÍCULO 89. PRESENTACIÓN DE LA DEMANDA

La demanda se entregará, sin necesidad de presentación personal, ante el secretario del despacho judicial al que se dirija o de la oficina judicial respectiva, quien dejará constancia de la fecha de su recepción.

Con la demanda deberá acompañarse copia para el archivo del juzgado, y tantas copias de ella y de sus anexos cuantas sean las personas a quienes deba correrse traslado. Además, deberá adjuntarse la demanda como mensaje de datos para el archivo del juzgado y el traslado de los demandados. Donde se haya habilitado en Plan de Justicia Digital, no será necesario presentar copia física de la demanda.

Al momento de la presentación, el secretario verificará la exactitud de los anexos anunciados, y si no estuvieren conformes con el original los devolverá para que se corrijan.

PARÁGRAFO. Atendiendo las circunstancias particulares del caso, el juez podrá excusar al demandante de presentar la demanda como mensaje de datos según lo dispuesto en este artículo.

- arts. 82 y ss; 90
- L. 2213 de 2022. art. 6
- Corte Constitucional. C-420 del 24 de septiembre de 2020
- CSJ. AC1319-2020

ARTÍCULO 90. ADMISIÓN, INADMISIÓN Y RECHAZO DE LA DEMANDA

El juez admitirá la demanda que reúna los requisitos de ley, y le dará el trámite que legalmente le corresponda aunque el demandante haya indicado una vía procesal inadecuada. En la misma providencia el juez deberá integrar el litisconsorcio necesario y ordenarle al demandado que aporte, durante el traslado de la demanda, los documentos que estén en su poder y que hayan sido solicitados por el demandante.

El juez rechazará la demanda cuando carezca de jurisdicción o de competencia o cuando esté vencido el término de caducidad para instaurarla. En los dos primeros casos ordenará enviarla con sus anexos al que considere competente; en el último, ordenará devolver los anexos sin necesidad de desglose.

Mediante auto no susceptible de recursos el juez declarará inadmisible la demanda solo en los siguientes casos:

1. Cuando no reúna los requisitos formales.
2. Cuando no se acompañen los anexos ordenados por la ley.
3. Cuando las pretensiones acumuladas no reúnan los requisitos legales.
4. Cuando el demandante sea incapaz y no actúe por conducto de su representante.
5. Cuando quien formule la demanda carezca de derecho de postulación para adelantar el respectivo proceso.
6. Cuando no contenga el juramento estimatorio, siendo necesario.
7. Cuando no se acredite que se agotó la conciliación prejudicial como requisito de procedibilidad.

En estos casos el juez señalará con precisión los defectos de que adolezca la demanda, para que el demandante los subsane en el término de cinco (5) días, so pena de rechazo. Vencido el término para subsanarla el juez decidirá si la admite o la rechaza.

Los recursos contra el auto que rechace la demanda comprenderán el que negó su admisión. La apelación se concederá en el efecto suspensivo y se resolverá de plano.

En todo caso, dentro de los treinta (30) días siguientes a la fecha de la presentación de la demanda, deberá notificarse al demandante o ejecutante el auto admisorio o el mandamiento de pago, según fuere el caso, o el auto que rechace la demanda. Si vencido dicho término no ha sido notificado el auto respectivo, el término señalado en el artículo 121 para efectos de la pérdida de competencia se computará desde el día siguiente a la fecha de presentación de la demanda.

Las demandas que sean rechazadas no se tendrán en cuenta como ingresos al juzgado, ni como egresos para efectos de la calificación de desempeño del juez. Semanalmente el juez remitirá a la oficina de reparto una relación de las demandas rechazadas, para su respectiva compensación en el reparto siguiente.

PARÁGRAFO 1o. La existencia de pacto arbitral no da lugar a inadmisión o rechazo de la demanda, pero provocará la terminación del proceso cuando se declare probada la excepción previa respectiva.

PARÁGRAFO 2o. Cuando se trate de la causa prevista por el numeral 4 el juez lo remitirá al defensor de incapaces, para que le brinden la asesoría; si esta entidad comprueba que la persona no está en condiciones de sufragar un abogado, le nombrará uno de oficio.

- arts. 53; 54; 61; 73; 82 y ss; 88; 91; 100; 206
- CSJ. AC1806-2023; AC1808-2023; AC1855-2021; AC2416-2020; AC086-2021; AC171-2021; AC168-2021; AC310-2020

ARTÍCULO 91. TRASLADO DE LA DEMANDA

En el auto admisorio de la demanda o del mandamiento ejecutivo se ordenará su traslado al demandado, salvo disposición en contrario.

El traslado se surtirá mediante la entrega, en medio físico o como mensaje de datos, de copia de la demanda y sus anexos al demandado, a su representante o apoderado, o al curador ad litem. Cuando la notificación del auto admisorio de la demanda o del mandamiento de pago se surta por conducta concluyente, por aviso, o mediante comisionado, el demandado podrá solicitar en la secretaría que se le suministre la reproducción de la demanda y de sus anexos dentro de los tres (3) días siguientes, vencidos los cuales comenzarán a correr el término de ejecutoria y de traslado de la demanda.

Siendo varios los demandados, el traslado se hará a cada uno por el término respectivo, pero si estuvieren representados por la misma persona, el traslado será común.

- arts. 60 y ss; 82 y ss; 292; 301

ARTÍCULO 92. RETIRO DE LA DEMANDA

El demandante podrá retirar la demanda mientras no se haya notificado a ninguno de los demandados. Si hubiere medidas cautelares practicadas, será necesario auto que autorice el retiro, en el cual se ordenará el levantamiento de aquellas y se condenará al demandante al pago de perjuicios, salvo acuerdo de las partes.

El trámite del incidente para la regulación de tales perjuicios se sujetará a lo previsto en el artículo 283, y no impedirá el retiro de la demanda.

- arts. 82 y ss; 283; 290 y ss; 590 y ss
- CSJ. AC2092-2022; AC724-2021; AC3703-2021; AC724-2021

ARTÍCULO 93. CORRECCIÓN, ACLARACIÓN Y REFORMA DE LA DEMANDA

El demandante podrá corregir, aclarar o reformar la demanda en cualquier momento, desde su presentación y hasta antes del señalamiento de la audiencia inicial.

La reforma de la demanda procede por una sola vez, conforme a las siguientes reglas:

1. Solamente se considerará que existe reforma de la demanda cuando haya alteración de las partes en el proceso, o de las pretensiones o de los hechos en que ellas se fundamenten, o se pidan o alleguen nuevas pruebas.

2. No podrá sustituirse la totalidad de las personas demandantes o demandadas ni todas las pretensiones formuladas en la demanda, pero sí prescindir de algunas o incluir nuevas.

3. Para reformar la demanda es necesario presentarla debidamente integrada en un solo escrito.

4. En caso de reforma posterior a la notificación del demandado, el auto que la admita se notificará por estado y en él se ordenará correr traslado al demandado o su apoderado por la mitad del término inicial, que correrá pasados tres (3) días desde la notificación. Si se incluyen nuevos demandados, a estos se les notificará personalmente y se les correrá traslado en la forma y por el término señalados para la demanda inicial.

5. Dentro del nuevo traslado el demandado podrá ejercitar las mismas facultades que durante el inicial.

- arts. 82 y ss; 88; 91; 290 y ss; 372
- NOTA: la Corte Constitucional se declaró inhibida de fallar sobre este artículo en la sentencia C-128-23 del 27 de abril de 2023
- CSJ. AC343-2021

ARTÍCULO 94. INTERRUPCIÓN DE LA PRESCRIPCIÓN, INOPERANCIA DE LA CADUCIDAD Y CONSTITUCIÓN EN MORA

La presentación de la demanda interrumpe el término para la prescripción e impide que se produzca la caducidad siempre que el auto admisorio de aquella o el mandamiento ejecutivo se notifique al demandado dentro del término de un (1) año contado a partir del día siguiente a la notificación de tales providencias al demandante. Pasado este término, los mencionados efectos solo se producirán con la notificación al demandado.

La notificación del auto admisorio de la demanda o del mandamiento ejecutivo produce el efecto del requerimiento judicial para constituir en mora al deudor, cuando la ley lo exija para tal fin, y la notificación de la cesión del crédito, si no se hubiere efectuado antes. Los efectos de la mora solo se producirán a partir de la notificación.

La notificación del auto que declara abierto el proceso de sucesión a los asignatarios, también constituye requerimiento judicial para constituir en mora de declarar si aceptan o repudian la asignación que se les hubiere deferido.

Si fueren varios los demandados y existiere entre ellos litisconsorcio facultativo, los efectos de la notificación a los que se refiere este artículo se surtirán para cada uno separadamente, salvo norma sustancial o procesal en contrario. Si el litisconsorcio fuere necesario será indispensable la notificación a todos ellos para que se surtan dichos efectos.

El término de prescripción también se interrumpe por el requerimiento escrito realizado al deudor directamente por el acreedor. Este requerimiento solo podrá hacerse por una vez.

- arts. 60; 61; 62; 95; 290 y ss
- CSJ. SC3578-2022; SC3729-2022; SC1627-2022; SC2962-2022; SC712-2022; SC745-2022; SC561-2022; SC6575-2015

ARTÍCULO 95. INEFICACIA DE LA INTERRUPCIÓN DE LA PRESCRIPCIÓN Y OPERANCIA DE LA CADUCIDAD

No se considerará interrumpida la prescripción y operará la caducidad en los siguientes casos:

1. Cuando el demandante desista de la demanda.

2. Cuando el proceso termine por haber prosperado la excepción de inexistencia del demandante o del demandado; o de incapacidad o indebida representación del demandante o del demandado; o no haberse presentado prueba de la calidad de heredero, cónyuge o compañero permanente, curador de bienes, administrador de comunidad, albacea y en general de la calidad en que actúe el demandante o se cite al demandado, cuando a ello hubiere lugar; o de pleito pendiente entre las mismas partes y sobre el mismo asunto.

3. Cuando el proceso termine con sentencia que absuelva al demandado.

4. Cuando el proceso termine por haber prosperado la excepción de compromiso o cláusula compromisoria, salvo que se promueva el respectivo proceso arbitral dentro de los veinte (20) días hábiles siguientes a la ejecutoria del auto que dé por terminado el proceso.

5. Cuando la nulidad del proceso comprenda la notificación del auto admisorio de la demanda o del mandamiento ejecutivo, siempre que la causa de la nulidad sea atribuible al demandante.

En el auto que se declare la nulidad se indicará expresamente sus efectos sobre la interrupción o no de la prescripción y la inoperancia o no de la caducidad.

6. Cuando el proceso termine por desistimiento tácito.

7. Cuando el proceso termine por inasistencia injustificada de las partes a la audiencia inicial.

- arts. 94; 100; 133; 314; 317; 372
- CSJ. AC146-2021

CAPÍTULO II
CONTESTACIÓN

ARTÍCULO 96. CONTESTACIÓN DE LA DEMANDA

La contestación de la demanda contendrá:

1. El nombre del demandado, su domicilio y los de su representante o apoderado en caso de no comparecer por sí mismo. También deberá indicar el número de documento de identificación del demandado y de su representante. Tratándose de personas jurídicas o patrimonios autónomos deberá indicarse el Número de Identificación Tributaria (NIT).

2. Pronunciamiento expreso y concreto sobre las pretensiones y sobre los hechos de la demanda, con indicación de los que se admiten, los que se niegan y los que no le constan. En los dos últimos casos manifestará en forma precisa y unívoca las razones de su respuesta. Si no lo hiciere así, se presumirá cierto el respectivo hecho.

3. Las excepciones de mérito que se quieran proponer contra las pretensiones del demandante, con expresión de su fundamento fáctico, el juramento estimatorio y la alegación del derecho de retención, si fuere el caso.

4. La petición de las pruebas que el demandado pretenda hacer valer, si no obraren en el expediente.

5. El lugar, la dirección física y de correo electrónico que tengan o estén obligados a llevar, donde el demandado, su representante o apoderado recibirán notificaciones personales.

A la contestación de la demanda deberá acompañarse el poder de quien la suscriba a nombre del demandado, la prueba de su existencia y representación, si a ello hubiere lugar, los documentos que estén en su poder y que hayan sido solicitados por el demandante, o la manifestación de que no los tiene, y las pruebas que pretenda hacer valer.

- arts. 74; 75; 82 y ss; 97; 98; 206

ARTÍCULO 97. FALTA DE CONTESTACIÓN O CONTESTACIÓN DEFICIENTE DE LA DEMANDA

La falta de contestación de la demanda o de pronunciamiento expreso sobre los hechos y pretensiones de ella, o las afirmaciones o negaciones contrarias a la realidad, harán presumir ciertos los hechos susceptibles de confesión contenidos en la demanda, salvo que la ley le atribuya otro efecto.

La falta del juramento estimatorio impedirá que sea considerada la respectiva reclamación del demandado, salvo que concrete la estimación juramentada dentro de los cinco (5) días siguientes a la notificación del requerimiento que para tal efecto le haga el juez.

- arts. 82 y ss; 96; 206

ARTÍCULO 98. ALLANAMIENTO A LA DEMANDA

En la contestación o en cualquier momento anterior a la sentencia de primera instancia el demandado podrá allanarse expresamente a las pretensiones de la demanda reconociendo sus fundamentos de hecho, caso en el cual se procederá a dictar sentencia de conformidad con lo pedido. Sin embargo, el juez podrá rechazar el allanamiento y decretar pruebas de oficio cuando advierta fraude, colusión o cualquier otra situación similar.

Cuando la parte demandada sea la Nación, un departamento o un municipio, el allanamiento deberá provenir del representante de la Nación, del gobernador o del alcalde respectivo.

Cuando el allanamiento no se refiera a la totalidad de las pretensiones de la demanda o no provenga de todos los demandados, el juez proferirá sentencia parcial y el proceso continuará respecto de las pretensiones no allanadas y de los demandados que no se allanaron.

- arts. 60; 61; 62; 96; 99

ARTÍCULO 99. INEFICACIA DEL ALLANAMIENTO

El allanamiento será ineficaz en los siguientes casos:

1. Cuando el demandado no tenga capacidad dispositiva.
2. Cuando el derecho no sea susceptible de disposición de las partes.
3. Cuando los hechos admitidos no puedan probarse por confesión.
4. Cuando se haga por medio de apoderado y este carezca de facultad para allanarse.
5. Cuando la sentencia deba producir efectos de cosa juzgada respecto de terceros.
6. Cuando habiendo litisconsorcio necesario no provenga de todos los demandados.

- arts. 54; 61; 75; 77; 98; 303
- CSJ. AC2823-2019

CAPÍTULO III
EXCEPCIONES PREVIAS

ARTÍCULO 100. EXCEPCIONES PREVIAS

Salvo disposición en contrario, el demandado podrá proponer las siguientes excepciones previas dentro del término de traslado de la demanda:

1. Falta de jurisdicción o de competencia.
2. Compromiso o cláusula compromisoria.
3. Inexistencia del demandante o del demandado.
4. Incapacidad o indebida representación del demandante o del demandado.

5. Ineptitud de la demanda por falta de los requisitos formales o por indebida acumulación de pretensiones.

6. No haberse presentado prueba de la calidad de heredero, cónyuge o compañero permanente, curador de bienes, administrador de comunidad, albacea y en general de la calidad en que actúe el demandante o se cite al demandado, cuando a ello hubiere lugar.

7. Habérsele dado a la demanda el trámite de un proceso diferente al que corresponde.

8. Pleito pendiente entre las mismas partes y sobre el mismo asunto.

9. No comprender la demanda a todos los litisconsortes necesarios.

10. No haberse ordenado la citación de otras personas que la ley dispone citar.

11. Haberse notificado el auto admisorio de la demanda a persona distinta de la que fue demandada.

- arts. 135 y 371
- CSJ. SC3691-2021; AC1350-2018; STC2802-2020; STC15062-2017

ARTÍCULO 101. OPORTUNIDAD Y TRÁMITE DE LAS EXCEPCIONES PREVIAS

Las excepciones previas se formularán en el término del traslado de la demanda en escrito separado que deberá expresar las razones y hechos en que se fundamentan. Al escrito deberán acompañarse todas las pruebas que se pretenda hacer valer y que se encuentren en poder del demandado.

El juez se abstendrá de decretar pruebas de otra clase, salvo cuando se alegue la falta de competencia por el domicilio de persona natural o por el lugar donde ocurrieron hechos, o la falta de integración del litisconsorcio necesario, casos en los cuales se podrán practicar hasta dos testimonios.

Las excepciones previas se tramitarán y decidirán de la siguiente manera:

1. Del escrito que las contenga se correrá traslado al demandante por el término de tres (3) días conforme al artículo 110, para que se pronuncie sobre ellas y, si fuere el caso, subsane los defectos anotados.

2. El juez decidirá sobre las excepciones previas que no requieran la práctica de pruebas, antes de la audiencia inicial, y si prospera alguna que impida continuar el trámite del proceso y que no pueda ser subsanada o no lo haya sido oportunamente, declarará terminada la actuación y ordenará devolver la demanda al demandante.

Cuando se requiera la práctica de pruebas, el juez citará a la audiencia inicial y en ella las practicará y resolverá las excepciones.

Si prospera la de falta de jurisdicción o competencia, se ordenará remitir el expediente al juez que corresponda y lo actuado conservará su validez.

Si prospera la de compromiso o cláusula compromisoria, se decretará la terminación del proceso y se devolverá al demandante la demanda con sus anexos.

Si prospera la de trámite inadecuado, el juez ordenará darle el trámite que legalmente le corresponda.

Cuando prospere alguna de las excepciones previstas en los numerales 9, 10 y 11 del artículo 100, el juez ordenará la respectiva citación.

3. Si se hubiere corregido, aclarado o reformado la demanda, solo se tramitarán una vez vencido el traslado. Si con aquella se subsanan los defectos alegados en las excepciones, así se declarará.

Dentro del traslado de la reforma el demandado podrá proponer nuevas excepciones previas siempre que se originen en dicha reforma. Estas y las anteriores que no hubieren quedado subsanadas se tramitarán conjuntamente una vez vencido dicho traslado.

4. Cuando como consecuencia de prosperar una excepción sea devuelta la demanda inicial o la de reconvención, el proceso continuará respecto de la otra.

- arts. 372, 378, 379, 380, 391, 402, 409, 422, 523 y 610
- CSJ. AC4570-2018
- CPACA arts. 175 parag. 2 y 180 mod. art. 40 L 2080/2021

ARTÍCULO 102. INOPONIBILIDAD POSTERIOR DE LOS MISMOS HECHOS

Los hechos que configuran excepciones previas no podrán ser alegados como causal de nulidad por el demandante, ni por el demandado que tuvo oportunidad de proponer dichas excepciones.

- CSJ. STC2802-2020; AC4570-2018

SECCIÓN SEGUNDA
REGLAS GENERALES DE PROCEDIMIENTO

TÍTULO I
ACTUACIÓN

CAPÍTULO I
DISPOSICIONES VARIAS

ARTÍCULO 103. USO DE LAS TECNOLOGÍAS DE LA INFORMACIÓN Y DE LAS COMUNICACIONES

En todas las actuaciones judiciales deberá procurarse el uso de las tecnologías de la información y las comunicaciones en la gestión y trámite de los procesos judiciales, con el fin de facilitar y agilizar el acceso a la justicia, así como ampliar su cobertura.

Las actuaciones judiciales se podrán realizar a través de mensajes de datos. La autoridad judicial deberá contar con mecanismos que permitan generar, archivar y comunicar mensajes de datos.

En cuanto sean compatibles con las disposiciones de este código se aplicará lo dispuesto en la Ley 527 de 1999, las que lo sustituyan o modifiquen, y sus reglamentos.

PARÁGRAFO 1o. La Sala Administrativa del Consejo Superior de la Judicatura adoptará las medidas necesarias para procurar que al entrar en vigencia este código todas las autoridades judiciales cuenten con las condiciones técnicas necesarias para generar, archivar y comunicar mensajes de datos.

El Plan de Justicia Digital estará integrado por todos los procesos y herramientas de gestión de la actividad jurisdiccional por medio de las tecnologías de la información y las comunicaciones, que permitan formar y gestionar expedientes digitales y el litigio en línea. El plan dispondrá el uso obligatorio de dichas tecnologías de manera gradual, por despachos judiciales o zonas geográficas del país, de acuerdo con la disponibilidad de condiciones técnicas para ello.

PARÁGRAFO 2o. No obstante lo dispuesto en la Ley 527 de 1999, se presumen auténticos los memoriales y demás comunicaciones cruzadas entre las autoridades judiciales y las partes o sus abogados, cuando sean originadas desde el correo electrónico suministrado en la demanda o en cualquier otro acto del proceso.

PARÁGRAFO 3o. Cuando este código se refiera al uso de correo electrónico, dirección electrónica, medios magnéticos o medios electrónicos, se entenderá que también podrán utilizarse otros sistemas de envío, trasmisión, acceso y almacenamiento de mensajes de datos siempre que garanticen la autenticidad e integridad del intercambio o acceso de información. La Sala Administrativa del Consejo Superior de la Judicatura establecerá los sistemas que cumplen con los anteriores presupuestos y reglamentará su utilización.

- L. 2213 de 2022. art. 2
- Corte Constitucional. C-420 del 24 de septiembre de 2020
- L 527/ 1999
- CSJ. Sentencia de tutela 20 de mayo de 2020. Rad. 52001-22-13-000-2020-00023-01
- CSJ. STC3610-2020; STC3586-2020; CSJ. SC2420-2019

ARTÍCULO 104. IDIOMA

En el proceso deberá emplearse el idioma castellano.

Los servidores judiciales que dominen las lenguas y dialectos de los grupos étnicos, oficiales en sus territorios, podrán realizar audiencias empleando tales expresiones lingüísticas, a solicitud de las partes. El juez designará a un servidor, auxiliar de la justicia o particular para que preste la función de intérprete, quien tomará posesión para ese encargo en la misma audiencia. Cuando sea necesario, de oficio o a petición de parte, se hará la traducción correspondiente.

- arts. 181, 251 y 607

ARTÍCULO 105. FIRMAS

Los funcionarios y empleados judiciales deberán usar, en todos sus actos escritos, firma acompañada de antefirma. Podrán usar firma electrónica, de conformidad con el reglamento que expida el Consejo Superior de la Judicatura.

- art. 288
- CPACA art. 129
- L 270/ 1996 art. 56

ARTÍCULO 106. ACTUACIÓN JUDICIAL

Las actuaciones, audiencias y diligencias judiciales se adelantarán en días y horas hábiles, sin perjuicio de los casos en que la ley o el juez dispongan realizarlos en horas inhábiles.

Las audiencias y diligencias iniciadas en hora hábil podrán continuarse en horas inhábiles sin necesidad de habilitación expresa.

- arts. 113 y 172

ARTÍCULO 107. AUDIENCIAS Y DILIGENCIAS

Las audiencias y diligencias se sujetarán a las siguientes reglas:

1. Iniciación y concurrencia. Toda audiencia será presidida por el juez y, en su caso, por los magistrados que conozcan del proceso. La ausencia del juez o de los magistrados genera la nulidad de la respectiva actuación.

Sin embargo, la audiencia podrá llevarse a cabo con la presencia de la mayoría de los magistrados que integran la Sala, cuando la ausencia obedezca a un hecho constitutivo de fuerza mayor o caso fortuito. En el acta se dejará expresa constancia del hecho constitutivo de aquel.

Las audiencias y diligencias se iniciarán en el primer minuto de la hora señalada para ellas, aun cuando ninguna de las partes o sus apoderados se hallen presentes.

Las partes, los terceros intervinientes o sus apoderados que asistan después de iniciada la audiencia o diligencia asumirán la actuación en el estado en que se encuentre al momento de su concurrencia.

Cuando se produzca cambio de juez que deba proferir sentencia en primera o segunda instancia, quien lo sustituya deberá convocar a una audiencia especial con el solo fin de repetir la oportunidad para alegar. Oídas las alegaciones, se dictará sentencia según las reglas generales.

2. Concentración. Toda audiencia o diligencia se adelantará sin solución de continuidad. El juez deberá reservar el tiempo suficiente para agotar el objeto de cada audiencia o diligencia.

El incumplimiento de este deber constituirá falta grave sancionable conforme al régimen disciplinario.

3. Intervenciones. Las intervenciones de los sujetos procesales, no excederán de (20) minutos, salvo disposición en contrario. No obstante, el juez de oficio o por solicitud de alguna de las partes, podrá autorizar un tiempo superior, atendiendo las condiciones del caso y garantizando la igualdad. Contra esta decisión no procede recurso alguno.

4. Grabación. La actuación adelantada en una audiencia o diligencia se grabará en medios de audio, audiovisuales o en cualquiera otro que ofrezca seguridad para el registro de lo actuado.

5. Publicidad. Las audiencias y diligencias serán públicas, salvo que el juez, por motivos justificados, considere necesario limitar la asistencia de terceros.

El Consejo Superior de la Judicatura deberá proveer los recursos técnicos necesarios para la grabación de las audiencias y diligencias.

6. Prohibiciones. Las intervenciones orales no podrán ser sustituidas por escritos.

El acta se limitará a consignar el nombre de las personas que intervinieron como partes, apoderados, testigos y auxiliares de la justicia, la relación de los documentos que se hayan presentado y, en su caso, la parte resolutiva de la sentencia.

Solo cuando se trate de audiencias o diligencias que deban practicarse por fuera del despacho judicial o cuando se presenten fallas en los medios de grabación, el juez podrá ordenar que las diligencias consten en actas que sustituyan el sistema de registro a que se refiere el numeral 4 anterior o que la complementen.

El acta será firmada por el juez y de ella hará parte el formato de control de asistencia de quienes intervinieron.

Cualquier interesado podrá solicitar una copia de las grabaciones o del acta, proporcionando los medios necesarios para ello.

En ningún caso el juzgado hará la reproducción escrita de las grabaciones.

De las grabaciones se dejará duplicado que hará parte del archivo del juzgado, bajo custodia directa del secretario, hasta la terminación del proceso.

PARÁGRAFO 1o. Las partes y demás intervinientes podrán participar en la audiencia a través de videoconferencia, teleconferencia o por cualquier otro medio técnico, siempre que por causa justificada el juez lo autorice.

PARÁGRAFO 2o. La Sala Administrativa del Consejo Superior de la Judicatura podrá asignarle a un juez o magistrado coordinador la función de fijar las fechas de las audiencias en los distintos procesos a cargo de los jueces o magistrados del respectivo distrito, circuito o municipio al que pertenezca.

Toda audiencia se dejará constancia de lo acontecido en ella.

- arts. 36, 42 num. 8; 372 y 373
- L 2213 de 2022. art. 7
- Corte Constitucional. C-420 del 24 de septiembre de 2020

ARTÍCULO 108. EMPLAZAMIENTO

Cuando se ordene el emplazamiento a personas determinadas o indeterminadas, se procederá mediante la inclusión del nombre del sujeto emplazado, las partes, la clase del proceso y el juzgado que lo requiere, en un listado que se publicará por una sola vez en un medio escrito de amplia circulación nacional o local, o en cualquier otro medio masivo de comunicación, a criterio del juez, para lo cual indicará al menos dos (2) medios de comunicación.

Ordenado el emplazamiento, la parte interesada dispondrá su publicación a través de uno de los medios expresamente señalados por el juez.

Si el juez ordena la publicación en un medio escrito esta se hará el domingo; en los demás casos, podrá hacerse cualquier día entre las seis (6) de la mañana y las once (11) de la noche.

El interesado allegará al proceso copia informal de la página respectiva donde se hubiere publicado el listado y si la publicación se hubiere realizado en un medio diferente del escrito, allegará constancia sobre su emisión o transmisión, suscrita por el administrador o funcionario.

Efectuada la publicación de que tratan los incisos anteriores, la parte interesada remitirá una comunicación al Registro Nacional de Personas Emplazadas incluyendo el nombre del sujeto emplazado, su número de identificación, si se conoce, las partes del proceso, su naturaleza y el juzgado que lo requiere.

El Registro Nacional de Personas Emplazadas publicará la información remitida y el emplazamiento se entenderá surtido quince (15) días después de publicada la información de dicho registro.

Surtido el emplazamiento se procederá a la designación de curador ad litem, si a ello hubiere lugar.

PARÁGRAFO 1o. El Consejo Superior de la Judicatura llevará el Registro Nacional de Personas Emplazadas y determinará la forma de darle publicidad. El Consejo Superior de la Judicatura garantizará el acceso al Registro Nacional de Personas Emplazadas a través de Internet y establecerá una base de datos que deberá permitir la consulta de la información del registro, por lo menos, durante un (1) año contado a partir de la publicación del emplazamiento.

El Consejo Superior de la Judicatura podrá disponer que este registro se publique de manera unificada con el Registro Nacional de Apertura de Procesos de Pertenencia, el Registro Nacional de Apertura de Procesos de Sucesión y las demás bases de datos que por ley o reglamento le corresponda administrar.

PARÁGRAFO 2o. La publicación debe comprender la permanencia del contenido del emplazamiento en la página web del respectivo medio de comunicación, durante el término del emplazamiento.

- L. 2213 de 2022. art. 10
- Corte Constitucional. C-420 del 24 de septiembre de 2020

ARTÍCULO 109. PRESENTACIÓN Y TRÁMITE DE MEMORIALES E INCORPORACIÓN DE ESCRITOS Y COMUNICACIONES

El secretario hará constar la fecha y hora de presentación de los memoriales y comunicaciones que reciba y los agregará al expediente respectivo; los ingresará inmediatamente al despacho solo cuando el juez deba pronunciarse sobre ellos fuera de audiencia. Sin embargo, cuando se trate del ejercicio de un recurso o de una facultad que tenga señalado un término común, el secretario deberá esperar a que este transcurra en relación con todas las partes.

Los memoriales podrán presentarse y las comunicaciones transmitirse por cualquier medio idóneo.

Las autoridades judiciales llevarán un estricto control y relación de los mensajes recibidos que incluya la fecha y hora de recepción. También mantendrán el buzón del correo electrónico con disponibilidad suficiente para recibir los mensajes de datos.

Los memoriales, incluidos los mensajes de datos, se entenderán presentados oportunamente si son recibidos antes del cierre del despacho del día en que vence el término.

PARÁGRAFO. La Sala Administrativa del Consejo Superior de la Judicatura reglamentará la forma de presentar memoriales en centros administrativos, de apoyo, secretarías conjuntas, centros de radicación o similares, con destino a un determinado despacho judicial. En esos casos, la presentación se entenderá realizada el día en que fue radicado el memorial en alguna de estas dependencias.

- L. 2213 de 2022. art. 2
- Corte Constitucional. C-420 del 24 de septiembre de 2020

ARTÍCULO 110. TRASLADOS

Cualquier traslado que deba surtirse en audiencia se cumplirá permitiéndole a la parte respectiva que haga uso de la palabra.

Salvo norma en contrario, todo traslado que deba surtirse por fuera de audiencia, se surtirá en secretaría por el término de tres (3) días y no requerirá auto ni constancia en el expediente. Estos traslados se incluirán en una lista que se mantendrá a disposición de las partes en la secretaría del juzgado por un (1) día y correrán desde el siguiente.

- L. 2213 de 2022. art. 9
- Corte Constitucional. C-420 del 24 de septiembre de 2020
- CPACA art. 201A
- L 2080/2021 art. 51

ARTÍCULO 111. COMUNICACIONES

Los tribunales y jueces deberán entenderse entre sí, con las autoridades y con los particulares, por medio de despachos y oficios que se enviarán por el medio más rápido y con las debidas seguridades. Los oficios y despachos serán firmados únicamente por el secretario. Las comunicaciones de que trata este artículo podrán remitirse a través de mensajes de datos.

El juez también podrá comunicarse con las autoridades o con los particulares por cualquier medio técnico de comunicación que tenga a su disposición, de lo cual deberá dejar constancia.

- L. 2213 de 2022. art. 11
- Corte Constitucional. C-420 del 24 de septiembre de 2020

CAPÍTULO II
ALLANAMIENTO EN DILIGENCIAS JUDICIALES

ARTÍCULO 112. PROCEDENCIA DEL ALLANAMIENTO

El juez podrá practicar el allanamiento de habitaciones, establecimientos, oficinas e inmuebles en general, naves y aeronaves mercantes, y entrar en ellos aun contra la voluntad de quienes los habiten u ocupen, cuando deba practicarse medida cautelar, entrega, inspección judicial, exhibición o examen de peritos sobre ellos o sobre bienes que se encuentren en su interior.

El auto que decrete cualquiera de tales diligencias contiene implícitamente la orden de allanar, si fuere necesario.

El allanamiento puede ser decretado tanto por el juez que conoce del proceso como por el comisionado.

No podrán ser allanadas las oficinas ni las habitaciones de los agentes diplomáticos acreditados ante el Gobierno de Colombia.

- arts. 236 y 265

ARTÍCULO 113. PRÁCTICA DE ALLANAMIENTO

El juez informará el objeto de la diligencia a quien encuentre en el lugar. Si no se le permite el acceso procederá al allanamiento valiéndose de la fuerza pública en caso necesario. Para tales efectos esta actuará bajo la dirección del juez.

El allanamiento deberá practicarse en horas hábiles, pero si hubiere temor de que se frustre la diligencia, el juez dispondrá que por la policía se adopten las medidas de vigilancia tendientes a evitar la sustracción de las cosas que hayan de ser objeto de ella y podrá asegurar con cerradura los almacenes, habitaciones y otros locales donde se encuentren muebles, enseres o documentos, colocar sellos y adoptar las medidas que garanticen su conservación.

De lo actuado se dejará constancia en el acta.

- arts. 238; 308; 266 y 595

CAPÍTULO III
COPIAS, CERTIFICACIONES Y DESGLOSES

ARTÍCULO 114. COPIAS DE ACTUACIONES JUDICIALES

Salvo que exista reserva, del expediente se podrá solicitar y obtener la expedición y entrega de copias, con observancia de las reglas siguientes:

1. A petición verbal el secretario expedirá copias sin necesidad de auto que las autorice.
2. Las copias de las providencias que se pretendan utilizar como título ejecutivo requerirán constancia de su ejecutoria.
3. Las copias que expida el secretario se autenticarán cuando lo exija la ley o lo pida el interesado.
4. Siempre que sea necesario reproducir todo o parte del expediente para el trámite de un recurso o de cualquiera otra actuación, se utilizarán los medios técnicos disponibles. Si careciere de ellos, será de cargo de la parte interesada pagar el valor de la reproducción dentro de los cinco (5) días siguientes a la notificación de la providencia que lo ordene, so pena de que se declare desierto el recurso o terminada la respectiva actuación.
5. Cuando deban expedirse copias por solicitud de otra autoridad, podrán ser adicionadas de oficio o a solicitud de parte.

- arts. 39; 122; 150; 324; 340; 341; 353; 362 y 364
- CPACA art. 29

ARTÍCULO 115. CERTIFICACIONES

El secretario, por solicitud verbal o escrita, puede expedir certificaciones sobre la existencia de procesos, el estado de los mismos y la ejecutoria de providencias judiciales, sin necesidad de auto que las ordene. El juez expedirá certificaciones sobre hechos ocurridos en su presencia y en ejercicio de sus funciones de que no haya constancia en el expediente, y en los demás casos autorizados por la ley.

- art. 362
- CSJ. AC5911-2016

ARTÍCULO 116. DESGLOSES

Los documentos podrán desglosarse del expediente y entregarse a quien los haya presentado, una vez precluida la oportunidad para tacharlos de falsos o desestimada la tacha, todo con sujeción a las siguientes reglas y por orden del juez:

1. Los documentos aducidos por los acreedores como títulos ejecutivos podrán desglosarse:

a) Cuando contengan crédito distinto del que se cobra en el proceso, para lo cual el secretario hará constar en cada documento qué crédito es el allí exigido;

b) Cuando en ellos aparezcan hipotecas o prendas* que garanticen otras obligaciones;

c) Una vez terminado el proceso, caso en el cual se hará constar en cada documento si la obligación se ha extinguido en todo o en parte; y,

d) Cuando lo solicite un juez penal en procesos sobre falsedad material del documento.

2. En los demás procesos, al desglosarse un documento en que conste una obligación, el secretario dejará constancia sobre la extinción total o parcial de ella, con indicación del modo que la produjo y demás circunstancias relevantes.

3. En todos los casos en que la obligación haya sido cumplida en su totalidad por el deudor, el documento contentivo de la obligación solo podrá desglosarse a petición suya, a quien se entregará con constancia de la cancelación.

4. En el expediente se dejará una reproducción del documento desglosado.

- arts. 122 y 362
- L 1676 de 2013

TÍTULO II
TÉRMINOS

ARTÍCULO 117. PERENTORIEDAD DE LOS TÉRMINOS Y OPORTUNIDADES PROCESALES

Los términos señalados en este código para la realización de los actos procesales de las partes y los auxiliares de la justicia, son perentorios e improrrogables, salvo disposición en contrario.

El juez cumplirá estrictamente los términos señalados en este código para la realización de sus actos. La inobservancia de los términos tendrá los efectos previstos en este código, sin perjuicio de las demás consecuencias a que haya lugar.

A falta de término legal para un acto, el juez señalará el que estime necesario para su realización de acuerdo con las circunstancias, y podrá prorrogarlo por una sola vez, siempre que considere justa la causa invocada y la solicitud se formule antes del vencimiento.

- CSJ. AC301-2020

ARTÍCULO 118. CÓMPUTO DE TÉRMINOS

El término que se conceda en audiencia a quienes estaban obligados a concurrir a ella correrá a partir de su otorgamiento. En caso contrario, correrá a partir del día siguiente al de la notificación de la providencia que lo concedió.

El término que se conceda fuera de audiencia correrá a partir del día siguiente al de la notificación de la providencia que lo concedió.

Si el término fuere común a varias partes comenzará a correr a partir del día siguiente al de la notificación a todas.

Cuando se interpongan recursos contra la providencia que concede el término, o del auto a partir de cuya notificación debe correr un término por ministerio de la ley, este se interrumpirá y comenzará a correr a partir del día siguiente al de la notificación del auto que resuelva el recurso.

Sin perjuicio de lo dispuesto en el inciso anterior, mientras esté corriendo un término, no podrá ingresar el expediente al despacho, salvo que se trate de peticiones relacionadas con el mismo término o que requieran trámite urgente, previa consulta verbal del secretario con el juez, de la cual dejará constancia. En estos casos, el término se suspenderá y se reanudará a partir del día siguiente al de la notificación de la providencia que se profiera.

Mientras el expediente esté al despacho no correrán los términos, sin perjuicio de que se practiquen pruebas y diligencias decretadas por autos que no estén pendientes de la decisión del recurso de reposición. Los términos se reanudarán el día siguiente al de la notificación de la providencia que se profiera, o a partir del tercer día siguiente al de su fecha si fuera de cúmplase.

Cuando el término sea de meses o de años, su vencimiento tendrá lugar el mismo día que empezó a correr del correspondiente mes o año. Si este no tiene ese día, el término vencerá el último día del respectivo mes o año. Si su vencimiento ocurre en día inhábil se extenderá hasta el primer día hábil siguiente.

En los términos de días no se tomarán en cuenta los de vacancia judicial ni aquellos en que por cualquier circunstancia permanezca cerrado el juzgado.

- CSJ. SP3468-2020; AC4778-2019
- CSJ. Auto 277/18

ARTÍCULO 119. RENUNCIA DE TÉRMINOS

Los términos son renunciables total o parcialmente por los interesados en cuyo favor se concedan. La renuncia podrá hacerse verbalmente en audiencia, o por escrito, o en el acto de la notificación personal de la providencia que lo señale.

- CSJ. Sentencia del 2 de junio de 2011 - T 2011-00039-01

ARTÍCULO 120. TÉRMINOS PARA DICTAR LAS PROVIDENCIAS JUDICIALES POR FUERA DE AUDIENCIA

En las actuaciones que se surtan por fuera de audiencia los jueces y los magistrados deberán dictar los autos en el término de diez (10) días y las sentencias en el de cuarenta (40), contados desde que el expediente pase al despacho para tal fin.

En lugar visible de la secretaría deberá fijarse una lista de los procesos que se encuentren al despacho para sentencia, con indicación de la fecha de ingreso y la de pronunciamiento de aquella.

No obstante, cuando en disposición especial se autorice decidir de fondo por ausencia de oposición del demandado, el juez deberá dictar inmediatamente la providencia respectiva.

- arts. 384 y 390

ARTÍCULO 121. DURACIÓN DEL PROCESO

Salvo interrupción o suspensión del proceso por causa legal, no podrá transcurrir un lapso superior a un (1) año para dictar sentencia de primera o única instancia, contado a partir de la notificación del auto admisorio de la demanda o mandamiento ejecutivo a la parte demandada o ejecutada. Del mismo modo, el plazo para resolver la segunda instancia, no podrá ser superior a seis (6) meses, contados a partir de la recepción del expediente en la secretaría del juzgado o tribunal.

Vencido el respectivo término previsto en el inciso anterior sin haberse dictado la providencia correspondiente, el funcionario perderá automáticamente competencia para conocer del proceso, por lo cual, al día siguiente, deberá informarlo a la Sala Administrativa del Consejo Superior de la Judicatura y remitir el expediente al juez o magistrado que le sigue en turno, quien asumirá competencia y proferirá la providencia dentro del término máximo de seis (6) meses. La remisión del expediente se hará directamente, sin necesidad de reparto ni participación de las oficinas de apoyo judicial. El juez o magistrado que recibe el proceso deberá informar a la Sala Administrativa del Consejo Superior de la Judicatura sobre la recepción del expediente y la emisión de la sentencia.

La Sala Administrativa del Consejo Superior de la Judicatura, por razones de congestión, podrá previamente indicar a los jueces de determinados municipios o circuitos judiciales que la remisión de expedientes deba efectuarse al propio Consejo Superior de la Judicatura, o a un juez determinado.

Cuando en el lugar no haya otro juez de la misma categoría y especialidad, el proceso pasará al juez que designe la sala de gobierno del tribunal superior respectivo.

Excepcionalmente el juez o magistrado podrá prorrogar por una sola vez el término para resolver la instancia respectiva, hasta por seis (6) meses más, con explicación de la necesidad de hacerlo, mediante auto que no admite recurso.

Será nula ~~de pleno derecho~~ la actuación posterior que realice el juez que haya perdido competencia para emitir la respectiva providencia.

Para la observancia de los términos señalados en el presente artículo, el juez o magistrado ejercerá los poderes de ordenación e instrucción, disciplinarios y correccionales establecidos en la ley.

El vencimiento de los términos a que se refiere este artículo, deberá ser tenido en cuenta como criterio obligatorio de calificación de desempeño de los distintos funcionarios judiciales.

PARÁGRAFO. Lo previsto en este artículo también se aplicará a las autoridades administrativas cuando ejerzan funciones jurisdiccionales. Cuando la autoridad administrativa pierda competencia, deberá remitirlo inmediatamente a la autoridad judicial desplazada.

- *Nota de vigencia:* El inc. segundo fue declarado exequible condicionalmente en la sentencia de la Corte Constitucional C-443 del 25 de septiembre de 2019 "en el sentido de que la pérdida de competencia del funcionario judicial correspondiente sólo ocurre previa solicitud de parte, sin perjuicio de su deber de informar al Consejo Superior de la Judicatura al día siguiente del término para fallar, sobre la circunstancia de haber transcurrido dicho término sin que se haya proferido sentencia."
- *Nota de vigencia:* La expresión tachada del inc. 6 fue declarada inexequible en la sentencia de la Corte Constitucional C-443 del 25 de septiembre de 2019 y el resto del inciso fue declarado exequible condicionalmente "en el entendido de que la nulidad allí prevista debe ser alegada antes de proferirse la sentencia, y de que es saneable en los términos de los artículos 132 y subsiguientes del Código General del Proceso"
- *Nota de vigencia:* El inc. 8 fue declarado exequible condicionalmente en la sentencia de la Corte Constitucional C-443 del 25 de septiembre de 2019 "en el sentido de que el vencimiento de los plazos contemplados en dicho precepto no implica una descalificación automática en la evaluación de desempeño de los funcionarios judiciales"
- D 564/ 2020
- Corte Constitucional. C-443 del 25 de septiembre de 2019
- Corte Constitucional. T-341 del 24 de agosto de 2018
- Corte Constitucional. C-023 del 29 de enero de 2020
- Corte Constitucional. C-0448 del 22 de octubre de 2019
- CSJ. SC3712-2021; SC3377-2021; SC042-2022; SC845-2022; SC2507-2022; STC11469-2019; STC11851-2019; STL4417-2019; STL3703-2019; STL3703-2019; STC14822-2019; STC001-2019; STC9545-2019; AC3358-2018; AC3358-2018; STC8849-2018; STC8790-2018; STC10758-2018; STC8849-2018; STC14507-2018; STC8849-2018; STC8849-2018; STC14817-2018; STC14819-2018; STC14827-2018; STC15084-2018; STC 14829-2018; STC 12644-2018; STC12644-2018; STC16780-2018; STC21350-2017; AC2170-2016; SC9706-2016; AC6886-2016; SC16426-2015; AC5894-2014

TÍTULO III
EXPEDIENTES

CAPÍTULO I
FORMACIÓN Y EXAMEN DE LOS EXPEDIENTES

ARTÍCULO 122. FORMACIÓN Y ARCHIVO DE LOS EXPEDIENTES

De cada proceso en curso se formará un expediente, en el que se insertará la demanda, su contestación, y los demás documentos que le correspondan. En él se tomará nota de los datos que identifiquen las grabaciones en que se registren las audiencias y diligencias.

En aquellos juzgados en los que se encuentre implementado el Plan de Justicia Digital, el expediente estará conformado íntegramente por mensajes de datos.

Los memoriales o demás documentos que sean remitidos como mensaje de datos, por correo electrónico o medios tecnológicos similares, serán incorporados al expediente cuando hayan sido enviados a la cuenta del juzgado desde una dirección electrónica inscrita por el sujeto procesal respectivo.

Cuando el proceso conste en un expediente físico, los mencionados documentos se incorporarán a este de forma impresa, con la anotación del secretario acerca de la fecha y hora en la que fue recibido en la cuenta de correo del despacho, y la información de la cuenta desde la cual fue enviado el mensaje de datos. El despacho deberá conservar el mensaje recibido en su cuenta de correo, por lo menos, hasta la siguiente oportunidad en que el juez ejerza el control de legalidad, salvo que, por la naturaleza de la información enviada, la parte requiera la incorporación del documento en otro soporte que permita la conservación del mensaje en el mismo formato en que fue generado. Las expensas generadas por las impresiones harán parte de la liquidación de costas.

El expediente de cada proceso concluido se archivará conforme a la reglamentación que para tales efectos establezca el Consejo Superior de la Judicatura, debiendo en todo caso informar al juzgado de conocimiento el sitio del archivo. La oficina de archivo ordenará la expedición de las copias requeridas y efectuará los desgloses del caso.

- CPACA art. 36

ARTÍCULO 123. EXAMEN DE LOS EXPEDIENTES

Los expedientes solo podrán ser examinados:

1. Por las partes, sus apoderados y los dependientes autorizados por estos de manera general y por escrito, sin que sea necesario auto que los reconozca, pero solo en relación con los asuntos en que aquellos intervengan.

2. Por los abogados inscritos que no tengan la calidad de apoderados de las partes. Estos podrán examinar el expediente una vez se haya notificado a la parte demandada.

3. Por los auxiliares de la justicia en los casos donde estén actuando, para lo de su cargo.

4. Por los funcionarios públicos en razón de su cargo.

5. Por las personas autorizadas por el juez con fines de docencia o de investigación científica.

6. Por los directores y miembros de consultorio jurídico debidamente acreditados, en los casos donde actúen.

Hallándose pendiente alguna notificación que deba hacerse personalmente a una parte o a su apoderado, estos solo podrán examinar el expediente después de surtida la notificación.

- D 196/ 1971 art. 26 lit b)
- CPACA art. 36

CAPÍTULO II
RETIRO Y REMISIÓN DE EXPEDIENTES

ARTÍCULO 124. RETIRO DE EXPEDIENTE

Mientras esté en trámite el proceso el expediente no podrá ser retirado del juzgado.

El informe requerido por autoridad competente sobre una actuación judicial, no podrá sustituirse por la remisión del expediente.

- CSJ. APL3918-2018

ARTÍCULO 125. REMISIÓN DE EXPEDIENTES, OFICIOS Y DESPACHOS

La remisión de expedientes, oficios y despachos se hará por cualquier medio que ofrezca suficiente seguridad.

El juez podrá imponer a las partes o al interesado, cargas relacionadas con la remisión de expedientes, oficios y despachos.

En los despachos en los que se encuentre habilitado el Plan de Justicia Digital, las remisiones se realizarán a través de la habilitación para acceder al expediente digital.

- arts. 121, 317, 324, 329, 522, 529, 535, 565 y 612
- CPACA art. 74
- CPACA art. 168
- D 2591/1991
- CSJ. STC4339-2018
- L. 2213 de 2022. art. 11
- Corte Constitucional. C-420 del 24 de septiembre de 2020

CAPÍTULO III
RECONSTRUCCIÓN DE EXPEDIENTES

ARTÍCULO 126. TRÁMITE PARA LA RECONSTRUCCIÓN

En caso de pérdida total o parcial de un expediente se procederá así:

1. El apoderado de la parte interesada formulará su solicitud de reconstrucción y expresará el estado en que se encontraba el proceso y la actuación surtida en él. La reconstrucción también procederá de oficio.

2. El juez fijará fecha para audiencia con el objeto de comprobar la actuación surtida y el estado en que se hallaba el proceso, para lo cual ordenará a las partes que aporten las grabaciones y documentos que posean. En la misma audiencia resolverá sobre la reconstrucción.

3. Si solo concurriere a la audiencia una de las partes o su apoderado, se declarará reconstruido el expediente con base en la exposición jurada y las demás pruebas que se aduzcan en ella.

4. Cuando se trate de pérdida total del expediente y las partes no concurran a la audiencia o la reconstrucción no fuere posible, o de pérdida parcial que impida la continuación del proceso, el juez declarará terminado el proceso, quedando a salvo el derecho que tenga el demandante a promoverlo de nuevo.

5. Reconstruido totalmente el expediente, o de manera parcial que no impida la continuación del proceso, este se adelantará, incluso, con prescindencia de lo perdido o destruido.

- CSJ. AL1951-2021; AL1189-2021; AP1069-2021; STP3451-2020; STP15919-2019; STP15289-2019; ATP1614-2019; STC4607-2018

TÍTULO IV
INCIDENTES

CAPÍTULO I
DISPOSICIONES GENERALES

ARTÍCULO 127. INCIDENTES Y OTRAS CUESTIONES ACCESORIAS

Solo se tramitarán como incidente los asuntos que la ley expresamente señale; los demás se resolverán de plano y si hubiere hechos que probar, a la petición se acompañará prueba siquiera sumaria de ellos.

- art. 23, 44, 68, 69, 78, 80, 86, 92, 128, 129, 130, 131, 186, 270, 283, 284, 308, 310, 377, 379, 395, 396, 399, 418, 425, 430, 440, 445, 467, 480, 491, 494, 496, 499, 500, 506, 509, 521, 522, 582, 586, 597 y 598
- CPACA art. 209
- CPP art. 102
- CPTSS art. 89, 90 y 91
- CSJ. AP4864-2016

ARTÍCULO 128. PRECLUSIÓN DE LOS INCIDENTES

El incidente deberá proponerse con base en todos los motivos existentes al tiempo de su iniciación, y no se admitirá luego incidente similar, a menos que se trate de hechos ocurridos con posterioridad.

- CSJ. AP4210-2019

ARTÍCULO 129. PROPOSICIÓN, TRÁMITE Y EFECTO DE LOS INCIDENTES

Quien promueva un incidente deberá expresar lo que pide, los hechos en que se funda y las pruebas que pretenda hacer valer.

Las partes solo podrán promover incidentes en audiencia, salvo cuando se haya proferido sentencia. Del incidente promovido por una parte se correrá traslado a la otra para que se pronuncie y en seguida se decretarán y practicarán las pruebas necesarias.

En los casos en que el incidente puede promoverse fuera de audiencia, del escrito se correrá traslado por tres (3) días, vencidos los cuales el juez convocará a audiencia mediante auto en el que decretará las pruebas pedidas por las partes y las que de oficio considere pertinentes.

Los incidentes no suspenden el curso del proceso y serán resueltos en la sentencia, salvo disposición legal en contrario.

Cuando el incidente no guarde relación con el objeto de la audiencia en que se promueva, se tramitará por fuera de ella en la forma señalada en el inciso tercero.

- CPACA art. 210
- CPTSS art. 89, 90 y 91
- CPP art. 103; 104 y 105
- CSJ. STC1188-2020; AC2921-2020

ARTÍCULO 130. RECHAZO DE INCIDENTES

El juez rechazará de plano los incidentes que no estén expresamente autorizados por este código y los que se promuevan fuera de término o en contravención a lo dispuesto en el artículo 128. También rechazará el incidente cuando no reúna los requisitos formales.

- art. 128
- CSJ. AP4210-2019

ARTÍCULO 131. CUESTIONES ACCESORIAS QUE SE SUSCITEN EN EL CURSO DE UN INCIDENTE

Cualquier cuestión accesoria que se suscite en el trámite de un incidente se resolverá dentro del mismo, para lo cual el juez podrá ordenar la práctica de pruebas.

- CPACA art. 210
- CSJ. AP4864-2016

CAPÍTULO II
NULIDADES PROCESALES

ARTÍCULO 132. CONTROL DE LEGALIDAD

Agotada cada etapa del proceso el juez deberá realizar control de legalidad para corregir o sanear los vicios que configuren nulidades u otras irregularidades del proceso, las cuales, salvo que se trate de hechos nuevos, no se podrán alegar en las etapas siguientes, sin perjuicio de lo previsto para los recursos de revisión y casación.

- *Nota de vigencia:* El texto subrayado fue declarado exequible en la sentencia de la Corte Constitucional C-537 del 5 de octubre de 2016, por los cargos analizados
- Corte Constitucional. C-537 del 5 de octubre de 2016
- CPACA art. 207

ARTÍCULO 133. CAUSALES DE NULIDAD

El proceso es nulo, en todo o en parte, solamente en los siguientes casos:

1. Cuando el juez actúe en el proceso después de declarar la falta de jurisdicción o de competencia.

2. Cuando el juez procede contra providencia ejecutoriada del superior, revive un proceso legalmente concluido o pretermite íntegramente la respectiva instancia.

3. Cuando se adelanta después de ocurrida cualquiera de las causales legales de interrupción o de suspensión, o si, en estos casos, se reanuda antes de la oportunidad debida.

4. Cuando es indebida la representación de alguna de las partes, o cuando quien actúa como su apoderado judicial carece íntegramente de poder.

5. Cuando se omiten las oportunidades para solicitar, decretar o practicar pruebas, o cuando se omite la práctica de una prueba que de acuerdo con la ley sea obligatoria.

6. Cuando se omita la oportunidad para alegar de conclusión o para sustentar un recurso o descorrer su traslado.

7. Cuando la sentencia se profiera por un juez distinto del que escuchó los alegatos de conclusión o la sustentación del recurso de apelación.

8. Cuando no se practica en legal forma la notificación del auto admisorio de la demanda a personas determinadas, o el emplazamiento de las demás personas aunque sean indeterminadas, que deban ser citadas como partes, o de aquellas que deban suceder en el proceso a cualquiera de las partes, cuando la ley así lo ordena, o no se cita en debida forma al Ministerio Público o a cualquier otra persona o entidad que de acuerdo con la ley debió ser citado.

Cuando en el curso del proceso se advierta que se ha dejado de notificar una providencia distinta del auto admisorio de la demanda o del mandamiento de pago, el defecto se corregirá practicando la notificación omitida, pero será nula la actuación posterior que dependa de dicha providencia, salvo que se haya saneado en la forma establecida en este código.

PARÁGRAFO. Las demás irregularidades del proceso se tendrán por subsanadas si no se impugnan oportunamente por los mecanismos que este código establece.

- *Nota de vigencia:* El artículo fue declarado exequible en la sentencia de la Corte Constitucional C-537 del 5 de octubre de 2016, por los cargos analizados
- CPACA art. 208
- CPP arts. 455, 456, 457 y 458
- CSJ. STC1678-2022; SC3148-2021; SC562-2021; SC299-2021; SC562-2021; SC299-2021; AC668-2021; STC2802-2020; STC10704-2020; AC1625-2020; STC-2020 (Radicación nº E-41001-22-14-000-2020-00054-01); STC2802-2020; SC3653-2019; AL229-2019; AC4570-2018; AC1812-2018; AC5552-2017; AC8761-2017; STC18651-2017; STC14870-2017; AC4665-2015
- Corte Constitucional. C-537 del 5 de octubre de 2016

ARTÍCULO 134. OPORTUNIDAD Y TRÁMITE

Las nulidades podrán alegarse en cualquiera de las instancias antes de que se dicte sentencia o con posteridad a esta, si ocurrieren en ella.

La nulidad por indebida representación o falta de notificación o emplazamiento en legal forma, o la originada en la sentencia contra la cual no proceda recurso, podrá también alegarse en la diligencia de entrega o como excepción en la ejecución de la sentencia, o mediante el recurso de revisión, si no se pudo alegar por la parte en las anteriores oportunidades.

Dichas causales podrán alegarse en el proceso ejecutivo, incluso con posterioridad a la orden de seguir adelante con la ejecución, mientras no haya terminado por el pago total a los acreedores o por cualquier otra causa legal.

El juez resolverá la solicitud de nulidad previo traslado, decreto y práctica de las pruebas que fueren necesarias.

La nulidad por indebida representación, notificación o emplazamiento, solo beneficiará a quien la haya invocado. Cuando exista litisconsorcio necesario y se hubiere proferido sentencia, esta se anulará y se integrará el contradictorio.

- *Nota de vigencia:* El inc. primero fue declarado exequible en la sentencia de la Corte Constitucional C-537 del 5 de octubre de 2016, por los cargos analizados
- CPACA art. 210
- CSJ. ATP708-2021; ATP709-2021; STP10249-2019; STP4583-2018; AP4864-2016
- Corte Constitucional. C-537 del 5 de octubre de 2016

ARTÍCULO 135. REQUISITOS PARA ALEGAR LA NULIDAD

La parte que alegue una nulidad deberá tener legitimación para proponerla, expresar la causal invocada y los hechos en que se fundamenta, y aportar o solicitar las pruebas que pretenda hacer valer.

No podrá alegar la nulidad quien haya dado lugar al hecho que la origina, ni quien omitió alegarla como excepción previa si tuvo oportunidad para hacerlo, ni quien después de ocurrida la causal haya actuado en el proceso sin proponerla.

La nulidad por indebida representación o por falta de notificación o emplazamiento solo podrá ser alegada por la persona afectada.

El juez rechazará de plano la solicitud de nulidad que se funde en causal distinta de las determinadas en este capítulo o en hechos que pudieron alegarse como excepciones previas, o la que se proponga después de saneada o por quien carezca de legitimación.

- *Nota de vigencia:* El texto subrayado fue declarado exequible en la sentencia de la Corte Constitucional C-537 del 5 de octubre de 2016
- CSJ. AC4214-2021; AC668-2021; AC2680-2020; AC1812-2018; STC12777-2017
- Corte Constitucional. C-537 del 5 de octubre de 2016

ARTÍCULO 136. SANEAMIENTO DE LA NULIDAD

La nulidad se considerará saneada en los siguientes casos:

1. Cuando la parte que podía alegarla no lo hizo oportunamente o actuó sin proponerla.

2. Cuando la parte que podía alegarla la convalidó en forma expresa antes de haber sido renovada la actuación anulada.

3. Cuando se origine en la interrupción o suspensión del proceso y no se alegue dentro de los cinco (5) días siguientes a la fecha en que haya cesado la causa.

4. Cuando a pesar del vicio el acto procesal cumplió su finalidad y no se violó el derecho de defensa.

PARÁGRAFO. Las nulidades por proceder contra providencia ejecutoriada del superior, revivir un proceso legalmente concluido o pretermitir íntegramente la respectiva instancia, son insaneables.

- *Nota de vigencia:* El parágrafo fue declarado exequible en la sentencia de la Corte Constitucional C-537 del 5 de octubre de 2016, por los cargos analizados
- CSJ. SC845-2022; STC1389-2021; AC2680-2020; SC3653-2019; STL15693-2018; AC1812-2018
- Corte Constitucional. C-537 del 5 de octubre de 2016

ARTÍCULO 137. ADVERTENCIA DE LA NULIDAD

En cualquier estado del proceso el juez ordenará poner en conocimiento de la parte afectada las nulidades que no hayan sido saneadas. Cuando se originen en las causales 4 y 8 del artículo 133 el auto se le notificará al afectado de conformidad con las reglas generales previstas en los artículos 291 y 292. Si dentro de los tres (3) días siguientes al de la notificación dicha parte no alega la nulidad, esta quedará saneada y el proceso continuará su curso; en caso contrario el juez la declarará.

- NOTA: El artículo fue corregido por el Decreto 1736 de 2012
- CSJ. STL15372-2019; STL2412-2019

ARTÍCULO 138. EFECTOS DE LA DECLARACIÓN DE FALTA DE JURISDICCIÓN O COMPETENCIA Y DE LA NULIDAD DECLARADA

Cuando se declare la falta de jurisdicción, o la falta de competencia por el factor funcional o subjetivo, lo actuado conservará su validez y el proceso se enviará de inmediato al juez competente; pero si se hubiere dictado sentencia, esta se invalidará.

La nulidad solo comprenderá la actuación posterior al motivo que la produjo y que resulte afectada por este. Sin embargo, la prueba practicada dentro de dicha actuación conservará su validez y tendrá eficacia respecto de quienes tuvieron oportunidad de controvertirla, y se mantendrán las medidas cautelares practicadas.

El auto que declare una nulidad indicará la actuación que debe renovarse.

- *Nota de vigencia:* El texto subrayado fue declarado exequible en la sentencia de la Corte Constitucional C-537 del 5 de octubre de 2016, por los cargos analizados
- CSJ. SC845-2022; STC2802-2020; STC-2020 (Radicación nº E-41001-22-14-000-2020-00054-01); STC2802-2020; STC2848-2019; AC324-2018
- Corte Constitucional. C-537 del 5 de octubre de 2016

TÍTULO V
CONFLICTOS DE COMPETENCIA, IMPEDIMENTOS Y RECUSACIONES, ACUMULACIÓN DE PROCESOS, AMPARO DE POBREZA, INTERRUPCIÓN Y SUSPENSIÓN DEL PROCESO:

CAPÍTULO I
CONFLICTOS DE COMPETENCIA

ARTÍCULO 139. TRÁMITE

Siempre que el juez declare su incompetencia para conocer de un proceso ordenará remitirlo al que estime competente. Cuando el juez que reciba el expediente se declare a su vez incompetente solicitará que el conflicto se decida por el funcionario judicial que sea superior funcional común a ambos, al que enviará la actuación. Estas decisiones no admiten recurso.

El juez no podrá declarar su incompetencia cuando la competencia haya sido prorrogada por el silencio de las partes, salvo por los factores subjetivo y funcional.

El juez que reciba el expediente no podrá declararse incompetente cuando el proceso le sea remitido por alguno de sus superiores funcionales.

El juez o tribunal al que corresponda, resolverá de plano el conflicto y en el mismo auto ordenará remitir el expediente al juez que deba tramitar el proceso. Dicho auto no admite recursos.

Cuando el conflicto de competencia se suscite entre autoridades administrativas que desempeñen funciones jurisdiccionales, o entre una de estas y un juez, deberá resolverlo el superior de la autoridad judicial desplazada.

La declaración de incompetencia no afecta la validez de la actuación cumplida hasta entonces.

- CSJ. AC170-2021; AC4707-2019; AC2734-2018; AC1277-2016; AC261-2016; AC413-2016; AC 420-2016; AC 518-2016; AC806-2016; AC585-2016; AC260-2016; AC262-2016; AC264-2016; AC412-2016; AC267-2016; AC266-2016; AC265-2016; AC259-2016; AC263-2016; AC1641-2016; AC1999-2016; AC1453-2016; AC1642-2016; AC1450-2016; AC1992-2016; AC1451-2016; AC1454-2016; AC1991-2016; AC822-2016; AC1042-2016; AC1046-2016; AC1047-2016; AC1061-2016; AC1219-2016; AC1216-2016; AC1215-2016; AC1274-2016; AC1214-2016; AC1221-2016; AC2461-2016; AC2460-2016; AC2458-2016; AC2457-2016; AC2456-2016; AC2452-2016; AC2451-2016; AC2459-2016; AC2450-2016; AC2449-2016; AC2631-2016; AC2648-2016; AC2651-2016; AC2650-2016; AC2649-2016; AC2647-2016; AC6078-2016; AC6303-2016; AC6315-2016; AC6241-2016; AC6030-2016; AC5884-2016; AC5441-2016; AC5442-2016; AC5372-2016; AC5239-2016; AC5240-2016; AC5241-2016; AC5224-2016; AC5222-2016; AC5181-2016; AC5040-2016; AC5039-2016; AC4916-2016; AC4887-2016; AC4708-2016; AC4710-2016; AC4667-2016; AC4668-2016; AC1275-2016

CAPÍTULO II
IMPEDIMENTOS Y RECUSACIONES

ARTÍCULO 140. DECLARACIÓN DE IMPEDIMENTOS

Los magistrados, jueces, conjueces en quienes concurra alguna causal de recusación deberán declararse impedidos tan pronto como adviertan la existencia de ella, expresando los hechos en que se fundamenta.

El juez impedido pasará el expediente al que deba reemplazarlo, quien si encuentra configurada la causal asumirá su conocimiento. En caso contrario, remitirá el expediente al superior para que resuelva.

Si el superior encuentra fundado el impedimento enviará el expediente al juez que debe reemplazar al impedido. Si lo considera infundado lo devolverá al juez que venía conociendo de él.

El magistrado o conjuez que se considere impedido pondrá los hechos en conocimiento del que le sigue en turno en la respectiva sala, con expresión de la causal invocada y de los hechos en que se funda, para que resuelva sobre el impedimento y en caso de aceptarlo pase el expediente a quien deba reemplazarlo o fije fecha y hora para el sorteo de conjuez, si hubiere lugar a ello.

El auto en que se manifieste el impedimento, el que lo decida y el que disponga el envío del expediente, no admiten recurso.

Cuando se declaren impedidos varios o todos los magistrados de una misma sala del tribunal o de la Corte, todos los impedimentos se tramitarán conjuntamente y se resolverán en un mismo acto por sala de conjueces.

- CPACA arts. 131 y 134
- CPP arts. 56, 57, 58, 58A y 59
- CSJ. AC5843-2016; AC225-2018

ARTÍCULO 141. CAUSALES DE RECUSACIÓN

Son causales de recusación las siguientes:

1. Tener el juez, su cónyuge, compañero permanente o alguno de sus parientes dentro del cuarto grado de consanguinidad o civil, o segundo de afinidad, interés directo o indirecto en el proceso.

2. Haber conocido del proceso o realizado cualquier actuación en instancia anterior, el juez, su cónyuge, compañero permanente o algunos de sus parientes indicados en el numeral precedente.

3. Ser cónyuge, compañero permanente o pariente de alguna de las partes o de su representante o apoderado, dentro del cuarto grado de consanguinidad o civil, o segundo de afinidad.

4. Ser el juez, su cónyuge, compañero permanente o alguno de sus parientes indicados en el numeral 3, curador, consejero o administrador de bienes de cualquiera de las partes.

5. Ser alguna de las partes, su representante o apoderado, dependiente o mandatario del juez o administrador de sus negocios.

6. Existir pleito pendiente entre el juez, su cónyuge, compañero permanente o alguno de sus parientes indicados en el numeral 3, y cualquiera de las partes, su representante o apoderado.

7. Haber formulado alguna de las partes, su representante o apoderado, denuncia penal o disciplinaria contra el juez, su cónyuge o compañero permanente, o pariente en primer grado de consanguinidad o civil, antes de iniciarse el proceso o después, siempre que la denuncia se refiera a hechos ajenos al proceso o a la ejecución de la sentencia, y que el denunciado se halle vinculado a la investigación.

8. Haber formulado el juez, su cónyuge, compañero permanente o pariente en primer grado de consanguinidad o civil, denuncia penal o disciplinaria contra una de las partes o su representante o apoderado, o estar aquellos legitimados para intervenir como parte civil o víctima en el respectivo proceso penal.

9. Existir enemistad grave o amistad íntima entre el juez y alguna de las partes, su representante o apoderado.

10. Ser el juez, su cónyuge, compañero permanente o alguno de sus parientes en segundo grado de consanguinidad o civil, o primero de afinidad, acreedor o deudor de alguna de las partes, su representante o apoderado, salvo cuando se trate de persona de derecho público, establecimiento de crédito, sociedad anónima o empresa de servicio público.

11. Ser el juez, su cónyuge, compañero permanente o alguno de sus parientes indicados en el numeral anterior, socio de alguna de las partes o su representante o apoderado en sociedad de personas.

12. Haber dado el juez consejo o concepto fuera de actuación judicial sobre las cuestiones materia del proceso, o haber intervenido en este como apoderado, agente del Ministerio Público, perito o testigo.

13. Ser el juez, su cónyuge, compañero permanente o alguno de sus parientes indicados en el numeral 1, heredero o legatario de alguna de las partes, antes de la iniciación del proceso.

14. Tener el juez, su cónyuge, compañero permanente o alguno de sus parientes en segundo grado de consanguinidad o civil, pleito pendiente en que se controvierta la misma cuestión jurídica que él debe fallar.

- *Nota de vigencia:* El artículo fue declarado exequible en la sentencia de la Corte Constitucional C-496 del 14 de septiembre de 2016, por el cargo analizado en la sentencia
- CPACA arts. 11, 130 y 133
- CPP art. 56
- L 1563/ 2012 art. 16
- L 1563/ 2012 art. 18
- CSJ. AC4331-2022; AC2970-2022; AC3244-2022; AC3273-2022; AC3113-2022; AC6027-2021; AC2954-2021; AC2138-2021; STC9642-2022; AC4288-2022; AC236-2021; AC1217-2020; AC1217-2020; AC603-2020; AC4415-2019; AC1649-2019; AC3885-2019; AC5368-2019; AC3526-2019; AC4488-2018; AC2706-2018; AC225-2018; AL2870-2018; AC3031-2017; AC2400-2017; AC3275-2017; AC1263-2016; AC6666-2016; AC1071-2016
- Corte Constitucional. C-496 del 14 de septiembre de 2016
- Consejo de Estado, Sala Plena, Sentencia de Unificación, Expediente No. 11001-03-15-000-2020-00471-00 (REV) de 24 de mayo de 2023

ARTÍCULO 142. OPORTUNIDAD Y PROCEDENCIA DE LA RECUSACIÓN

Podrá formularse la recusación en cualquier momento del proceso, de la ejecución de la sentencia, de la complementación de la condena en concreto o de la actuación para practicar pruebas o medidas cautelares extraprocesales.

No podrá recusar quien sin formular la recusación haya hecho cualquier gestión en el proceso después de que el juez haya asumido su conocimiento, si la causal invocada fuere anterior a dicha gestión, ni quien haya actuado con posterioridad al hecho que motiva la recusación. En estos casos la recusación debe ser rechazada de plano.

No habrá lugar a recusación cuando la causal se origine por cambio de apoderado de una de las partes, a menos que la formule la parte contraria. En este caso, si la recusación prospera, en la misma providencia se impondrá a quien hizo la designación y al designado, solidariamente, multa de cinco (5) a diez (10) salarios mínimos mensuales.

No serán recusables ni podrán declararse impedidos los magistrados o jueces a quienes corresponde conocer de la recusación, ni los que deben dirimir los conflictos de competencia, ni los funcionarios comisionados.

Cuando la recusación se base en causal diferente a las previstas en este capítulo, el juez debe rechazarla de plano mediante auto que no admite recurso.

- CPACA art. 12
- CPP art. 60

- CSJ. AC5359-2019; STC5682-2017

ARTÍCULO 143. FORMULACIÓN Y TRÁMITE DE LA RECUSACIÓN

La recusación se propondrá ante el juez del conocimiento o el magistrado ponente, con expresión de la causal alegada, de los hechos en que se fundamente y de las pruebas que se pretenda hacer valer.

Si la causal alegada es la del numeral 7 del artículo 141, deberá acompañarse la prueba correspondiente.

Cuando el juez recusado acepte los hechos y la procedencia de la causal, en la misma providencia se declarará separado del proceso o trámite, ordenará su envío a quien debe reemplazarlo, y aplicará lo dispuesto en el artículo 140. Si no acepta como ciertos los hechos alegados por el recusante o considera que no están comprendidos en ninguna de las causales de recusación, remitirá el expediente al superior, quien decidirá de plano si considera que no se requiere la práctica de pruebas; en caso contrario decretará las que de oficio estime convenientes y fijará fecha y hora para audiencia con el fin de practicarlas, cumplido lo cual pronunciará su decisión.

La recusación de un magistrado o conjuez la resolverá el que le siga en turno en la respectiva sala, con observancia de lo dispuesto en el inciso anterior, en lo pertinente.

Si se recusa simultáneamente a dos o más magistrados de una sala, cada uno de ellos deberá actuar como se indica en el inciso 3o, en cuanto fuere procedente. Corresponderá al magistrado que no fue recusado tramitar y decidir la recusación.

Si se recusa a todos los magistrados de una sala de decisión, cada uno de ellos deberá proceder como se indica en el inciso 3o, siguiendo el orden alfabético de apellidos. Cumplido esto corresponderá al magistrado de la siguiente sala de decisión, por orden alfabético de apellidos, tramitar y decidir la recusación.

Si no existe otra sala de decisión, corresponderá conocer de la recusación al magistrado de una sala de otra especialidad, a quien por reparto se le asigne.

Cuando se aleguen causales de recusación que existan en el mismo momento contra varios magistrados del tribunal superior o de la Corte Suprema de Justicia, deberá formularse simultáneamente la recusación de todos ellos, y si así no se hiciere se rechazarán de plano las posteriores recusaciones. Todas las recusaciones se resolverán en un mismo auto.

Siempre que se declare procedente la recusación de un magistrado, en el mismo auto se ordenará que sea sustituido por quien deba reemplazarlo.

En el trámite de la recusación el recusado no es parte y las providencias que se dicten no son susceptibles de recurso alguno.

- CPACA arts. 12, 132 y 134
- L. 1563/2012 art. 17
- CSJ. AC2444-2019; AP1050-2019; STC469-2018; AL3391-2018; STC6552-2017

ARTÍCULO 144. JUEZ O MAGISTRADO QUE DEBE REEMPLAZAR AL IMPEDIDO O RECUSADO

El juez que deba separarse del conocimiento por impedimento o recusación será reemplazado por el del mismo ramo y categoría que le siga en turno atendiendo el orden numérico, y a falta de este por el juez de igual categoría, promiscuo o de otra especialidad que determine la corporación respectiva.

El magistrado o conjuez impedido o recusado será reemplazado por el que siga en turno o por un conjuez si no fuere posible integrar la sala por ese medio.

PARÁGRAFO. Sin perjuicio de la prelación que corresponde a las acciones constitucionales, la tramitación de los impedimentos y recusaciones tendrá preferencia.

- CPACA art. 115
- CSJ. A320-19

ARTÍCULO 145. SUSPENSIÓN DEL PROCESO POR IMPEDIMENTO O RECUSACIÓN

El proceso se suspenderá desde que el funcionario se declare impedido o se formule la recusación hasta cuando se resuelva, sin que por ello se afecte la validez de los actos surtidos con anterioridad.

Cuando se hubiere señalado fecha para una audiencia o diligencia, esta solo se suspenderá si la recusación se presenta por lo menos cinco (5) días antes de su celebración.

- CPP art. 62
- CSJ. STC3963-2021; STC3963-2021; STC6552-2017

ARTÍCULO 146. IMPEDIMENTOS Y RECUSACIONES DE LOS SECRETARIOS

Los secretarios están impedidos y pueden ser recusados en la misma oportunidad y por las causales señaladas para los jueces, salvo las de los numerales 2 y 12 del artículo 141.

De los impedimentos y recusaciones de los secretarios conocerá el juez o el magistrado ponente.

Aceptado el impedimento o formulada la recusación, actuará como secretario el oficial mayor, si lo hubiere, y en su defecto la sala o el juez designará un secretario ad hoc, quien seguirá actuando si prospera la recusación. Los autos que decidan el impedimento o la recusación no tienen recurso alguno. En este caso la recusación no suspende el curso del proceso.

- art. 141
- CPP art. 63
- L 1563/2012 art. 16

ARTÍCULO 147. SANCIONES AL RECUSANTE

Cuando una recusación se declare no probada y se disponga que hubo temeridad o mala fe en su proposición, en el mismo auto se impondrá al recusante y al apoderado de este, solidariamente, multa de cinco (5) a diez (10) salarios mínimos mensuales, sin perjuicio de la investigación disciplinaria a que haya lugar.

- CSJ. STC14190-2019; AP2177-2019

CAPÍTULO III
ACUMULACIÓN DE PROCESOS Y DEMANDAS

ARTÍCULO 148. PROCEDENCIA DE LA ACUMULACIÓN EN LOS PROCESOS DECLARATIVOS

Para la acumulación de procesos y demandas se aplicarán las siguientes reglas:

1. Acumulación de procesos. De oficio o a petición de parte podrán acumularse dos (2) o más procesos que se encuentren en la misma instancia, aunque no se haya notificado el auto admisorio de la demanda, siempre que deban tramitarse por el mismo procedimiento, en cualquiera de los siguientes casos:

a) Cuando las pretensiones formuladas habrían podido acumularse en la misma demanda.

b) Cuando se trate de pretensiones conexas y las partes sean demandantes y demandados recíprocos.

c) Cuando el demandado sea el mismo y las excepciones de mérito propuestas se fundamenten en los mismos hechos.

2. Acumulación de demandas. Aun antes de haber sido notificado el auto admisorio de la demanda, podrán formularse nuevas demandas declarativas en los mismos eventos en que hubiese sido procedente la acumulación de pretensiones.

3. Disposiciones comunes. Las acumulaciones en los procesos declarativos procederán hasta antes de señalarse fecha y hora para la audiencia inicial.

Si en alguno de los procesos ya se hubiere notificado al demandado el auto admisorio de la demanda, al decretarse la acumulación de procesos se dispondrá la notificación por estado del auto admisorio que estuviere pendiente de notificación.

De la misma manera se notificará el auto admisorio de la nueva demanda acumulada, cuando el demandado ya esté notificado en el proceso donde se presenta la acumulación.

En estos casos el demandado podrá solicitar en la secretaría que se le suministre la reproducción de la demanda y de sus anexos dentro de los tres (3) días siguientes, vencidos los cuales comenzará a correr el término de ejecutoria y el de traslado de la demanda que estaba pendiente de notificación al momento de la acumulación.

Cuando un demandado no se hubiere notificado personalmente en ninguno de los procesos, se aplicarán las reglas generales.

La acumulación de demandas y de procesos ejecutivos se regirá por lo dispuesto en los artículos 463 y 464 de este código.

- CSJ. Auto 159/21; SL1752-2021; STL8693-2020; STC170-2020; AL698-2020; AL5180-2019; AL698-2019; STP13624-2019; AL3603-2019; AL2295-2019; AL4505-2018; AL8126-2017; AC1052-2017; AC8718-2016; AC2060-2016

ARTÍCULO 149. COMPETENCIA

Cuando alguno de los procesos o demandas objeto de acumulación corresponda a un juez de superior categoría, se le remitirá el expediente para que resuelva y continúe conociendo del proceso. En los demás casos asumirá la competencia el juez que adelante el proceso más antiguo, lo cual se determinará por la fecha de la notificación del auto admisorio de la demanda o del mandamiento ejecutivo al demandado, o de la práctica de medidas cautelares.

- CSJ. Auto 159/21; STL8693-2020; AL698-2020; AL698-2019; AL5180-2019; AL5516-2019; AL2295-2019; AL1964-2018; AL8126-2017; AL6073-2016

ARTÍCULO 150. TRÁMITE

Quien solicite la acumulación de procesos o presente demanda acumulada, deberá expresar las razones en que se apoya.

Cuando los procesos por acumular cursen en el mismo despacho judicial, la solicitud de acumulación se decidirá de plano. Si los otros procesos cuya acumulación, se solicita cursan en distintos despachos judiciales, el peticionario indicará con precisión el estado en que se encuentren y aportará copia de las demandas con que fueron promovidos.

Si el juez ordena la acumulación de procesos, se oficiará al que conozca de los otros para que remita los expedientes respectivos.

Los procesos o demandas acumuladas se tramitarán conjuntamente, con suspensión de la actuación más adelantada, hasta que se encuentren en el mismo estado, y se decidirán en la misma sentencia.

Cuando los procesos por acumular cursen en el mismo despacho judicial, la acumulación oficiosa o requerida se decidirá de plano. Si cursan en diferentes despachos, el juez, cuando obre de oficio, solicitará la certificación y las copias respectivas por el medio más expedito.

- CSJ. Auto 159/21; STL8693-2020; AL698-2020; AL698-2019; AL2295-2019

CAPÍTULO IV
AMPARO DE POBREZA

ARTÍCULO 151. PROCEDENCIA

Se concederá el amparo de pobreza a la persona que no se halle en capacidad de atender los gastos del proceso sin menoscabo de lo necesario para su propia subsistencia y la de las personas a quienes por ley debe alimentos, salvo cuando pretenda hacer valer un derecho litigioso a título oneroso.

- CSJ. SC041-2022; STC102-2022; STC6794-2022; AC2182-2021; AL2163-2021; STC4216-2021; AC1152-2021; AL1231-2021; AC908-2021; AC234-2021; AL412-2021; AL103-2021; AC2139-2020; AL2871-2020; STC3956-2020; STC2438-2020; STC2318-2020; STC1782-2020; STC1567-2020; STP651-2020; STC2318-2020; STC16928-2019; STC15333-2019; STC9465-2019; STC8324-2019; AC376-2019; AC2143-2019; AC376-2019; AC5355-2018; AC5355-2018; AC4900-2018; STC14882-2018; STC13184-2018; AC2515-2017; AC4385-2017; AC3350-2016; AC4643-2016; AC4662-2015
- Corte Constitucional. T-339 del 22 de agosto de 2018
- Corte Constitucional. C-668 del 30 de noviembre de 2016

ARTÍCULO 152. OPORTUNIDAD, COMPETENCIA Y REQUISITOS

El amparo podrá solicitarse por el presunto demandante antes de la presentación de la demanda, o por cualquiera de las partes durante el curso del proceso.

El solicitante deberá afirmar bajo juramento que se encuentra en las condiciones previstas en el artículo precedente, y si se trata de demandante que actúe por medio de apoderado, deberá formular al mismo tiempo la demanda en escrito separado.

Cuando se trate de demandado o persona citada o emplazada para que concurra al proceso, que actúe por medio de apoderado, y el término para contestar la demanda o comparecer no haya vencido, el solicitante deberá presentar, simultáneamente la contestación de aquella, el escrito de intervención y la solicitud de amparo; si fuere el caso de designarle apoderado, el término para contestar la demanda o para comparecer se suspenderá hasta cuando este acepte el encargo.

- CSJ. STC102-2022; STC6794-2022; AL2163-2021; AL1678-2021; AC1021-2021; AL1231-2021; AC234-2021; AL412-2021; AL103-2021; AC2139-2020; AL2871-2020; SL4298-2020; AL1188-2020; STC2438-2020; STC2318-2020; STC1782-2020; STC1567-2020; STP651-2020; STC16928-2019; AL4855-2019; AC4694-2018; AC5355-2018; STC20667-2017
- Corte Constitucional. T-339 del 22 de agosto de 2018
- Corte Constitucional. C-668 del 30 de noviembre de 2016

ARTÍCULO 153. TRÁMITE

Cuando se presente junto con la demanda, la solicitud de amparo se resolverá en el auto admisorio de la demanda.

En la providencia en que se deniegue el amparo se impondrá al solicitante multa de un salario mínimo mensual (1 smlmv).

- El Segundo inciso fue declarado condicionalmente exequible por la Corte Constitucional en sentencia C-426-24 del 9 de octubre de 2024 "en el entendido de que la sanción allí prevista sólo podrá imponerse cuando se compruebe que el solicitante obró de mala fe. Para tal efecto, se seguirá lo dispuesto en el artículo 59 de la Ley 270 de 1996"
- CSJ. STC102-2022; STC6794-2022; AL2871-2020; STC1567-2020; STP651-2020; AC3881-2019; STC17080-2016

ARTÍCULO 154. EFECTOS

El amparado por pobre no estará obligado a prestar cauciones procesales ni a pagar expensas, honorarios de auxiliares de la justicia u otros gastos de la actuación, y no será condenado en costas.

En la providencia que conceda el amparo el juez designará el apoderado que represente en el proceso al amparado, en la forma prevista para los curadores ad lítem, salvo que aquel lo haya designado por su cuenta.

El cargo de apoderado será de forzoso desempeño y el designado deberá manifestar su aceptación o presentar prueba del motivo que justifique su rechazo, dentro de los tres (3) días siguientes a la comunicación de la designación; si no lo hiciere, incurrirá en falta a la debida diligencia profesional, será excluido de toda lista en la que sea requisito ser abogado y sancionado con multa de cinco (5) a diez (10) salarios mínimos legales mensuales vigentes (smlmv).

Si el apoderado no reside en el lugar donde deba tramitarse la segunda instancia o el recurso de casación, el funcionario correspondiente procederá en la forma prevista en este artículo a designar el que deba sustituirlo.

Están impedidos para apoderar al amparado los abogados que se encuentren, en relación con el amparado o con la parte contraria, en alguno de los casos de impedimento de los jueces.

El impedimento deberá manifestarse dentro de los tres (3) días siguientes a la comunicación de la designación.

Salvo que el juez rechace la solicitud de amparo, su presentación antes de la demanda interrumpe la prescripción que corría contra quien la formula e impide que ocurra la caducidad, siempre que la demanda se presente dentro de los treinta (30) días siguientes a la aceptación del apoderado que el juez designe y se cumpla lo dispuesto en el artículo 94.

El amparado gozará de los beneficios que este artículo consagra, desde la presentación de la solicitud.

- CSJ. SC0041-2022; STC102-2022; AC1152-2021; AC234-2021; AL103-2021; STC3956-2020; STC2438-2020; STC1567-2020; AC2352-2019; AC5004-2019; STC16928-2019; AL5025-2019; STC3206-2019; AC5355-2018; AC2404-2018; AC627-2017; AC4662-2015
- Corte Constitucional. T-339 del 22 de agosto de 2018

ARTÍCULO 155. REMUNERACIÓN DEL APODERADO

Al apoderado corresponden las agencias en derecho que el juez señale a cargo de la parte contraria.

Si el amparado obtiene provecho económico por razón del proceso, deberá pagar al apoderado el veinte por ciento (20%) de tal provecho si el proceso fuere declarativo y el diez por ciento (10%) en los demás casos. El juez regulará los honorarios de plano.

Si el amparado constituye apoderado, el que designó el juez podrá pedir la regulación de sus honorarios, como dispone el artículo 76.

- arts. 361 y 366

ARTÍCULO 156. FACULTADES Y RESPONSABILIDAD DEL APODERADO

El apoderado que designe el juez tendrá las facultades de los curadores ad lítem y las que el amparado le confiera, y podrá sustituir por su cuenta y bajo su responsabilidad a representación del amparado.

El incumplimiento de sus deberes profesionales o la exigencia de mayores honorarios de los que le correspondan, constituyen faltas graves contra la ética profesional que el juez pondrá en conocimiento de la autoridad competente, a la que le enviará las copias pertinentes.

- art. 56

ARTÍCULO 157. REMUNERACIÓN DE AUXILIARES DE LA JUSTICIA

El juez fijará los honorarios de los auxiliares de la justicia conforme a las reglas generales, los que serán pagados por la parte contraria si fuere condenada en costas, una vez ejecutoriada la providencia que las imponga.

- arts. 363 y 364
- Corte Constitucional. T-339 del 22 de agosto de 2018

ARTÍCULO 158. TERMINACIÓN DEL AMPARO

A solicitud de parte, en cualquier estado del proceso podrá declararse terminado el amparo de pobreza, si se prueba que han cesado los motivos para su concesión. A la misma se acompañarán las pruebas correspondientes, y será resuelta previo traslado de tres (3) días a la parte contraria, dentro de los cuales podrá esta presentar pruebas; el juez practicará las pruebas que considere necesarias. En caso de que la solicitud no prospere, al peticionario y a su apoderado se les impondrá sendas multas de un salario mínimo mensual.

- CSJ. AL2871-2020

- Corte Constitucional. C-668 del 30 de noviembre de 2016

CAPÍTULO V
INTERRUPCIÓN Y SUSPENSIÓN DEL PROCESO

ARTÍCULO 159. CAUSALES DE INTERRUPCIÓN

El proceso o la actuación posterior a la sentencia se interrumpirá:

1. Por muerte, enfermedad grave o privación de la libertad de la parte que no haya estado actuando por conducto de apoderado judicial, representante o curador ad lítem.
2. Por muerte, enfermedad grave o privación de la libertad del apoderado judicial de alguna de las partes, o por inhabilidad, exclusión o suspensión en el ejercicio de la profesión de abogado. Cuando la parte tenga varios apoderados para el mismo proceso, la interrupción solo se producirá si el motivo afecta a todos los apoderados constituidos.
3. Por muerte, enfermedad grave o privación de la libertad del representante o curador ad lítem que esté actuando en el proceso y que carezca de apoderado judicial.

La interrupción se producirá a partir del hecho que la origine, pero si este sucede estando el expediente al despacho, surtirá efectos a partir de la notificación de la providencia que se pronuncie seguidamente. Durante la interrupción no correrán los términos y no podrá ejecutarse ningún acto procesal, con excepción de las medidas urgentes y de aseguramiento.

- CSJ. STC1678-2022; STC7284-2020; STC7284-2020; STL9462-2020; AL1641-2020; AL1490-2020; AL3023-2018
- CE. Expediente No. 41001-23-22-000-2016-00313-01 (1942-18) de 16 de abril de 2021

ARTÍCULO 160. CITACIONES

El juez, inmediatamente tenga conocimiento del hecho que origina la interrupción, ordenará notificar por aviso al cónyuge o compañero permanente, a los herederos, al albacea con tenencia de bienes, al curador de la herencia yacente o a la parte cuyo apoderado falleció o fue excluido o suspendido del ejercicio de la profesión, privado de la libertad o inhabilitado, según fuere el caso.

Los citados deberán comparecer al proceso dentro de los cinco (5) días siguientes a su notificación. Vencido este término, o antes cuando concurran o designen nuevo apoderado, se reanudará el proceso.

Quienes pretendan apersonarse en un proceso interrumpido, deberán presentar las pruebas que demuestren el derecho que les asista.

- CSJ. STL9462-2020

ARTÍCULO 161. SUSPENSIÓN DEL PROCESO

El juez, a solicitud de parte, formulada antes de la sentencia, decretará la suspensión del proceso en los siguientes casos:

1. Cuando la sentencia que deba dictarse dependa necesariamente de lo que se decida en otro proceso judicial que verse sobre cuestión que sea imposible de ventilar en aquel como excepción o mediante demanda de reconvención. El proceso ejecutivo no se suspenderá porque exista un proceso declarativo iniciado antes o después de aquel, que verse sobre la validez o la autenticidad del título ejecutivo, si en este es procedente alegar los mismos hechos como excepción.

2. Cuando las partes la pidan de común acuerdo, por tiempo determinado. La presentación verbal o escrita de la solicitud suspende inmediatamente el proceso, salvo que las partes hayan convenido otra cosa.

PARÁGRAFO. Si la suspensión recae solamente sobre uno de los procesos acumulados, aquel será excluido de la acumulación para continuar el trámite de los demás.

También se suspenderá el trámite principal del proceso en los demás casos previstos en este código o en disposiciones especiales, sin necesidad de decreto del juez.

- L 1563/2012 art. 11
- CSJ. STC8103-2021; AC849-2020; SL1272-2020; AC5141-2019; AC2210-2018; STC9001-2017

ARTÍCULO 162. DECRETO DE LA SUSPENSIÓN Y SUS EFECTOS

Corresponderá al juez que conoce del proceso resolver sobre la procedencia de la suspensión.

La suspensión a que se refiere el numeral 1 del artículo precedente solo se decretará mediante la prueba de la existencia del proceso que la determina y una vez que el proceso que debe suspenderse se encuentre en estado de dictar sentencia de segunda o de única instancia.

La suspensión del proceso producirá los mismos efectos de la interrupción a partir de la ejecutoria del auto que la decrete.

El curso de los incidentes no se afectará si la suspensión recae únicamente sobre el trámite principal.

- CSJ. AC2497-2021; STC8103-2021; AC849-2020; STC8930-2019; SL4035-2017

ARTÍCULO 163. REANUDACIÓN DEL PROCESO

La suspensión del proceso por prejudicialidad durará hasta que el juez decrete su reanudación, para lo cual deberá presentarse copia de la providencia ejecutoriada que puso fin al proceso que le dio origen; con todo, si dicha prueba no se aduce dentro de dos (2) años siguientes a la fecha en que empezó la suspensión, el juez de oficio o a petición de parte, decretará la reanudación del proceso, por auto que se notificará por aviso.

Vencido el término de la suspensión solicitada por las partes se reanudará de oficio el proceso. También se reanudará cuando las partes de común acuerdo lo soliciten.

La suspensión del proceso ejecutivo por secuestro del ejecutado operará por el tiempo en que permanezca secuestrado más un periodo adicional igual a este. En todo caso la suspensión no podrá extenderse más allá del término de un (1) año contado a partir de la fecha en que el ejecutado recuperé su libertad.

- NOTA: El artículo fue corregido por el Decreto 1736 de 2012
- CE Sec. Primera sent. 2012-369/2018
- CSJ. AL5076-2017

SECCIÓN TERCERA
RÉGIMEN PROBATORIO

TÍTULO ÚNICO
PRUEBAS

CAPÍTULO I
DISPOSICIONES GENERALES

ARTÍCULO 164. NECESIDAD DE LA PRUEBA

Toda decisión judicial debe fundarse en las pruebas regular y oportunamente allegadas al proceso. Las pruebas obtenidas con violación del debido proceso son nulas de pleno derecho.

- CPTSS art. 127
- CSJ. SC286-2021; SC1084-2021; SC008-2021; SC562-2021; AC2828-2020; SP2190-2020; AEP049-2020; STL1940-2020; SC4658-2020; AC002-2019; AC100-2019; AC2344-2018; AC4255-2018; STC19402-2017; STC18982-2017

ARTÍCULO 165. MEDIOS DE PRUEBA

Son medios de prueba la declaración de parte, la confesión, el juramento, el testimonio de terceros, el dictamen pericial, la inspección judicial, los documentos, los indicios, los informes y cualesquiera otros medios que sean útiles para la formación del convencimiento del juez.

El juez practicará las pruebas no previstas en este código de acuerdo con las disposiciones que regulen medios semejantes o según su prudente juicio, preservando los principios y garantías constitucionales.

- CPACA art. 40

- CPTSS art. 130
- CPP arts. 373 y 382
- CSJ. AC3153-2022; AC2286-2022; STC2066-2021; SC1084-2021; SL2346-2020; SC3729-2020; SL5620-2018; SC11001-2017
- CE. Sala de lo Contencioso Administrativo. Sección Quinta. Consejero ponente: Alberto Yepes Barreiro (E). 05 de marzo de 2015. Radicación número: 11001-03-28-000-2014-00111-00 (S).
- CE. Sala de lo Contencioso Administrativo. Sección Tercera. Sala Plena. Consejero ponente: Danilo Rojas Betancourth. 11 de septiembre de 2013. Radicación número: 41001-23-31-000-1994-07654-01 (20601).

ARTÍCULO 166. PRESUNCIONES ESTABLECIDAS POR LA LEY

Las presunciones establecidas por la ley serán procedentes siempre que los hechos en que se funden estén debidamente probados.

El hecho legalmente presumido se tendrá por cierto, pero admitirá prueba en contrario cuando la ley lo autorice.

- arts. 74, 79, 96, 97, 1103, 185, 205, 233, 238, 244, 246, 261, 291, 325, 372, 386, 476, 492, 584, 606 y 612
- L. 2213 de 2022. arts. 5; 11
- CC arts. 66, 79, 80, 82, 92, 97, 100, 140, 166, 180, 213, 224, 299, 736, 764, 769, 780, 911, 1130, 1156, 1168, 1208, 1225, 1290, 1292, 1418, 1450, 1503, 1516, 1540, 1621, 1628, 1653, 1676, 1730, 1774, 1795, 1801, 1846, 2054, 2151, 2232, 2234, 2245, 2246, 2249, 2317, 2479 y 2497
- CCo. arts. 13, 32, 127, 200, 261, 263, 335, 397, 438, 506, 525, 605, 625, 631, 660, 768, 825, 835, 864, 877, 879, 920, 931, 933, 970, 982, 986, 1018, 1021, 1028, 1052, 1060, 1089, 1141, 1163, 1171, 1232, 1257, 1288, 1355, 1356, 1501, 1541, 1604, 1641, 1709, 1719, 1735, 1811 y 1816
- CST arts. 24, 88, 143, 190, 195, 202, 239, 435 y 477
- CPTSS art. 129
- CPACA arts. 84, 88, 199 y 205
- CSJ. SC1084-2021; AC663-2021; SC008-2021

ARTÍCULO 167. CARGA DE LA PRUEBA

Incumbe a las partes probar el supuesto de hecho de las normas que consagran el efecto jurídico que ellas persiguen.

No obstante, según las particularidades del caso, el juez podrá, de oficio o a petición de parte, distribuir, la carga al decretar las pruebas, durante su práctica o en cualquier momento del proceso antes de fallar, exigiendo probar determinado hecho a la parte que se encuentre en una situación más favorable para aportar las evidencias o esclarecer los hechos controvertidos. La parte se considerará en mejor posición para probar en virtud de su cercanía con el material probatorio, por tener en su poder el objeto de prueba, por circunstancias técnicas especiales, por haber intervenido directamente en los hechos que dieron lugar al litigio, o por estado de indefensión o de incapacidad en la cual se encuentre la contraparte, entre otras circunstancias similares.

Cuando el juez adopte esta decisión, que será susceptible de recurso, otorgará a la parte correspondiente el término necesario para aportar o solicitar la respectiva prueba, la cual se someterá a las reglas de contradicción previstas en este código.

Los hechos notorios y las afirmaciones o negaciones indefinidas no requieren prueba.

- *Nota de vigencia:* El texto subrayado fue declarado exequible en la sentencia de la Corte Constitucional C-086 del 24 de febrero de 2016, por los cargos analizados.
- Corte Constitucional. C-086 del 24 de febrero de 2016
- CPTSS art. 128
- CSJ. SC1301-2022; SC3327-2022; AC5515-2022; SC4232-2021; SL1217-2021; SL2120-2021; SL1114-2021; SC286-2021; SC008-2021; SC562-2021; SL2592-2020; AC710-2020; SC2769-2020; AC710-2020; SL4965-2019; AC3551-2019; AC4385-2019; STC10872-2018; SC21828-2017; SC21828-2017

ARTÍCULO 168. RECHAZO DE PLANO

El juez rechazará, mediante providencia motivada, las pruebas ilícitas, las notoriamente impertinentes, las inconducentes y las manifiestamente superfluas o inútiles.

- CSJ. AC2229-2020; AC2344-2018; AC2344-2018; AC8435-2017

ARTÍCULO 169. PRUEBA DE OFICIO Y A PETICIÓN DE PARTE

Las pruebas pueden ser decretadas a petición de parte o de oficio cuando sean útiles para la verificación de los hechos relacionados con las alegaciones de las partes. Sin embargo, para decretar de oficio la declaración de testigos será necesario que estos aparezcan mencionados en otras pruebas o en cualquier acto procesal de las partes.

Las providencias que decreten pruebas de oficio no admiten recurso. Los gastos que implique su práctica serán de cargo de las partes, por igual, sin perjuicio de lo que se resuelva sobre costas.

- CPACA art. 40
- CPTSS art. 132
- CSJ. SC2348-2021; AC1247-2021; SC562-2021; SC4419-2020; AC744-2020; SC5224-2019; SC1656-2018

ARTÍCULO 170. DECRETO Y PRÁCTICA DE PRUEBA DE OFICIO

El juez deberá decretar pruebas de oficio, en las oportunidades probatorias del proceso y de los incidentes y antes de fallar, cuando sean necesarias para esclarecer los hechos objeto de la controversia.

Las pruebas decretadas de oficio estarán sujetas a la contradicción de las partes.

- CPTSS art. 132
- CSJ. SC2348-2021; AC1247-2021; SC562-2021; SC4419-2020; AC744-2020; SC5224-2019; AC5141-2019; SC1656-2018

ARTÍCULO 171. JUEZ QUE DEBE PRACTICAR LAS PRUEBAS

El juez practicará personalmente todas las pruebas. Si no lo pudiere hacer por razón del territorio o por otras causas podrá hacerlo a través de videoconferencia, teleconferencia o de cualquier otro medio de comunicación que garantice la inmediación, concentración y contradicción.

Excepcionalmente, podrá comisionar para la práctica de pruebas que deban producirse fuera de la sede del juzgado y no sea posible emplear los medios técnicos indicados en este artículo.

Es prohibido al juez comisionar para la práctica de pruebas que hayan de producirse en el lugar de su sede, así como para la de inspecciones dentro de su jurisdicción territorial.

No obstante, la Corte Suprema de Justicia podrá comisionar cuando lo estime conveniente.

Las pruebas practicadas en el exterior deberán ceñirse a los principios generales contemplados en el presente código, sin perjuicio de lo dispuesto en los tratados internacionales vigentes.

PARÁGRAFO. La Sala Administrativa del Consejo Superior de la Judicatura podrá autorizar a determinados jueces del circuito para comisionar a jueces municipales para practicar la inspección judicial que deba realizarse fuera de su sede, por razones de distancia, condiciones geográficas o de orden público.

- CSJ. SC977-2021; SP1964-2019; AC5083-2018

ARTÍCULO 172. PRUEBAS EN DÍAS Y HORAS INHÁBILES

El juez o el comisionado, si lo cree conveniente y con conocimiento de las partes, podrá practicar pruebas en días y horas inhábiles, y deberá hacerlo así en casos urgentes o cuando aquellas lo soliciten de común acuerdo.

- art. 106

ARTÍCULO 173. OPORTUNIDADES PROBATORIAS

Para que sean apreciadas por el juez las pruebas deberán solicitarse, practicarse e incorporarse al proceso dentro de los términos y oportunidades señalados para ello en este código.

En la providencia que resuelva sobre las solicitudes de pruebas formuladas por las partes, el juez deberá pronunciarse expresamente sobre la admisión de los documentos y demás pruebas que estas hayan aportado. El juez se abstendrá de ordenar la práctica de las pruebas que, directamente o por medio de derecho de petición, hubiera podido conseguir la parte que las solicite, salvo cuando la petición no hubiese sido atendida, lo que deberá acreditarse sumariamente.

Las pruebas practicadas por comisionado o de común acuerdo por las partes y los informes o documentos solicitados a otras entidades públicas o privadas, que lleguen antes de dictar sentencia, serán tenidas en cuenta para la decisión, previo el cumplimiento de los requisitos legales para su práctica y contradicción.

- *Nota de vigencia:* El texto subrayado declarado exequible por la Corte Constitucional en sentencia C-099 de 2022 del 17 de marzo de 2022
- CPTSS art. 131
- CPP art. 374
- CSJ. STL1940-2020; AC1801-2020; AC3146-2019; AC1121-2019; AC3387-2018; AC2953-2018; AC2780-2018; AC1678-2018; AC8140-2017; AC8162-2017; AC7904-2017

ARTÍCULO 174. PRUEBA TRASLADADA Y PRUEBA EXTRAPROCESAL

Las pruebas practicadas válidamente en un proceso podrán trasladarse a otro en copia y serán apreciadas sin más formalidades, siempre que en el proceso de origen se hubieren practicado a petición de la parte contra quien se aducen o con audiencia de ella. En caso contrario, deberá surtirse la contradicción en el proceso al que están destinadas. La misma regla se aplicará a las pruebas extraprocesales.

La valoración de las pruebas trasladadas o extraprocesales y la definición de sus consecuencias jurídicas corresponderán al juez ante quien se aduzcan.

- CPTSS art. 135
- CSJ. STC19402-2017; AC4501-2017

ARTÍCULO 175. DESISTIMIENTO DE PRUEBAS

Las partes podrán desistir de las pruebas no practicadas que hubieren solicitado.

No se podrá desistir de las pruebas practicadas, excepto en el caso contemplado en el inciso final del artículo 270.

- CE. Sala de lo Contencioso Administrativo. Sección Primera. Consejero ponente Roberto Augusto Serrato Valdés. 30 de junio de 2020. Radicación número: 11001-03-24-000-2017-00395-00
- CE. Sala de lo Contencioso Administrativo. Sección Primera. Consejera ponente: Nubia Margoth Peña Garzón. 29 de noviembre de 2019. Radicación número: 11001-03-24-000-2012-00365-00

ARTÍCULO 176. APRECIACIÓN DE LAS PRUEBAS

Las pruebas deberán ser apreciadas en conjunto, de acuerdo con las reglas de la sana crítica, sin perjuicio de las solemnidades prescritas en la ley sustancial para la existencia o validez de ciertos actos.

El juez expondrá siempre razonadamente el mérito que le asigne a cada prueba.

- CPTSS art. 133

- CSJ. SC299-2021; SC3462-2021; SC2501-2021; AC100-2019; AC4255-2018; SC1656-2018; AC5083-2018; STC18982-2017

ARTÍCULO 177. PRUEBA DE LAS NORMAS JURÍDICAS

El texto de normas jurídicas que no tengan alcance nacional y el de las leyes extranjeras, se aducirá en copia al proceso, de oficio o a solicitud de parte.

La copia total o parcial de la ley extranjera deberá expedirse por la autoridad competente del respectivo país, por el cónsul de ese país en Colombia o solicitarse al cónsul colombiano en ese país.

También podrá adjuntarse dictamen pericial rendido por persona o institución experta en razón de su conocimiento o experiencia en cuanto a la ley de un país o territorio fuera de Colombia, con independencia de si está habilitado para actuar como abogado allí.

Cuando se trate de ley extranjera no escrita, podrá probarse con el testimonio de dos o más abogados del país de origen o mediante dictamen pericial en los términos del inciso precedente.

Estas reglas se aplicarán a las resoluciones, circulares y conceptos de las autoridades administrativas. Sin embargo, no será necesaria su presentación cuando estén publicadas en la página web de la entidad pública correspondiente.

PARÁGRAFO. Cuando sea necesario se solicitará constancia de su vigencia.

- CPTSS art. 134
- CSJ. AC168-2021; AC238-2021; SC3394-2021; SC4047-2021; AC1801-2020; AC1523-2020; AC3387-2018; AC4501-2017; AC8140-2017; AC8162-2017; AC7904-2017

ARTÍCULO 178. PRUEBA DE USOS Y COSTUMBRES

Los usos y costumbres aplicables conforme a la ley sustancial deberán acreditarse con documentos, copia de decisiones judiciales definitivas que demuestren su existencia y vigencia o con un conjunto de testimonios.

- art. 179

ARTÍCULO 179. PRUEBA DE LA COSTUMBRE MERCANTIL

La costumbre mercantil nacional y su vigencia se probarán:

1. Con el testimonio de dos (2) comerciantes inscritos en el registro mercantil que den cuenta razonada de los hechos y de los requisitos exigidos a los mismos en el Código de Comercio.

2. Con decisiones judiciales definitivas que aseveren su existencia, proferidas dentro de los cinco (5) años anteriores al diferendo.

3. Con certificación de la cámara de comercio correspondiente al lugar donde rija.

La costumbre mercantil extranjera y su vigencia se acreditarán con certificación del respectivo cónsul colombiano o, en su defecto, del de una nación amiga. Dichos funcionarios para expedir el certificado solicitarán constancia a la cámara de comercio local o a la entidad que hiciere sus veces y, a falta de una y otra, a dos (2) abogados del lugar con reconocida honorabilidad, especialistas en derecho comercial. También podrá probarse mediante dictamen pericial rendido por persona o institución experta en razón de su conocimiento o experiencia en cuanto a la ley de un país o territorio, con independencia de si está habilitado para actuar como abogado allí.

La costumbre mercantil internacional y su vigencia se probarán con la copia de la sentencia o laudo en que una autoridad jurisdiccional internacional la hubiere reconocido, interpretado o aplicado. También se probará con certificación de una entidad internacional idónea o mediante dictamen pericial rendido por persona o institución experta en razón de su conocimiento o experiencia.

- NOTA: la Corte Constitucional se declaró inhibida de fallar sobre el numeral segundo, en la sentencia C-176-23 del 25 de mayo de 2023
- AC3641-2020

ARTÍCULO 180. NOTORIEDAD DE LOS INDICADORES ECONÓMICOS

Todos los indicadores económicos nacionales se consideran hechos notorios.

- SC18156-2016
- CE. Sala de lo Contencioso Administrativo. Sección Tercera. Consejero ponente Mauricio Fajardo Gómez. 30 de enero de 2008. Radicación número: 73001-23-31-000-2005-00825-01 (34011)

ARTÍCULO 181. DECLARACIÓN CON INTÉRPRETE

Siempre que deba recibirse declaración a un sordo o mudo que se dé a entender por signos o alguna persona que no entienda el castellano o no se exprese en este idioma, se designará por el juez un intérprete, quien deberá tomar posesión del cargo.

- arts. 48 y 104

ARTÍCULO 182. PRUEBAS EN EL EXTERIOR

Cuando se requiera la práctica de pruebas en territorio extranjero y no puedan practicarse con el uso de los medios técnicos mencionados en el artículo 171, se observará lo dispuesto en el artículo 41.

CAPÍTULO II
PRUEBAS EXTRAPROCESALES

- CSJ. AC3572-2019

ARTÍCULO 183. PRUEBAS EXTRAPROCESALES

Podrán practicarse pruebas extraprocesales con observancia de las reglas sobre citación y práctica establecidas en este código.

Cuando se soliciten con citación de la contraparte, la notificación de esta deberá hacerse personalmente, de acuerdo con los artículos 291 y 292, con no menos de cinco (5) días de antelación a la fecha de la respectiva diligencia.

- CSJ. STC15779-2019; STC11394-2019; STC5505-2019; STC010-2019; STC21002-2017; STC16969-2016

ARTÍCULO 184. INTERROGATORIO DE PARTE

Quien pretenda demandar o tema que se le demande podrá pedir, por una sola vez, que su presunta contraparte conteste el interrogatorio que le formule sobre hechos que han de ser materia del proceso. En la solicitud indicará concretamente lo que pretenda probar y podrá anexar el cuestionario, sin perjuicio de que lo sustituya total o parcialmente en la audiencia.

- CSJ. STC010-2019; STC21002-2017

ARTÍCULO 185. DECLARACIÓN SOBRE DOCUMENTOS

Quien pretenda reconocer un documento privado deberá presentarlo e identificarse ante la autoridad respectiva.

Sin perjuicio de la presunción de autenticidad, cualquier interesado podrá pedir que se cite al autor de un documento privado, al mandatario con facultades para obligar al mandante, o al representante de la persona jurídica a quien se atribuye, para que rinda declaración sobre la autoría, alcance y contenido del documento.

El reconocimiento del documento por parte del mandatario producirá todos sus efectos respecto del mandante si aparece probado el mandato.

La declaración del citado será recibida previo juramento. Si el documento está firmado a ruego de una persona que no sabía o no podía firmar, esta deberá declarar si se extendió por su orden, si el signatario obró a ruego suyo, y si es cierto su contenido; cuando el citado no pudiere o no supiere leer el juez deberá leerle el documento. En los demás casos bastará que el compareciente declare si es el autor del documento, o si se elaboré por su cuenta, o si es suya a firma o el manuscrito que se le atribuye. El reconocimiento de la autoría del documento hará presumir cierto el contenido.

Si el citado no concurre a la diligencia, o si a pesar de comparecer se niega a prestar juramento o a declarar, o da respuestas evasivas no obstante la amonestación del juez, se tendrá por surtido el reconocimiento y así se declarará en nota puesta al pie del documento.

Dentro de los tres (3) días siguientes a la fecha señalada para la diligencia el citado podrá probar al menos sumariamente que su inasistencia obedeció a causa justificada; si así lo hiciere, el juez señalará, por una sola vez, nueva fecha y hora para el reconocimiento, por medio de auto que se notificará por estado.

En el proceso en que se aduzca un documento previamente reconocido en legal forma, ya sea expresa o tácitamente, no procederá la tacha en cuanto al autor jurídico, ni el desconocimiento.

- CSJ. STC21002-2017

ARTÍCULO 186. EXHIBICIÓN DE DOCUMENTOS, LIBROS DE COMERCIO Y COSAS MUEBLES

El que se proponga demandar o tema que se le demande, podrá pedir de su presunta contraparte o de terceros la exhibición de documentos, libros de comercio y cosas muebles.

La oposición a la exhibición se resolverá por medio de incidente.

- CSJ. STC21002-2017

ARTÍCULO 187. TESTIMONIO PARA FINES JUDICIALES

Quien pretenda aducir en un proceso el testimonio de una persona podrá pedir que se le reciba declaración anticipada con o sin citación de la contraparte.

La citación al testigo se hará por cualquier medio de comunicación expedito e idóneo, dejando constancia de ello en el expediente. Cuando esté impedido para concurrir al despacho, se le prevendrá para que permanezca en el lugar donde se encuentre y allí se le recibirá declaración.

- CSJ. STC010-2019

ARTÍCULO 188. TESTIMONIOS SIN CITACIÓN DE LA CONTRAPARTE

Los testimonios anticipados para fines judiciales o no judiciales podrán recibirse por una o ambas y se entenderán rendidos bajo la gravedad del juramento, circunstancia de la cual se dejará expresa constancia en el documento que contenga la declaración. Este documento, en lo pertinente, se sujetará a lo previsto en el artículo 221.

Estos testimonios, que comprenden los que estén destinados a servir como prueba sumaria en actuaciones judiciales, también podrán practicarse ante notario o alcalde.

A os <sic, los> testimonios anticipados con o sin intervención del juez, rendidos sin citación de la persona contra quien se aduzcan en el proceso, se aplicará el artículo 222. Si el testigo no concurre a la audiencia de ratificación, el testimonio no tendrá valor.

- arts. 221 y 222
- CSJ. SP17352-2016

ARTÍCULO 189. INSPECCIONES JUDICIALES Y PERITACIONES

Podrá pedirse como prueba extraprocesal la práctica de inspección judicial sobre personas, lugares, cosas o documentos que hayan de ser materia de un proceso, con o sin intervención de perito.

Las pruebas señaladas en este artículo también podrán practicarse sin citación de la futura contraparte, salvo cuando versen sobre libros y papeles de comercio caso en el cual deberá ser previamente notificada la futura parte contraria.

- CSJ. STC3205-2021

ARTÍCULO 190. PRUEBAS PRACTICADAS DE COMÚN ACUERDO

Las partes, de común acuerdo, podrán practicar pruebas o delegar su práctica en un tercero, las que deberán ser aportadas antes de dictarse sentencia.

Lo dispuesto en este artículo no se aplicará cuando una de las partes esté representada por curador ad lítem.

- art. 173

CAPÍTULO III
DECLARACIÓN DE PARTE Y CONFESIÓN

ARTÍCULO 191. REQUISITOS DE LA CONFESIÓN

La confesión requiere:

1. Que el confesante tenga capacidad para hacerla y poder dispositivo sobre el derecho que resulte de lo confesado.
2. Que verse sobre hechos que produzcan consecuencias jurídicas adversas al confesante o que favorezcan a la parte contraria.
3. Que recaiga sobre hechos respecto de los cuales la ley no exija otro medio de prueba.

4. Que sea expresa, consciente y libre.

5. Que verse sobre hechos personales del confesante o de los que tenga o deba tener conocimiento.

6. Que se encuentre debidamente probada, si fuere extrajudicial o judicial trasladada.

La simple declaración de parte se valorará por el juez de acuerdo con las reglas generales de apreciación de las pruebas.

- CSJ. SL2631-2021; SL2478-2021; SL2407-2021; SL2396-2021; SL1818-2021; SL1211-2021; SL1262-2021; SL728-2021; SL377-2021; SL419-2021; SL170-2021; SC5141-2020; AC2117-2020; AC1427-2020; AC5019-2019; AC3273-2019; AC2419-2019; AC3500-2018; SL1740-2018; SC17654-2017
- CE. Sentencia de Unificación, Expediente No. 85001-33-33-002-2014-00144-01 (61033) del 29 de enero de 2020

ARTÍCULO 192. CONFESIÓN DE LITISCONSORTE

La confesión que no provenga de todos los litisconsortes necesarios tendrá el valor de testimonio de tercero.

Igual valor tendrá la que haga un litisconsorte facultativo, respecto de los demás.

- CSJ. SC3466-2020

ARTÍCULO 193. CONFESIÓN POR APODERADO JUDICIAL

La confesión por apoderado judicial valdrá cuando para hacerla haya recibido autorización de su poderdante, la cual se entiende otorgada para la demanda y las excepciones, las correspondientes contestaciones, la audiencia inicial y la audiencia del proceso verbal sumario. Cualquier estipulación en contrario se tendrá por no escrita.

- *Nota de vigencia:* El texto subrayado fue declarado exequible en la sentencia de la Corte Constitucional C-551 del 12 de octubre de 2016, por el cargo estudiado
- CSJ. STC9061-2019; STC4781-2018; SC11001-2017
- Corte Constitucional. C-551 del 12 de octubre de 2016

ARTÍCULO 194. CONFESIÓN POR REPRESENTANTE

El representante legal, el gerente, administrador o cualquiera otro mandatario de una persona, podrá confesar mientras esté en el ejercicio de sus funciones.

La confesión por representante podrá extenderse a hechos o actos anteriores a su representación.

- CSJ. AC1427-2020; STC20671-2017; STC16716-2016; STC1887-2016
- Corte Constitucional. C-551 del 12 de octubre de 2016
- CE. Sentencia de Unificación, Expediente No. 85001-33-33-002-2014-00144-01 (61033) de 29 de enero de 2020

ARTÍCULO 195. DECLARACIONES DE LOS REPRESENTANTES DE PERSONAS JURÍDICAS DE DERECHO PÚBLICO

No valdrá la confesión de los representantes de las entidades públicas cualquiera que sea el orden al que pertenezcan o el régimen jurídico al que estén sometidas.

Sin embargo, podrá pedirse que el representante administrativo de la entidad rinda informe escrito bajo juramento, sobre los hechos debatidos que a ella conciernan, determinados en la solicitud. El juez ordenará rendir informe dentro del término que señale, con la advertencia de que si no se remite en oportunidad sin motivo justificado o no se rinde en forma explícita, se impondrá al responsable una multa de cinco (5) a diez (10) salarios mínimos mensuales legales vigentes (smlmv).

- CSJ. SL419-2021; SC15173-2016
- Corte Constitucional. C-551 del 12 de octubre de 2016
- Corte Constitucional. C-632 del 15 de agosto de 2012

ARTÍCULO 196. INDIVISIBILIDAD DE LA CONFESIÓN Y DIVISIBILIDAD DE LA DECLARACIÓN DE PARTE

La confesión deberá aceptarse con las modificaciones, aclaraciones y explicaciones concernientes al hecho confesado, excepto cuando exista prueba que las desvirtúe.

Cuando la declaración de parte comprenda hechos distintos que no guarden íntima conexión con el confesado, aquellos se apreciarán separadamente.

- CSJ. SL419-2021; SL4989-2019; SC20185-2017; SC15173-2016
- Corte Constitucional. C-551 del 12 de octubre de 2016

ARTÍCULO 197. INFIRMACIÓN DE LA CONFESIÓN

Toda confesión admite prueba en contrario.

- CSJ. SC3688-2021; SC540-2021; SL999-2021

ARTÍCULO 198. INTERROGATORIO DE LAS PARTES

El juez podrá, de oficio o a solicitud de parte, ordenar la citación de las partes a fin de interrogarlas sobre los hechos relacionados con el proceso.

Las personas naturales capaces deberán absolver personalmente el interrogatorio.

Cuando una persona jurídica tenga varios representantes o mandatarios generales cualquiera de ellos deberá concurrir a absolver el interrogatorio, sin que pueda invocar limitaciones de tiempo, cuantía o materia o manifestar que no le constan los hechos, que no esté facultado para obrar separadamente o que no está dentro de sus competencias, funciones o atribuciones. Para estos efectos es responsabilidad del representante informarse suficientemente.

Cuando se trate de incidentes y de diligencias de entrega o secuestro de bienes podrá decretarse de oficio o a solicitud del interesado el interrogatorio de las partes y de los opositores que se encuentren presentes, en relación con los hechos objeto del incidente o de la diligencia, aun cuando hayan absuelto otro en el proceso.

Si se trata de terceros que no estuvieron presentes en la diligencia y se opusieron por intermedio de apoderado, el auto que lo decrete quedará notificado en estrados, no admitirá recurso, y en él se ordenará que las personas que deben absolverlo comparezcan al juzgado en el día y la hora señalados; la diligencia solo se suspenderá una vez que se hayan practicado las demás pruebas que fueren procedentes.

Practicado el interrogatorio o frustrado este por la no comparecencia del citado se reanudará la diligencia; en el segundo caso se tendrá por cierto que el opositor no es poseedor.

El juez, de oficio, podrá decretar careos entre las partes.

- arts. 372 y 373
- CPTSS arts. 136 a 144
- CSJ. STC9197-2022; STC2156-2020; AC1427-2020; STC4781-2018; STC20671-2017

ARTÍCULO 199. DECRETO DEL INTERROGATORIO

En el auto que decrete el interrogatorio se fijará fecha y hora para la audiencia y se ordenará la citación del absolvente.

Cuando se trate de persona que por enfermedad no pueda comparecer al despacho judicial, se le prevendrá para que permanezca en su habitación el día y hora señalados. De ser el caso, el juez podrá autorizar la utilización de medios técnicos.

PARÁGRAFO. Cuando en un proceso sea parte quien ostente la condición de Presidente de la República o de Vicepresidente, la prueba se practicará en su despacho.

- arts. 198; 372; 373 y 392

ARTÍCULO 200. CITACIÓN DE LA PARTE A INTERROGATORIO

El auto que decrete el interrogatorio de parte extraprocesal se notificará a esta personalmente; el de interrogatorio en el curso del proceso se notificará en estrados o por estado, según el caso.

- arts. 184; 199; 291; 294 y 295
- L. 2213 de 2022

ARTÍCULO 201. TRASLADO DE LA PARTE A LA SEDE DEL JUZGADO

Cuando la parte citada resida en lugar distinto a la sede del juzgado, el juez dispondrá que quien haya solicitado la prueba consigne, dentro de la ejecutoria del auto, el valor que el juez señale para gastos de transporte y permanencia, salvo que la audiencia pueda realizarse por videoconferencia, teleconferencia o se encuentre en una de las eventualidades que permiten comisionar. Contra tal decisión no cabe recurso.

- arts. 6 y 171

ARTÍCULO 202. REQUISITOS DEL INTERROGATORIO DE PARTE

El interrogatorio será oral. El peticionario podrá formular las preguntas por escrito en pliego abierto o cerrado que podrá acompañar al memorial en que pida la prueba, presentarlo o sustituirlo antes del día señalado para la audiencia. Si el pliego está cerrado, el juez lo abrirá al iniciarse la diligencia.

Si el absolvente concurre a la audiencia, durante el interrogatorio la parte que solicita la prueba podrá sustituir o completar el pliego que haya presentado por preguntas verbales, total o parcialmente.

El interrogatorio no podrá exceder de veinte (20) preguntas, pero el juez podrá adicionado con las que estime convenientes. El juez excluirá las preguntas que no se relacionen con la materia del litigio, las que no sean claras y precisas, las que hayan sido contestadas en la misma diligencia o en interrogatorio anterior, las inconducentes y las manifiestamente superfluas.

Las partes podrán objetar preguntas por las mismas causas de exclusión a que se refiere el inciso precedente. En este evento, el objetante se limitará a indicar la causal y el juez resolverá de plano mediante decisión no susceptible de recurso.

Las preguntas relativas a hechos que impliquen responsabilidad penal se formularán por el juez sin juramento, con la prevención al interrogado de que no está en el deber de responderlas.

Cada pregunta deberá referirse a un solo hecho; si contiene varios, el juez la dividirá de modo que la respuesta se dé por separado en relación con cada uno de ellos y la división se tendrá en cuenta para los efectos del límite de preguntas. Las preguntas podrán ser o no asertivas.

- arts. 372; 373 y 392

ARTÍCULO 203. PRÁCTICA DEL INTERROGATORIO

Antes de iniciarse el interrogatorio se recibirá al interrogado juramento de no faltar a la verdad.

En la audiencia también podrán interrogar los litisconsortes facultativos del interrogado.

El interrogado deberá concurrir personalmente a la audiencia, debidamente informado sobre los hechos materia del proceso.

Si el interrogado manifestare que no entiende la pregunta el juez le dará las explicaciones a que hubiere lugar.

Cuando la pregunta fuere asertiva, la contestación deberá limitarse a negar o a afirmar la existencia del hecho preguntado, pero el interrogado podrá adicionarla con las explicaciones que considere necesarias. La pregunta no asertiva deberá responderse concretamente y sin evasivas. El juez podrá pedir explicaciones sobre el sentido y los alcances de las respuestas.

Si el interrogado se negare a contestar o diere respuestas evasivas o impertinentes, el juez lo amonestará para que responda o para que lo haga explícitamente con prevención sobre los efectos de su renuencia.

El juez, de oficio o a petición de una de las partes, podrá interrogar a las demás que se encuentren presentes, si lo considera conveniente.

La parte al rendir su declaración, podrá hacer dibujos, gráficas o representaciones con el fin de ilustrar su testimonio; estos serán agregados al expediente y serán apreciados como parte integrante del interrogatorio y no como documentos. Así mismo, durante la declaración el interrogado podrá reconocer documentos que obren en el expediente.

- arts. 372; 373 y 392

ARTÍCULO 204. INASISTENCIA DEL CITADO A INTERROGATORIO

La inasistencia del citado a interrogatorio solo podrá justificarse mediante prueba siquiera sumada de una justa causa que el juez podrá verificar por el medio más expedito, si lo considera necesario.

Si el citado se excusa con anterioridad a la audiencia, el juez resolverá mediante auto contra el cual no procede ningún recurso.

Las justificaciones que presente el citado con posterioridad a la fecha en que debía comparecer, solo serán apreciadas si se aportan dentro de los tres (3) días siguientes a la audiencia. El juez solo admitirá aquellas que se fundamenten en fuerza mayor o caso fortuito. Si acepta la excusa presentada por el citado, se fijará nueva fecha y hora para la audiencia, sin que sea admisible nueva excusa.

La decisión que acepte la excusa y fije nueva fecha se notificará por estado o en estrados, según el caso, y contra ella no procede ningún recurso.

- arts. 372; 373 y 392
- CSJ. STC4673-2021; STC21002-2017

ARTÍCULO 205. CONFESIÓN PRESUNTA

La inasistencia del citado a la audiencia, la renuencia a responder y las respuestas evasivas, harán presumir ciertos los hechos susceptibles de prueba de confesión sobre los cuales versen las preguntas asertivas admisibles contenidas en el interrogatorio escrito.

La misma presunción se deducirá, respecto de los hechos susceptibles de prueba de confesión contenidos en la demanda y en las excepciones de mérito o en sus contestaciones, cuando no habiendo interrogatorio escrito el citado no comparezca, o cuando el interrogado se niegue a responder sobre hechos que deba conocer como parte o como representante legal de una de las partes.

Si las preguntas no fueren asertivas o el hecho no admitiere prueba de confesión, la inasistencia, la respuesta evasiva o la negativa a responder se apreciarán como indicio grave en contra de la parte citada.

- art. 372
- CSJ. SC1066-2021; AC1427-2020; STC21002-2017

CAPÍTULO IV
JURAMENTO

ARTÍCULO 206. JURAMENTO ESTIMATORIO

Quien pretenda el reconocimiento de una indemnización, compensación o el pago de frutos o mejoras, deberá estimarlo razonadamente bajo juramento en la demanda o petición correspondiente, discriminando cada uno de sus conceptos. Dicho juramento hará prueba de su monto mientras su cuantía no sea objetada por la parte contraria dentro del traslado respectivo. Solo se considerará la objeción que especifique razonadamente la inexactitud que se le atribuya a la estimación.

Formulada la objeción el juez concederá el término de cinco (5) días a la parte que hizo la estimación, para que aporte o solicite las pruebas pertinentes.

Aun cuando no se presente objeción de parte, si el juez advierte que la estimación es notoriamente injusta, ilegal o sospeche que haya fraude, colusión o cualquier otra situación similar, deberá decretar de oficio las pruebas que considere necesarias para tasar el valor pretendido.

Si la cantidad estimada excediere en el cincuenta por ciento (50%) a la que resulte probada, se condenará a quien hizo el juramento estimatorio a pagar al Consejo Superior de la Judicatura, Dirección Ejecutiva de Administración Judicial, o quien haga sus veces, una suma equivalente al diez por ciento (10%) de la diferencia entre la cantidad estimada y la probada.

El juez no podrá reconocer suma superior a la indicada en el juramento estimatorio, salvo los perjuicios que se causen con posterioridad a la presentación de la demanda o cuando la parte contraria lo objete. Serán ineficaces de pleno derecho todas las expresiones que pretendan desvirtuar o dejar sin efecto la condición de suma máxima pretendida en relación con la suma indicada en el juramento.

El juramento estimatorio no aplicará a la cuantificación de los daños extrapatrimoniales. Tampoco procederá cuando quien reclame la indemnización, compensación los frutos o mejoras, sea un incapaz.

PARÁGRAFO. También habrá lugar a la condena a la que se refiere este artículo a favor del Consejo Superior de la Judicatura, Dirección Ejecutiva de Administración Judicial, o quien haga sus veces, en los eventos en que se nieguen las pretensiones por falta de demostración de los perjuicios. En este evento, la sanción equivaldrá al cinco por ciento (5%) del valor pretendido en la demanda cuyas pretensiones fueron desestimadas.

La aplicación de la sanción prevista en el presente parágrafo sólo procederá cuando la causa de la falta de demostración de los perjuicios sea imputable al actuar negligente o temerario de la parte.

- *Nota de vigencia:* El texto subrayado fue declarado exequible en la sentencia de la Corte Constitucional C-067 del 17 de febrero de 2016, por los cargos analizados
- *Nota de vigencia:* El parágrafo fue declarado exequible en la sentencia C-157 del 21 de marzo de 2013 "bajo el entendido de que tal sanción —por falta de demostración de los perjuicios—, no procede cuando la causa de la misma sea imputable a hechos o motivos ajenos a la voluntad de la parte, ocurridos a pesar de que su obrar haya sido diligente y esmerado."
- *Nota de vigencia:* El artículo, salvo el parágrafo, fue declarado exequible en la sentencia de la Corte Constitucional C-279 del 15 de mayo de 2013
- arts. 82 y 97
- Corte Constitucional. C-067 del 17 de febrero de 2016
- Corte Constitucional. C-332 del 5 de junio de 2013
- Corte Constitucional. C-279 del 15 de mayo de 2013
- Corte Constitucional. C157 del 21 de marzo de 2013
- CSJ. AC4115-2022; AC1216-2022; STC5994-2021; STC5437-2021; STC5061-2021; STC008-2021; STL11391-2020; STL8403-2020; AC2129-2020; STC6692-2020; STP5343-2020; STC4178-2020; STC3154-2020; AC791-2020; STC2264-2020; AC1427-2020; STL16181-2019; SC4966-2019; STC14784-2019; STC13313-2019; STC12622-2019; STC12283-2019; STL12819-2019; STL11122-2019; STC10248-2019; AC2823-2019; STC8136-2019; AC1241-2019; STC3380-2019; STC16032-2018; STC12632-2018; SC876-2018; AC1114-2018; AC318-2018; STC5797-2017; AC4338-2017; AC2422-2017; STC820-2017; STC13325-2016; STC11264-2016; AC3856-2016; STC4201-2016; STL2541-2015; STL8064-2014

ARTÍCULO 207. JURAMENTO DEFERIDA POR LA LEY

El juramento deferido tendrá el valor que la ley le asigne.

- Corte Constitucional. C-067 del 17 de febrero de 2016
- Corte Constitucional. C-279 del 15 de mayo de 2013

CAPÍTULO V
DECLARACIÓN DE TERCEROS

ARTÍCULO 208. DEBER DE TESTIMONIAR

Toda persona tiene el deber de rendir el testimonio que se le pida, excepto en los casos determinados por la ley.

- CPP art. 383
- Corte Constitucional. C-452 del 15 de octubre de 2020
- CSJ. AC3030-2021; SP10741-2017
- L 1862/2017 art. 194
- Corte Constitucional. C-725 del 25 de noviembre de 2015

ARTÍCULO 209. EXCEPCIONES AL DEBER DE TESTIMONIAR

No están obligados a declarar sobre aquello que se les ha confiado o ha llegado a su conocimiento por razón de su ministerio, oficio o profesión:

1. Los ministros de cualquier culto admitido en la República.

2. Los abogados, médicos, enfermeros, laboratoristas, contadores, en relación con hechos amparados legalmente por el secreto profesional y cualquiera otra persona que por disposición de la ley pueda o deba guardar secreto.

- CP art. 33
- Art. 68 y 385

ARTÍCULO 210. INHABILIDADES PARA TESTIMONIAR

<Inciso derogado por el artículo 61 de la Ley 1996 de 2019>

Son inhábiles para testimoniar en un proceso determinado quienes al momento de declarar sufran alteración mental o perturbaciones sicológicas graves, o se encuentren en estado de embriaguez, sugestión hipnótica o bajo el efecto del alcohol o sustancias estupefacientes o alucinógenas y las demás personas que el juez considere inhábiles para testimoniar en un momento determinado, de acuerdo con las reglas de la sana crítica.

La tacha por inhabilidad deberá formularse por escrito antes de la audiencia señalada para la recepción del testimonio u oralmente dentro de ella. El juez resolverá en la audiencia, y si encuentra probada la causal se abstendrá de recibir la declaración.

- NOTA: El primer inciso fue derogado por el artículo 61 de la Ley 1996 de 2019
- Corte Constitucional. C-452 del 15 de octubre de 2020
- L 1996/2019

ARTÍCULO 211. IMPARCIALIDAD DEL TESTIGO

Cualquiera de las partes podrá tachar el testimonio de las personas que se encuentren en circunstancias que afecten su credibilidad o imparcialidad, en razón de parentesco, dependencias, sentimientos o interés en relación con las partes o sus apoderados, antecedentes personales u otras causas.

La tacha deberá formularse con expresión de las razones en que se funda. El juez analizará el testimonio en el momento de fallar de acuerdo con las circunstancias de cada caso.

- CPTSS art. 148
- CPP art. 403
- CSJ. SC1732-2021; SC16250-2017

ARTÍCULO 212. PETICIÓN DE LA PRUEBA Y LIMITACIÓN DE TESTIMONIOS

Cuando se pidan testimonios deberá expresarse el nombre, domicilio, residencia o lugar donde pueden ser citados los testigos, y enunciarse concretamente los hechos objeto de la prueba.

El juez podrá limitar la recepción de los testimonios cuando considere suficientemente esclarecidos los hechos materia de esa prueba, mediante auto que no admite recurso.

- L 2213 de 2022. art. 6
- CSJ. STL5767-2021; STC3786-2021; STL10453-2020; STL6439-2018; STL11145-2018
- Corte Constitucional. C-420 del 24 de septiembre de 2020

ARTÍCULO 213. DECRETO DE LA PRUEBA

Si la petición reúne los requisitos indicados en el artículo precedente, el juez ordenará que se practique el testimonio en la audiencia correspondiente.

- art. 212
- Corte Constitucional. C-420 del 24 de septiembre de 2020

ARTÍCULO 214. GASTOS DEL TESTIGO

Una vez rendida la declaración, el testigo podrá pedir al juez que ordene pagarle el tiempo que haya empleado en el transporte y la declaración. Si hubiere necesitado trasladarse desde otro lugar se le reconocerán también los gastos de alojamiento y alimentación.

- arts. 224; 361 y 364

ARTÍCULO 215. TESTIMONIO EN EL DESPACHO DEL TESTIGO

Al Presidente de la República o al Vicepresidente se les recibirá testimonio en su despacho.

- CPP arts. 199 y 387
- CPTSS art. 150

ARTÍCULO 216. TESTIMONIO DE AGENTES DIPLOMÁTICOS Y DE SUS DEPENDIENTES

Cuando se requiera el testimonio de un agente diplomático de nación extranjera o de una persona de su comitiva o familia o de un dependiente, se enviará carta rogatoria a aquel por conducto del Ministerio de Relaciones Exteriores con copia de lo conducente, para que si lo tiene a bien declare o permita declarar al testigo.

- arts. 27, 41 y 388
- CPTSS art. 151

ARTÍCULO 217. CITACIÓN DE LOS TESTIGOS

La parte que haya solicitado el testimonio deberá procurar la comparecencia del testigo. Cuando la declaración de los testigos se decrete de oficio o la parte que solicitó la prueba lo requiera, el secretario los citará por cualquier medio de comunicación expedito e idóneo, dejando constancia de ello en el expediente.

Cuando el testigo fuere dependiente de otra persona, también se comunicará al empleador o superior para los efectos del permiso que este debe darle.

En la citación se prevendrá al testigo y al empleador sobre las consecuencias del desacato.

- arts. 44 y 78
- CPTSS art. 152
- Corte Constitucional. C-420 del 24 de septiembre de 2020

ARTÍCULO 218. EFECTOS DE LA INASISTENCIA DEL TESTIGO

En caso de que el testigo desatienda la citación se procederá así:

1. Sin perjuicio de las facultades oficiosas del juez, se prescindirá del testimonio de quien no comparezca.

2. Si el interesado lo solicita y el testigo se encuentra en el municipio, el juez podrá ordenar a la policía la conducción del testigo a la audiencia si fuere factible. Esta conducción también

podrá adoptarse oficiosamente por el juez cuando lo considere conveniente.

3. Si no pudiere convocarse al testigo para la misma audiencia, y se considere fundamental su declaración, el juez suspenderá la audiencia y ordenará su citación.

Al testigo que no comparezca a la audiencia y no presente causa justificativa de su inasistencia dentro de los tres (3) días siguientes, se le impondrá multa de dos (2) a cinco (5) salarios mínimos legales mensuales vigentes (smlmv).

- art. 43
- CPP art. 384
- CPTSS art. 153
- Corte Constitucional. C-420 del 24 de septiembre de 2020

ARTÍCULO 219. REQUISITOS DEL INTERROGATORIO

Las preguntas se formularán oralmente en la audiencia. Sin embargo, si la prueba se practica por comisionado las partes podrán entregar cuestionario escrito antes del inicio de la audiencia.

Cada pregunta versará sobre un hecho y deberá ser clara y concisa. Si no reúne los anteriores requisitos el juez la formulará de la manera indicada.

- CPTSS art. 154
- CSJ. AC4501-2017

ARTÍCULO 220. FORMALIDADES DEL INTERROGATORIO

Los testigos no podrán escuchar las declaraciones de quienes les precedan.

Presente e identificado el testigo con documento idóneo a juicio del juez, este le exigirá juramento de decir lo que conozca o le conste sobre los hechos que se le pregunten y de que tenga conocimiento, previniéndole sobre la responsabilidad penal por el falso testimonio. A los menores de edad no se les recibirá juramento, pero el juez los exhortará a decir la verdad.

El juez rechazará las preguntas inconducentes, las manifiestamente impertinentes y las superfluas por ser repetición de una ya respondida, a menos que sean útiles para precisar la razón del conocimiento del testigo sobre el hecho. Rechazará también las preguntas que tiendan a provocar conceptos del declarante que no sean necesarios para precisar o aclarar sus percepciones, excepto cuando se trate de una persona especialmente calificada por sus conocimientos técnicos, científicos o artísticos sobre la materia.

Las partes podrán objetar preguntas por las mismas causas de exclusión a que se refiere el inciso precedente, y cuando fueren sugestivas. En este evento, el objetante se limitará a indicar la causal y el juez resolverá de plano y sin necesidad de motivar, mediante decisión no susceptible de recurso.

Cuando la pregunta insinúe la respuesta deberá ser rechazada, sin perjuicio de que una vez realizado el interrogatorio, el juez la formule eliminando la insinuación, si la considera necesaria.

- arts. 107 y 373
- CPP arts. 389; 392; 395 y 396
- CPTSS art. 155

ARTÍCULO 221. PRÁCTICA DEL INTERROGATORIO

La recepción del testimonio se sujetará a las siguientes reglas:

1. El juez interrogará al testigo acerca de su nombre, apellido, edad, domicilio, profesión, ocupación, estudios que haya realizado, demás circunstancias que sirvan para establecer su personalidad y si existe en relación con él algún motivo que afecte su imparcialidad.

2. A continuación el juez informará sucintamente al testigo acerca de los hechos objeto de su declaración y le ordenará que haga un relato de cuanto conozca o le conste sobre los mismos. Cumplido lo anterior continuará interrogándolo para precisar el conocimiento que pueda tener sobre esos hechos y obtener del testigo un informe espontáneo sobre ellos.

3. El juez pondrá especial empeño en que el testimonio sea exacto y completo, para lo cual exigirá al testigo que exponga la razón de la ciencia de su dicho, con explicación de las circunstancias de tiempo, modo y lugar en que haya ocurrido cada hecho y de la forma como llegó a su conocimiento. Si la declaración versa sobre expresiones que el testigo hubiere oído, o contiene conceptos propios, el juez ordenará que explique las circunstancias que permitan apreciar su verdadero sentido y alcance.

4. A continuación del juez podrá interrogar quien solicitó la prueba y contrainterrogar la parte contraria. En el mismo orden, las partes tendrán derecho por una sola vez, si lo consideran necesario, a interrogar nuevamente al testigo, con fines de aclaración y refutación. El juez podrá interrogar en cualquier momento.

5. No se admitirá como respuesta la simple expresión de que es cierto el contenido de la pregunta, ni a reproducción del texto de ella.

6. El testigo al rendir su declaración, podrá hacer dibujos, gráficas o representaciones con el fin de ilustrar su testimonio; estos serán agregados al expediente y serán apreciados como parte integrante del testimonio. Así mismo el testigo podrá aportar y reconocer documentos relacionados con su declaración.

7. El testigo no podrá leer notas o apuntes, a menos que el juez lo autorice cuando se trate de cifras o fechas, y en los demás casos que considere justificados siempre que no afecte la espontaneidad del testimonio.

8. Al testigo que sin causa legal se rehusare a declarar a pesar de ser requerido por el juez para que conteste, se le impondrá multa de dos (2) a cinco (5) salarios mínimos legales mensuales vigentes (smlmv) o le impondrá arresto inconmutable de uno (1) a diez (10) días. El que diere respuestas evasivas a pesar de ser requerido, se le impondrá únicamente la sanción pecuniaria.

9. Cuando el declarante manifieste que el conocimiento de los hechos lo tiene otra persona, deberá indicar el nombre de esta y explicar la razón de su conocimiento. En este

caso el juez, si lo considera conveniente, citará de oficio a esa persona aun cuando se haya vencido el término probatorio.

- arts. 188; 373 y 392
- CPTSS art. 156
- CPP arts. 390; 391 y 393
- CSJ. SC3466-2020

ARTÍCULO 222. RATIFICACIÓN DE TESTIMONIOS RECIBIDOS FUERA DEL PROCESO

Solo podrán ratificarse en un proceso las declaraciones de testigos cuando se hayan rendido en otro o en forma anticipada sin citación o intervención de la persona contra quien se aduzcan, siempre que esta lo solicite.

Para la ratificación se repetirá el interrogatorio en la forma establecida para la recepción del testimonio en el mismo proceso, sin permitir que el testigo lea su declaración anterior.

- art. 188

ARTÍCULO 223. CAREOS

El juez, si lo considera conveniente, podrá ordenar careos de las partes entre sí, de los testigos entre sí y de estos con las partes, cuando advierta contradicción.

- art. 372
- CPTSS art. 157
- CSJ. STC9190-2018

ARTÍCULO 224. DECLARACIÓN DE TESTIGOS RESIDENTES FUERA DE LA SEDE DEL JUZGADO

El juez, de oficio o a petición de cualquiera de las partes, podrá ordenar que los testigos residentes fuera de la sede del juzgado declaren a través de medios técnicos o comparezcan a este. En este último caso el juez señalará los gastos de transporte y permanencia que serán consignados por cualquiera de las partes dentro de la ejecutoria del respectivo auto, salvo que los testigos asuman el gasto.

- art. 214

ARTÍCULO 225. LIMITACIÓN DE LA EFICACIA DEL TESTIMONIO

La prueba de testigos no podrá suplir el escrito que la ley exija como solemnidad para la existencia o validez de un acto o contrato.

Cuando se trate de probar obligaciones originadas en contrato o convención, o el correspondiente pago, la falta de documento o de un principio de prueba por escrito, se apreciará por el juez como un indicio grave de la inexistencia del respectivo acto, a menos que por las circunstancias en que tuvo lugar haya sido imposible obtenerlo, o que su valor y la calidad de las partes justifiquen tal omisión.

- CSJ. AC702-2020

CAPÍTULO VI
PRUEBA PERICIAL

ARTÍCULO 226. PROCEDENCIA

La prueba pericial es procedente para verificar hechos que interesen al proceso y requieran especiales conocimientos científicos, técnicos o artísticos.

Sobre un mismo hecho o materia cada sujeto procesal solo podrá presentar un dictamen pericial. Todo dictamen se rendirá por un perito.

No serán admisibles los dictámenes periciales que versen sobre puntos de derecho, sin perjuicio de lo dispuesto en los artículos 177 y 179 para la prueba de la ley y de la costumbre extranjera. Sin embargo, las partes podrán asesorarse de abogados, cuyos conceptos serán tenidos en cuenta por el juez como alegaciones de ellas.

El perito deberá manifestar bajo juramento que se entiende prestado por la firma del dictamen que su opinión es independiente y corresponde a su real convicción profesional. El dictamen deberá acompañarse de los documentos que le sirven de fundamento y de aquellos que acrediten la idoneidad y la experiencia del perito.

Todo dictamen debe ser claro, preciso, exhaustivo y detallado; en él se explicarán los exámenes, métodos, experimentos e investigaciones efectuadas, lo mismo que los fundamentos técnicos, científicos o artísticos de sus conclusiones.

El dictamen suscrito por el perito deberá contener, como mínimo, las siguientes declaraciones e informaciones:

1. La identidad de quien rinde el dictamen y de quien participó en su elaboración.

2. La dirección, el número de teléfono, número de identificación y los demás datos que faciliten la localización del perito.

3. La profesión, oficio, arte o actividad especial ejercida por quien rinde el dictamen y de quien participó en su elaboración. Deberán anexarse los documentos idóneos que lo habilitan para su ejercicio, los títulos académicos y los documentos que certifiquen la respectiva experiencia profesional, técnica o artística.

4. La lista de publicaciones, relacionadas con la materia del peritaje, que el perito haya realizado en los últimos diez (10) años, si las tuviere.

5. La lista de casos en los que haya sido designado como perito o en los que haya participado en la elaboración de un dictamen pericial en los últimos cuatro (4) años. Dicha

lista deberá incluir el juzgado o despacho en donde se presentó, el nombre de las partes, de los apoderados de las partes y la materia sobre la cual versó el dictamen.

6. Si ha sido designado en procesos anteriores o en curso por la misma parte o por el mismo apoderado de la parte, indicando el objeto del dictamen.

7. Si se encuentra incurso en las causales contenidas en el artículo 50, en lo pertinente.

8. Declarar si los exámenes, métodos, experimentos e investigaciones efectuados son diferentes respecto de los que ha utilizado en peritajes rendidos en anteriores procesos que versen sobre las mismas materias. En caso de que sea diferente, deberá explicar la justificación de la variación.

9. Declarar si los exámenes, métodos, experimentos e investigaciones efectuados son diferentes respecto de aquellos que utiliza en el ejercicio regular de su profesión u oficio. En caso de que sea diferente, deberá explicar la justificación de la variación.

10. Relacionar y adjuntar los documentos e información utilizados para la elaboración del dictamen.

- arts. 177, 179, 359, 372, 399, 401, 406, 412, 432 y 444
- CPTSS arts. 158, 164
- CPP arts. 405, 406, 407, 408 y 409
- CSJ. SC2145-2025; STC2066-2021.
- CSJ. AC974-2023; AC1436-2022; AC1320-2021; STC2066-2021; AC639-2021; AC238-2021; AC3347-2020; SC5186-2020; STL10983-2020; STL10042-2020; AC2398-2020; AC1880-2020; AC1532-2020; AC592-2020; AC468-2020; AC038-2020; AC5138-2019; AC5143-2019; AC4652-2019; AC4643-2019; AC4651-2019; AC4369-2019; AC3686-2019; AC3624-2019; AC2613-2019; AC2354-2019; AC2354-2019; AC464-2019; AC465-2019; AC983-2019; AC5451-2018; AC4926-2018; AC4591-2018; AC2244-2018; AC2017-2018; AC1923-2018; STL4261-2018; AC432-2018; AC8747-2017; AC7710-2017; AC8174-2016; AC7467-2016; AC6497-2016; AC6499-2016

ARTÍCULO 227. DICTAMEN APORTADO POR UNA DE LAS PARTES

La parte que pretenda valerse de un dictamen pericial deberá aportarlo en la respectiva oportunidad para pedir pruebas. Cuando el término previsto sea insuficiente para aportar el dictamen, la parte interesada podrá anunciarlo en el escrito respectivo y deberá aportarlo dentro del término que el juez conceda, que en ningún caso podrá ser inferior a diez (10) días. En este evento el juez hará los requerimientos pertinentes a las partes y terceros que deban colaborar con la práctica de la prueba.

El dictamen deberá ser emitido por institución o profesional especializado.

- art. 392
- CPTSS art. 159
- CSJ. STL4463-2019; AC7448-2016

ARTÍCULO 228. CONTRADICCIÓN DEL DICTAMEN

La parte contra la cual se aduzca un dictamen pericial podrá solicitar la comparecencia del perito a la audiencia, aportar otro o realizar ambas actuaciones. Estas deberán realizarse dentro del término de traslado del escrito con el cual haya sido aportado o, en su defecto, dentro de los tres (3) días siguientes a la notificación de la providencia que lo ponga en conocimiento. En virtud de la anterior solicitud, o si el juez lo considera necesario, citará al perito a la respectiva audiencia, en la cual el juez y las partes podrán interrogarlo bajo juramento acerca de su idoneidad e imparcialidad y sobre el contenido del dictamen. La contraparte de quien haya aportado el dictamen podrá formular preguntas asertivas e insinuantes. Las partes tendrán derecho, si lo consideran necesario, a interrogar nuevamente al perito, en el orden establecido para el testimonio. Si el perito citado no asiste a la audiencia, el dictamen no tendrá valor.

Si se excusa al perito, antes de su intervención en la audiencia, por fuerza mayor o caso fortuito, el juez recaudará las demás pruebas y suspenderá la audiencia para continuarla en nueva fecha y hora que señalará antes de cerrarla, en la cual se interrogará al experto y se surtirán las etapas del proceso pendientes. El perito solo podrá excusarse una vez.

Las justificaciones que por las mismas causas sean presentadas dentro de los tres (3) días siguientes a la audiencia, solo autorizan el decreto de la prueba en segunda instancia, si ya se hubiere proferido sentencia. Si el proceso fuera de única instancia, se fijará por una sola vez nueva fecha y hora para realizar el interrogatorio del perito.

En ningún caso habrá lugar a trámite especial de objeción del dictamen por error grave.

PARÁGRAFO. En los procesos de filiación, interdicción por discapacidad mental absoluta e inhabilitación por discapacidad mental relativa, el dictamen podrá rendirse por escrito.

En estos casos, se correrá traslado del dictamen por tres (3) días, término dentro del cual se podrá solicitar la aclaración, complementación o la práctica de uno nuevo, a costa del interesado, mediante solicitud debidamente motivada. Si se pide un nuevo dictamen deberán precisarse los errores que se estiman presentes en el primer dictamen.

- art. 386
- CPP arts. 412, 413, 414, 415, 416, 417, 418 y 419
- CPTSS art. 160
- CSJ. SC5186-2020; SC4658-2020; AC1427-2020; STL3384-2020; AC199-2019; AC983-2019
- CE. Sala de lo Contencioso Administrativo. Sección Segunda. Subsección A. Consejero ponente: Luis Rafael Vergara Quintero. 21 de julio de 2016. Radicación número: 11001-03-15-000-2016-01714-00 (AC)

ARTÍCULO 229. DISPOSICIONES DEL JUEZ RESPECTO DE LA PRUEBA PERICIAL

El juez, de oficio o a petición de parte, podrá disponer lo siguiente:

1. Adoptar las medidas para facilitar la actividad del perito designado por la parte que lo solicite y ordenar a la otra parte prestar la colaboración para la práctica del dictamen, previniéndola sobre las consecuencias de su renuencia.

2. Cuando el juez decrete la prueba de oficio o a petición de amparado por pobre, para designar el perito deberá acudir, preferiblemente, a instituciones especializadas públicas o privadas de reconocida trayectoria e idoneidad.

- art. 386
- CPTSS art. 161
- CSJ. AC983-2019

ARTÍCULO 230. DICTAMEN DECRETADO DE OFICIO

Cuando el juez lo decrete de oficio, determinará el cuestionario que el perito debe absolver, fijará término para que rinda el dictamen y le señalará provisionalmente los honorarios y gastos que deberán ser consignados a órdenes del juzgado dentro de los tres (3) días siguientes. Si no se hiciere la consignación, el juez podrá ordenar al perito que rinda el dictamen si lo estima indispensable.

Si el perito no rinde el dictamen en tiempo se le impondrá multa de cinco (5) a diez (10) salarios mínimos legales mensuales y se le informará a la entidad de la cual dependa o a cuya vigilancia esté sometido.

Con el dictamen pericial el perito deberá acompañar los soportes de los gastos en que incurrió para la elaboración del dictamen. Las sumas no acreditadas deberá reembolsarlas a órdenes del juzgado.

- art. 386
- CPTSS art. 162
- CSJ. SC3678-2021; AC908-2021; AC983-2019

ARTÍCULO 231. PRÁCTICA Y CONTRADICCIÓN DEL DICTAMEN DECRETADO DE OFICIO

Rendido el dictamen permanecerá en secretaría a disposición de las partes hasta la fecha de la audiencia respectiva, la cual solo podrá realizarse cuando hayan pasado por lo menos diez (10) días desde la presentación del dictamen.

Para los efectos de la contradicción del dictamen, el perito siempre deberá asistir a la audiencia, salvo lo previsto en el parágrafo del artículo 228.

- CPTSS art. 163
- CSJ. AC983-2019

ARTÍCULO 232. APRECIACIÓN DEL DICTAMEN

El juez apreciará el dictamen de acuerdo con las reglas de la sana crítica, teniendo en cuenta la solidez, claridad, exhaustividad, precisión y calidad de sus fundamentos, la idoneidad del perito y su comportamiento en la audiencia, y las demás pruebas que obren en el proceso.

- CPP arts. 420, 421 y 422
- CPTSS art. 165

- CSJ. AC983-2019; SC5186-2020; AC772-2020; AC605-2020; AC4186-2019; SL4200-2019; AC983-2019; SC2498-2018

ARTÍCULO 233. DEBER DE COLABORACIÓN DE LAS PARTES

Las partes tienen el deber de colaborar con el perito, de facilitarle los datos, las cosas y el acceso a los lugares necesarios para el desempeño de su cargo; si alguno no lo hiciere se hará constar así en el dictamen y el juez apreciará tal conducta como indicio en su contra.

Si alguna de las partes impide la práctica del dictamen, se presumirán ciertos los hechos susceptibles de confesión que la otra parte pretenda demostrar con el dictamen y se le impondrá multa de cinco (5) a diez (10) salarios mínimos mensuales.

PARÁGRAFO. El juez deberá tener en cuenta las razones que las partes aduzcan para justificar su negativa a facilitar datos, cosas o acceso a los lugares, cuando lo pedido no se relacione con la materia del litigio o cuando la solicitud implique vulneración o amenaza de un derecho propio o de un tercero.

- CPTSS art. 166
- CE. Sala de lo Contencioso Administrativo. Sección Segunda. Subseccion A. Consejero ponente: Luis Rafael Vergara Quintero. 21 de julio de 2016. Radicación número: 11001-03-15-000-2016-01714-00 (AC)

ARTÍCULO 234. PERITACIONES DE ENTIDADES Y DEPENDENCIAS OFICIALES

Los jueces podrán solicitar, de oficio o a petición de parte los servicios de entidades y dependencias oficiales para peritaciones que versen sobre materias propias de la actividad de aquellas. Con tal fin las decretará y ordenará librar el oficio respectivo para que el director de las mismas designe el funcionario o los funcionarios que deben rendir el dictamen.

La contradicción de tales dictámenes se someterá a las reglas establecidas en este capítulo.

El dinero para transporte, viáticos u otros gastos necesarios para la práctica de la prueba deberá ser suministrado a la entidad dentro de los cinco (5) días siguientes a la fecha en que el respectivo director o el juez haya señalado el monto. Cuando el director informe al juez que no fue aportada la suma señalada, se prescindirá de la prueba.

PARÁGRAFO. En los procesos donde hubiere controversias sobre las liquidaciones de créditos de vivienda individual a largo plazo, deberá solicitarse a la Superintendencia Financiera de Colombia que mediante peritación realice la liquidación de los mismos. De igual manera, emitirá concepto en el que se determine si las reliquidaciones de los mencionados créditos fueron realizadas correctamente por los establecimientos de crédito y, cuando hubiera lugar a ello, efectuar la reliquidación.

- arts. 48 y 363
- CPP arts. 408, 409 y 410

- CPTSS art. 167
- CSJ. Auto 424/15

ARTÍCULO 235. IMPARCIALIDAD DEL PERITO

El perito desempeñará su labor con objetividad e imparcialidad, y deberá tener en consideración tanto lo que pueda favorecer como lo que sea susceptible de causar perjuicio a cualquiera de las partes.

Las partes se abstendrán de aportar dictámenes rendidos por personas en quienes concurre alguna de las causales de recusación establecidas para los jueces. La misma regla deberá observar el juez cuando deba designar perito.

El juez apreciará el cumplimiento de ese deber de acuerdo con las reglas de la sana crítica, pudiendo incluso negarle efectos al dictamen cuando existan circunstancias que afecten gravemente su credibilidad.

En la audiencia las partes y el juez podrán interrogar al perito sobre las circunstancias o rezones que puedan comprometer su imparcialidad.

PARÁGRAFO. No se entenderá que el perito designado por la parte tiene interés directo o indirecto en el proceso por el solo hecho de recibir una retribución proporcional por la elaboración del dictamen. Sin embargo, se prohíbe pactar cualquier remuneración que penda del resultado del litigio.

- CPTSS art. 168
- CPP art. 411
- CSJ. AC2398-2020; AC3346-2020

CAPÍTULO VII
INSPECCIÓN JUDICIAL

ARTÍCULO 236. PROCEDENCIA DE LA INSPECCIÓN

Para la verificación o el esclarecimiento de hechos materia del proceso podrá ordenarse, de oficio o a petición de parte, el examen de personas, lugares, cosas o documentos.

Salvo disposición en contrario, solo se ordenará la inspección cuando sea imposible verificar los hechos por medio de videograbación, fotografías u otros documentos, o mediante dictamen pericial, o por cualquier otro medio de prueba.

Cuando exista en el proceso una inspección judicial practicada dentro de él o como prueba extraprocesal con audiencia de todas las partes, no podrá decretarse otra nueva sobre los mismos puntos, a menos que el juez la considere necesaria para aclararlos.

El juez podrá negarse a decretar la inspección si considera que es innecesaria en virtud de otras pruebas que existen en el proceso o que para la verificación de los hechos es suficiente el dictamen de peritos, caso en el cual otorgará a la parte interesada el término para presentarlo. Contra estas decisiones del juez no procede recurso.

- arts. 112, 189, 375 y 376
- CPTSS art. 169
- CPP art. 435 y 436
- Corte Constitucional. C-330 del 20 de agosto de 2020
- CSJ. AC4591-2018

ARTÍCULO 237. SOLICITUD Y DECRETO DE LA INSPECCIÓN

Quien pida la inspección expresará con claridad y precisión los hechos que pretende probar.

En el auto que decrete la inspección el juez señalará fecha, hora y lugar para iniciarla y dispondrá cuanto estime necesario para que la prueba se cumpla con la mayor eficacia.

- art. 189
- CPTSS art. 170
- Corte Constitucional. C-330 del 20 de agosto de 2020

ARTÍCULO 238. PRÁCTICA DE LA INSPECCIÓN

En la práctica de la inspección se observarán las siguientes reglas:

1. La diligencia se iniciará en el juzgado o en el lugar ordenado y se practicará con las partes que concurran; si la parte que la pidió no comparece el juez podrá abstenerse de practicarla.

2. En la diligencia el juez procederá al examen y reconocimiento de que se trate.

Cuando alguna de las partes impida u obstaculice la práctica de la inspección se le impondrá multa de cinco (5) a diez (10) salarios mínimos legales mensuales vigentes (smlmv) y se presumirán ciertos los hechos que la otra parte pretendía demostrar con ella, o se apreciará la conducta como indicio grave en contra si la prueba hubiere sido decretada de oficio.

3. En la diligencia el juez identificará las personas, cosas o hechos examinados y expresará los resultados de lo percibido por él. El juez, de oficio o a petición de parte, podrá ordenar las pruebas que se relacionen con los hechos materia de la inspección. Las partes podrán dejar las constancias del caso.

4. Cuando se trate de inspección de personas podrá el juez ordenar los exámenes necesarios, respetando la dignidad, intimidad e integridad de aquellas.

5. El juez podrá ordenar que se hagan planos, calcos, reproducciones, experimentos, grabaciones, y que durante la diligencia se proceda a la reconstrucción de hechos o sucesos, para verificar el modo como se realizaron y tomar cualquier otra medida que se considere útil para el esclarecimiento de los hechos.

PARÁGRAFO. Cuando se trate de predios rurales el juez podrá identificarlos mediante su reconocimiento aéreo, o con el empleo de medios técnicos confiables.

- art. 171 y 372
- CPTSS art. 171

- Corte Constitucional. C-330 del 20 de agosto de 2020
- CSJ. AC4591-2018; Auto 268/15

ARTÍCULO 239. INSPECCIÓN DE COSAS MUEBLES O DOCUMENTOS

Cuando la inspección deba versar sobre cosas muebles o documentos que se hallen en poder de la parte contraria o de terceros se aplicarán también las disposiciones sobre exhibición.

- CPTSS art. 172
- Corte Constitucional. C-330 del 20 de agosto de 2020

CAPÍTULO VIII
INDICIOS

ARTÍCULO 240. REQUISITOS DE LOS INDICIOS

Para que un hecho pueda considerarse como indicio deberá estar debidamente probado en el proceso.

- CPTSS art. 173
- CSJ. AC2713-2019; AC3139-2019; AC2824-2018; AC4591-2018; SC21828-2017

ARTÍCULO 241. LA CONDUCTA DE LAS PARTES COMO INDICIO

El juez podrá deducir indicios de la conducta procesal de las partes.

- arts. 205, 225, 233, 238, 267 y 280
- CSJ. AC2713-2019; AC3139-2019; AC5475-2018; AC4591-2018; SC21828-2017

ARTÍCULO 242. APRECIACIÓN DE LOS INDICIOS

El juez apreciará los indicios en conjunto, teniendo en consideración su gravedad, concordancia y convergencia, y su relación con las demás pruebas que obren en el proceso.

- art. 280
- CSJ. AC2713-2019; AC3139-2019; AC4591-2018

CAPÍTULO IX
DOCUMENTOS

ARTÍCULO 243. DISTINTAS CLASES DE DOCUMENTOS

Son documentos los escritos, impresos, planos, dibujos, cuadros, mensajes de datos, fotografías, cintas cinematográficas, discos, grabaciones magnetofónicas, videograbaciones, radiografías, talones, contraseñas, cupones, etiquetas, sellos y, en general, todo objeto mueble que tenga carácter representativo o declarativo, y las inscripciones en lápidas, monumentos, edificios o similares.

Los documentos son públicos o privados. Documento público es el otorgado por el funcionario público en ejercicio de sus funciones o con su intervención. Así mismo, es público el documento otorgado por un particular en ejercicio de funciones públicas o con su intervención. Cuando consiste en un escrito autorizado o suscrito por el respectivo funcionario, es instrumento público; cuando es autorizado por un notario o quien haga sus veces y ha sido incorporado en el respectivo protocolo, se denomina escritura pública.

- CPP art. 424
- CPTSS art. 174
- CJS. SC664-2020; AC2309-2020; AC2117-2020; SC15032-2017; AC4173-2019
- Corte Constitucional. C-604 del 2 de noviembre de 2016

ARTÍCULO 244. DOCUMENTO AUTÉNTICO

Es auténtico un documento cuando existe certeza sobre la persona que lo ha elaborado, manuscrito, firmado, o cuando exista certeza respecto de la persona a quien se atribuya el documento.

Los documentos públicos y los privados emanados de las partes o de terceros, en original o en copia, elaborados, firmados o manuscritos, y los que contengan la reproducción de la voz o de la imagen, se presumen auténticos, mientras no hayan sido tachados de falso o desconocidos, según el caso.

También se presumirán auténticos los memoriales presentados para que formen parte del expediente, incluidas las demandas, sus contestaciones, los que impliquen disposición del derecho en litigio y los poderes en caso de sustitución.

Así mismo se presumen auténticos todos los documentos que reúnan los requisitos para ser título ejecutivo.

La parte que aporte al proceso un documento, en original o en copia, reconoce con ello su autenticidad y no podrá impugnarlo, excepto cuando al presentarlo alegue su falsedad. Los documentos en forma de mensaje de datos se presumen auténticos.

Lo dispuesto en este artículo se aplica en todos los procesos y en todas las jurisdicciones.

- CPP arts. 425 y 426

- CPTSS art. 175
- CJS. SL2405-2021; SC5191-2020; SC4792-2020; SC4419-2020; SC3841-2020; AC2117-2020; STC5002-2020; AC4173-2019; AC1740-2019; SC1716-2018; AC5149-2018; AC4591-2018; AC6149-2017
- CE. Sección Tercera, Sentencia de Unificación, Expediente No. 25022 de 28 de agosto de 2013
- CE. Sala Plena, Expediente No. 11001-03-15-000-2007-01081-00 (REV). 30 de septiembre de 2014

ARTÍCULO 245. APORTACIÓN DE DOCUMENTOS

Los documentos se aportarán al proceso en original o en copia.

Las partes deberán aportar el original del documento cuando estuviere en su poder, salvo causa justificada. Cuando se allegue copia, el aportante deberá indicar en dónde se encuentra el original, si tuviere conocimiento de ello.

- CPP arts. 429, 433 y 434
- CPTSS art. 176
- CSJ. AC4173-2019; AC6288-2017; AC5444-2017; AC6149-2017
- CE. Sala Plena, Expediente No. 11001-03-15-000-2007-01081-00 (REV) de 30 de septiembre de 2014
- CE. Sección Tercera, Expediente No. 08001-23-33-000-2019-00567-01 (70198) de 4 de junio de 2024

ARTÍCULO 246. VALOR PROBATORIO DE LAS COPIAS

Las copias tendrán el mismo valor probatorio del original, salvo cuando por disposición legal sea necesaria la presentación del original o de una determinada copia.

Sin perjuicio de la presunción de autenticidad, la parte contra quien se aduzca copia de un documento podrá solicitar su cotejo con el original, o a falta de este con una copia expedida con anterioridad a aquella. El cotejo se efectuará mediante exhibición dentro de la audiencia correspondiente.

- CPACA art. 215
- CPTSS art. 177
- CSJ. SC4792-2020; STC5002-2020; AC4173-2019; AC5444-2017; AC6149-2017
- Consejo de Estado, Sala Plena, Expediente No. 11001-03-15-000-2007-01081-00 (REV) de 30 de septiembre de 2014

ARTÍCULO 247. VALORACIÓN DE MENSAJES DE DATOS

Serán valorados como mensajes de datos los documentos que hayan sido aportados en el mismo formato en que fueron generados, enviados, o recibidos, o en algún otro formato que lo reproduzca con exactitud.

La simple impresión en papel de un mensaje de datos será valorada de conformidad con las reglas generales de los documentos.

- CPTSS art. 178
- CSJ. AC2309-2020
- Corte Constitucional. C-604 del 2 de noviembre de 2016

- L 527/1999

ARTÍCULO 248. COPIAS REGISTRADAS

Cuando la ley exija la inscripción de un documento en un registro público la copia que se aduzca como prueba deberá llevar la nota de haberse efectuado aquella o certificación anexa sobre la misma. Si no existiere dicha inscripción la copia solo producirá efectos probatorios entre los otorgantes y sus causahabientes.

- CPTSS art. 179
- D960/1970
- CSJ. AC2101-2020
- CSJ. AC892-2019

ARTÍCULO 249. COPIAS PARCIALES

Cuando una parte presente copia parcial de un documento las demás podrán adicionarlo con lo que estimen conducente.

- CSJ. Sala de Casación Laboral. Sentencia del 13 de noviembre de 1959. Ponente: José Joaquín Rodríguez

ARTÍCULO 250. INDIVISIBILIDAD Y ALCANCE PROBATORIO DEL DOCUMENTO

La prueba que resulte de los documentos públicos y privados es indivisible y comprende aun lo meramente enunciativo, siempre que tenga relación directa con lo dispositivo del acto o contrato.

- CE. Sentencia No. 11001-03-15-000-2020-03891-00 (Sección Tercera Subsección A) del 24-09-2020

ARTÍCULO 251. DOCUMENTOS EN IDIOMA EXTRANJERO Y OTORGADOS EN EL EXTRANJERO

Para que los documentos extendidos en idioma distinto del castellano puedan apreciarse como prueba se requiere que obren en el proceso con su correspondiente traducción efectuada por el Ministerio de Relaciones Exteriores, por un intérprete oficial o por traductor designado por el juez. En los dos primeros casos la traducción y su original podrán ser presentados directamente. En caso de presentarse controversia sobre el contenido de la traducción, el juez designará un traductor.

Los documentos públicos otorgados en país extranjero por funcionario de este o con su intervención, se aportarán apostillados de conformidad con lo establecido en los tratados internacionales ratificados por Colombia. En el evento de que el país extranjero no sea parte de dicho instrumento internacional, los mencionados documentos deberán presentarse debidamente autenticados por el cónsul o agente diplomático de la República de Colombia en dicho país, y en su defecto por el de una nación amiga. La firma del cónsul o agente diplomático se abonará por el Ministerio de Relaciones Exteriores de Colombia, y si se trata de agentes consulares de un país amigo, se autenticará previamente por el funcionario competente del mismo y los de este por el cónsul colombiano.

Los documentos que cumplan con los anteriores requisitos se entenderán otorgados conforme a la ley del respectivo país.

- CPP arts. 427 y 428
- CPTSS art. 180
- CSJ. SC948-2022; AC169-2021; AC1262-2021; SC439-2021; SC571-2021; SC572-2021; SC466-2021; AC2442-2021; AC3374-2020; AC2825-2020; AC2517-2020; AC2423-2020; SC3464-2020; SC2987-2020; AC1989-2020; AC834-2020; AC647-2020; AC502-2020; AC2416-2020; AC5515-2019; AC5370-2019; AC5345-2019; SC4683-2019; SC4600-2019; SC4605-2019; AC4360-2019; AC3527-2019; AC3528-2019; SC2534-2019; AC2335-2019; AC1661-2019; AC1645-2019; AC1604-2019; SC1398-2019; AC795-2019; SC619-2019; AC323-2019; AC5566-2018; SC5500-2018; AC3131-2018; AC3133-2018; AC3136-2018; AC1678-2018; AC1421-2018; AC1094-2018; AC4398-2017; AC4399-2017; AC8199-2016; AC1956-2016; AC1697-2016; AC5668-2016; AC7964-2016; AC7516-2016; AC7244-2016; AC6809-2016; AC6511-2016; AC6480-2016; AC5668-2016; AC5003-2016; AC3975-2016; AC2529-2016

ARTÍCULO 252. DOCUMENTOS ROTOS O ALTERADOS

Los documentos rotos, raspados o parcialmente destruidos, se apreciarán de acuerdo con las reglas de la sana crítica; las partes enmendadas o interlineadas se desecharán, a menos que las hubiere salvado bajo su firma quien suscribió o autorizó el documento.

- art. 176
- CPTSS art. 181
- CSJ. SL2794-2020; SC1716-2018

ARTÍCULO 253. FECHA CIERTA

La fecha cierta del documento público es la que aparece en su texto. La del documento privado se cuenta respecto de terceros desde que haya ocurrido un hecho que le permita al juez tener certeza de su existencia, como su inscripción en un registro público, su aportación a un proceso o el fallecimiento de alguno de los que lo han firmado.

- ET art. 767

ARTÍCULO 254. CONTRAESCRITURAS

Los documentos privados hechos por los contratantes para alterar lo pactado en otro documento no producirán efecto contra terceros.

Tampoco lo producirán las contraescrituras públicas cuando no se haya tomado razón de su contenido al margen de la escritura matriz cuyas disposiciones se alteran en la contraescritura y en la copia en cuya virtud ha obrado el tercero.

- CSJ. SC4419-2020

ARTÍCULO 255. NOTAS AL MARGEN O AL DORSO DE DOCUMENTOS

La nota escrita o firmada por el acreedor a continuación, al margen o al dorso de un documento que siempre ha estado en su poder, hace fe en todo lo favorable al deudor.

El mismo valor tendrá la nota escrita o firmada por el acreedor, a continuación, al margen o al dorso del duplicado de un documento, encontrándose dicha copia en poder del deudor.

- CC art. 1624

ARTÍCULO 256. DOCUMENTOS AD SUBSTANTIAM ACTUS

La falta del documento que la ley exija como solemnidad para la existencia o validez de un acto o contrato no podrá suplirse por otra prueba.

- CPTSS art. 182
- CSJ. STL7478-2019; AC2745-2018

ARTÍCULO 257. ALCANCE PROBATORIO

Los documentos públicos hacen fe de su otorgamiento, de su fecha y de las declaraciones que en ellos haga el funcionario que los autoriza.

Las declaraciones que hagan los interesados en escritura pública tendrán entre estos y sus causahabientes el alcance probatorio señalado en el artículo 250; respecto de terceros se apreciarán conforme a las reglas de la sana crítica.

- art. 250
- CPTSS art. 183
- D 960/1970
- CSJ. SC1732-2021; AC2681-2020; AC8810-2017

ARTÍCULO 258. PUBLICACIONES EN PERIÓDICOS OFICIALES

Los periódicos oficiales tendrán el valor de copias de los documentos públicos que en ellos se inserten.

- CSJ. SL5620-2018

ARTÍCULO 259. INSTRUMENTO PÚBLICO DEFECTUOSO

El instrumento que no tenga carácter de público por incompetencia del funcionario o por otra falta en la forma se tendrá como documento privado si estuviere suscrito por los interesados.

- CC art. 1760
- CPTSS art. 184

ARTÍCULO 260. ALCANCE PROBATORIO DE LOS DOCUMENTOS PRIVADOS

Los documentos privados tienen el mismo valor que los públicos, tanto entre quienes los suscribieron o crearon y sus causahabientes como respecto de terceros.

- CPTSS art. 185
- CSJ. SC780-2020; AC1427-2020; AC7530-2016

ARTÍCULO 261. DOCUMENTOS FIRMADOS EN BLANCO O CON ESPACIOS SIN LLENAR

Se presume cierto el contenido del documento firmado en blanco o con espacios sin llenar.

- CCo. art. 622
- CPTSS art. 187

ARTÍCULO 262. DOCUMENTOS DECLARATIVOS EMANADOS DE TERCEROS

Los documentos privados de contenido declarativo emanados de terceros se apreciarán por el juez sin necesidad de ratificar su contenido, salvo que la parte contraria solicite su ratificación.

- CPTSS art. 186
- CSJ. SC487-2022; SC4792-2020; SC780-2020

ARTÍCULO 263. ASIENTOS, REGISTROS Y PAPELES DOMÉSTICOS

Los asientos, registros y papeles domésticos hacen fe contra el que los ha elaborado, escrito o firmado.

- arts. 264 y 268

ARTÍCULO 264. LIBROS DE COMERCIO

Los libros y papeles de comercio constituyen plena prueba en las cuestiones mercantiles que los comerciantes debatan entre sí.

En las demás cuestiones, aun entre comerciantes, solamente harán fe contra quien los lleva, en lo que en ellos conste de manera clara y completa, y siempre que su contraparte no los rechace en lo que le sea desfavorable.

En las cuestiones mercantiles con persona no comerciante, los libros solo constituyen un principio de prueba a favor del comerciante, que necesitará ser completado con otras pruebas.

La fe debida a los libros es indivisible. En consecuencia, la parte que acepte en lo favorable los libros de su adversario, estará obligada a pasar por todas las enunciaciones perjudiciales que ellos contengan, si se ajustan a las prescripciones legales y no se comprueba fraude.

Si un comerciante lleva doble contabilidad o incurre en cualquier otro fraude de tal naturaleza, sus libros y papeles solo tendrán valor en su contra. Habrá doble contabilidad cuando un comerciante lleva dos o más libros iguales en los que registre en forma diferente las mismas operaciones, o cuando tenga distintos comprobantes sobre los mismos actos.

Al comerciante no se le admitirá prueba que tienda a desvirtuar lo que resultare de sus libros.

En las diferencias que surjan entre comerciantes, el valor probatorio de sus libros y papeles se determinará según las siguientes reglas:

1. Si los libros de ambas partes están ajustados a las prescripciones legales y concuerdan entre sí, se decidirá conforme al contenido de sus asientos.

2. Si los libros de ambas partes se ajustan a la ley, pero sus asientos no concuerdan, se decidirá teniendo en cuenta que los libros y papeles de comercio constituyen una confesión.

3. Si los libros de una de las partes no están ajustados a la ley, se decidirá conforme a los de la contraparte que los lleve debidamente, si aquella no aduce plena prueba que destruya o desvirtúe el contenido de tales libros.

4. Si los libros de ambas partes no se ajustan a las prescripciones legales, se prescindirá totalmente de ellos y solo se tomarán en cuenta las demás pruebas allegadas al juicio, y

5. Si una de las partes lleva libros ajustados a la ley y la otra no los lleva, los oculta o no los presenta, se decidirá conforme a los de aquella, sin admitir prueba en contrario.

Con todo, si una parte ofrece estar a lo que conste en los libros y papeles de la otra, se decidirá conforme a ellos.

- art. 186 y 268
- CPTSS art. 188
- CSJ. AC1427-2020

ARTÍCULO 265. PROCEDENCIA DE LA EXHIBICIÓN

La parte que pretenda utilizar documentos o cosas muebles que se hallen en poder de otra parte o de un tercero, deberá solicitar, en la oportunidad para pedir pruebas, que se ordene su exhibición.

- CPTSS art. 189
- CSJ. AC2117-2020; AC1427-2020; AC2578-2019

ARTÍCULO 266. TRÁMITE DE LA EXHIBICIÓN

Quien pida la exhibición expresará los hechos que pretende demostrar y deberá afirmar que el documento o la cosa se encuentran en poder de la persona llamada a exhibirlos, su clase y la relación que tenga con aquellos hechos. Si la solicitud reúne los anteriores requisitos el juez ordenará que se realice la exhibición en la respectiva audiencia y señalará la forma en que deba hacerse.

Cuando la persona a quien se ordena la exhibición sea un tercero, el auto respectivo se le notificará por aviso.

Presentado el documento el juez lo hará transcribir o reproducir, a menos que quien lo exhiba permita que se incorpore al expediente. De la misma manera procederá cuando se exhiba espontáneamente un documento. Si se trata de cosa distinta de documento el juez ordenará elaborar una representación física mediante fotografías, videograbación o cualquier otro medio idóneo.

- CPTSS art. 190
- CSJ. AC1427-2020

ARTÍCULO 267. RENUENCIA Y OPOSICIÓN A LA EXHIBICIÓN

Si la parte a quien se ordenó la exhibición se opone en el término de ejecutoria del auto que la decreta, o en la diligencia en que ella se ordenó, el juez al decidir la instancia o el incidente en que aquella se solicitó, apreciará los motivos de la oposición; si no la encontrare justificada y se hubiere acreditado que el documento estaba en poder del opositor, tendrá por ciertos los hechos que quien pidió la exhibición se proponía probar, salvo cuando tales hechos no admitan prueba de confesión, caso en el cual la oposición se apreciará como indicio en contra del opositor. En la misma forma se procederá cuando no habiendo formulado oposición, la parte deje de exhibir el documento, salvo que dentro de los tres (3) días siguientes a la fecha señalada para la diligencia pruebe, siquiera sumariamente, causa justificativa de su renuencia y exhiba el documento en la oportunidad que el juez señale.

Cuando es un tercero quien se opone a la exhibición o la rehúsa sin causa justificada, el juez le impondrá multa de cinco (5) a diez (10) salarios mínimos legales mensuales vigentes (smlmv).

Los terceros no están obligados a exhibir documentos de su propiedad exclusiva, cuando gocen de reserva legal o la exhibición les cause perjuicio.

- CPTSS art. 191
- CSJ. AC1427-2020; SL2753-2019

ARTÍCULO 268. EXHIBICIÓN DE LIBROS Y PAPELES DE LOS COMERCIANTES

Podrá ordenarse, de oficio o a solicitud de parte, la exhibición parcial de los libros y papeles del comerciante. La diligencia se practicará ante el juez del lugar en que los libros se lleven y se limitará a los asientos y papeles que tengan relación necesaria con el objeto del proceso y la comprobación de que aquellos cumplen con las prescripciones legales.

El comerciante que no presente alguno de sus libros a pesar de habérsele ordenado la exhibición, quedará sujeto a los libros de su contraparte que estén llevados en forma legal, sin admitírsele prueba en contrario, salvo que aparezca probada y justificada la pérdida o destrucción de ellos o que habiendo demostrado siquiera sumariamente una causa justificada de su renuencia, dentro de los tres (3) días siguientes a la fecha señalada para la exhibición, presente los libros en la nueva oportunidad que el juez señale.

Para el examen de los libros y papeles del comerciante en los casos de exhibición, la parte interesada podrá designar un perito.

- CSJ. AC1427-2020

ARTÍCULO 269. PROCEDENCIA DE LA TACHA DE FALSEDAD

La parte a quien se atribuya un documento, afirmándose que está suscrito o manuscrito por ella, podrá tacharlo de falso en la contestación de la demanda, si se acompañó a esta, y en los demás casos, en el curso de la audiencia en que se ordene tenerlo como prueba.

Esta norma también se aplicará a las reproducciones mecánicas de la voz o de la imagen de la parte contra quien se aduzca.

No se admitirá tacha de falsedad cuando el documento impugnado carezca de influencia en la decisión.

Los herederos de la persona a quien se atribuye un documento deberán tacharlo de falso en las mismas oportunidades.

- CPTSS art. 192
- CSJ. SL2794-2020; SC3862-2019; AC7530-2016

ARTÍCULO 270. TRÁMITE DE LA TACHA

Quien tache el documento deberá expresar en qué consiste la falsedad y pedir las pruebas para su demostración. No se tramitará la tacha que no reúna estos requisitos.

Cuando el documento tachado de falso haya sido aportado en copia, el juez podrá exigir que se presente el original.

El juez ordenará, a expensas del impugnante, la reproducción del documento por fotografía u otro medio similar. Dicha reproducción quedará bajo custodia del juez.

De la tacha se correrá traslado a las otras partes para que presenten o pidan pruebas en la misma audiencia.

Surtido el traslado se decretarán las pruebas y se ordenará el cotejo pericial de la firma o del manuscrito, o un dictamen sobre las posibles adulteraciones. Tales pruebas deberán producirse en la oportunidad para practicar las del proceso o incidente en el cual se adujo el documento. La decisión se reservará para la providencia que resuelva aquellos. En los procesos de sucesión la tacha deberá tramitarse y resolverse como incidente y en los de ejecución deberá proponerse como excepción.

El trámite, de la tacha terminará cuando quien aportó el documento desista de invocarlo como prueba.

- CPTSS art. 193
- CSJ. SL529-2021; SC3862-2019

ARTÍCULO 271. EFECTOS DE LA DECLARACIÓN DE FALSEDAD

Cuando se declare total o parcialmente falso un documento el juez lo hará constar así al margen o a continuación de él, en nota debidamente especificada. Si la falsedad recae sobre el original de un documento público, el juez la comunicará con los datos necesarios a la oficina de origen o a la de procedencia del documento, para que allí se ponga la correspondiente nota. En todo caso dará aviso al fiscal competente, a quien enviará las copias necesarias para la correspondiente investigación.

El proceso penal sobre falsedad no suspenderá el incidente de tacha, pero la providencia con que termine aquel surtirá efectos en el proceso civil, siempre que el juez penal se hubiere pronunciado sobre la existencia del delito y se allegue copia de su decisión en cualquiera de las instancias, con anterioridad a la sentencia.

- CPTSS art. 194
- CSJ. SC3862-2019

ARTÍCULO 272. DESCONOCIMIENTO DEL DOCUMENTO

En la oportunidad para formular la tacha de falsedad la parte a quien se atribuya un documento no firmado, ni manuscrito por ella podrá desconocerlo, expresando los motivos del desconocimiento. La misma regla se aplicará a los documentos dispositivos y representativos emanados de terceros.

No se tendrá en cuenta el desconocimiento que se presente fuera de la oportunidad prevista en el inciso anterior, ni el que omita los requisitos indicados en el inciso anterior.

De la manifestación de desconocimiento se correrá traslado a la otra parte, quien podrá solicitar que se verifique la autenticidad del documento en la forma establecida para la tacha.

La verificación de autenticidad también procederá de oficio, cuando el juez considere que el documento es fundamental para su decisión.

Si no se establece la autenticidad del documento desconocido carecerá de eficacia probatoria.

El desconocimiento no procede respecto de las reproducciones de la voz o de la imagen de la parte contra la cual se aducen, ni de los documentos suscritos o manuscritos por dicha parte, respecto de los cuales deberá presentarse la tacha y probarse por quien la alega.

- CPTSS art. 195
- CSJ. SC4419-2020

ARTÍCULO 273. COTEJO DE LETRAS O FIRMAS

Para demostrar la autenticidad o la falsedad podrá solicitarse un cotejo con las letras o firmas de los siguientes documentos:

1. Escrituras públicas firmadas por la persona a quien se atribuye el documento.
2. Documentos privados reconocidos expresamente o declarados auténticos por decisión judicial en que aparezca la firma, la letra, la voz o la imagen de la persona a quien se atribuye el documento.
3. Las firmas y los manuscritos firmados que aparezcan en actuaciones judiciales o administrativas.
4. Las firmas puestas en cheques girados contra una cuenta corriente bancaria, siempre que hayan sido cobrados sin objeción del cuentahabiente.
5. Otros documentos que las partes reconozcan como idóneos para la confrontación.

A falta de estos medios, o adicionalmente, el juez podrá ordenar que la persona a quien se atribuye el escrito o firma materia del cotejo escriba lo que le dicte y ponga su firma al pie, para los fines probatorios a que haya lugar.

- art. 270
- CPTSS art. 196

ARTÍCULO 274. SANCIONES AL IMPUGNANTE VENCIDA

Cuando la tacha de falsedad se decida en contra de quien la propuso, se condenará a este a pagar a quien aportó el documento el valor del veinte por ciento (20%) del monto de las obligaciones contenidas en él, o de diez (10) a veinte (20) salarios mínimos legales mensuales vigentes (smlmv) cuando no represente un valor económico. La misma sanción se aplicará a la parte que adujo el documento a favor de la que probó la tacha.

Cuando el apoderado judicial formule la tacha sin autorización expresa de su mandante, será solidariamente responsable del pago de la suma a que se refiere el inciso anterior y de las costas.

Las mismas consecuencias se aplicarán a la parte vencida y, en su caso, a su apoderado judicial, en el trámite de verificación de autenticidad del documento desconocido. Tratándose de documentos emanados de terceros, la sanción solo procede cuando esté acreditada la mala fe de quien desconoce el documento y, en su caso, de su apoderado.

- CPTSS art. 197
- CSJ. STL12104-2020; SL4593-2020

CAPÍTULO X
PRUEBA POR INFORME

ARTÍCULO 275. PROCEDENCIA

A petición de parte o de oficio el juez podrá solicitar informes a entidades públicas o privadas, o a sus representantes, o a cualquier persona sobre hechos, actuaciones, cifras o demás datos que resulten de los archivos o registros de quien rinde el informe, salvo los casos de reserva legal. Tales informes se entenderán rendidos bajo la gravedad del juramento por el representante, funcionario o persona responsable del mismo.

Las partes o sus apoderados, unilateralmente o de común acuerdo, pueden solicitar ante cualquier entidad pública o privada copias de documentos, informes o actuaciones administrativas o jurisdiccionales, no sujetas a reserva legal, expresando que tienen como objeto servir de prueba en un proceso judicial en curso, o por iniciarse.

- art. 195
- CPACA art. 217
- CPTSS art. 198
- Corte Constitucional. T-475 del 10 de diciembre de 2018

ARTÍCULO 276. OBLIGACIÓN DE QUIEN RINDE EL INFORME

El juez solicitará los informes indicando en forma precisa su objeto y el plazo para rendirlos. La demora, renuencia o inexactitud injustificada para rendir el informe será sancionada con multa de cinco (5) a diez (10) salarios mínimos legales mensuales vigentes (smlmv), sin perjuicio de las demás sanciones a que hubiere lugar.

Si la persona requerida considera que alguna parte de la información solicitada se encuentra bajo reserva legal, deberá indicarlo expresamente en su informe y justificar tal afirmación.

Si el informe hubiere omitido algún punto o el juez considera que debe ampliarse, o que no tiene reserva, ordenará rendirlo, complementarlo o aclarar lo correspondiente en un plazo que no superará la mitad del inicial.

- art. 275
- CPTSS art. 199

ARTÍCULO 277. FACULTADES DE LAS PARTES

Rendido el informe, se dará traslado a las partes por el término de tres (3) días, dentro del cual podrán solicitar su aclaración, complementación o ajuste a los asuntos solicitados.

- arts. 77 num. 10; 275
- CPTSS art. 200

SECCIÓN CUARTA
PROVIDENCIAS DEL JUEZ, SU NOTIFICACIÓN Y SUS EFECTOS

TÍTULO I
PROVIDENCIAS DEL JUEZ

CAPÍTULO I
AUTOS Y SENTENCIAS

ARTÍCULO 278. CLASES DE PROVIDENCIAS

Las providencias del juez pueden ser autos o sentencias.

Son sentencias las que deciden sobre las pretensiones de la demanda, las excepciones de mérito, cualquiera que fuere la instancia en que se pronuncien, las que deciden el incidente de liquidación de perjuicios, y las que resuelven los recursos de casación y revisión. Son autos todas las demás providencias.

En cualquier estado del proceso, el juez deberá dictar sentencia anticipada, total o parcial, en los siguientes eventos:

1. Cuando las partes o sus apoderados de común acuerdo lo soliciten, sea por iniciativa propia o por sugerencia del juez.

2. Cuando no hubiere pruebas por practicar.

3. Cuando se encuentre probada la cosa juzgada, la transacción, la caducidad, la prescripción extintiva y la carencia de legitimación en la causa.

- CPTSS art. 201

- arts. 3; 7; 14; 42 nums. 7 y 8; 133 num 6; 173; 372 num 7; 282
- CSJ. AC4204-2017

ARTÍCULO 279. FORMALIDADES

Salvo los autos que se limiten a disponer un trámite, las providencias serán motivadas de manera breve y precisa. No se podrá hacer transcripciones o reproducciones de actas, decisiones o conceptos que obren en el expediente. Las citas jurisprudenciales y doctrinales se limitarán a las que sean estrictamente necesarias para la adecuada fundamentación de la providencia.

Cuando deba dictarse por escrito, la providencia se encabezará con la denominación del juzgado o corporación, seguido del lugar y la fecha en que se pronuncie y terminará con la firma del juez o de los magistrados.

Las aclaraciones y salvamentos de voto se anunciarán en la audiencia y se harán constar por escrito dentro de los (3) días siguientes, si el fallo fue oral. Cuando la providencia sea escrita, se consignarán dentro del mismo plazo, contado a partir de su notificación.

En todas las jurisdicciones, ninguna providencia tendrá valor ni efecto jurídico hasta tanto hayan sido pronunciadas y, en su caso, suscrita por el juez o magistrados respectivos.

- arts. 7; 13; 14; 42 nums. 7 y 8
- CPTSS art. 202

ARTÍCULO 280. CONTENIDO DE LA SENTENCIA

La motivación de la sentencia deberá limitarse al examen crítico de las pruebas con explicación razonada de las conclusiones sobre ellas, y a los razonamientos constitucionales, legales, de equidad y doctrinarios estrictamente necesarios para fundamentar las conclusiones, exponiéndolos con brevedad y precisión, con indicación de las disposiciones aplicadas. El juez siempre deberá calificar la conducta procesal de las partes y, de ser el caso, deducir indicios de ella.

La parte resolutiva se proferirá bajo la fórmula "administrando justicia en nombre de la República de Colombia y por autoridad de la ley"; deberá contener decisión expresa y clara sobre cada una de las pretensiones de la demanda, las excepciones, cuando proceda resolver sobre ellas, las costas y perjuicios a cargo de las partes y sus apoderados, y demás asuntos que corresponda decidir con arreglo a lo dispuesto en este código.

Cuando la sentencia sea escrita, deberá hacerse una síntesis de la demanda y su contestación.

- arts. 7; 42 num. 7; 281
- CP art. 230
- CPTSS art. 203
- LEAJ art. 55
- CE. Sala de lo Contencioso administrativo. Sección Quinta. Consejera Ponente: Rocío Araujo Oñate. 26 de septiembre de 2017. Expediente No. 25000-23-41-000-2015-02491-01-20170926

ARTÍCULO 281. CONGRUENCIAS

La sentencia deberá estar en consonancia con los hechos y las pretensiones aducidos en la demanda y en las demás oportunidades que este código contempla y con las excepciones que aparezcan probadas y hubieren sido alegadas si así lo exige la ley.

No podrá condenarse al demandado por cantidad superior o por objeto distinto del pretendido en la demanda ni por causa diferente a la invocada en esta.

Si lo pedido por el demandante excede de lo probado se le reconocerá solamente lo último.

En la sentencia se tendrá en cuenta cualquier hecho modificativo o extintivo del derecho sustancial sobre el cual verse el litigio, ocurrido después de haberse propuesto la demanda, siempre que aparezca probado y que haya sido alegado por la parte interesada a más tardar en su alegato de conclusión o que la ley permita considerarlo de oficio.

PARÁGRAFO 1o. En los asuntos de familia, el juez podrá fallar ultrapetita y extrapetita, cuando sea necesario para brindarle protección adecuada a la pareja, al niño, la niña o adolescente, a la persona con discapacidad mental o de la tercera edad, y prevenir controversias futuras de la misma índole.

PARÁGRAFO 2o. En los procesos agrarios, los jueces aplicarán la ley sustancial teniendo en cuenta que el objeto de este tipo de procesos es conseguir la plena realización de la justicia en el campo en consonancia de los fines y principios generales del derecho agrario, especialmente el relativo a la protección del más débil en las relaciones de tenencia de tierra y producción agraria.

En los procesos agrarios, cuando una de las partes goce del amparo de pobreza, el juez de primera o de única instancia podrá, en su beneficio, decidir sobre lo controvertido o probado aunque la demanda sea defectuosa, siempre que esté relacionado con el objeto del litigio. Por consiguiente, está facultado para reconocer u ordenar el pago de derechos e indemnizaciones extra o ultrapetita, siempre que los hechos que los originan y sustenten estén debidamente controvertidos y probados.

En la interpretación de las disposiciones jurídicas, el juez tendrá en cuenta que el derecho agrario tiene por finalidad tutelar los derechos de los campesinos, de los resguardos o parcialidades indígenas y de los miembros e integrantes de comunidades civiles indígenas.

- arts. 7; 13; 14; 280
- CSJ. SC1303-2022; STC6080-2022; STC9192-2022.
- CE. Sala de lo Contencioso administrativo. Sección Quinta. Consejera Ponente: Rocío Araujo Oñate. 26 de septiembre de 2017. Expediente No. 25000-23-41-000-2015-02491-01-20170926

ARTÍCULO 282. RESOLUCIÓN SOBRE EXCEPCIONES

En cualquier tipo de proceso, cuando el juez halle probados los hechos que constituyen una excepción deberá reconocerla oficiosamente en la sentencia, salvo las de prescripción, compensación y nulidad relativa, que deberán alegarse en la contestación de la demanda.

Cuando no se proponga oportunamente la excepción de prescripción extintiva, se entenderá renunciada.

Si el juez encuentra probada una excepción que conduzca a rechazar todas las pretensiones de la demanda, debe abstenerse de examinar las restantes. En este caso si el superior considera infundada aquella excepción resolverá sobre las otras, aunque quien la alegó no haya apelado de la sentencia.

Cuando se proponga la excepción de nulidad o la de simulación del acto o contrato del cual se pretende derivar la relación debatida en el proceso, el juez se pronunciará expresamente en la sentencia sobre tales figuras, siempre que en el proceso sean parte quienes lo fueron en dicho acto o contrato; en caso contrario se limitará a declarar si es o no fundada la excepción.

- *Nota de vigencia:* El texto subrayado fue declarado exequible en la sentencia de la Corte Constitucional C-091 del 26 de septiembre de 2018, por el cargo analizado
- *Nota de vigencia:* El inciso segundo fue declarado exequible en la sentencia de la Corte Constitucional C-091 del 26 de septiembre de 2018, por el cargo analizado
- arts. 96 num 3
- CC arts. 1714; 1740.
- Corte Constitucional. C-351 de 25 de mayo de 2017
- Corte Constitucional. C-091 de 26 de septiembre de 2018

CAPÍTULO II
CONDENA EN CONCRETO

ARTÍCULO 283. CONDENA EN CONCRETO

La condena al pago de frutos, intereses, mejoras, perjuicios u otra cosa semejante, se hará en la sentencia por cantidad y valor determinados.

El juez de segunda instancia deberá extender la condena en concreto hasta la fecha de la sentencia de segunda instancia, aun cuando la parte beneficiada con ella no hubiese apelado.

En los casos en que este código autoriza la condena en abstracto se liquidará por incidente que deberá promover el interesado mediante escrito que contenga la liquidación motivada y especificada de su cuantía, estimada bajo juramento, dentro de los treinta (30) días siguientes a la ejecutoria de la providencia respectiva o al de la fecha de la notificación del auto de obedecimiento al superior. Dicho incidente se resolverá mediante sentencia. Vencido el término señalado sin promoverse el incidente se extinguirá el derecho.

En todo proceso jurisdiccional la valoración de daños atenderá los principios de reparación integral y equidad y observará los criterios técnicos actuariales.

- art. 284
- CC art. 717
- CPTSS art. 204

- CE. Sección Tercera, Sentencia de Unificación, Expediente No. 18001-23-31-001-2006-00178-01 (46681) de 29 de noviembre de 2021

ARTÍCULO 284. ADICIÓN DE LA CONDENA EN CONCRETO

Si no se hiciere en la sentencia la condena en concreto, la parte favorecida podrá solicitar dentro del término de su ejecutoria, que se pronuncie sentencia complementaria.

Cuando entre la fecha de la sentencia definitiva y la de entrega de los bienes, se hayan causado frutos o perjuicios reconocidos en la sentencia, su liquidación se hará por incidente, el cual debe proponerse dentro de los treinta (30) días siguientes a la entrega, con estimación razonada de su cuantía expresada bajo juramento. Vencido dicho término se extinguirá el derecho y el juez rechazará de plano la liquidación que se le presente.

La actualización de las condenas a pagar sumas de dinero con reajuste monetario, en el lapso comprendido entre la fecha de la sentencia definitiva y el día del pago, se hará en el momento de efectuarse este.

- art. 283
- CPTSS art. 207

CAPÍTULO III
ACLARACIÓN, CORRECCIÓN Y ADICIÓN DE LAS PROVIDENCIAS

ARTÍCULO 285. ACLARACIÓN

La sentencia no es revocable ni reformable por el juez que la pronunció. Sin embargo, podrá ser aclarada, de oficio o a solicitud de parte, cuando contenga conceptos o frases que ofrezcan verdadero motivo de duda, siempre que estén contenidas en la parte resolutiva de la sentencia o influyan en ella.

En las mismas circunstancias procederá la aclaración de auto. La aclaración procederá de oficio o a petición de parte formulada dentro del término de ejecutoria de la providencia.

La providencia que resuelva sobre la aclaración no admite recursos, pero dentro de su ejecutoria podrán interponerse los que procedan contra la providencia objeto de aclaración.

- arts. 7; 13; 14; 281, 282
- CPTSS art. 205
- CSJ. AC6007-2016

ARTÍCULO 286. CORRECCIÓN DE ERRORES ARITMÉTICOS Y OTROS

Toda providencia en que se haya incurrido en error puramente aritmético puede ser corregida por el juez que la dictó en cualquier tiempo, de oficio o a solicitud de parte, mediante auto.

Si la corrección se hiciere luego de terminado el proceso, el auto se notificará por aviso.

Lo dispuesto en los incisos anteriores se aplica a los casos de error por omisión o cambio de palabras o alteración de estas, siempre que estén contenidas en la parte resolutiva o influyan en ella.

- arts. 7; 13; 14; 281, 282
- CPTSS art. 206
- CSJ. STC10106-2022

ARTÍCULO 287. ADICIÓN

Cuando la sentencia omita resolver sobre cualquiera de los extremos de la litis o sobre cualquier otro punto que de conformidad con la ley debía ser objeto de pronunciamiento, deberá adicionarse por medio de sentencia complementaria, dentro de la ejecutoria, de oficio o a solicitud de parte presentada en la misma oportunidad.

El juez de segunda instancia deberá complementar la sentencia del inferior siempre que la parte perjudicada con la omisión haya apelado; pero si dejó de resolver la demanda de reconvención o la de un proceso acumulado, le devolverá el expediente para que dicte sentencia complementaria.

Los autos solo podrán adicionarse de oficio dentro del término de su ejecutoria, o a solicitud de parte presentada en el mismo término.

Dentro del término de ejecutoria de la providencia que resuelva sobre la complementación podrá recurrirse también la providencia principal.

- arts. 7; 13; 14; 281, 282

ARTÍCULO 288. IRREGULARIDADES EN LA FIRMA DE LAS PROVIDENCIAS

Cuando un juez colegiado profiera una providencia que no haya sido suscrita por todos sus integrantes, mientras conserve el expediente deberá subsanar la irregularidad de oficio o a petición de parte.

Una vez notificada la providencia, la irregularidad se entenderá saneada siempre que haya sido firmada por la mayoría de los integrantes de la sala respectiva. De lo contrario, se enviará el expediente o sus copias a la sala que la profirió, para que subsane el defecto o la profiera nuevamente.

- arts. 7; 13; 14; 281, 282

TÍTULO II
NOTIFICACIONES

ARTÍCULO 289. NOTIFICACIÓN DE LAS PROVIDENCIAS

Las providencias judiciales se harán saber a las partes y demás interesados por medio de notificaciones, con las formalidades prescritas en este código.

Salvo los casos expresamente exceptuados, ninguna providencia producirá efectos antes de haberse notificado.

- arts. 7; 13; 14; 302; 302; 305
- CPTSS art. 208

ARTÍCULO 290. PROCEDENCIA DE LA NOTIFICACIÓN PERSONAL

Deberán hacerse personalmente las siguientes notificaciones:

1. Al demandado o a su representante o apoderado judicial, la del auto admisorio de la demanda y la del mandamiento ejecutivo.

2. A los terceros y a los funcionarios públicos en su carácter de tales, la del auto que ordene citarlos.

3. Las que ordene la ley para casos especiales.

- arts. 91; 289; 291; 293
- L 2213 de 2022. art. 8

ARTÍCULO 291. PRÁCTICA DE LA NOTIFICACIÓN PERSONAL

Para la práctica de la notificación personal se procederá así:

1. Las entidades públicas se notificarán personalmente en la forma prevista en el artículo 612 de este código.

Las entidades públicas se notificarán de las sentencias que se profieran por fuera de audiencia de acuerdo con lo dispuesto en el artículo 203 de la Ley 1437 de 2011. De las que se profieran en audiencia se notificarán en estrados.

2. Las personas jurídicas de derecho privado y los comerciantes inscritos en el registro mercantil deberán registrar en la Cámara de Comercio o en la oficina de registro correspondiente del lugar donde funcione su sede principal, sucursal o agencia, la dirección donde recibirán notificaciones judiciales. Con el mismo propósito deberán registrar, además, una dirección electrónica.

Esta disposición también se aplicará a las personas naturales que hayan suministrado al juez su dirección de correo electrónico.

Si se registran varias direcciones, la notificación podrá surtirse en cualquiera de ellas.

3. La parte interesada remitirá una comunicación a quien deba ser notificado, a su representante o apoderado, por medio de servicio postal autorizado por el Ministerio de Tecnologías de la Información y las Comunicaciones, en la que le informará sobre la existencia del proceso, su naturaleza y la fecha de la providencia que debe ser notificada, previniéndolo para que comparezca al juzgado a recibir notificación dentro de los cinco (5) días siguientes a la fecha de su entrega en el lugar de destino. Cuando la comunicación deba ser entregada en municipio distinto al de la sede del juzgado, el término para comparecer será de diez (10) días; y si fuere en el exterior el término será de treinta (30) días.

La comunicación deberá ser enviada a cualquiera de las direcciones que le hubieren sido informadas al juez de conocimiento como correspondientes a quien deba ser notificado. Cuando se trate de persona jurídica de derecho privado la comunicación deberá remitirse a la dirección que aparezca registrada en la Cámara de Comercio o en la oficina de registro correspondiente.

Cuando la dirección del destinatario se encuentre en una unidad inmobiliaria cerrada, la entrega podrá realizarse a quien atienda la recepción.

La empresa de servicio postal deberá cotejar y sellar una copia de la comunicación, y expedir constancia sobre la entrega de esta en la dirección correspondiente. Ambos documentos deberán ser incorporados al expediente.

Cuando se conozca la dirección electrónica de quien deba ser notificado, la comunicación podrá remitirse por el Secretario o el interesado por medio de correo electrónico. Se presumirá que el destinatario ha recibido la comunicación cuando el iniciador recepcione acuse de recibo. En este caso, se dejará constancia de ello en el expediente y adjuntará una impresión del mensaje de datos.

4. Si la comunicación es devuelta con la anotación de que la dirección no existe o que la persona no reside o no trabaja en el lugar, a petición del interesado se procederá a su emplazamiento en la forma prevista en este código.

Cuando en el lugar de destino rehusaren recibir la comunicación, la empresa de servicio postal la dejará en el lugar y emitirá constancia de ello. Para todos los efectos legales, la comunicación se entenderá entregada.

5. Si la persona por notificar comparece al juzgado, se le pondrá en conocimiento la providencia previa su identificación mediante cualquier documento idóneo, de lo cual se extenderá acta en la que se expresará la fecha en que se practique, el nombre del notificado y la providencia que se notifica, acta que deberá firmarse por aquel y el empleado que haga la notificación. Al notificado no se le admitirán otras manifestaciones que la de asentimiento a lo resuelto, la convalidación de lo actuado, el nombramiento prevenido en la providencia y la interposición de los recursos de apelación y casación. Si el notificado no sabe, no quiere o no puede firmar, el notificador expresará esa circunstancia en el acta.

6. Cuando el citado no comparezca dentro de la oportunidad señalada, el interesado procederá a practicar la notificación por aviso.

PARÁGRAFO 1o. La notificación personal podrá hacerse por un empleado del juzgado cuando en el lugar no haya empresa de servicio postal autorizado o el juez lo estime aconsejable para agilizar o viabilizar el trámite de notificación. Si la persona no fuere encontrada, el empleado dejará la comunicación de que trata este artículo y, en su caso, el aviso previsto en el artículo 292.

PARÁGRAFO 2o. El interesado podrá solicitar al juez que se oficie a determinadas entidades públicas o privadas que cuenten con bases de datos para que suministren la información que sirva para localizar al demandado.

- *Nota de vigencia:* El inciso segundo del numeral 4 fue declarado exequible en la sentencia de la Corte Constitucional C-533 del 14 de octubre de 2015
- arts. 290; 292; 612
- CPACA art. 203
- CPTSS art. 209
- L. 2213 de 2022. art. 8.
- Corte Constitucional. C-533 de 14 de octubre de 2015; C-420 24 de septiembre de 2020
- CSJ. STC913-2022; STC5097-2022; STC6110-2022; STC6864-2017; STC 5548-2019; STC3610-2020; STC3586-2020

ARTÍCULO 292. NOTIFICACIÓN POR AVISO

Cuando no se pueda hacer la notificación personal del auto admisorio de la demanda o del mandamiento ejecutivo al demandado, o la del auto que ordena citar a un tercero, o la de cualquiera otra providencia que se debe realizar personalmente, se hará por medio de aviso que deberá expresar su fecha y la de la providencia que se notifica, el juzgado que conoce del proceso, su naturaleza, el nombre de las partes y la advertencia de que la notificación se considerará surtida al finalizar el día siguiente al de la entrega del aviso en el lugar de destino.

Cuando se trate de auto admisorio de la demanda o mandamiento ejecutivo, el aviso deberá ir acompañado de copia informal de la providencia que se notifica.

El aviso será elaborado por el interesado, quien lo remitirá a través de servicio postal autorizado a la misma dirección a la que haya sido enviada la comunicación a que se refiere el numeral 3 del artículo anterior.

La empresa de servicio postal autorizado expedirá constancia de haber sido entregado el aviso en la respectiva dirección, la cual se incorporará al expediente, junto con la copia del aviso debidamente cotejada y sellada. En lo pertinente se aplicará lo previsto en el artículo anterior.

Cuando se conozca la dirección electrónica de quien deba ser notificado, el aviso y la providencia que se notifica podrán remitirse por el Secretario o el interesado por medio de correo electrónico. Se presumirá que el destinatario ha recibido el aviso cuando el iniciador recepcione acuse de recibo. En este caso, se dejará constancia de ello en el expediente y adjuntará una impresión del mensaje de datos.

- art. 289; 291
- L 2213 de 2022, 8
- CPTSS arts. 210, 211
- CSJ. STC913-2022.

ARTÍCULO 293. EMPLAZAMIENTO PARA NOTIFICACIÓN PERSONAL

Cuando el demandante o el interesado en una notificación personal manifieste que ignora el lugar donde puede ser citado el demandado o quien deba ser notificado personalmente, se procederá al emplazamiento en la forma prevista en este código.

- arts. 108; 290; 291.
- L 2213 de 2022. art. 10.
- CPTSS art. 213

ARTÍCULO 294. NOTIFICACIÓN EN ESTRADOS

Las providencias que se dicten en el curso de las audiencias y diligencias quedan notificadas inmediatamente después de proferidas, aunque no hayan concurrido las partes.

- arts. 3; 107; 372, 373

ARTÍCULO 295. NOTIFICACIONES POR ESTADO

Las notificaciones de autos y sentencias que no deban hacerse de otra manera se cumplirán por medio de anotación en estados que elaborará el Secretario. La inserción en el estado se hará al día siguiente a la fecha de la providencia, y en él deberá constar:

1. La determinación de cada proceso por su clase.
2. La indicación de los nombres del demandante y el demandado, o de las personas interesadas en el proceso o diligencia. Si varias personas integran una parte bastará la designación de la primera de ellas añadiendo la expresión "y otros".
3. La fecha de la providencia.
4. La fecha del estado y la firma del Secretario.

El estado se fijará en un lugar visible de la Secretaría, al comenzar la primera hora hábil del respectivo día, y se desfijará al finalizar la última hora hábil del mismo.

De las notificaciones hechas por estado el Secretario dejará constancia con su firma al pie de la providencia notificada.

De los estados se dejará un duplicado autorizado por el Secretario. Ambos ejemplares se coleccionarán por separado en orden riguroso de fechas para su conservación en el archivo, y uno de ellos podrá ser examinado por las partes o sus apoderados bajo la vigilancia de aquel.

PARÁGRAFO. Cuando se cuente con los recursos técnicos los estados se publicarán por mensaje de datos, caso en el cual no deberán imprimirse ni firmarse por el Secretario.

Cuando se habiliten sistemas de información de la gestión judicial, la notificación por estado solo podrá hacerse con posterioridad a la incorporación de la información en dicho sistema.

- arts. 278; 279; 280; 285; 286; 287

- L. 2213 de 2022. art. 9
- CSJ. AC194-2022; STC6074-2022; STC2374-2017

ARTÍCULO 296. NOTIFICACIÓN MIXTA

El auto admisorio de la demanda y el mandamiento ejecutivo se notificarán por estado al demandante antes de su notificación personal o por aviso al demandado.

- arts. 90, 292; 295; 430

ARTÍCULO 297. REQUERIMIENTOS Y ACTOS ANÁLOGOS

Los requerimientos y otros actos análogos ordenados por el juez se entenderán surtidos con la notificación del respectivo auto y la exhibición de los documentos que en cada caso exija la ley.

El notificado, en el acto de la notificación, o dentro del término de ejecutoria, podrá hacer las observaciones que estime pertinentes.

- art. 289

ARTÍCULO 298. CUMPLIMIENTO Y NOTIFICACIÓN DE MEDIDAS CAUTELARES

Las medidas cautelares se cumplirán inmediatamente, antes de la notificación a la parte contraria del auto que las decrete. Si fueren previas al proceso se entenderá que dicha parte queda notificada el día en que se apersone en aquel o actúe en ellas o firme la respectiva diligencia.

Los oficios y despachos para el cumplimiento de las mencionadas medidas solamente se entregarán a la parte interesada.

La interposición de cualquier recurso no impide el cumplimiento inmediato de la medida cautelar decretada. Todos los recursos se consideran interpuestos en el efecto devolutivo.

- art. 360

ARTÍCULO 299. AUTOS QUE NO REQUIEREN NOTIFICACIÓN

Los autos de "cúmplase" no requieren ser notificados.

- arts. 278; 279; 289

ARTÍCULO 300. NOTIFICACIÓN AL REPRESENTANTE DE VARIAS PARTES

Siempre que una persona figure en el proceso como representante de varias, o actúe en su propio nombre y como representante de otra, se considerará como una sola para los efectos de las citaciones, notificaciones, traslados, requerimientos y diligencias semejantes.

- arts. 54; 59; 60; 61; 62; 75

ARTÍCULO 301. NOTIFICACIÓN POR CONDUCTA CONCLUYENTE

La notificación por conducta concluyente surte los mismos efectos de la notificación personal. Cuando una parte o un tercero manifieste que conoce determinada providencia o la mencione en escrito que lleve su firma, o verbalmente durante una audiencia o diligencia, si queda registro de ello, se considerará notificada por conducta concluyente de dicha providencia en la fecha de presentación del escrito o de la manifestación verbal.

Quien constituya apoderado judicial se entenderá notificado por conducta concluyente de todas las providencias que se hayan dictado en el respectivo proceso, inclusive del auto admisorio de la demanda o mandamiento ejecutivo, el día en que se notifique el auto que le reconoce personería, a menos que la notificación se haya surtido con anterioridad. Cuando se hubiese reconocido personería antes de admitirse la demanda o de librarse el mandamiento ejecutivo, la parte será notificada por estado de tales providencias.

Cuando se decrete la nulidad por indebida notificación de una providencia, esta se entenderá surtida por conducta concluyente el día en que se solicitó la nulidad, pero los términos de ejecutoria o traslado, según fuere el caso, solo empezarán a correr a partir del día siguiente al de la ejecutoria del auto que la decretó o de la notificación del auto de obedecimiento a lo resuelto por el superior.

- arts. 289; 290
- CPTSS art. 212
- Corte Constitucional. C-097 de 17 de octubre de 2018

TÍTULO III
EFECTO Y EJECUCIÓN DE LAS PROVIDENCIAS

CAPÍTULO I
EJECUTORIA Y COSA JUZGADA

ARTÍCULO 302. EJECUTORIA

Las providencias proferidas en audiencia adquieren ejecutoria una vez notificadas, cuando no sean impugnadas o no admitan recursos.

No obstante, cuando se pida aclaración o complementación de una providencia, solo quedará ejecutoriada una vez resuelta la solicitud.

Las que sean proferidas por fuera de audiencia quedan ejecutoriadas tres (3) días después de notificadas, cuando carecen de recursos o han vencido los términos sin haberse interpuesto los recursos que fueren procedentes, o cuando queda ejecutoriada la providencia que resuelva los interpuestos.

- art. 278
- CPTSS art. 214

ARTÍCULO 303. COSA JUZGADA

La sentencia ejecutoriada proferida en proceso contencioso tiene fuerza de cosa juzgada siempre que el nuevo proceso verse sobre el mismo objeto, se funde en la misma causa que el anterior y entre ambos procesos haya identidad jurídica de partes.

Se entiende que hay identidad jurídica de partes cuando las del segundo proceso son sucesores por causa de muerte de las que figuraron en el primero o causahabientes suyos por acto entre vivos celebrado con posterioridad al registro de la demanda si se trata de derechos sujetos a registro, y al secuestro en los demás casos.

En los procesos en que se emplace a personas indeterminadas para que comparezcan como parte, incluidos los de filiación, la cosa juzgada surtirá efectos en relación con todas las comprendidas en el emplazamiento.

La cosa juzgada no se opone al recurso extraordinario de revisión.

- arts. 99 num. 5; 278 num. 3; 302; 304; 314; 354; 355 num. 9; 356; 357; 358; 359; 402; 443 num. 5
- CPTSS art. 215

ARTÍCULO 304. SENTENCIAS QUE NO CONSTITUYEN COSA JUZGADA

No constituyen cosa juzgada las siguientes sentencias:

1. Las que se dicten en procesos de jurisdicción voluntaria, salvo las que por su naturaleza no sean susceptibles de ser modificadas.

2. Las que decidan situaciones susceptibles de modificación mediante proceso posterior, por autorización expresa de la ley.

3. Las que declaren probada una excepción de carácter temporal que no impida iniciar otro proceso al desaparecer la causa que dio lugar a su reconocimiento.

- arts. 100; 303; 577

CAPÍTULO II
EJECUCIÓN DE LAS PROVIDENCIAS JUDICIALES

ARTÍCULO 305. PROCEDENCIA

Podrá exigirse la ejecución de las providencias una vez ejecutoriadas o a partir del día siguiente al de la notificación del auto de obedecimiento a lo resuelto por el superior, según fuere el caso, y cuando contra ellas se haya concedido apelación en el efecto devolutivo.

Si en la providencia se fija un plazo para su cumplimiento o para hacer uso de una opción, este solo empezará a correr a partir de la ejecutoria de aquella o de la notificación del auto de obedecimiento a lo resuelto por el superior, según fuere el caso. La condena total o parcial que se haya subordinado a una condición solo podrá ejecutarse una vez demostrado el cumplimiento de esta.

- arts. 278; 279; 302; 320; 323 num. 2; 329
- CPTSS art. 216

ARTÍCULO 306. EJECUCIÓN

Cuando la sentencia condene al pago de una suma de dinero, a la entrega de cosas muebles que no hayan sido secuestradas en el mismo proceso, o al cumplimiento de una obligación de hacer, el acreedor, sin necesidad de formular demanda, deberá solicitar la ejecución con base en la sentencia, ante el juez del conocimiento, para que se adelante el proceso ejecutivo a continuación y dentro del mismo expediente en que fue dictada. Formulada la solicitud el juez librará mandamiento ejecutivo de acuerdo con lo señalado en la parte resolutiva de la sentencia y, de ser el caso, por las costas aprobadas, sin que sea necesario, para iniciar la ejecución, esperar a que se surta el trámite anterior.

Si la solicitud de la ejecución se formula dentro de los treinta (30) días siguientes a la ejecutoria de la sentencia, o a la notificación del auto de obedecimiento a lo resuelto por el superior, según fuere el caso, el mandamiento ejecutivo se notificará por estado. De ser formulada con posterioridad, la notificación del mandamiento ejecutivo al ejecutado deberá realizarse personalmente.

Cuando la ley autorice imponer en la sentencia condena en abstracto, una vez ejecutoriada la providencia que la concrete, se aplicarán las reglas de los incisos anteriores.

Lo previsto en este artículo se aplicará para obtener, ante el mismo juez de conocimiento, el cumplimiento forzado de las sumas que hayan sido liquidadas en el proceso y las obligaciones reconocidas mediante conciliación o transacción aprobadas en el mismo.

La jurisdicción competente para conocer de la ejecución del laudo arbitral es la misma que conoce del recurso de anulación, de acuerdo con las normas generales de competencia y trámite de cada jurisdicción.

- arts. 31 num. 5; 422; 426; 430; 431

- L 1563/2012, 40; 46
- CPACA art. 149 num. 7
- CPTSS arts. 217, 218
- CSJ. STC10270-2022; STC12924-2022; AC3571-2017

ARTÍCULO 307. EJECUCIÓN CONTRA ENTIDADES DE DERECHO PÚBLICO

Cuando la Nación o una entidad territorial sea condenada al pago de una suma de dinero, podrá ser ejecutada pasados diez (10) meses desde la ejecutoria de la respectiva providencia o de la que resuelva sobre su complementación o aclaración.

- *Nota de vigencia:* El texto subrayado fue declarado exequible en la sentencia de la Corte Constitucional C-314-21 del 17 de septiembre de 2021, por los cargos analizados
- NOTA: la Corte Constitucional se declaró inhibida para pronunciarse sobre la constitucionalidad de la expresión "Nación" contenida en el artículo 307 de la Ley 1564 de 2012, "Por medio de la cual se expide el Código General del Proceso y se dictan otras disposiciones", por ineptitud sustantiva de la demanda, en sentencia C-385 del 14 de junio de 2017
- CPACA art. 192
- CP art. 286
- Corte Constitucional. C-385 de 14 de junio de 2017

ARTÍCULO 308. ENTREGA DE BIENES

Para la entrega de bienes se observarán las siguientes reglas:

1. Corresponde al juez que haya conocido del proceso en primera instancia hacer la entrega ordenada en la sentencia, de los inmuebles y de los muebles que puedan ser habidos. Si la diligencia de entrega se solicita dentro de los treinta (30) días siguientes a la ejecutoria de la sentencia o a la notificación del auto de obedecimiento al superior, el auto que disponga su realización se notificará por estado; si la solicitud se formula después de vencido dicho término, el auto que la ordene deberá notificarse por aviso.

2. El juez identificará el bien objeto de la entrega y a las personas que lo ocupen. Sin embargo, para efectos de la entrega de un inmueble no es indispensable recorrer ni identificar los linderos, cuando al juez o al comisionado no le quede duda acerca de que se trata del mismo bien.

3. Cuando la entrega verse sobre cuota en cosa singular el juez advertirá a los demás comuneros que deben entenderse con el demandante para el ejercicio de los derechos que a todos corresponda sobre el bien.

4. Cuando el bien esté secuestrado la orden de entrega se le comunicará al secuestre por el medio más expedito. Si vencido el término señalado en la providencia respectiva el secuestre no ha entregado el bien, a petición del interesado se ordenará la diligencia de entrega, en la que no se admitirá ninguna oposición y se condenará al secuestre al pago de los perjuicios que por su renuencia o demora haya sufrido la parte a quien debía hacerse la entrega y se le impondrán las sanciones previstas en el artículo 50.

El auto mediante el cual se sancione al secuestre no tendrá recurso alguno y se notificará por aviso. No obstante, dentro de los diez (10) días siguientes a dicha notificación podrá el secuestre promover incidente, alegando que su incumplimiento se debió a fuerza mayor o caso fortuito, y si lo probare se levantarán las sanciones. Este incidente no afectará ni interferirá las demás actuaciones que se hallen en curso, o que deban iniciarse para otros fines.

5. Lo dispuesto en este artículo es aplicable a las entidades de derecho público.

- arts. 50; 284; 309; 310
- CPTSS art. 219

ARTÍCULO 309. OPOSICIONES A LA ENTREGA

Las oposiciones a la entrega se someterán a las siguientes reglas:

1. El juez rechazará de plano la oposición a la entrega formulada por persona contra quien produzca efectos la sentencia, o por quien sea tenedor a nombre de aquella.

2. Podrá oponerse la persona en cuyo poder se encuentra el bien y contra quien la sentencia no produzca efectos, si en cualquier forma alega hechos constitutivos de posesión y presenta prueba siquiera sumaria que los demuestre. El opositor y el interesado en la entrega podrán solicitar testimonios de personas que concurran a la diligencia, relacionados con la posesión. El juez agregará al expediente los documentos que se aduzcan, siempre que se relacionen con la posesión, y practicará el interrogatorio del opositor, si estuviere presente, y las demás pruebas que estime necesarias.

3. Lo dispuesto en el numeral anterior se aplicará cuando la oposición se formule por tenedor que derive sus derechos de un tercero que se encuentre en las circunstancias allí previstas, quien deberá aducir prueba siquiera sumaria de su tenencia y de la posesión del tercero. En este caso, el tenedor será interrogado bajo juramento sobre los hechos constitutivos de su tenencia, de la posesión alegada y los lugares de habitación y de trabajo del supuesto poseedor.

4. Cuando la diligencia se efectúe en varios días, solo se atenderán las oposiciones que se formulen el día en que el juez identifique el sector del inmueble o los bienes muebles a que Se refieran las oposiciones. Al mismo tiempo se hará la identificación de las personas que ocupen el inmueble o el correspondiente sector, si fuere el caso.

5. Si se admite la oposición y en el acto de la diligencia el interesado insiste expresamente en la entrega, el bien se dejará al opositor en calidad de secuestre.

Si la oposición se admite solo respecto de alguno de los bienes o de parte de estos, se llevará a cabo la entrega de lo demás.

Cuando la oposición sea formulada por un tenedor que derive sus derechos de un tercero poseedor, el juez le ordenará a aquel comunicarle a este para que comparezca a ratificar su actuación. Si no lo hace dentro de los cinco (5) días siguientes quedará sin efecto la oposición y se procederá a la entrega sin atender más oposiciones.

6. Cuando la diligencia haya sido practicada por el juez de conocimiento y quien solicitó la entrega haya insistido, este y el opositor, dentro de los cinco (5) días siguientes, po-

drán solicitar pruebas que se relacionen con la oposición. Vencido dicho término, el juez convocará a audiencia en la que practicará las pruebas y resolverá lo que corresponda.

7. Si la diligencia se practicó por comisionado y la oposición se refiere a todos los bienes objeto de ella, se remitirá inmediatamente el despacho al comitente, y el término previsto en el numeral anterior se contará a partir de la notificación del auto que ordena agregar al expediente el despacho comisorio. Si la oposición fuere parcial la remisión del despacho se hará cuando termine la diligencia.

8. Si se rechaza la oposición, la entrega se practicará sin atender ninguna otra oposición, haciendo uso de la fuerza pública si fuere necesario. Cuando la decisión sea favorable al opositor, se levantará el secuestro, a menos que dentro de los diez (10) días siguientes a la ejecutoria del auto que decida la oposición o del que ordene obedecer lo resuelto por el superior, el demandante presente prueba de haber promovido contra dicho tercero el proceso a que hubiere lugar, en cuyo caso el secuestro continuará vigente hasta la terminación de dicho proceso. Copia de la diligencia de secuestro se remitirá al juez de aquel.

9. Quien resulte vencido en el trámite de la oposición será condenado en costas y en perjuicios; estos últimos se liquidarán como dispone el inciso 3o del artículo 283.

PARÁGRAFO. Restitución al tercero poseedor. Si el tercero poseedor con derecho a oponerse no hubiere estado presente al practicarse la diligencia de entrega, podrá solicitar al juez de conocimiento, dentro de los veinte (20) días siguientes, que se le restituya en su posesión. Presentada en tiempo la solicitud el juez convocará a audiencia en la que practicará las pruebas que considere necesarias y resolverá. Si la decisión es desfavorable al tercero, este será condenado a pagar multa de diez (10) a veinte (20) salarios mínimos legales mensuales vigentes (smlmv), costas y perjuicios. Dentro del término que el juez señale, antes de citar para audiencia, el tercero deberá prestar caución para garantizar el pago de las mencionadas condenas.

Lo dispuesto en el inciso anterior se aplicará también al tercero poseedor con derecho a oponerse, que habiendo concurrido a la diligencia de entrega no estuvo representado por apoderado judicial, pero el término para formular la solicitud será de cinco (5) días.

Los términos anteriores correrán a partir del día siguiente al de la fecha en que se practicó la diligencia de entrega.

- arts. 38; 67; 308; 321 num. 9; 283; 596
- CPTSS art. 220
- CC art. 762

ARTÍCULO 310. DERECHO DE RETENCIÓN

Cuando en la sentencia se haya reconocido el derecho de retención, el interesado solo podrá solicitar la entrega si presenta el comprobante de haber pagado el valor del crédito reconocido en aquella, o de haber hecho la consignación respectiva. Esta se retendrá hasta cuando el obligado haya cumplido cabalmente la entrega ordenada en la sentencia.

Si en la diligencia de entrega no se encuentran las mejoras reconocidas en la sentencia, se devolverá al interesado la consignación; si existieren parcialmente, se procederá a fijar su valor por el trámite de un incidente para efectos de las restituciones pertinentes.

- CC arts. 970, 2000, 2421

ARTÍCULO 311. ENTREGA DE PERSONAS

La entrega de incapaces podrá solicitarse en cualquier tiempo, ante el juez o tribunal que lo haya ordenado. Mientras el expediente no haya sido devuelto por el superior la solicitud deberá presentarse ante este. En estas entregas no se atenderán oposiciones.

- L 1306/2009

SECCIÓN QUINTA
TERMINACIÓN ANORMAL DEL PROCESO

TÍTULO ÚNICO
TERMINACIÓN ANORMAL DEL PROCESO

CAPÍTULO I
TRANSACCIÓN

ARTÍCULO 312. TRÁMITE

En cualquier estado del proceso podrán las partes transigir la litis. También podrán transigir las diferencias que surjan con ocasión del cumplimiento de la sentencia.

Para que la transacción produzca efectos procesales deberá solicitarse por quienes la hayan celebrado, dirigida al juez o tribunal que conozca del proceso o de la respectiva actuación posterior a este, según fuere el caso, precisando sus alcances o acompañando el documento que la contenga. Dicha solicitud podrá presentarla también cualquiera de las partes, acompañando el documento de transacción; en este caso se dará traslado del escrito a las otras partes por tres (3) días.

El juez aceptará la transacción que se ajuste al derecho sustancial y declarará terminado el proceso, si se celebró por todas las partes y versa sobre la totalidad de las cuestiones debatidas o sobre las condenas impuestas en la sentencia. Si la transacción solo recae sobre parte del litigio o de la actuación posterior a la sentencia, el proceso o la actuación posterior a este continuará respecto de las personas o los aspectos no comprendidos en aquella, lo cual deberá precisar el juez en el auto que admita la transacción. El auto que resuelva sobre la transacción parcial es apelable en el efecto diferido, y el que resuelva sobre la transacción total lo será en el efecto suspensivo.

Cuando el proceso termine por transacción o esta sea parcial, no habrá lugar a costas, salvo que las partes convengan otra cosa.

Si la transacción requiere licencia y aprobación judicial, el mismo juez que conoce del proceso resolverá sobre estas; si para ello se requieren pruebas que no obren en el expediente, el juez las decretará de oficio o a solicitud de parte y para practicarlas señalará fecha y hora para audiencia.

- arts. 77; 321 num. 7; 323 nums. 1 y 2; 365 num. 9
- CPTSS art. 221
- CC arts. 2469; 2470; 2471

ARTÍCULO 313. TRANSACCIÓN POR ENTIDADES PÚBLICAS

Los representantes de la nación, departamentos y municipios no podrán transigir sin autorización del Gobierno Nacional, del gobernador o alcalde, según fuere el caso.

Cuando por ley, ordenanza o acuerdo se haya ordenado promover el proceso en que intervenga una de las mencionadas entidades la transacción deberá ser autorizada por un acto de igual naturaleza.

- CPACA art. 176
- CPTSS art. 222

CAPÍTULO II
DESISTIMIENTO

ARTÍCULO 314. DESISTIMIENTO DE LAS PRETENSIONES

El demandante podrá desistir de las pretensiones mientras no se haya pronunciado sentencia que ponga fin al proceso. Cuando el desistimiento se presente ante el superior por haberse interpuesto por el demandante apelación de la sentencia o casación, se entenderá que comprende el del recurso.

El desistimiento implica la renuncia de las pretensiones de la demanda en todos aquellos casos en que la firmeza de la sentencia absolutoria habría producido efectos de cosa juzgada. El auto que acepte el desistimiento producirá los mismos efectos de aquella sentencia.

Si el desistimiento no se refiere a la totalidad de las pretensiones, o si sólo proviene de alguno de los demandantes, el proceso continuará respecto de las pretensiones y personas no comprendidas en él.

En los procesos de deslinde y amojonamiento, de división de bienes comunes, de disolución o liquidación de sociedades conyugales o patrimoniales, civiles o comerciales, el desistimiento no producirá efectos sin la anuencia de la parte demandada, cuando esta no se opuso a la demanda, y no impedirá que se promueva posteriormente el mismo proceso.

El desistimiento debe ser incondicional, salvo acuerdo de las partes, y sólo perjudica a la persona que lo hace y a sus causahabientes.

El desistimiento de la demanda principal no impide el trámite de la reconvención, que continuará ante el mismo juez cualquiera que fuere su cuantía.

Cuando el demandante sea la Nación, un departamento o municipio, el desistimiento deberá estar suscrito por el apoderado judicial y por el representante del Gobierno Nacional, el gobernador o el alcalde respectivo.

- arts. 82; 303; 320; 333; 371
- CPTSS art. 223

ARTÍCULO 315. QUIÉNES NO PUEDEN DESISTIR DE LAS PRETENSIONES

No pueden desistir de las pretensiones:

1. Los incapaces y sus representantes, a menos que previamente obtengan licencia judicial.

En este caso la licencia deberá solicitarse en el mismo proceso, y el juez podrá concederla en el auto que acepte el desistimiento si considera que no requiere la práctica de pruebas; en caso contrario fijará fecha y hora para audiencia con tal fin.

2. Los apoderados que no tengan facultad expresa para ello.
3. Los curadores ad lítem.

- arts. 53; 54; 55; 56; 77; 314
- CPTSS art. 224

ARTÍCULO 316. DESISTIMIENTO DE CIERTOS ACTOS PROCESALES

Las partes podrán desistir de los recursos interpuestos y de los incidentes, las excepciones y los demás actos procesales que hayan promovido. No podrán desistir de las pruebas practicadas.

El desistimiento de un recurso deja en firme la providencia materia del mismo, respecto de quien lo hace. Cuando se haga por fuera de audiencia, el escrito se presentará ante el secretario del juez de conocimiento si el expediente o las copias para dicho recurso no se han remitido al superior, o ante el secretario de este en el caso contrario.

El auto que acepte un desistimiento condenará en costas a quien desistió, lo mismo que a perjuicios por el levantamiento de las medidas cautelares practicadas.

No obstante, el juez podrá abstenerse de condenar en costas y perjuicios en los siguientes casos:

1. Cuando las partes así lo convengan.
2. Cuando se trate del desistimiento de un recurso ante el juez que lo haya concedido.
3. Cuando se desista de los efectos de la sentencia favorable ejecutoriada y no estén vigentes medidas cautelares.

4. Cuando el demandado no se oponga al desistimiento de las pretensiones que de forma condicionada presente el demandante respecto de no ser condenado en costas y perjuicios. De la solicitud del demandante se correrá traslado al demandado por tres (3) días y, en caso de oposición, el juez se abstendrá de aceptar el desistimiento así solicitado. Si no hay oposición, el juez decretará el desistimiento sin condena en costas y expensas.

- arts. 96 num. 3; 100; 127; 175; 318; 320; 331; 333; 352; 355; 361; 365
- CPTSS art. 225
- CSJ. AC3149-2022; AC3939-2022; AC6081-2016; AC319-2017; AC937-2017

ARTÍCULO 317. DESISTIMIENTO TÁCITO

El desistimiento tácito se aplicará en los siguientes eventos:

1. Cuando para continuar el trámite de la demanda, del llamamiento en garantía, de un incidente o de cualquiera otra actuación promovida a instancia de parte, se requiera el cumplimiento de una carga procesal o de un acto de la parte que haya formulado aquella o promovido estos, el juez le ordenará cumplirlo dentro de los treinta (30) días siguientes mediante providencia que se notificará por estado.

Vencido dicho término sin que quien haya promovido el trámite respectivo cumpla la carga o realice el acto de parte ordenado, el juez tendrá por desistida tácitamente la respectiva actuación y así lo declarará en providencia en la que además impondrá condena en costas.

El juez no podrá ordenar el requerimiento previsto en este numeral, para que la parte demandante inicie las diligencias de notificación del auto admisorio de la demanda o del mandamiento de pago, cuando estén pendientes actuaciones encaminadas a consumar las medidas cautelares previas.

2. Cuando un proceso o actuación de cualquier naturaleza, en cualquiera de sus etapas, permanezca inactivo en la secretaría del despacho, porque no se solicita o realiza ninguna actuación durante el plazo de un (1) año en primera o única instancia, contados desde el día siguiente a la última notificación o desde la última diligencia o actuación, a petición de parte o de oficio, se decretará la terminación por desistimiento tácito sin necesidad de requerimiento previo. En este evento no habrá condena en costas "o perjuicios" a cargo de las partes.

El desistimiento tácito se regirá por las siguientes reglas:

a) Para el cómputo de los plazos previstos en este artículo no se contará el tiempo que el proceso hubiese estado suspendido por acuerdo de las partes;

b) Si el proceso cuenta con sentencia ejecutoriada a favor del demandante o auto que ordena seguir adelante la ejecución, el plazo previsto en este numeral será de dos (2) años;

c) Cualquier actuación, de oficio o a petición de parte, de cualquier naturaleza, interrumpirá los términos previstos en este artículo;

d) Decretado el desistimiento tácito quedará terminado el proceso o la actuación correspondiente y se ordenará el levantamiento de las medidas cautelares practicadas;

e) La providencia que decrete el desistimiento tácito se notificará por estado y será susceptible del recurso de apelación en el efecto suspensivo. La providencia que lo niegue será apelable en el efecto devolutivo;

f) El decreto del desistimiento tácito no impedirá que se presente nuevamente la demanda transcurridos seis (6) meses contados desde la ejecutoria de la providencia que así lo haya dispuesto o desde la notificación del auto de obedecimiento de lo resuelto por el superior, pero serán ineficaces todos los efectos que sobre la interrupción de la prescripción extintiva o la inoperancia de la caducidad o cualquier otra consecuencia que haya producido la presentación y notificación de la demanda que dio origen al proceso o a la actuación cuya terminación se decreta;

g) Decretado el desistimiento tácito por segunda vez entre las mismas partes y en ejercicio de las mismas pretensiones, se extinguirá el derecho pretendido. El juez ordenará la cancelación de los títulos del demandante si a ellos hubiere lugar. Al decretarse el desistimiento tácito, deben desglosarse los documentos que sirvieron de base para la admisión de la demanda o mandamiento ejecutivo, con las constancias del caso, para así poder tener conocimiento de ello ante un eventual nuevo proceso;

h) El presente artículo no se aplicará en contra de los incapaces, cuando carezcan de apoderado judicial.

- *Nota de vigencia:* El texto subrayado fue declarado exequible en la sentencia de la Corte Constitucional C-173 del 25 de abril de 2019, por el cargo formulado
- CPACA art. 178
- DL 564/2020; 2
- Corte Constitucional. C-531 de 14 de agosto de 2013
- Corte Constitucional. C-553 de 12 de octubre de 2016
- Corte Constitucional. C-173 de 25 de abril de 2019
- CSJ. STC STC11191-2021; AC3843-2022; AC4291-2022; STC1216-2022; STC4763-2022; 14483-2018; STC 4021-2020; STC 9945-20; STC 11191-2020

SECCIÓN SEXTA
MEDIOS DE IMPUGNACIÓN

TÍTULO ÚNICO
MEDIOS DE IMPUGNACIÓN

CAPÍTULO I
REPOSICIÓN

ARTÍCULO 318. PROCEDENCIA Y OPORTUNIDADES

Salvo norma en contrario, el recurso de reposición procede contra los autos que dicte el juez, contra los del magistrado sustanciador no susceptibles de súplica y contra los de la Sala de Casación Civil de la Corte Suprema de Justicia, para que se reformen o revoquen.

El recurso de reposición no procede contra los autos que resuelvan un recurso de apelación, una súplica o una queja.

El recurso deberá interponerse con expresión de las razones que lo sustenten, en forma verbal inmediatamente se pronuncie el auto. Cuando el auto se pronuncie fuera de audiencia el recurso deberá interponerse por escrito dentro de los tres (3) días siguientes al de la notificación del auto.

El auto que decide la reposición no es susceptible de ningún recurso, salvo que contenga puntos no decididos en el anterior, caso en el cual podrán interponerse los recursos pertinentes respecto de los puntos nuevos.

Los autos que dicten las salas de decisión no tienen reposición; podrá pedirse su aclaración o complementación, dentro del término de su ejecutoria.

PARÁGRAFO. Cuando el recurrente impugne una providencia judicial mediante un recurso improcedente, el juez deberá tramitar la impugnación por las reglas del recurso que resultare procedente, siempre que haya sido interpuesto oportunamente.

- arts. 90; 278; 302; 319
- CSJ. AC2632-2021; AC2412-2021; STC9240-2022; STC 3642-2017

ARTÍCULO 319. TRÁMITE

El recurso de reposición se decidirá en la audiencia, previo traslado en ella a la parte contraria.

Cuando sea procedente formularlo por escrito, se resolverá previo traslado a la parte contraria por tres (3) días como lo prevé el artículo 110.

- arts. 3; 110; 318; 372

CAPÍTULO II
APELACIÓN

ARTÍCULO 320. FINES DE LA APELACIÓN

El recurso de apelación tiene por objeto que el superior examine la cuestión decidida, únicamente en relación con los reparos concretos formulados por el apelante, para que el superior revoque o reforme la decisión.

Podrá interponer el recurso la parte a quien le haya sido desfavorable la providencia: respecto del coadyuvante se tendrá en cuenta lo dispuesto en el inciso segundo del artículo 71.

- arts. 3; 13; 24; 31; 32; 33; 34; 61; 71; 77; 321; 322; 323; 324: 325; 326; 327; 328; 329; 330.

ARTÍCULO 321. PROCEDENCIA

Son apelables las sentencias de primera instancia, salvo las que se dicten en equidad.

También son apelables los siguientes autos proferidos en primera instancia:

1. El que rechace la demanda, su reforma o la contestación a cualquiera de ellas.
2. El que niegue la intervención de sucesores procesales o de terceros.
3. El que niegue el decreto o la práctica de pruebas.
4. El que niegue total o parcialmente el mandamiento de pago y el que rechace de plano las excepciones de mérito en el proceso ejecutivo.
5. El que rechace de plano un incidente y el que lo resuelva.
6. El que niegue el trámite de una nulidad procesal y el que la resuelva.
7. El que por cualquier causa le ponga fin al proceso.
8. El que resuelva sobre una medida cautelar, o fije el monto de la caución para decretarla, impedirla o levantarla.
9. El que resuelva sobre la oposición a la entrega de bienes, y el que la rechace de plano.
10. Los demás expresamente señalados en este código.

- arts. 3; 13; 60; 61; 62; 64; 67; 68; 71; 90; 93; 96; 130; 134; 165; 168; 309; 320; 372; 430; 438; 443; 588; 590; 597; 599; 602; 603; 604
- CPACA art. 247
- CSJ. STC2480-2022

ARTÍCULO 322. OPORTUNIDAD Y REQUISITOS

El recurso de apelación se propondrá de acuerdo con las siguientes reglas:

1. El recurso de apelación contra cualquier providencia que se emita en el curso de una audiencia o diligencia, deberá interponerse en forma verbal inmediatamente después de pronunciada. El juez resolverá sobre la procedencia de todas las apelaciones al finalizar la audiencia inicial o la de instrucción y juzgamiento, según corresponda, así no hayan sido sustentados los recursos.

La apelación contra la providencia que se dicte fuera de audiencia deberá interponerse ante el juez que la dictó, en el acto de su notificación personal o por escrito dentro de los tres (3) días siguientes a su notificación por estado.

2. La apelación contra autos podrá interponerse directamente o en subsidio de la reposición. Cuando se acceda a la reposición interpuesta por una de las partes, la otra podrá apelar del nuevo auto si fuere susceptible de este recurso.

Proferida una providencia complementaria o que niegue la adición solicitada, dentro del término de ejecutoria de esta también se podrá apelar de la principal. La apelación contra una providencia comprende la de aquella que resolvió sobre la complementación.

Si antes de resolverse sobre la adición o aclaración de una providencia se hubiere interpuesto apelación contra esta, en el auto que decida aquella se resolverá sobre la concesión de dicha apelación.

3. En el caso de la apelación de autos, el apelante deberá sustentar el recurso ante el juez que dictó la providencia, dentro de los tres (3) días siguientes a su notificación, o a la del auto que niega la reposición. Sin embargo, cuando la decisión apelada haya sido pronunciada en una audiencia o diligencia, el recurso podrá sustentarse al momento de su interposición. Resuelta la reposición y concedida la apelación, el apelante, si lo considera necesario, podrá agregar nuevos argumentos a su impugnación, dentro del plazo señalado en este numeral.

Cuando se apele una sentencia, el apelante, al momento de interponer el recurso en la audiencia, si hubiere sido proferida en ella, o dentro de los tres (3) días siguientes a su finalización o a la notificación de la que hubiere sido dictada por fuera de audiencia, deberá precisar, de manera breve, los reparos concretos que le hace a la decisión, sobre los cuales versará la sustentación que hará ante el superior.

Para la sustentación del recurso será suficiente que el recurrente exprese las razones de su inconformidad con la providencia apelada.

Si el apelante de un auto no sustenta el recurso en debida forma y de manera oportuna, el juez de primera instancia lo declarará desierto. La misma decisión adoptará cuando no se precisen los reparos a la sentencia apelada, en la forma prevista en este numeral. El juez de segunda instancia declarara desierto el recurso de apelación contra una sentencia que no hubiere sido sustentado.

PARÁGRAFO. La parte que no apeló podrá adherir al recurso interpuesto por otra de las partes, en lo que la providencia apelada le fuere desfavorable. El escrito de adhesión podrá presentarse ante el juez que lo profirió mientras el expediente se encuentre en su despacho, o ante el superior hasta el vencimiento del término de ejecutoria del auto que admite apelación de la sentencia. El escrito de adhesión deberá sujetarse a lo previsto en el numeral 3 de este artículo.

La adhesión quedará sin efecto si se produce el desistimiento del apelante principal.

- arts. 3; 13; 107; 110; 278; 278; 285; 286; 287; 318; 319; 321
- L. 2213 de 2022. art. 12
- CSJ. STC15304-2016; STC 4998-2017; STC 19438-2017; STC 4339-2018; STL 3470-2018; STC6687-2020; STC6683-2020; STC7233-2020; STC7658-2020; STC7665-2020; STC7751-2020; STC7722-2020; STC7783-2020; STC7978-2020; STC7977-2020; STC7939-2020; STC8059-2020; STC8180-2020; STC8258-2020; STC8314-2020; STC 4523-2021; STC5498-2021; STC5497-2021; STC5569-2021; STC5790-2021; STC5967-2021; STC5966-2021; STC5965-2021; STC7539-2021; STC11451-2021; STC1002-2022; STC999-2022; STC2325-2022; STC2479-2022; STC6064-2022

ARTÍCULO 323. EFECTOS EN QUE SE CONCEDE LA APELACIÓN

Podrá concederse la apelación:

1. En el efecto suspensivo. En este caso, si se trata de sentencia, la competencia del juez de primera instancia se suspenderá desde la ejecutoria del auto que la concede hasta que se notifique el de obedecimiento a lo resuelto por el superior. Sin embargo, el inferior conservará competencia para conocer de todo lo relacionado con medidas cautelares.

- arts. 90 num 7°; 312; 317 num 2° lit e; 366 num 5°; 399; 438; 516

- CSJ. STC847-2022

2. En el efecto devolutivo. En este caso no se suspenderá el cumplimiento de la providencia apelada, ni el curso del proceso.

- arts. 298; 305; 317 num. 2° lit e; 324; 326; 329; 382; 396; 399; 491 num. 7°; 493; 586 num. 6°

3. En el efecto diferido. En este caso se suspenderá el cumplimiento de la providencia apelada, pero continuará el curso del proceso ante el juez de primera instancia en lo que no dependa necesariamente de ella.

- arts. 312; 324; 326; 329; 366 num. 5°; 396; 399 num. 11°; 441; 446 num. 3°; 467 num. 3° lit a; 491 num. 7°; 493; 494; 586 num. 6°

Se otorgará en el efecto suspensivo la apelación de las sentencias que versen sobre el estado civil de las personas, las que hayan sido recurridas por ambas partes, las que nieguen la totalidad de las pretensiones y las que sean simplemente declarativas. Las apelaciones de las demás sentencias se concederán en el efecto devolutivo, pero no podrá hacerse entrega de dineros u otros bienes, hasta tanto sea resuelta la apelación.

Sin embargo, la apelación no impedirá el pago de las prestaciones alimentarias impuestas en la providencia apelada, para lo cual el juez de primera instancia conservará competencia.

La apelación de los autos se otorgará en el efecto devolutivo, a menos que exista disposición en contrario.

Cuando la apelación deba concederse en el efecto suspensivo, el apelante puede pedir que se le otorgue en el diferido o en el devolutivo, y cuando procede en el diferido puede pedir que se le otorgue en el devolutivo.

Aunque la apelación de la sentencia se tramite en el efecto devolutivo, se remitirá el original del expediente al superior y el cumplimiento del fallo se adelantará con las copias respectivas.

En caso de apelación de la sentencia, el superior decidirá en esta todas las apelaciones contra autos que estuvieren pendientes, cuando fuere posible.

Cuando la apelación en el efecto suspensivo o diferido se haya interpuesto expresamente contra una o varias de las decisiones contenidas en la providencia, las demás se cumplirán, excepto cuando sean consecuencia de las apeladas, o si la otra parte hubiere interpuesto contra ellas apelación concedida en el efecto suspensivo o en el diferido. Con las mismas salvedades, si la apelación tiene por objeto obtener más de lo concedido en la providencia recurrida, podrá pedirse el cumplimiento de lo que esta hubiere reconocido.

En los casos señalados en el inciso anterior, en el auto que conceda la apelación se ordenará que antes de remitirse el expediente se deje reproducción de las piezas que el juez estime necesarias, a costa del apelante.

La circunstancia de no haberse resuelto por el superior recursos de apelación en el efecto devolutivo o diferido, no impedirá que se dicte la sentencia. Si la que se profiera no fuere apelada, el secretario comunicará inmediatamente este hecho al superior por cualquier medio, sin necesidad de auto que lo ordene, para que declare desiertos dichos recursos.

Quedarán sin efecto las decisiones del superior que hayan resuelto apelaciones contra autos, cuando el juez de primera instancia hubiere proferido la sentencia antes de recibir la comunicación de que trata el artículo 326 y aquella no hubiere sido apelada. Si la comunicación fuere recibida durante el desarrollo de una audiencia, el juez la pondrá en conocimiento de las partes y adoptará las medidas pertinentes; si a pesar de ello la profiere y este hubiere revocado alguno de dichos autos, deberá declararse sin valor la sentencia por auto que no tendrá recursos.

ARTÍCULO 324. REMISIÓN DEL EXPEDIENTE O DE SUS COPIAS

Tratándose de apelación de autos, la remisión del expediente o de sus copias al superior, se hará una vez surtido el traslado del escrito de sustentación, según lo previsto en el artículo 326. En el caso de las sentencias, el envío se hará una vez presentado el escrito al que se refiere el numeral 3 del artículo 322.

Sin embargo, cuando el juez de primera instancia conserve competencia para adelantar cualquier trámite, en el auto que conceda la apelación se ordenará que antes de remitirse el expediente se deje una reproducción de las piezas que el juez señale, a costa del recurrente, quien deberá suministrar las expensas necesarias en el término de cinco (5) días, so pena de ser declarado desierto. Suministradas oportunamente las expensas, el secretario deberá expedirlas dentro de los tres (3) días siguientes.

Cuando se trate de apelación de un auto en el efecto diferido o devolutivo, se remitirá al superior una reproducción de las piezas que el juez señale, para cuya expedición se seguirá el mismo procedimiento. Si el superior considera necesarias otras piezas procesales deberá solicitárselas al juez de primera instancia por auto que no tendrá recurso y por el medio más expedito, quien procederá en la forma prevista en el inciso anterior.

El secretario deberá remitir el expediente o la reproducción al superior dentro del término máximo de cinco (5) días contados a partir del momento previsto en el inciso primero, o a partir del día siguiente a aquel en que el recurrente pague el valor de la reproducción, según el caso. El incumplimiento de este deber se considerará falta gravísima.

PARÁGRAFO. Cuando el juez de primera instancia tenga habilitado el Plan de Justicia Digital, el conocimiento del asunto en segunda instancia sólo podrá ser asignado a un despacho que haga parte del mismo sistema. En ningún caso podrá ordenarse la impresión del expediente digital.

- arts. 320; 321; 322; 323; 326

ARTÍCULO 325. EXAMEN PRELIMINAR

Si la providencia apelada se profirió por fuera de audiencia, el juez o el magistrado sustanciador verificará si se encuentra suscrita por el juez de primera instancia y, en caso negativo, adoptará las medidas necesarias para establecer su autoría. En cualquier caso, la concesión del recurso hace presumir la autoría de la providencia apelada.

Si a pesar de la falta de firma de la providencia el superior hubiere decidido la apelación, se tendrá por saneada la omisión.

Si la providencia apelada se pronunció en audiencia o diligencia, la falta de firma del acta no impedirá tramitar el recurso.

Si no se cumplen los requisitos para la concesión del recurso, este será declarado inadmisible y se devolverá el expediente al juez de primera instancia; si fueren varios los recursos, solo se tramitarán los que reúnan los requisitos mencionados.

El superior devolverá el expediente si encuentra que el juez de primera instancia omitió pronunciarse sobre la demanda de reconvención o sobre un proceso acumulado. Así mismo, si advierte que se configuró una causal de nulidad, procederá en la forma prevista en el artículo 137.

Cuando la apelación haya sido concedida en un efecto diferente al que corresponde, el superior hará el ajuste respectivo y lo comunicará al juez de primera instancia. Efectuada la corrección, continuará el trámite del recurso.

- arts. 31; 32; 35; 137; 279

ARTÍCULO 326. TRÁMITE DE LA APELACIÓN DE AUTOS

Cuando se trate de apelación de un auto, del escrito de sustentación se dará traslado a la parte contraria en la forma y por el término previsto en el inciso segundo del artículo 110. Si fueren varios los recursos sustentados, el traslado será conjunto y común. Vencido el traslado se enviará el expediente o sus copias al superior.

Si el juez de segunda instancia lo considera inadmisible, así lo decidirá en auto; en caso contrario resolverá de plano y por escrito el recurso. Si la apelación hubiere sido concedida en el efecto devolutivo o en el diferido, se comunicará inmediatamente al juez de primera instancia, por cualquier medio, de lo cual se dejará constancia. El incumplimiento de este deber por parte del secretario constituye falta gravísima.

- arts. 278; 279; 320; 321; 322; 323; 328; 330

ARTÍCULO 327. TRÁMITE DE LA APELACIÓN DE SENTENCIAS

Sin perjuicio de la facultad oficiosa de decretar pruebas, cuando se trate de apelación de sentencia, dentro del término de ejecutoria del auto que admite la apelación, las partes podrán pedir la práctica de pruebas y el juez las decretará únicamente en los siguientes casos:

1. Cuando las partes las pidan de común acuerdo.
2. Cuando decretadas en primera instancia, se dejaron de practicar sin culpa de la parte que las pidió.
3. Cuando versen sobre hechos ocurridos después de transcurrida la oportunidad para pedir pruebas en primera instancia, pero solamente para demostrarlos o desvirtuarlos.
4. Cuando se trate de documentos que no pudieron aducirse en la primera instancia por fuerza mayor o caso fortuito, o por obra de la parte contraria.
5. Si con ellas se persigue desvirtuar los documentos de que trata el ordinal anterior.

Ejecutoriado el auto que admite la apelación, el juez convocará a la audiencia de sustentación y fallo. Si decreta pruebas, estas se practicarán en la misma audiencia, y a continuación se oirán las alegaciones de las partes y se dictará sentencia de conformidad con la regla general prevista en este código.

El apelante deberá sujetar su alegación a desarrollar los argumentos expuestos ante el juez de primera instancia.

- arts. 278; 280; 320; 321; 322; 323; 324; 325; 328; 329
- L. 2213 de 2022. art. 12
- CSJ. STC4523-2021; STC5497-2021; STC5569-2021; STC5790-2021; STC5967-2021; STC5966-2021; STC5965-2021; STC7539-2021; STC11451-2021; STC1002-2022; STC999-2022; STC2325-2022; STC2479-2022; STC5334-2022; STC5497-2022; STC5438-2022; STC5502-2022; STC5501-2022; STC5500-2022; STC6064-2022; STC7473-2022; STC7636-2022; STC9369-2022; STC9366-2022; STC9412-2022; STC9365-2022; STC9751-2022; STC9226-2022; STC9660-2022; STC10263-2022; STC12927-2022; STC9676-2022

ARTÍCULO 328. COMPETENCIA DEL SUPERIOR

El juez de segunda instancia deberá pronunciarse solamente sobre los argumentos expuestos por el apelante, sin perjuicio de las decisiones que deba adoptar de oficio, en los casos previstos por la ley.

Sin embargo, cuando ambas partes hayan apelado toda la sentencia o la que no apeló hubiere adherido al recurso, el superior resolverá sin limitaciones.

En la apelación de autos, el superior sólo tendrá competencia para tramitar y decidir el recurso, condenar en costas y ordenar copias.

El juez no podrá hacer más desfavorable la situación del apelante único, salvo que en razón de la modificación fuera indispensable reformar puntos íntimamente relacionados con ella.

En el trámite de la apelación no se podrán promover incidentes, salvo el de recusación. Las nulidades procesales deberán alegarse durante la audiencia.

- arts. 280; 281; 320; 322; 326
- CP art. 31
- CSJ. SC1303-2022; SC1413-2022

- CE. Sala de lo Contencioso Administrativo. Sección Quinta. Consejera Ponente: Rocío Araujo Oñate. 26 de septiembre de 2017. Expediente n° 25000-23-41-000-2015-02491-01-20170926

ARTÍCULO 329. CUMPLIMIENTO DE LA DECISIÓN DEL SUPERIOR

Decidida la apelación y devuelto el expediente al inferior, este dictará auto de obedecimiento a lo resuelto por el superior y en la misma providencia dispondrá lo pertinente para su cumplimiento.

Cuando se revoque una providencia apelada en el efecto devolutivo o diferido, quedará sin efectos la actuación adelantada por el inferior después de haberse concedido la apelación, en lo que dependa de aquella, sin perjuicio de lo dispuesto en los dos últimos incisos del artículo 323. El juez señalará expresamente la actuación que queda sin efecto.

- arts. 323; 328

ARTÍCULO 330. EFECTOS DE LA DECISIÓN DEL SUPERIOR SOBRE EL DECRETO Y PRÁCTICA DE PRUEBAS EN PRIMERA INSTANCIA

Si el superior revoca o reforma el auto que había negado el decreto o práctica de una prueba y el juez no ha proferido sentencia, este dispondrá su práctica en la audiencia de instrucción y juzgamiento, si aún no se hubiere realizado, o fijará audiencia con ese propósito. Si la sentencia fue emitida antes de resolverse la apelación y aquella también fue objeto de este recurso, el superior practicará las pruebas en la audiencia de sustentación y fallo.

- arts. 169; 171; 328; 329; 373

CAPÍTULO III
SÚPLICA

ARTÍCULO 331. PROCEDENCIA Y OPORTUNIDAD PARA PROPONERLA

El recurso de súplica procede contra los autos que por su naturaleza serían apelables, dictados por el Magistrado sustanciador en el curso de la segunda o única instancia, o durante el trámite de la apelación de un auto. También procede contra el auto que resuelve sobre la admisión del recurso de apelación o casación y contra los autos que en el trámite de los recursos extraordinarios de casación o revisión profiera el magistrado sustanciador y que por su naturaleza hubieran sido susceptibles de apelación. No procede contra los autos mediante los cuales se resuelva la apelación o queja.

La súplica deberá interponerse dentro de los tres (3) días siguientes a la notificación del auto, mediante escrito dirigido al magistrado sustanciador, en el que se expresarán las razones de su inconformidad.

- arts. 321; 322; 340; 342; 358

ARTÍCULO 332. TRÁMITE

Interpuesto el recurso se correrá traslado a la parte contraria por tres (3) días en la forma señalada en el artículo 110. Vencido el traslado, el secretario pasará el expediente al despacho del magistrado que sigue en turno al que dictó la providencia, quien actuará como ponente para resolver.

Le corresponderá a los demás magistrados que integran la sala decidir el recurso de súplica. Contra lo decidido no procede recurso.

- arts. 110; 331

CAPÍTULO IV
CASACIÓN

ARTÍCULO 333. FINES DEL RECURSO DE CASACIÓN

El recurso extraordinario de casación tiene como fin defender la unidad e integridad del ordenamiento jurídico, lograr la eficacia de los instrumentos internacionales suscritos por Colombia en el derecho interno, proteger los derechos constitucionales, controlar la legalidad de los fallos, unificar la jurisprudencia nacional y reparar los agravios irrogados a las partes con ocasión de la providencia recurrida.

- arts. 334; 335; 336
- CSJ. AC 5212-2016, (en el mismo sentido: AC 5213-2016; SC 1131-2016; AC 5272-2016; AC 7481-2016; AC 1405-2017; AC 2947-2017; AC 3232-2017; AC 4529-2017; AC 5526-2017; AC 6167-2017; AC 6897-2017; AC 7389-2017; AC 7519-2017; AC 8739-2017; SC 003-2018; AC 2430-2018; AC 2436 de 2018; M.P. Dr. Aroldo Wilson Quiroz Monsalvo; AC 2893-2019; AC 982-2019; AC 983-2019); AC 3077-2016 (en el mismo sentido: AC 1405-2017; AC 4529-2017; AC 7389-2017; AC 8739-2017; AC 1345-2018; AC 2436 de 2018); AC 6243-2016 (en el mismo sentido: AC 1405-2017; AC 2947-2017; AC 5526-2017; AC 7389-2017; AC 7519-2017; AC 7533-2017; SC 069-2019); SC1131-2016 (en el mismo sentido: AC 1405-2017; AC 5526-2017; AC 7389-2017; AC 7519-2017; SC 069-2019)

ARTÍCULO 334. PROCEDENCIA DEL RECURSO DE CASACIÓN

El recurso extraordinario de casación procede contra las siguientes sentencias, cuando son proferidas por los tribunales superiores en segunda instancia:

1. Las dictadas en toda clase de procesos declarativos.

2. Las dictadas en las acciones de grupo cuya competencia corresponda a la jurisdicción ordinaria.

3. Las dictadas para liquidar una condena en concreto.

PARÁGRAFO. Tratándose de asuntos relativos al estado civil sólo serán susceptibles de casación las sentencias sobre impugnación o reclamación de estado y la declaración de uniones maritales de hecho.

- arts. 283; 368 y ss
- CP art. 88
- L 672/1998
- CSJ. AC 3249-2017; AC 4371-2017; AC 4369-2017; AC 7518-2017; SC 299-2021; AC 235-2021

ARTÍCULO 335. CASACIÓN ADHESIVA

Cuando una parte con interés interponga el recurso de casación, se concederá también el que haya interpuesto oportunamente la otra parte, aunque el valor del interés de esta fuere insuficiente.

- arts. 333; 334

ARTÍCULO 336. CAUSALES DE CASACIÓN

Son causales del recurso extraordinario de casación:

1. La violación directa de una norma jurídica sustancial.

2. La violación indirecta de la ley sustancial, como consecuencia de error de derecho derivado del desconocimiento de una norma probatoria, o por error de hecho manifiesto y trascendente en la apreciación de la demanda, de su contestación, o de una determinada prueba.

3. No estar la sentencia en consonancia con los hechos, con las pretensiones de la demanda, o con las excepciones propuestas por el demandado o que el juez ha debido reconocer de oficio.

4. Contener la sentencia decisiones que hagan más gravosa la situación del apelante único.

5. Haberse dictado sentencia en un juicio viciado de algunas de las causales de nulidad consagradas en la ley, a menos que tales vicios hubieren sido saneados.

La Corte no podrá tener en cuenta causales de casación distintas de las que han sido expresamente alegadas por el demandante. Sin embargo, podrá casar la sentencia, aún de oficio, cuando sea ostensible que la misma compromete gravemente el orden o el patrimonio público, o atenta contra los derechos y garantías constitucionales.

- arts. 7; 11; 13; 42; 133; 281
- CP art. 31

- CSJ. SC 11001-2017; SC 876-2018; AC 1226-2018; SC 004-2019; AC 593-2020; SC 5231-2019; SC 5568-2019; AC 817-2020; AC 901-2020; AC 852-2020; AC 853-2020; SC 820-2020; AC 943-2020; SC 002-2021; AC 280-2021; SC 299-202

ARTÍCULO 337. OPORTUNIDAD Y LEGITIMACIÓN PARA INTERPONER EL RECURSO

El recurso podrá interponerse dentro de los cinco (5) días siguientes a la notificación de la sentencia. Sin embargo, cuando se haya pedido oportunamente adición, corrección o aclaración, o estas se hicieren de oficio, el término se contará desde el día siguiente al de la notificación de la providencia respectiva.

No podrá interponer el recurso quien no apeló de la sentencia de primer grado, cuando la proferida por el tribunal hubiere sido exclusivamente confirmatoria de aquella.

- arts. 285; 286; 287; 333; 334

ARTÍCULO 338. CUANTÍA DEL INTERÉS PARA RECURRIR

Cuando las pretensiones sean esencialmente económicas, el recurso procede cuando el valor actual de la resolución desfavorable al recurrente sea superior a un mil salarios mínimos legales mensuales vigentes (1.000 smlmv). Se excluye la cuantía del interés para recurrir cuando se trate de sentencias dictadas dentro de las acciones populares y de grupo, y las que versen sobre el estado civil.

Cuando respecto de un recurrente se cumplan las condiciones para impugnar una sentencia, se concederá la casación interpuesta oportunamente por otro litigante, aunque el valor del interés de este fuere insuficiente. En dicho evento y para todos los efectos a que haya lugar, los dos recursos se considerarán autónomos.

- *Nota de vigencia:* El texto subrayado fue declarado exequible en la sentencia de la Corte Constitucional C-213 del 5 de abril de 2017
- NOTA: El inciso 1 fue corregido por el Decreto 1736 de 2012. CE Sec. Primera sent. 2012-369/2018
- arts. 26; 339
- Corte Constitucional. C-041 de 4 de febrero de 2015; C-206 de 27 de abril de 2016; C-213 de 5 de abril de 2017
- CSJ. AC 3077-2016; AC 5833-2016; AC 5928-2016; AC 4465-2017; AC 4430-2017; AC 7384-2017; AC 1600-2018; AC 364-2019; AC 390-2019; AC 2350 de 2019; AC 2731-2019; AC 2823-2019; AC 254-2020; AC 693-2020; AC 1330-2020; AC 235-2021; AC 378-2021; AC 639-2021; AC 732-2021

ARTÍCULO 339. JUSTIPRECIO DEL INTERÉS PARA RECURRIR Y CONCESIÓN DEL RECURSO

Cuando para la procedencia del recurso sea necesario fijar el interés económico afectado con la sentencia, su cuantía deberá establecerse con los elementos de juicio que obren en el expediente. Con todo, el recurrente podrá aportar un dictamen pericial si lo considera necesario, y el magistrado decidirá de plano sobre la concesión.

- NOTA: La Corte Constitucional se declaró inhibida para pronunciarse de fondo sobre la constitucionalidad de la expresión "Con todo, el recurrente podrá aportar un dictamen pericial si lo considera necesario", contenida en el artículo 339 de la Ley 1564 de 2012, por ineptitud sustantiva de la demanda., mediante sentencia C-303-21 de 9 de septiembre de 2021
- arts. 26; 227; 338
- CSJ. AC 5612-2016; AC 2923-2017; AC 4423-2017; AC 722-2020; AC 1336-2020; AC 235-2021; AC 783-2021; STC 940-2018

ARTÍCULO 340. CONCESIÓN DEL RECURSO

Reunidos los requisitos legales, el magistrado sustanciador, por auto que no admite recurso, ordenará el envío del expediente a la Corte una vez ejecutoriado el auto que lo otorgue y expedidas las copias necesarias para el cumplimiento de la sentencia, si fuere el caso.

- arts. 333; 334; 336; 337; 338; 339

ARTÍCULO 341. EFECTOS DEL RECURSO

La concesión del recurso no impedirá que la sentencia se cumpla, salvo cuando verse exclusivamente sobre el estado civil, o se trate de sentencia meramente declarativa, o cuando haya sido recurrida por ambas partes.

El registro de la sentencia, la cancelación de las medidas cautelares y la liquidación de las costas causadas en las instancias, solo se harán cuando quede ejecutoriada la sentencia del tribunal o la de la Corte que la sustituya.

En caso de providencias que contienen mandatos ejecutables o que deban cumplirse, el magistrado sustanciador, en el auto que conceda el recurso, expresamente reconocerá tal carácter y ordenará la expedición de las copias necesarias para su cumplimiento. El recurrente deberá suministrar las expensas respectivas dentro de los tres (3) días siguientes a la ejecutoria del auto que las ordene, so pena de que se declare desierto el recurso.

En la oportunidad para interponer el recurso, el recurrente podrá solicitar la suspensión del cumplimiento de la providencia impugnada, ofreciendo caución para garantizar el pago de los perjuicios que dicha suspensión cause a la parte contraria, incluyendo los frutos civiles y naturales que puedan percibirse durante aquella. El monto y la naturaleza de la caución serán fijados en el auto que conceda el recurso, y esta deberá constituirse dentro de los diez (10) días siguientes a la notificación de aquel, so pena de que se ejecuten los mandatos de la sentencia recurrida. Corresponderá al magistrado sustanciador calificar la caución prestada. Si la considera suficiente, decretará en el mismo auto la suspensión del cumplimiento de la providencia impugnada. En caso contrario, la denegará.

El recurrente podrá, al interponer el recurso, limitarlo a determinadas decisiones de la sentencia del tribunal, en cuyo caso podrá solicitar que se ordene el cumplimiento de las demás por el juez de primera instancia, siempre que no sean consecuencia de aquellas y que la otra parte no haya recurrido en casación. Con estas mismas salvedades, si se manifiesta que con el recurso se persigue lograr más de lo concedido en la sentencia del tribunal, podrá pedirse el cumplimiento de lo reconocido en esta. En ambos casos, se deberá suministrar lo necesario para las copias que se requieran para dicho cumplimiento, dentro del término de ejecutoria del auto que las ordene.

Si el recurrente no presta la caución, o esta es insuficiente, se ejecutará la sentencia, para lo cual se ordenará, a su cargo, la expedición de las copias necesarias. Si no se suministra lo necesario para la expedición de las copias, el recurso se declarará desierto.

PARÁGRAFO. Cuando en virtud de la queja se conceda el recurso de casación, el tribunal aplicará en lo pertinente el presente artículo.

- arts. 305; 306; 337; 340; 352
- CSJ. AC 3329-2015; AC 6245-2016; AC 6246-2016; AC 6559-2016; AC 031-2017; AC 2505-2017; AC 302-2020.

ARTÍCULO 342. ADMISIÓN DEL RECURSO

Si la sentencia no está suscrita por el número de magistrados que la ley exige, la Sala ordenará devolver el expediente al tribunal para que se corrija tal deficiencia.

Será inadmisible el recurso si la providencia no es susceptible de casación, por ausencia de legitimación, por extemporaneidad, o por no haberse pagado las copias necesarias para su cumplimiento, si fuere el caso.

El auto que decida sobre la admisibilidad del recurso será dictado por el magistrado sustanciador y contra él sólo procede el recurso de reposición.

La cuantía del interés para recurrir en casación fijada por el tribunal no es susceptible de examen o modificación por la Corte.

- arts. 334; 336; 337; 338; 341; 343; 344; 345; 346
- CSJ. AC 5735-2016; AC 617-2017; AC 2505-2017; AC 4462-2017; AC 4430-2017; AC 4064-2019; AC 1330-2020; AC 1277-2020

ARTÍCULO 343. TRÁMITE DEL RECURSO

Admitido el recurso, en el mismo auto se ordenará dar traslado común por treinta (30) días para que los recurrentes presenten las demandas de casación.

Dicho término no se interrumpirá por el cambio de apoderado, ni por su renuncia o la sustitución del poder.

Cuando no se presente oportunamente la demanda, el magistrado sustanciador declarará desierto el recuso.

- arts. 342; 344
- CSJ. AC 1991-2015; AC 3031-2016; AC 765-2017; AC 3098-2017; AC 116-2020; AC 301-2020; AC 357-2021; AC 418-2021; AC 440-2021; AC 441-2021; AC 858-2021; AC4340-2022

ARTÍCULO 344. REQUISITOS DE LA DEMANDA

La demanda de casación deberá contener:

1. La designación de las partes, una síntesis del proceso, de las pretensiones y de los hechos materia del litigio.

2. La formulación, por separado, de los cargos contra la sentencia recurrida, con la exposición de los fundamentos de cada acusación, en forma clara, precisa y completa y con sujeción a las siguientes reglas:

a) Tratándose de violación directa, el cargo se circunscribirá a la cuestión jurídica sin comprender ni extenderse a la materia probatoria.

En caso de que la acusación se haga por violación indirecta, no podrán plantearse aspectos fácticos que no fueron debatidos en las instancias.

Cuando se trate de error de derecho, se indicarán las normas probatorias que se consideren violadas, haciendo una explicación sucinta de la manera en que ellas fueron infringidas. Si se invoca un error de hecho manifiesto, se singularizará con precisión y claridad, indicándose en qué consiste y cuáles son en concreto las pruebas sobre las que recae. En todo caso, el recurrente deberá demostrar el error y señalar su trascendencia en el sentido de la sentencia;

b) Los cargos por las causales tercera y cuarta, no podrán recaer sobre apreciaciones probatorias.

PARÁGRAFO 1o. Cuando se invoque la infracción de normas de derecho sustancial, será suficiente señalar cualquiera disposición de esa naturaleza que, constituyendo base esencial del fallo impugnado o habiendo debido serlo, a juicio del recurrente haya sido violada, sin que sea necesario integrar una proposición jurídica completa.

PARÁGRAFO 2o. Cuando se trate de cargos formulados por la causal primera de casación, que contengan distintas acusaciones y la Corte considere que han debido presentarse en forma separada, deberá decidir sobre ellos como si se hubieran invocado en distintos cargos. En el mismo evento, si se formulan acusaciones en distintos cargos y la Corte considera que han debido proponerse a través de uno solo, de oficio los integrará y resolverá sobre el conjunto, según corresponda.

PARÁGRAFO 3o. Si se presentan cargos incompatibles, la Corte tomará en consideración los que, atendidos los fines propios del recurso de casación, a su juicio guarden adecuada relación con la sentencia impugnada, los fundamentos que le sirven de base, la índole de la controversia específica resuelta mediante dicha providencia, la posición procesal adoptada por el recurrente en las instancias y, en general, con cualquiera otra circunstancia comprobada que para el propósito indicado resultare relevante.

- arts. 336; 342; 343
- CSJ. AC 6243-2016; AC 7209-2016; AC 4369-2017; AC 4370-2017; AC 518-2020; AC 613-2021; AC 615-2021; AC 666-2021; AC 668-2021; SC1303-2022; SC1641-2022

ARTÍCULO 345. EXTEMPORANEIDAD DE LA DEMANDA

Cuando no se presente en tiempo la demanda, el magistrado declarará desierto el recurso y condenará en costas al recurrente.

Siendo varios los recurrentes, la deserción del recurso sólo afectará a quien no presentó oportunamente la demanda.

- arts. 343; 344
- CSJ. AC 440-2021

ARTÍCULO 346. INADMISIÓN DE LA DEMANDA

La demanda de casación será inadmisible en los siguientes casos:

1. Cuando no reúna los requisitos formales.

2. Cuando en la demanda se planteen cuestiones de hecho o de derecho que no fueron invocadas en las instancias.

A la Sala de Casación Civil le compete dictar el auto que inadmite la demanda. Contra este auto no procede recurso.

- *Nota de vigencia:* El texto subrayado fue declarado exequible por la Corte Constitucional en la sentencia C-210 del 1 de julio de 2021, por los cargos formulados
- arts. 343; 344
- CSJ. AC 936-2017; AC 4371-2017; AC 518-2020; AC 729-2020; SC1641-2022

ARTÍCULO 347. SELECCIÓN EN EL TRÁMITE DEL RECURSO DE CASACIÓN

La Sala, aunque la demanda de casación cumpla los requisitos formales, podrá inadmitirla en los siguientes eventos:

1. Cuando exista identidad esencial del caso con jurisprudencia reiterada de la Corte, salvo que el recurrente demuestre la necesidad de variar su sentido.

2. Cuando los errores procesales aducidos no existen o, dado el caso, fueron saneados, o no afectaron las garantías de las partes, ni comportan una lesión relevante del ordenamiento.

3. Cuando no es evidente la trasgresión del ordenamiento jurídico en detrimento del recurrente.

- *Nota de vigencia:* El numeral 1 fue declarado exequible en la sentencia de la Corte Constitucional C-880 del 19 de noviembre de 2014
- arts. 342; 343; 344; 346
- Corte Constitucional. C-880 de 19 de noviembre de 2014
- CSJ. AC 4370-2017; AC 339-2021; AC 668-2021

ARTÍCULO 348. TRASLADO

Admitida la demanda de casación, se dará traslado común de ella por quince (15) días a todos los opositores para que formulen la réplica respectiva.

Expirado el término del traslado, el expediente pasará al magistrado para que elabore el proyecto de sentencia.

- arts. 342; 344

ARTÍCULO 349. SENTENCIA

Una vez elaborado el proyecto de sentencia la Sala podrá fijar audiencia si lo juzga necesario. La audiencia se realizará bajo la dirección efectiva del Presidente de la Sala, quien podrá limitar las intervenciones de las partes a lo que sea estrictamente necesario. Los magistrados podrán interrogar a los abogados sobre los fundamentos de la acusación contra la sentencia. En la misma audiencia la Sala podrá dictar la sentencia si lo estima pertinente.

En la sentencia, la Sala examinará en orden lógico las causales alegadas por el recurrente. Si prospera la causal cuarta del artículo 336, dispondrá que según el momento en que ocurrió el vicio la autoridad competente rehaga la actuación anulada; si se acoge cualquiera otra de las causales, la Corte casará la sentencia recurrida y dictará la que debe reemplazarla. Cuando prospere un cargo que sólo verse sobre parte de las resoluciones de la sentencia, procederá el estudio de las demás acusaciones.

Antes de dictar sentencia de instancia, la Sala podrá decretar pruebas de oficio, si lo estima necesario.

La Sala no casará la sentencia por el solo hecho de hallarse erróneamente motivada, si su parte resolutiva se ajusta a derecho, pero hará la correspondiente rectificación doctrinaria.

Si no prospera ninguna de las causales alegadas, se condenará en costas al recurrente, salvo en el caso de que la demanda de casación haya suscitado una rectificación doctrinaria.

- arts. 3; 169; 170; 336; 350; 351

ARTÍCULO 350. INEFICACIA DEL CUMPLIMIENTO DE LA SENTENCIA RECURRIDA

Cuando la Corte case una sentencia que ya fue cumplida, declarará sin efectos los actos realizados con tal fin, y dispondrá cuanto sea necesario para que no subsista ninguna consecuencia derivada de la sentencia casada.

- arts. 349

ARTÍCULO 351. ACUMULACIÓN DE FALLOS

Ajuicio de la Sala de Casación, podrán acumularse y ser decididos en una misma sentencia varios asuntos. De ello se dejará constancia en la respectiva sentencia, cuyo texto será incorporado en cada uno de los procesos.

- arts. 349

CAPÍTULO V
RECURSO DE QUEJA

ARTÍCULO 352. PROCEDENCIA

Cuando el juez de primera instancia deniegue el recurso de apelación, el recurrente podrá interponer el de queja para que el superior lo conceda si fuere procedente. El mismo recurso procede cuando se deniegue el de casación.

- arts. 321; 322; 340; 353
- CSJ. AC 584-2017

ARTÍCULO 353. INTERPOSICIÓN Y TRÁMITE

El recurso de queja deberá interponerse en subsidio del de reposición contra el auto que denegó la apelación o la casación, salvo cuando este sea consecuencia de la reposición interpuesta por la parte contraria, caso en el cual deberá interponerse directamente dentro de la ejecutoria.

Denegada la reposición, o interpuesta la queja, según el caso, el juez ordenará la reproducción de las piezas procesales necesarias, para lo cual se procederá en la forma prevista para el trámite de la apelación. Expedidas las copias se remitirán al superior, quien podrá ordenar al inferior que remita copias de otras piezas del expediente.

El escrito se mantendrá en la secretaría por tres (3) días a disposición de la otra parte para que manifieste lo que estime oportuno, y surtido el traslado se decidirá el recurso.

Si el superior estima indebida la denegación de la apelación o de la casación, la admitirá y comunicará su decisión al inferior, con indicación del efecto en que corresponda en el primer caso.

- arts. 318; 321; 322; 340; 352

CAPÍTULO VI
REVISIÓN

ARTÍCULO 354. PROCEDENCIA

El recurso extraordinario de revisión procede contra las sentencias ejecutoriadas.

- arts. 302; 303; 304

ARTÍCULO 355. CAUSALES

Son causales de revisión:

1. Haberse encontrado después de pronunciada la sentencia documentos que habrían variado la decisión contenida en ella, y que el recurrente no pudo aportarlos al proceso por fuerza mayor o caso fortuito o por obra de la parte contraria.

2. Haberse declarado falsos por la justicia penal documentos que fueron decisivos para el pronunciamiento de la sentencia recurrida.

3. Haberse basado la sentencia en declaraciones de personas que fueron condenadas por falso testimonio en razón de ellas.

4. Haberse fundado la sentencia en dictamen de perito condenado penalmente por ilícitos cometidos en la producción de dicha prueba.

5. Haberse dictado sentencia penal que declare que hubo violencia o cohecho en el pronunciamiento de la sentencia recurrida.

6. Haber existido colusión u otra maniobra fraudulenta de las partes en el proceso en que se dictó la sentencia, aunque no haya sido objeto de investigación penal, siempre que haya causado perjuicios al recurrente.

7. Estar el recurrente en alguno de los casos de indebida representación o falta de notificación o emplazamiento, siempre que no haya sido saneada la nulidad.

8. Existir nulidad originada en la sentencia que puso fin al proceso y que no era susceptible de recurso.

9. Ser la sentencia contraria a otra anterior que constituya cosa juzgada entre las partes del proceso en que aquella fue dictada, siempre que el recurrente no hubiera podido alegar la excepción en el segundo proceso por habérsele designado curador ad lítem y haber ignorado la existencia de dicho proceso. Sin embargo, no habrá lugar a revisión cuando en el segundo proceso se propuso la excepción de cosa juzgada y fue rechazada.

- arts. 133; 303
- CPe arts. 286; 287; 288; 289; 442; 405; 406; 407
- CSJ. AC 196-2017; AC 2654-2017; AC 1442-2020; AC 016-2021; AC 146-2021; AC 455-2021; AC 458-2021; AC 786-2021; AC 877-2021
- CSJ. SC 1858-2018; SC 2776-2018; SC 3731-2018; SC 3751-2018; SC 4448-2018; SC 4548-2018; SC 3406-2019; SC 3955-2019; SC 4606-2019; SC 5583-2019; SC 550-2020; SC 664-2020; SC 2845-2020; SC 3362-2020; SC 3892-2020; SC 4065-2020; AC786-2021; AC877-2021; SC3034-2021; STC11801-2022

ARTÍCULO 356. TÉRMINO PARA INTERPONER EL RECURSO

El recurso podrá interponerse dentro de los dos (2) años siguientes a la ejecutoria de la respectiva sentencia cuando se invoque alguna de las causales consagradas en los numerales 1, 6, 8 y 9 del artículo precedente.

Cuando se alegue la causal prevista en el numeral 7 del mencionado artículo, los dos (2) años comenzarán a correr desde el día en que la parte perjudicada con la sentencia o su representante haya tenido conocimiento de ella, con límite máximo de cinco (5) años. No obstante, cuando la sentencia debe ser inscrita en un registro público, los anteriores términos sólo comenzarán a correr a partir de la fecha de la inscripción.

En los casos contemplados en los numerales 2, 3, 4 y 5 del mismo artículo deberá interponerse el recurso dentro del término consagrado en el inciso 1o, pero si el proceso penal no hubiere terminado se suspenderá la sentencia de revisión hasta cuando se produzca la ejecutoria del fallo penal y se presente la copia respectiva. Esta suspensión no podrá exceder de dos (2) años.

- arts. 118; 355; 357; 358

ARTÍCULO 357. FORMULACIÓN DEL RECURSO

El recurso se interpondrá por medio de demanda que deberá contener:

1. Nombre y domicilio del recurrente.
2. Nombre y domicilio de las personas que fueron parte en el proceso en que se dictó la sentencia para que con ellas se siga el procedimiento de revisión.
3. La designación del proceso en que se dictó la sentencia, con indicación de su fecha, el día en que quedó ejecutoriada y el despacho judicial en que se halla el expediente.
4. La expresión de la causal invocada y los hechos concretos que le sirven de fundamento.
5. La petición de las pruebas que se pretenda hacer valer.

A la demanda deberán acompañarse las copias de que trata el artículo 89.

- arts. 89; 355; 356; 358
- CSJ. AC 5661-2016; AC 434-2021; AC 1036-2021

ARTÍCULO 358. TRÁMITE

La Corte o el tribunal que reciba la demanda examinará si reúne los requisitos exigidos en los dos artículos precedentes, y si los encuentra cumplidos solicitará el expediente a la oficina en que se halle. Pero si estuviere pendiente la ejecución de la sentencia, aquel sólo se remitirá previa expedición, a costa del recurrente, de copia de lo necesario para su cumplimiento. Con tal fin, este suministrará en el término de diez (10) días, contados desde el siguiente a la notificación del auto que ordene remitir el expediente, lo necesario para que se compulse dicha copia, so pena de que se declare desierto el recurso. Recibido el expediente se resolverá sobre la admisión de la demanda y las medidas cautelares que en ella se soliciten.

Se declarará inadmisible la demanda cuando no reúna los requisitos formales exigidos en el artículo anterior, así como también cuando no vaya dirigida contra todas las personas que deben intervenir en el recurso, casos en los cuales se le concederá al interesado un plazo de cinco (5) días para subsanar los defectos advertidos. De no hacerlo en tiempo hábil la demanda será rechazada.

Sin más trámite, la demanda será rechazada cuando no se presente en el término legal, o haya sido formulada por quien carece de legitimación para hacerlo.

En ningún caso procederá la reforma de la demanda de revisión.

Admitida la demanda, de ella se dará traslado a los demandados por cinco (5) días en la forma que establece el artículo 91.

La contestación a la demanda deberá reunir los requisitos indicados en el artículo 96, y no se podrán proponer excepciones previas.

Surtido el traslado a los demandados se decretarán las pruebas pedidas, y se fijará audiencia para practicarlas, oír los alegatos de las partes y proferir la sentencia.

PARÁGRAFO 1o. En ningún caso, el trámite de recurso de revisión suspende el cumplimiento de la sentencia.

PARÁGRAFO 2o. Podrán acumularse dos o más demandas de revisión una vez se haya notificado a los opositores, aplicando para ello las reglas previstas en este código para la acumulación de procesos.

- arts. 91; 96; 356; 357
- CSJ. AC 258-2016; AC 5611-2016; AC 415-2017; AC 806-2017; AC 3067-2020; AC 614-2021; AC 896-2021; AC 1043-2021; SC3144-2021; SC2907-2021; AC2948-2021; AC2975-2021; AC6020-2021

ARTÍCULO 359. SENTENCIA

Si la Corte o el tribunal encuentra fundada alguna de las causales de los numerales 1 a 6 o 9 del artículo 355 invalidará la sentencia revisada y dictará la que en derecho corresponde; si halla fundada la del numeral 8 declarará sin valor la sentencia y devolverá el proceso al tribunal o juzgado de origen para que la dicte de nuevo; y si encuentra fundada la del numeral 7 declarará la nulidad de lo actuado en el proceso que dio lugar a la revisión.

Cuando la causal que prospera sea la quinta o la sexta, antes de proferirse la sentencia que reemplace a la invalidada, se decretarán las pruebas que dejaron de decretarse o de practicarse por alguno de los motivos señalados en dichas causales. Cuando prospere la causal 4, se ordenará la práctica de dictamen pericial.

En la sentencia que invalide la revisada se resolverá sobre las restituciones, cancelaciones, perjuicios, frutos, mejoras, deterioros y demás consecuencias de dicha invalidación. Si en el expediente no existiere prueba para imponer la condena en concreto, antes de proferirse la sentencia que reemplace a la invalidada se dará cumplimiento a lo dispuesto en el artículo 283.

Si se declara infundado el recurso, se condenará en costas y perjuicios al recurrente, y para su pago se hará efectiva la caución prestada.

- arts. 133; 283; 355; 358

ARTÍCULO 360. MEDIDAS CAUTELARES

Podrán decretarse como medidas cautelares la inscripción de la demanda y el secuestro de bienes muebles en los casos y con los requisitos previstos en el proceso declarativo, si en la demanda se solicitan.

- arts. 588; 589; 590 y ss
- SCJ. AC 143-2020; AC2013-2021

SECCIÓN SÉPTIMA
COSTAS Y MULTAS

TÍTULO I
COSTAS

CAPÍTULO I
COMPOSICIÓN

ARTÍCULO 361. COMPOSICIÓN

Las costas están integradas por la totalidad de las expensas y gastos sufragados durante el curso del proceso y por las agencias en derecho.

Las costas serán tasadas y liquidadas con criterios objetivos y verificables en el expediente, de conformidad con lo señalado en los artículos siguientes.

- arts. 365; 366; 440; 446

CAPÍTULO II
EXPENSAS

ARTÍCULO 362. ARANCEL

Cada dos (2) años el Consejo Superior de la Judicatura regulará el arancel judicial relacionado con copias, desgloses, certificaciones, autenticaciones, notificaciones y similares. El magistrado o juez que autorice o tolere el cobro de derechos por servicios no remunerables o en cuantía mayor a la autorizada en el arancel, y el empleado que lo cobre o reciba, incurrirán en causal de mala conducta.

Lo anterior, sin perjuicio del arancel judicial como contribución parafiscal establecido en la ley.

- arts. 363; 363

ARTÍCULO 363. HONORARIOS DE AUXILIARES DE LA JUSTICIA Y SU COBRO EJECUTIVO

El juez, de conformidad con los parámetros que fije el Consejo Superior de la Judicatura y las tarifas establecidas por las entidades especializadas, señalará los honorarios de los auxiliares de la justicia, cuando hayan finalizado su cometido, o una vez aprobadas las cuentas mediante el trámite correspondiente si quien desempeña el cargo estuviere obligado a rendirlas. En el auto que señale los honorarios se determinará a quién corresponde pagarlos.

Las partes y el auxiliar podrán objetar los honorarios en el término de ejecutoria del auto que los señale. El juez resolverá previo traslado a la otra parte por tres (3) días.

Dentro de los tres (3) días siguientes a la ejecutoria de la providencia que fije los honorarios la parte que los adeuda deberá pagarlos al beneficiario, o consignarlos a la orden del juzgado o tribunal para que los entregue a aquel, sin que sea necesario auto que lo ordene.

Cuando haya lugar a remuneración de honorarios por concepto de un dictamen pericial no se podrán exceder las tarifas señaladas por el Consejo Superior de la Judicatura, ni las establecidas por las respectivas entidades, salvo cuando se requieran expertos con conocimientos muy especializados, caso en el cual el juez podrá señalar los honorarios teniendo en cuenta su prestancia y demás circunstancias.

El juez del concurso señalará los honorarios de promotores y liquidadores de conformidad con los parámetros fijados por el Gobierno Nacional.

Si la parte deudora no cancela, reembolsa o consigna los honorarios en la oportunidad indicada en el artículo precedente, el acreedor podrá formular demanda ejecutiva ante el juez de primera instancia, la cual se tramitará en la forma regulada por el artículo 441.

Si el expediente se encuentra en el juzgado o tribunal de segunda instancia, deberá acompañarse a la demanda copia del auto que señaló los honorarios y del que los haya modificado, si fuere el caso, y un certificado del magistrado ponente o del juez sobre las personas deudoras y acreedoras cuando en las copias no aparezcan sus nombres.

Contra el mandamiento ejecutivo no procede apelación, ni excepciones distintas a las de pago y prescripción.

- arts. 47; 48; 422 y ss; 441
- CSJ. AC 454-2016

ARTÍCULO 364. PAGO DE EXPENSAS Y HONORARIOS

El pago de expensas y honorarios se sujetará a las reglas siguientes:

1. Cada parte deberá pagar los gastos y honorarios que se causen en la práctica de las diligencias y pruebas que solicite, y contribuir a prorrata al pago de los que sean comunes. Los de las pruebas que se decreten de oficio se rigen por lo dispuesto en el artículo 169.

2. Los honorarios de los peritos serán de cargo de la parte que solicitó la prueba.

3. Cuando se practique una diligencia fuera del despacho judicial, en los gastos que ocasione se incluirán el transporte, la alimentación y el alojamiento del personal que intervenga en ella.

4. Las expensas por expedición de copias serán de cargo de quien las solicite; pero las agregaciones que otra parte exija serán pagadas por esta dentro de la ejecutoria del auto que las decrete, y si así no lo hiciere el secretario prescindirá de la adición y dejará constancia de ello en el expediente.

5. Si una parte abona lo que otra debe pagar por concepto de gastos u honorarios, podrá solicitar que se ordene el correspondiente reembolso.

- arts. 169; 362; 363
- CE. Sala Plena. Consejera Ponente: Rocío Araujo Oñate. 6 de agosto de 2019. Expediente No. 15001-33-33-007-2017-00036-01

CAPÍTULO III
CONDENA, LIQUIDACIÓN Y COBRO

ARTÍCULO 365. CONDENA EN COSTAS

En los procesos y en las actuaciones posteriores a aquellos en que haya controversia la condena en costas se sujetará a las siguientes reglas:

1. Se condenará en costas a la parte vencida en el proceso, o a quien se le resuelva desfavorablemente el recurso de apelación, casación, queja, súplica, anulación o revisión que haya propuesto. Además, en los casos especiales previstos en este código.

Además se condenará en costas a quien se le resuelva de manera desfavorable un incidente, la formulación de excepciones previas, una solicitud de nulidad o de amparo de pobreza, sin perjuicio de lo dispuesto en relación con la temeridad o mala fe.

2. La condena se hará en sentencia o auto que resuelva la actuación que dio lugar a aquella.

3. En la providencia del superior que confirme en todas sus partes la de primera instancia se condenará al recurrente en las costas de la segunda.

4. Cuando la sentencia de segunda instancia revoque totalmente la del inferior, la parte vencida será condenada a pagar las costas de ambas instancias.

5. En caso de que prospere parcialmente la demanda, el juez podrá abstenerse de condenar en costas o pronunciar condena parcial, expresando los fundamentos de su decisión.

6. Cuando fueren dos (2) o más litigantes que deban pagar las costas, el juez los condenará en proporción a su interés en el proceso; si nada se dispone al respecto, se entenderán distribuidas por partes iguales entre ellos.

7. Si fueren varios los litigantes favorecidos con la condena en costas, a cada uno de ellos se les reconocerán los gastos que hubiere sufragado y se harán por separado las liquidaciones.

8. Solo habrá lugar a costas cuando en el expediente aparezca que se causaron y en la medida de su comprobación.

9. Las estipulaciones de las partes en materia de costas se tendrán por no escritas. Sin embargo podrán renunciarse después de decretadas y en los casos de desistimiento o transacción.

- arts. 361; 366
- CE. Sala Plena. Consejera Ponente: Rocío Araujo Oñate. 6 de agosto de 2019. Expediente No. 15001-33-33-007-2017-00036-01
- CE. Sección Primera, Expediente No. 52001-23-33-000-2021-00086-01 (AP) de 02 de noviembre de 2023

ARTÍCULO 366. LIQUIDACIÓN

Las costas y agencias en derecho serán liquidadas de manera concentrada en el juzgado que haya conocido del proceso en primera o única instancia, inmediatamente quede ejecutoriada la providencia que le ponga fin al proceso o notificado el auto de obedecimiento a lo dispuesto por el superior, con sujeción a las siguientes reglas:

1. El secretario hará la liquidación y corresponderá al juez aprobarla o rehacerla.

2. Al momento de liquidar, el secretario tomará en cuenta la totalidad de las condenas que se hayan impuesto en los autos que hayan resuelto los recursos, en los incidentes y trámites que los sustituyan, en las sentencias de ambas instancias y en el recurso extraordinario de casación, según sea el caso.

3. La liquidación incluirá el valor de los honorarios de auxiliares de la justicia, los demás gastos judiciales hechos por la parte beneficiada con la condena, siempre que aparezcan comprobados, hayan sido útiles y correspondan a actuaciones autorizadas por la ley, y las agencias en derecho que fije el magistrado sustanciador o el juez, aunque se litigue sin apoderado.

Los honorarios de los peritos contratados directamente por las partes serán incluidos en la liquidación de costas, siempre que aparezcan comprobados y el juez los encuentre razonables. Si su valor excede los parámetros establecidos por el Consejo Superior de la Judicatura y por las entidades especializadas, el juez los regulará.

4. Para la fijación de agencias en derecho deberán aplicarse las tarifas que establezca el Consejo Superior de la Judicatura. Si aquellas establecen solamente un mínimo, o este y un máximo, el juez tendrá en cuenta, además, la naturaleza, calidad y duración de la gestión realizada por el apoderado o la parte que litigó personalmente, la cuantía del proceso y otras circunstancias especiales, sin que pueda exceder el máximo de dichas tarifas.

5. La liquidación de las expensas y el monto de las agencias en derecho solo podrán controvertirse mediante los recursos de reposición y apelación contra el auto que apruebe la liquidación de costas. La apelación se concederá en el efecto diferido, pero si no existiere actuación pendiente, se concederá en el suspensivo.

6. Cuando la condena se imponga en la sentencia que resuelva los recursos de casación y revisión o se haga a favor o en contra de un tercero, la liquidación se hará inmediatamente quede ejecutoriada la respectiva providencia o la notificación del auto de obedecimiento al superior, según el caso.

- arts. 361; 365
- CE. Sala Plena. Consejera Ponente: Rocío Araujo Oñate. 6 de agosto de 2019. Expediente No. 15001-33-33-007-2017-00036-01
- CE. Sala Plena, Sentencia de Unificación Expediente No. 11001-03-15-000-2021-11312-00 (IJ) de 31 de mayo de 2022

TÍTULO II
MULTAS

ARTÍCULO 367. IMPOSICIÓN DE MULTAS Y SU COBRO EJECUTIVO

Las multas serán impuestas a favor del Consejo Superior de la Judicatura, salvo que la ley disponga otra cosa, y son exigibles desde la ejecutoria de la providencia que las imponga.

Para el cobro ejecutivo de multas el secretario remitirá una certificación en la que conste el deudor y la cuantía.

- art. 44

LIBRO TERCERO
PROCESOS

SECCIÓN PRIMERA
PROCESOS DECLARATIVOS

TÍTULO I
PROCESO VERBAL

CAPÍTULO I
DISPOSICIONES GENERALES

ARTÍCULO 368. ASUNTOS SOMETIDOS AL TRÁMITE DEL PROCESO VERBAL

Se sujetará al trámite establecido en este Capítulo todo asunto contencioso que no esté sometido a un trámite especial.

- Arts. 369 hasta 389

ARTÍCULO 369. TRASLADO DE LA DEMANDA

Admitida la demanda se correrá traslado al demandado por el término de veinte (20) días.

- arts. 90; 91; 96

ARTÍCULO 370. PRUEBAS ADICIONALES DEL DEMANDANTE

Si el demandado propone excepciones de mérito, de ellas se correrá traslado al demandante por cinco (5) días en la forma prevista en el artículo 110, para que este pida pruebas sobre los hechos en que ellas se fundan.

- arts. 96 num. 3; 110

ARTÍCULO 371. RECONVENCIÓN

Durante el término del traslado de la demanda, el demandado podrá proponer la de reconvención contra el demandante si de formularse en proceso separado procedería la acumulación, siempre que sea de competencia del mismo juez y no esté sometida a trámite especial. Sin embargo, se podrá reconvenir sin consideración a la cuantía y al factor territorial.

Vencido el término del traslado de la demanda inicial a todos los demandados, se correrá traslado de la reconvención al demandante en la forma prevista en el artículo 91, por el mismo término de la inicial. En lo sucesivo ambas se sustanciarán conjuntamente y se decidirán en la misma sentencia.

Propuestas por el demandado excepciones previas y reconvención se dará traslado de aquellas una vez expirado el término de traslado de esta. Si el reconvenido propone a su vez excepciones previas contra la demanda, unas y otras se tramitarán y decidirán conjuntamente.

El auto que admite la demanda de reconvención se notificará por estado y se dará aplicación al artículo 91 en lo relacionado con el retiro de las copias.

- arts. 25; 28; 91; 101; 148; 295

ARTÍCULO 372. AUDIENCIA INICIAL

El juez, salvo norma en contrario, convocará a las partes para que concurran personalmente a una audiencia con la prevención de las consecuencias por su inasistencia, y de que en ella se practicarán interrogatorios a las partes. La audiencia se sujetará a las siguientes reglas:

1. Oportunidad. El juez señalará fecha y hora para la audiencia una vez vencido el término de traslado de la demanda, de la reconvención, del llamamiento en garantía o de las excepciones de mérito, o resueltas las excepciones previas que deban decidirse antes de la audiencia, o realizada la notificación, citación o traslado que el juez ordene al resolver dichas excepciones, según el caso.

El auto que señale fecha y hora para la audiencia se notificará por estado y no tendrá recursos. En la misma providencia, el juez citará a las partes para que concurran personalmente a rendir interrogatorio, a la conciliación, y los demás asuntos relacionados con la audiencia.

2. Intervinientes. Además de las partes, a la audiencia deberán concurrir sus apoderados.

La audiencia se realizará aunque no concurra alguna de las partes o sus apoderados. Si estos no comparecen, se realizará con aquellas.

Si alguna de las partes no comparece, sin perjuicio de las consecuencias probatorias por su inasistencia, la audiencia se llevará a cabo con su apoderado, quien tendrá facultad para confesar, conciliar, transigir, desistir y, en general, para disponer del derecho en litigio.

3. Inasistencia. La inasistencia de las partes o de sus apoderados a esta audiencia, por hechos anteriores a la misma, solo podrá justificarse mediante prueba siquiera sumaria de una justa causa.

Si la parte y su apoderado o solo la parte se excusan con anterioridad a la audiencia y el juez acepta la justificación, se fijará nueva fecha y hora para su celebración, mediante auto que no tendrá recursos. La audiencia deberá celebrarse dentro de los diez (10) días siguientes. En ningún caso podrá haber otro aplazamiento.

Las justificaciones que presenten las partes o sus apoderados con posterioridad a la audiencia, solo serán apreciadas si se aportan dentro de los tres (3) días siguientes a la fecha en que ella se verificó. El juez solo admitirá aquellas que se fundamenten en fuerza mayor o caso fortuito y solo tendrán el efecto de exonerar de las consecuencias procesales, probatorias y pecuniarias adversas que se hubieren derivado de la inasistencia.

En este caso, si el juez acepta la excusa presentada, prevendrá a quien la haya presentado para que concurra a la audiencia de instrucción y juzgamiento a absolver el interrogatorio.

4. Consecuencias de la inasistencia. La inasistencia injustificada del demandante hará presumir ciertos los hechos en que se fundan las excepciones propuestas por el demandado siempre que sean susceptibles de confesión; la del demandado hará presumir ciertos los hechos susceptibles de confesión en que se funde la demanda.

Cuando ninguna de las partes concurra a la audiencia, esta no podrá celebrarse, y vencido el término sin que se justifique la inasistencia, el juez, por medio de auto, declarará terminado el proceso.

Las consecuencias previstas en los incisos anteriores se aplicarán, en lo pertinente, para el caso de la demanda de reconvención y de intervención de terceros principales.

Cuando se trate de litisconsorcio necesario las consecuencias anteriores solo se aplicarán por inasistencia injustificada de todos los litisconsortes necesarios. Cuando se trate de litisconsorcio facultativo las consecuencias se aplicarán al litisconsorte ausente.

A la parte o al apoderado que no concurra a la audiencia se le impondrá multa de cinco (5) salarios mínimos legales mensuales vigentes (smlmv).

5. Decisión de excepciones previas. Con las limitaciones previstas en el artículo 101, el juez practicará las pruebas estrictamente necesarias para resolver las excepciones previas que estén pendientes y las decidirá.

6. Conciliación. Desde el inicio de la audiencia y en cualquier etapa de ella el juez exhortará diligentemente a las partes a conciliar sus diferencias, para lo cual deberá proponer fórmulas de arreglo, sin que ello signifique prejuzgamiento.

Si alguno de los demandantes o demandados fuere incapaz, concurrirá su representante legal. El auto que apruebe la conciliación implicará la autorización a este para celebrarla, cuando sea necesaria de conformidad con la ley. Cuando una de las partes está representada por curador ad lítem, este concurrirá para efectos distintos de la conciliación y de la admisión de hechos perjudiciales a aquella. Si el curador ad lítem no asiste se le impondrá la multa por valor de cinco (5) a diez (10) salarios mínimos legales mensuales vigentes (smlmv), salvo que presente prueba siquiera sumaria de una justa causa para no comparecer.

7. Interrogatorio de las partes, práctica de otras pruebas y fijación del litigio. Los interrogatorios de las partes se practicarán en la audiencia inicial.

El juez oficiosamente y de manera obligatoria interrogará de modo exhaustivo a las partes sobre el objeto del proceso. También podrá ordenar el careo.

El juez podrá decretar y practicar en esta audiencia las demás pruebas que le resulte posible, siempre y cuando estén presentes las partes.

A continuación el juez requerirá a las partes y a sus apoderados para que determine los hechos en los que están de acuerdo y que fueren susceptibles de prueba de confesión, y fijará el objeto del litigio, precisando los hechos que considera demostrados y los que requieran ser probados.

8. Control de legalidad. El juez ejercerá el control de legalidad para asegurar la sentencia de fondo y sanear los vicios que puedan acarrear nulidades u otras irregularidades del proceso, los cuales, salvo que se trate de hechos nuevos, no se podrán alegar en las etapas siguientes. Además deberá verificar la integración del litisconsorcio necesario.

9. Sentencia. Salvo que se requiera la práctica de otras pruebas, a continuación, en la misma audiencia y oídas las partes hasta por veinte (20) minutos cada una, el juez dictará sentencia.

El juez, por solicitud de alguna de las partes, podrá autorizar un tiempo superior para rendir las alegaciones, atendiendo las condiciones del caso y garantizando la igualdad. Contra la decisión que resuelva esta solicitud no procede recurso alguno.

10. Decreto de pruebas. El juez decretará las pruebas solicitadas por las partes y las que considere necesarias para el esclarecimiento de los hechos, con sujeción estricta a las limitaciones previstas en el artículo 168. Así mismo, prescindirá de las pruebas relacionadas con los hechos que declaró probados. Si decreta dictamen pericial señalará el término

para que se aporte, teniendo en cuenta que deberá presentarse con no menos de diez (10) días de antelación a la audiencia de instrucción y juzgamiento.

En los procesos en que sea obligatorio practicar inspección judicial, el juez deberá fijar fecha y hora para practicarla antes de la audiencia de instrucción y juzgamiento.

11. Fijación de audiencia de instrucción y juzgamiento. El juez, antes de finalizar la audiencia, fijará fecha y hora para la audiencia de instrucción y juzgamiento, y dispondrá todo lo necesario para que en ella se practiquen las pruebas.

PARÁGRAFO. Cuando se advierta que la práctica de pruebas es posible y conveniente en la audiencia inicial, el juez de oficio o a petición de parte, decretará las pruebas en el auto que fija fecha y hora para ella, con el fin de agotar también el objeto de la audiencia de instrucción y juzgamiento de que trata el artículo 373. En este evento, en esa única audiencia se proferirá la sentencia, de conformidad con las reglas previstas en el numeral 5 del referido artículo 373.

- arts. 3; 13; 14; 44; 60; 61; 78; 107; 168; 198; 203; 205; 237; 279; 280; 322; 373
- L. 2213 de 2022. art. 7
- CSJ. SCT 10490-2019; SCT 18105-2019

ARTÍCULO 373. AUDIENCIA DE INSTRUCCIÓN Y JUZGAMIENTO

Para la audiencia de instrucción y juzgamiento se observarán las siguientes reglas:

1. En la fecha y hora señaladas para la audiencia el juez deberá disponer de tiempo suficiente para practicar todas las pruebas decretadas, oír los alegatos de las partes y, en su caso, proferir la sentencia.

2. En caso de que el juez haya aceptado la justificación de la inasistencia de alguna de las partes a la audiencia inicial, se practicará el interrogatorio a la respectiva parte.

A continuación el juez requerirá a las partes y a sus apoderados para que determinen los hechos en los que están de acuerdo y que fueren susceptibles de prueba de confesión, fijará nuevamente el objeto del litigio, precisando los hechos que considera demostrados y rechazará las pruebas decretadas en la audiencia inicial que estime innecesarias.

3. A continuación practicará las demás pruebas de la siguiente manera:

a) Practicará el interrogatorio a los peritos que hayan sido citados a la audiencia, de oficio o a solicitud de parte.

b) Recibirá las declaraciones de los testigos que se encuentren presentes y prescindirá de los demás.

c) Practicará la exhibición de documentos y las demás pruebas que hubieren sido decretadas.

4. Practicadas las pruebas se oirán los alegatos de las partes, primero al demandante y luego al demandado, y posteriormente a las demás partes, hasta por veinte (20) minutos cada uno.

El juez, por solicitud de alguna de las partes, podrá autorizar un tiempo superior para rendir las alegaciones, atendiendo las condiciones del caso y garantizando la igualdad. Contra la decisión que resuelva esta solicitud no procede recurso alguno.

5. En la misma audiencia el juez proferirá sentencia en forma oral, aunque las partes o sus apoderados no hayan asistido o se hubieren retirado.

Si fuere necesario podrá decretarse un receso hasta por dos (2) horas para el pronunciamiento de la sentencia.

Si no fuere posible dictar la sentencia en forma oral, el juez deberá dejar constancia expresa de las razones concretas e informar a la Sala Administrativa del Consejo Superior de la Judicatura. En este evento, el juez deberá anunciar el sentido de su fallo, con una breve exposición de sus fundamentos, y emitir la decisión escrita dentro de los diez (10) días siguientes, sin que en ningún caso, pueda desconocer el plazo de duración del proceso previsto en el artículo 121.

Cuando la sentencia se profiera en forma oral, la apelación se sujetará a lo previsto en el inciso 1o del numeral 1 del artículo 322. Cuando solo se anuncie el sentido del fallo, la apelación se sujetará a lo establecido en el inciso 2o del numeral 1 del artículo 322.

6. La audiencia se registrará como lo dispone el artículo 107.

- arts. 3; 13; 14; 107; 121; 203; 208; 217; 220; 221; 226; 228; 231; 265; 266; 267; 279; 280; 322; 372
- L. 2213 de 2022. art. 7
- CSJ. STC 21002-2017; STC 18105-2017; STC 2327-2018; STC 6550-2018; STC 4781-2018; STC 3964-2018; STC 13123-2018; STC 14901-2018; STC 13452-2018

CAPÍTULO II
DISPOSICIONES ESPECIALES

ARTÍCULO 374. RESOLUCIÓN DE COMPRAVENTA

Cuando en la demanda se solicite la resolución del contrato de compraventa en virtud de la estipulación consagrada en el artículo 1937 del Código Civil, el juez dictará sentencia que declare extinguida la obligación que dio origen al proceso, siempre que el demandado consigne el precio dentro del término señalado en dicho precepto.

La misma declaración se hará en el caso del artículo 1944 del citado código, cuando el comprador o la persona a quien este hubiere enajenado la cosa, se allane a mejorar la compra en los mismos términos ofrecidos por un tercero y consigne el monto del mayor valor dentro del término para contestar la demanda.

- art. 82 num. 4
- CC arts. 1937; 1944

ARTÍCULO 375. DECLARACIÓN DE PERTENENCIA

En las demandas sobre declaración de pertenencia de bienes privados, salvo norma especial, se aplicarán las siguientes reglas:

1. La declaración de pertenencia podrá ser pedida por todo aquel que pretenda haber adquirido el bien por prescripción.

2. Los acreedores podrán hacer valer la prescripción adquisitiva a favor de su deudor, a pesar de la renuencia o de la renuncia de este.

3. La declaración de pertenencia también podrá pedirla el comunero que, con exclusión de los otros condueños y por el término de la prescripción extraordinaria, hubiere poseído materialmente el bien común o parte de él, siempre que su explotación económica no se hubiere producido por acuerdo con los demás comuneros o por disposición de autoridad judicial o del administrador de la comunidad.

4. La declaración de pertenencia no procede respecto de bienes imprescriptibles o de propiedad de las entidades de derecho público.

El juez rechazará de plano la demanda o declarará la terminación anticipada del proceso, cuando advierta que la pretensión de declaración de pertenencia recae sobre bienes de uso público, bienes fiscales, bienes fiscales adjudicables o baldíos, cualquier otro tipo de bien imprescriptible o de propiedad de alguna entidad de derecho público. Las providencias a que se refiere este inciso deberán estar debidamente motivadas y contra ellas procede el recurso de apelación.

5. A la demanda deberá acompañarse un certificado del registrador de instrumentos públicos en donde consten las personas que figuren como titulares de derechos reales principales sujetos a registro. Cuando el inmueble haga parte de otro de mayor extensión deberá acompañarse el certificado que corresponda a este. Siempre que en el certificado figure determinada persona como titular de un derecho real sobre el bien, la demanda deberá dirigirse contra ella. Cuando el bien esté gravado con hipoteca o prenda* deberá citarse también al acreedor hipotecario o prendario.

El registrador de instrumentos públicos deberá responder a la petición del certificado requerido en el inciso anterior, dentro del término de quince (15) días.

6. En el auto admisorio se ordenará, cuando fuere pertinente, la inscripción de la demanda. Igualmente se ordenará el emplazamiento de las personas que se crean con derechos sobre el respectivo bien, en la forma establecida en el numeral siguiente.

En el caso de inmuebles, en el auto admisorio se ordenará informar de la existencia del proceso a la Superintendencia de Notariado y Registro, al Instituto Colombiano para el Desarrollo Rural (Incoder), a la Unidad Administrativa Especial de Atención y Reparación Integral a Víctimas y al Instituto Geográfico Agustín Codazzi (IGAC) para que, si lo consideran pertinente, hagan las manifestaciones a que hubiere lugar en el ámbito de sus funciones.

7. El demandante procederá al emplazamiento en los términos previstos en este código y deberá instalar una valla de dimensión no inferior a un metro cuadrado, en lugar visible del predio objeto del proceso, junto a la vía pública más importante sobre la cual tenga frente o límite. La valla deberá contener los siguientes datos:

a) La denominación del juzgado que adelanta el proceso;

b) El nombre del demandante;

c) El nombre del demandado;

d) El número de radicación del proceso;

e) La indicación de que se trata de un proceso de pertenencia;

f) El emplazamiento de todas las personas que crean tener derechos sobre el inmueble, para que concurran al proceso;

g) La identificación del predio.

Tales datos deberán estar escritos en letra de tamaño no inferior a siete (7) centímetros de alto por cinco (5) centímetros de ancho.

Cuando se trate de inmuebles sometidos a propiedad horizontal, a cambio de la valla se fijará un aviso en lugar visible de la entrada al inmueble.

Instalada la valla o el aviso, el demandante deberá aportar fotografías del inmueble en las que se observe el contenido de ellos.

La valla o el aviso deberán permanecer instalados hasta la audiencia de instrucción y juzgamiento.

Inscrita la demanda y aportadas las fotografías por el demandante, el juez ordenará la inclusión del contenido de la valla o del aviso en el Registro Nacional de Procesos de Pertenencia que llevará el Consejo Superior de la Judicatura, por el término de un (1) mes, dentro del cual podrán contestar la demanda las personas emplazadas; quienes concurran después tomarán el proceso en el estado en que se encuentre.

8. El juez designará curador ad lítem que represente a los indeterminados y a los demandados ciertos cuya dirección se ignore.

9. El juez deberá practicar personalmente inspección judicial sobre el inmueble para verificar los hechos relacionados en la demanda y constitutivos de la posesión alegada y la instalación adecuada de la valla o del aviso. En la diligencia el juez podrá practicar las pruebas que considere pertinentes. Al acta de la inspección judicial se anexarán fotografías actuales del inmueble en las que se observe el contenido de la valla instalada o del aviso fijado.

Si el juez lo considera pertinente, adelantará en una sola audiencia en el inmueble, además de la inspección judicial, las actuaciones previstas en los artículos 372 y 373, y dictará sentencia inmediatamente, si le fuere posible.

10. La sentencia que declara la pertenencia producirá efectos erga omnes y se inscribirá en el registro respectivo. Una vez inscrita nadie podrá demandar sobre la propiedad o posesión del bien por causa anterior a la sentencia.

En ningún caso, las sentencias de declaración de pertenencia serán oponibles al Instituto Colombiano de Desarrollo Rural (Incoder) respecto de los procesos de su competencia.

PARÁGRAFO 1o. Cuando la prescripción adquisitiva se alegue por vía de excepción, el demandado deberá dar cumplimiento a lo dispuesto en los numerales 5, 6 y 7. Si el demandado no aporta con la contestación de la demanda el certificado del registrador o si pasados treinta (30) días desde el vencimiento del término de traslado de la demanda no ha cumplido con lo dispuesto en los numerales 6 y 7, el proceso seguirá su curso, pero en la sentencia no podrá declararse la pertenencia.

PARÁGRAFO 2o. El Registro Nacional de Procesos de Pertenencia deberá estar disponible en la página web del Consejo Superior de la Judicatura.

- arts. 55; 83; 84; 108; 236; 238 372; 373; 591; 592

- * L 1676/2013
- CC arts. 2512; 2518; 2525
- CSJ. SC 1727-2016; STC2282-2022

ARTÍCULO 376. SERVIDUMBRES

En los procesos sobre servidumbres se deberá citar a las personas que tengan derechos reales sobre los predios dominante y sirviente, de acuerdo con el certificado del registrador de instrumentos públicos que se acompañará a la demanda. Igualmente se deberá acompañar el dictamen sobre la constitución, variación o extinción de la servidumbre.

No se podrá decretar la imposición, variación o extinción de una servidumbre, sin haber practicado inspección judicial sobre los inmuebles materia de la demanda, a fin de verificar los hechos que le sirven de fundamento.

A las personas que se presenten a la diligencia de inspección y prueben siquiera sumariamente posesión por más de un (1) año sobre cualquiera de los predios, se les reconocerá su condición de litisconsortes de la respectiva parte.

Al decretarse la imposición, variación o extinción de una servidumbre, en la sentencia se fijará la suma que deba pagarse a título de indemnización o de restitución, según fuere el caso. Consignada aquella, se ordenará su entrega al demandado y el registro de la sentencia, que no producirá efectos sino luego de la inscripción.

PARÁGRAFO. Si el juez lo considera pertinente, adelantará en una sola audiencia en el inmueble, además de la inspección judicial, las actuaciones previstas en los artículos 372 y 373, y dictará sentencia inmediatamente, si le fuere posible.

- arts. 61; 83; 84; 236; 238; 372; 373
- CC arts. 879 y ss

ARTÍCULO 377. POSESORIOS

En los procesos posesorios se aplicarán las siguientes reglas:

1. Cuando la sentencia ordene cesar la perturbación o dar seguridad contra un temor fundado, o prohíba la ejecución de una obra o de un hecho, el juez conminará al demandado a pagar de dos (2) a diez (10) salarios mínimos mensuales a favor del demandante, por cada acto de contravención en que incurra.

La solicitud para que se imponga el mencionado pago deberá formularse dentro de los treinta (30) días siguientes a la respectiva contravención y se tramitará como incidente. El auto que confiera traslado de la solicitud se notificará por aviso.

2. La sentencia que ordene la modificación o destrucción de alguna cosa prevendrá al demandado para que la lleve a efecto en un término prudencial que se le señale, con la advertencia de que si no lo hiciere se procederá por el juez a su cumplimiento, debiendo además reembolsar al demandante los gastos que tal actuación implique. Para el efecto el demandante celebrará contrato que someterá a la aprobación del juez. La cuenta de gastos deberá aportarse con los comprobantes respectivos para la aprobación del juez.

3. Si la demanda se dirige a precaver el peligro que se tema de ruina de un edificio, de un árbol mal arraigado u otra cosa semejante, el demandante podrá pedir, en cualquier estado del proceso, que se tomen las medidas de precaución que fueren necesarias.

Formulada la solicitud acompañada de dictamen pericial, el juez procederá inmediatamente al reconocimiento respectivo; si del examen resulta un peligro inminente, en la diligencia dictará sentencia y tomará las medidas que fueren necesarias para conjurarlo.

- arts. 83; 84; 227; 292; 590 lit c
- CC arts. 972 y ss

ARTÍCULO 378. ENTREGA DE LA COSA POR EL TRADENTE AL ADQUIRENTE

El adquirente de un bien cuya tradición se haya efectuado por inscripción del título en el registro, podrá demandar a su tradente para que le haga la entrega material correspondiente.

También podrá formular dicha demanda quien haya adquirido en la misma forma un derecho de usufructo, uso o habitación, y el comprador en el caso del inciso 1o del artículo 922 del Código de Comercio.

A la demanda se acompañará copia de la escritura pública registrada en que conste la respectiva obligación con carácter de exigible, y si en ella apareciere haberse cumplido, el demandante deberá afirmar, bajo juramento que se considerará prestado por la presentación de la demanda, que no se ha efectuado.

Vencido el término de traslado, si el demandado no se opone ni propone excepciones previas, se dictará sentencia que ordene la entrega, la cual se cumplirá con arreglo a los artículos 308 a 310.

Al practicarse la entrega no podrá privarse de la tenencia al arrendatario que pruebe siquiera sumariamente título emanado del tradente, siempre que sea anterior a la tradición del bien al demandante.

En este caso la entrega se hará mediante la notificación al arrendatario para que en lo sucesivo tenga al demandante como su arrendador, conforme al respectivo contrato; a falta de documento, el acta servirá de prueba del contrato.

- arts. 82 num. 4; 83; 84; 91; 96; 100; 308; 309; 310
- CC arts. 870 y ss; 1857

ARTÍCULO 379. RENDICIÓN PROVOCADA DE CUENTAS

En los procesos de rendición de cuentas a petición del destinatario se aplicarán las siguientes reglas:

1. El demandante deberá estimar en la demanda, bajo juramento, lo que se le adeude o considere deber. En este caso no se aplicará la sanción del artículo 206.

2. Si dentro del término del traslado de la demanda el demandado no se opone a rendir las cuentas, ni objeta la estimación hecha por el demandante, ni propone excepciones

previas, se prescindirá de la audiencia y se dictará auto de acuerdo con dicha estimación, el cual presta mérito ejecutivo.

3. Para objetar la estimación el demandado deberá acompañar las cuentas con los respectivos soportes.

4. Si el demandado alega que no está obligado a rendir las cuentas, sobre ello se resolverá en la sentencia, y si en esta se ordena la rendición, se señalará un término prudencial para que las presente con los respectivos documentos.

5. De las cuentas rendidas se dará traslado al demandante por el término de diez (10) días en la forma establecida en el artículo 110. Si aquel no formula objeciones, el juez las aprobará y ordenará el pago de la suma que resulte a favor de cualquiera de las partes. Este auto no admite recurso y presta mérito ejecutivo.

Si el demandante formula objeciones, se tramitarán como incidente y en el auto que lo resuelva se fijará el saldo que resulte a favor o a cargo del demandado y se ordenará su pago.

6. Si el demandado no presenta las cuentas en el término señalado, el juez, por medio de auto que no admite recurso y presta mérito ejecutivo, ordenará pagar lo estimado en la demanda.

- arts. 82; 206; 96; 100; 110; 117; 129

ARTÍCULO 380. RENDICIÓN ESPONTÁNEA DE CUENTAS

Quien considere que debe rendir cuentas y pretenda hacerlo sin que se le hayan pedido, deberá acompañarlas a la demanda. Si dentro del traslado de aquellas el demandado no se opone a recibirlas, ni las objeta, ni propone excepciones previas, se prescindirá de la audiencia y el juez las aprobará mediante auto que no admite recurso y presta mérito ejecutivo.

Si el demandado alega que no está obligado a recibir las cuentas se resolverá en la sentencia, y si esta ordena recibirlas se dará aplicación al numeral 4 del artículo anterior.

- arts. 83; 84; 96; 100; 379

ARTÍCULO 381. PAGO POR CONSIGNACIÓN

En el proceso de pago por consignación se observarán las siguientes reglas:

1. La demanda de oferta de pago deberá cumplir tanto los requisitos exigidos por este código como los establecidos en el Código Civil.

2. Si el demandado no se opone, el demandante deberá depositar a órdenes del juzgado lo ofrecido, si fuere dinero, dentro de los cinco (5) días siguientes al vencimiento del término del traslado. En los demás casos, se decretará el secuestro del bien ofrecido. Hecha la consignación o secuestrado el bien, se dictará sentencia que declare válido el pago.

Si vencido el plazo no se efectúa la consignación o en la diligencia de secuestro no se presentan los bienes, el juez negará las pretensiones de la demanda mediante sentencia que no admite apelación.

3. Si al contestar la demanda el demandado se opone a recibir el pago, el juez ordenará, por auto que no admite recurso, que el demandante haga la consignación en el término de cinco (5) días o decretará el secuestro del bien. Practicado este o efectuada aquella, el proceso seguirá su curso.

Si el demandante no hace la consignación, se procederá como dispone el inciso 2o del numeral anterior.

4. En la sentencia que declare válido el pago se ordenará: la cancelación de los gravámenes constituidos en garantía de la obligación, la restitución de los bienes dados en garantía, la entrega del depósito judicial al demandado y la entrega de los bienes a este por el secuestre.

PARÁGRAFO. El demandante podrá hacer uso de las facultades previstas en el artículo 1664 del Código Civil.

- arts. 82; 590;
- CC arts. 1625 y ss; 1656 y ss
- CCo arts. 845 y ss

ARTÍCULO 382. IMPUGNACIÓN DE ACTOS DE ASAMBLEAS, JUNTAS DIRECTIVAS O DE SOCIOS

La demanda de impugnación de actos o decisiones de asambleas, juntas directivas, juntas de socios o de cualquier otro órgano directivo de personas jurídicas de derecho privado, solo podrá proponerse, so pena de caducidad, dentro de los dos (2) meses siguientes a la fecha del acto respectivo y deberá dirigirse contra la entidad. Si se tratare de acuerdos o actos sujetos a registro, el término se contará desde la fecha de la inscripción.

En la demanda podrá pedirse la suspensión provisional de los efectos del acto impugnado por violación de las disposiciones invocadas por el solicitante, cuando tal violación surja del análisis del acto demandado, su confrontación con las normas, el reglamento o los estatutos respectivos invocados como violados, o del estudio de las pruebas allegadas con la solicitud. El demandante prestará caución en la cuantía que el juez señale.

El auto que decrete la medida es apelable en el efecto devolutivo.

- arts. 323 num. 2; 590 lit c
- CCo art. 190
- L 222 1995 21
- L 675/2001 49
- Corte Constitucional de Colombia. C-019 de 9 de mayo de 2019.
- CSJ. SCT1692-2021

ARTÍCULO 383. DECLARACIÓN DE BIENES VACANTES O MOSTRENCOS

La demanda para que se declaren vacantes o mostrencos determinados bienes solo podrá instaurarse por la entidad a la cual deban adjudicarse conforme a la ley.

Siempre que en la oficina de registro de instrumentos públicos figure alguna persona como titular de un derecho real principal sobre el bien objeto de la demanda, esta deberá dirigirse contra ella. De la misma manera se procederá cuando existan personas conocidas como poseedoras de dicho bien. En los demás casos no será necesario señalar como demandado a persona determinada.

En el auto admisorio de la demanda se ordenará emplazar a las personas que puedan alegar derechos sobre el bien, en la forma señalada en el artículo 108, y de oficio se decretará la inscripción de la demanda o secuestro del bien, según el caso. Si al practicarse el secuestro, los bienes se hallan en poder de persona que alegue y demuestre algún derecho sobre ellos o que los tenga a nombre de otra, se prescindirá del secuestro y se prevendrá a dicha persona para que comparezca al proceso.

Para que proceda la declaración de vacancia de un inmueble rural se requiere que el demandante haya demostrado que aquel salió legalmente del patrimonio de la Nación.

En este proceso se aplicarán los numerales 5, 6, 7, 8 y 9 del artículo 375.

- arts. 82; 108; 375; 590; 592
- CC arts. 706 y ss

ARTÍCULO 384. RESTITUCIÓN DE INMUEBLE ARRENDADO

Cuando el arrendador demande para que el arrendatario le restituya el inmueble arrendado se aplicarán las siguientes reglas:

1. Demanda. A la demanda deberá acompañarse prueba documental del contrato de arrendamiento suscrito por el arrendatario, o la confesión de este hecha en interrogatorio de parte extraprocesal, o prueba testimonial siquiera sumaria.

2. Notificaciones. Para efectos de notificaciones, incluso la del auto admisorio de la demanda, se considerará como dirección de los arrendatarios la del inmueble arrendado, salvo que las partes hayan pactado otra cosa.

3. Ausencia de oposición a la demanda. Si el demandado no se opone en el término de traslado de la demanda, el juez proferirá sentencia ordenando la restitución.

4. Contestación, mejoras y consignación. Cuando el demandado alegue mejoras, deberá hacerlo en la contestación de la demanda, y se tramitará como excepción.

Si la demanda se fundamenta en falta de pago de la renta o de servicios públicos, cuotas de administración u otros conceptos a que esté obligado el demandado en virtud del contrato, este no será oído en el proceso sino hasta tanto demuestre que ha consignado a órdenes del juzgado el valor total que, de acuerdo con la prueba allegada con la demanda, tienen los cánones y los demás conceptos adeudados, o en defecto de lo anterior, cuando presente los recibos de pago expedidos por el arrendador, correspondientes a los tres (3) últimos períodos, o si fuere el caso los correspondientes de las consignaciones efectuadas de acuerdo con la ley y por los mismos períodos, a favor de aquel.

Cualquiera que fuere la causal invocada, el demandado también deberá consignar oportunamente a órdenes del juzgado, en la cuenta de depósitos judiciales, los cánones que se causen durante el proceso en ambas instancias, y si no lo hiciere dejará de ser oído hasta cuando presente el título de depósito respectivo, el recibo del pago hecho directamente al arrendador, o el de la consignación efectuada en proceso ejecutivo.

Los cánones depositados en la cuenta de depósitos judiciales se retendrán hasta la terminación del proceso si el demandado alega no deberlos; en caso contrario se entregarán inmediatamente al demandante. Si prospera la excepción de pago propuesta por el demandado, en la sentencia se ordenará devolver a este los cánones retenidos; si no prospera se ordenará su entrega al demandante.

Los depósitos de cánones causados durante el proceso se entregarán al demandante a medida que se presenten los títulos, a menos que el demandado le haya desconocido el carácter de arrendador en la contestación de la demanda, caso en el cual se retendrán hasta que en la sentencia se disponga lo procedente.

Cuando se resuelva la excepción de pago o la del desconocimiento del carácter de arrendador, se condenará al vencido a pagar a su contraparte una suma igual al treinta por ciento (30%) de la cantidad depositada o debida.

Cuando el arrendatario alegue como excepción que la restitución no se ha producido por la renuencia del arrendador a recibir, si el juez la halla probada, le ordenará al arrendador que reciba el bien arrendado y lo condenará en costas.

5. Compensación de créditos. Si en la sentencia se reconoce al demandado derecho al valor de las mejoras, reparaciones o cultivos pendientes, tal crédito se compensará con lo que aquel adeude al demandante por razón de cánones o de cualquiera otra condena que se le haya impuesto en el proceso.

6. Trámites inadmisibles. En este proceso son inadmisibles la demanda de reconvención, la intervención excluyente, la coadyuvancia y la acumulación de procesos. En caso de que se propongan el juez las rechazará de plano por auto que no admite recursos.

~~El demandante no estará obligado a solicitar y tramitar la audiencia de conciliación extrajudicial como requisito de procedibilidad de la demanda.~~

7. Embargos y secuestros. En todos los procesos de restitución de tenencia por arrendamiento, el demandante podrá pedir, desde la presentación de la demanda o en cualquier estado del proceso, la práctica de embargos y secuestros sobre bienes del demandado, con el fin de asegurar el pago de los cánones de arrendamiento adeudados o que se llegaren a adeudar, de cualquier otra prestación económica derivada del contrato, del reconocimiento de las indemnizaciones a que hubiere lugar y de las costas procesales.

Los embargos y secuestros podrán decretarse y practicarse como previos a la notificación del auto admisorio de la demanda a la parte demandada. En todos los casos, el demandante deberá prestar caución en la cuantía y en la oportunidad que el juez señale para responder por los perjuicios que se causen con la práctica de dichas medidas. La parte demandada podrá impedir la práctica de medidas cautelares o solicitar la cancelación de las practicadas mediante la prestación de caución en la forma y en la cuantía que el juez le señale, para garantizar el cumplimiento de la sentencia.

Las medidas cautelares se levantarán si el demandante no promueve la ejecución en el mismo expediente dentro de los treinta (30) días siguientes a la ejecutoria de la sentencia, para obtener el pago de los cánones adeudados, las costas, perjuicios, o cualquier otra suma derivada del contrato o de la sentencia. Si en esta se condena en costas el término se contará desde la ejecutoria del auto que las apruebe; y si hubiere sido apelada, desde la notificación del auto que ordene obedecer lo dispuesto por el superior.

8. Restitución provisional. Cualquiera que fuere la causal de restitución invocada, el demandante podrá solicitar que antes de la notificación del auto admisorio o en cualquier estado del proceso, se practique una diligencia de inspección judicial al inmueble, con el fin de verificar el estado en que se encuentra. Si durante la práctica de la diligencia se llegare a establecer que el bien se encuentra desocupado o abandonado, o en estado de grave deterioro o que pudiere llegar a sufrirlo, el juez, a solicitud del demandante, podrá ordenar, en la misma diligencia, la restitución provisional del bien, el cual se le entregará físicamente al demandante, quien se abstendrá de arrendarlo hasta tanto no se encuentre en firme la sentencia que ordene la restitución del bien.

Durante la vigencia de la restitución provisional, se suspenderán los derechos y obligaciones derivados del contrato de arrendamiento a cargo de las partes.

9. Única instancia. Cuando la causal de restitución sea exclusivamente la mora en el pago del canon de arrendamiento, el proceso se tramitará en única instancia.

- *Nota de vigencia:* El texto subrayado fue declarado exequible en la sentencia de la Corte Constitucional C-106 de 2021, en la que resolvió estarse a lo resulto en las "sentencias C-056 de 1996 y C-070 de 1993"
- *Nota de vigencia:* el inciso segundo del numeral 6 fue derogado a partir del 30 de diciembre de 2022 por el artículo 146 de la Ley 2220 de 2022
- arts. 63; 71; 82; 83; 84; 96; 97; 100; 148; 236; 238; 371; 593; 595
- L 2220 de 2022; 68, 146
- CC art. 1608
- CCo arts. 518 y ss
- Corte Constitucional de Colombia. C 070 de 25 de febrero de 1993; C 056 de 15 de febrero de 1996; C 088 de 24 de febrero de 2016; C 106-21 del 22 de abril de 2021.
- CSJ. STC 3701-2020

ARTÍCULO 385. OTROS PROCESOS DE RESTITUCIÓN DE TENENCIA

Lo dispuesto en el artículo precedente se aplicará a la restitución de bienes subarrendados, a la de muebles dados en arrendamiento y a la de cualquier clase de bienes dados en tenencia a título distinto de arrendamiento, lo mismo que a la solicitada por el adquirente que no esté obligado a respetar el arriendo.

También se aplicará, en lo pertinente, a la demanda del arrendatario para que el arrendador le reciba la cosa arrendada. En este caso si la sentencia fuere favorable al demandante y el demandado no concurre a recibir la cosa el día de la diligencia, el juez la entregará a un secuestre, para su custodia hasta la entrega a aquel, a cuyo cargo correrán los gastos del secuestro.

- arts. 384
- CC arts. 1974; 2004; 2020; 2236

ARTÍCULO 386. INVESTIGACIÓN O IMPUGNACIÓN DE LA PATERNIDAD O LA MATERNIDAD

En todos los procesos de investigación e impugnación se aplicarán las siguientes reglas especiales:

1. La demanda deberá contener todos los hechos, causales y petición de pruebas, en la forma y términos previstos en el artículo 82 de este código.

2. Cualquiera que sea la causal alegada, en el auto admisorio de la demanda el juez ordenará aún de oficio, la práctica de una prueba con marcadores genéticos de ADN o la que corresponda con los desarrollos científicos y advertirá a la parte demandada que su renuencia a la práctica de la prueba hará presumir cierta la paternidad, maternidad o impugnación alegada. La prueba deberá practicarse antes de la audiencia inicial.

De la prueba científica se correrá traslado por tres (3) días, término dentro del cual se podrá solicitar la aclaración, complementación o la práctica de un nuevo dictamen, a costa del interesado, mediante solicitud debidamente motivada. Si se pide un nuevo dictamen deberán precisarse los errores que se estiman presentes en el primer dictamen.

Las disposiciones especiales de este artículo sobre la prueba científica prevalecerán sobre las normas generales de presentación y contradicción de la prueba pericial contenidas en la parte general de este código.

El juez ordenará a las partes para que presten toda la colaboración necesaria en la toma de muestras.

3. No será necesaria la práctica de la prueba científica cuando el demandado no se oponga a las pretensiones, sin perjuicio de que el juez pueda decretar pruebas en el caso de impugnación de la filiación de menores.

4. Se dictará sentencia de plano acogiendo las pretensiones de la demanda en los siguientes casos:

a) Cuando el demandado no se oponga a las pretensiones en el término legal, sin perjuicio de 1o previsto en el numeral 3.

b) Si practicada la prueba genética su resultado es favorable al demandante y la parte demandada no solicita la práctica de un nuevo dictamen oportunamente y en la forma prevista en este artículo.

5. En el proceso de investigación de la paternidad, podrán decretarse alimentos provisionales desde la admisión de la demanda, siempre que el juez encuentre que la demanda tiene un fundamento razonable o desde el momento en que se presente un dictamen de inclusión de la paternidad. Así mismo podrá suspenderlos desde que exista fundamento razonable de exclusión de la paternidad.

6. Cuando además de la filiación el juez tenga que tomar medidas sobre visitas, custodia, alimentos, patria potestad y guarda, en el mismo proceso podrá, una vez agotado el trámite previsto en el inciso segundo del numeral segundo de este artículo, decretar las

pruebas pedidas en la demanda o las que de oficio considere necesarias, para practicarlas en audiencia.

7. En lo pertinente, para la práctica de la prueba científica y para las declaraciones consecuenciales, se tendrán en cuenta las disposiciones de la Ley 721 de 2001 y las normas que la adicionen o sustituyan.

- *Nota de vigencia:* El texto subrayado fue declarado exequible en la sentencia de la Corte Constitucional C-258 del 6 de mayo de 2015, por los cargos analizados
- arts. 82; 170; 227; 228
- CP art. 42
- CC arts. 214 y ss
- L 1060/2006
- Corte Constitucional. C 258 de 6 de mayo de 2015

ARTÍCULO 387. NULIDAD DE MATRIMONIO CIVIL

A la demanda en que se pida la nulidad de un matrimonio civil deberá acompañarse la prueba de este.

La intervención de los padres o guardadores de los cónyuges solo procederá cuando el respectivo consorte fuere incapaz.

El agente del Ministerio Público intervendrá únicamente cuando existan hijos menores, y en defensa de estos tendrá las mismas facultades de las partes. Para este efecto se le notificará el auto admisorio de la demanda.

Desde la presentación de la demanda y en el curso del proceso, de oficio o a petición de cualquiera de las partes, el juez deberá regular la obligación alimentaria de los cónyuges entre sí y en relación con los hijos comunes, sin perjuicio del acuerdo a que llegaren aquellas.

Para el cobro de los alimentos provisionales se seguirá ejecución en el mismo expediente, en cuaderno separado, por el trámite del proceso ejecutivo.

Copia de la sentencia que decrete la nulidad del matrimonio civil se enviará al respectivo funcionario del estado civil para su inscripción en el folio de matrimonio y en el de nacimiento de cada uno de los cónyuges.

- arts. 83; 84; 591
- CC arts. 140 y ss

ARTÍCULO 388. DIVORCIO

En el proceso de divorcio y de cesación de efectos civiles de matrimonio religioso son partes únicamente los cónyuges, pero si estos fueren menores de edad, podrán también intervenir sus padres. El Ministerio Público será citado en interés de los hijos y se observarán las siguientes reglas:

1. El juez declarará terminado el proceso por desistimiento presentado por los cónyuges o sus apoderados. Si se hiciere durante la audiencia, bastará la manifestación verbal de ambos.

2. Copia de la sentencia que decrete el divorcio se enviará al respectivo funcionario del estado civil para su inscripción en el folio de matrimonio y en el de nacimiento de cada uno de los cónyuges.

El Juez dictará sentencia de plano si las partes llegaren a un acuerdo, siempre que este se encuentre ajustado al derecho sustancial.

3. La muerte de uno de los cónyuges o la reconciliación ocurridas durante el proceso, ponen fin a este. El divorcio podrá ser demandado nuevamente por causa que sobrevenga a la reconciliación.

PARÁGRAFO. A los procesos de separación de cuerpos de matrimonio civil o religioso se aplicarán, en lo pertinente, las normas del presente artículo.

Después de ejecutoriada la sentencia, si los cónyuges de común acuerdo solicitan que se ponga fin a la separación, el juez de plano dictará la sentencia respectiva.

- CC arts. 152 y ss

ARTÍCULO 389. CONTENIDO DE LA SENTENCIA DE NULIDAD O DE DIVORCIO

La sentencia que decrete la nulidad del matrimonio civil, el divorcio o la cesación de efectos civiles de matrimonio católico dispondrá:

1. A quién corresponde el cuidado de los hijos.

2. La proporción en que los cónyuges deben contribuir a los gastos de crianza, educación y establecimiento de los hijos comunes, de acuerdo con lo dispuesto en los incisos segundo y tercero del artículo 257 del Código Civil.

3. El monto de la pensión alimentaria que uno de los cónyuges deba al otro, si fuere el caso.

4. A quién corresponde la patria potestad sobre los hijos no emancipados, cuando la causa del divorcio determine suspensión o pérdida de la misma, o si los hijos deben quedar bajo guarda.

5. La condena al pago de los perjuicios a cargo del cónyuge que por su culpa hubiere dado lugar a la nulidad del vínculo, a favor del otro, si este lo hubiere solicitado.

6. El envío de copia de las piezas conducentes del proceso a la autoridad competente, para que investigue los delitos que hayan podido cometerse por los cónyuges o por terceros al celebrarse el matrimonio, si antes no lo hubiere ordenado.

- arts. 280
- CC art. 257
- *Nota de vigencia:* el num. 5 fue declarado exequible por la Corte Constitucional en sentencia C-111-22 del 24 de marzo de 2022 "EN EL ENTENDIDO de que esta disposición también es aplicable a las sentencias que resuelven los procesos de divorcio y de cesación de efectos civiles de matrimonio religioso"

- *Nota de vigencia:* el num. 6 fue declarado exequible por la Corte Constitucional en sentencia C-111-22 del 24 de marzo de 2022 "EN EL ENTENDIDO de que el deber de enviar copias a las autoridades competentes se extiende para cualquier delito que haya podido cometerse durante la vigencia del vínculo matrimonial"

TÍTULO II
PROCESO VERBAL SUMARIO

CAPÍTULO I
DISPOSICIONES GENERALES

ARTÍCULO 390. ASUNTOS QUE COMPRENDE

Se tramitarán por el procedimiento verbal sumario los asuntos contenciosos de mínima cuantía, y los siguientes asuntos en consideración a su naturaleza:

1. Controversias sobre propiedad horizontal de que tratan los artículos 18 y 58 de la Ley 675 de 2001.
2. Fijación, aumento, disminución, exoneración de alimentos y restitución de pensiones alimenticias, cuando no hubieren sido señalados judicialmente.
3. Las controversias que se susciten respecto del ejercicio de la patria potestad, las diferencias que surjan entre los cónyuges sobre fijación y dirección del hogar, derecho a ser recibido en este y obligación de vivir juntos y salida de los hijos menores al exterior y del restablecimiento de derechos de los niños, niñas y adolescentes.
4. Los contemplados los artículos 913, 914, 916, 918, 931, 940 primer inciso, 1231, 1469 y 2026 del Código de Comercio.
5. Los relacionados con los derechos de autor previstos en el artículo 243 de la Ley 23 de 1982.
6. Los de reposición, cancelación y reivindicación de títulos valores.
7. Los que conforme a disposición especial deba resolver el juez con conocimiento de causa, o breve y sumariamente, o a su prudente juicio, o a manera de árbitro.
8. Los de lanzamiento por ocupación de hecho de predios rurales.
9. Los que en leyes especiales se ordene tramitar por el proceso verbal sumario.

PARÁGRAFO 1o. Los procesos verbales sumarios serán de única instancia.

PARÁGRAFO 2o. Las peticiones de incremento, disminución y exoneración de alimentos se tramitarán ante el mismo juez y en el mismo expediente y se decidirán en audiencia, previa citación a la parte contraria, siempre y cuando el menor conserve el mismo domicilio.

PARÁGRAFO 3o. Los procesos que versen sobre violación a los derechos de los consumidores establecidos en normas generales o especiales, con excepción de las accione populares y de grupo, se tramitarán por el proceso verbal o por el verbal sumario, según la cuantía, cualquiera que sea la autoridad jurisdiccional que conozca de ellos.

Cuando se trate de procesos verbales sumarios, el juez podrá dictar sentencia escrita vencido el término de traslado de la demanda y sin necesidad de convocar a la audiencia de que trata el artículo 392, si las pruebas aportadas con la demanda y su contestación fueren suficientes para resolver de fondo el litigio y no hubiese más pruebas por decretar y practicar.

- NOTA: El numeral 1 fue corregido por el Decreto 1736 de 2012
- arts. 17; 19; 25; 26; 392; 393; 394; 395; 397; 398
- CCo arts. 913; 914; 916; 918; 931; 940; 1231; 1469; 2026
- L 675/2001
- L 82/1982
- L 1480/2011
- Corte Constitucional. C-540 del 5 de octubre de 2016

ARTÍCULO 391. DEMANDA Y CONTESTACIÓN

El proceso verbal sumario se promoverá por medio de demanda que contendrá los requisitos establecidos en el artículo 82 y siguientes.

Solo se exigirá la presentación de los anexos previstos en el artículo 84 cuando el juez los considere indispensables.

La demanda también podrá presentarse verbalmente ante el secretario, caso en el cual se extenderá un acta que firmarán este y el demandante. La demanda escrita que no cumpla con los requisitos legales, podrá ser corregida ante el secretario mediante acta.

El Consejo Superior de la Judicatura y las autoridades administrativas que ejerzan funciones jurisdiccionales podrán elaborar formularios para la presentación de la demanda y su contestación, sin perjuicio de que las partes utilicen su propio formato.

El término para contestar la demanda será de diez (10) días. Si faltare algún requisito o documento, se ordenará, aun verbalmente, que se subsane o que se allegue dentro de los cinco (5) días siguientes.

La contestación de la demanda se hará por escrito, pero podrá hacerse verbalmente ante el Secretario, en cuyo caso se levantará un acta que firmará este y el demandado. Con la contestación deberán aportarse los documentos que se encuentren en poder del demandado y pedirse las pruebas que se pretenda hacer valer. Si se proponen excepciones de mérito, se dará traslados de estas al demandante por tres (3) días para que pida pruebas relacionadas con ellas.

Los hechos que configuren excepciones previas deberán ser alegados mediante recurso de reposición contra el auto admisorio de la demanda. De prosperar alguna que no implique la terminación del proceso, el juez adoptará las medidas respectivas para que el proceso pueda continuar; o, si fuere el caso, concederá al demandante un término de cinco (5) días para subsanar los defectos o presentar los documentos omitidos so pena de que se revoque el auto admisorio.

- arts. 82; 83; 84; 90; 96; 100; 318; 319

ARTÍCULO 392. TRÁMITE

En firme el auto admisorio de la demanda y vencido el término de traslado de la demanda, el juez en una sola audiencia practicará las actividades previstas en los artículos 372 y 373 de este código, en lo pertinente. En el mismo auto en el que el juez cite a la audiencia decretará las pruebas pedidas por las partes y las que de oficio considere.

No podrán decretarse más de dos testimonios por cada hecho, ni las partes podrán formular más de diez (10) preguntas a su contraparte en los interrogatorios.

Para la exhibición de los documentos que se solicite el juez librará oficio ordenando que le sean enviados en copia. Para establecer los hechos que puedan ser objeto de inspección judicial que deba realizarse fuera del juzgado, las partes deberán presentar dictamen pericial.

En este proceso son inadmisibles la reforma de la demanda, la acumulación de procesos, los incidentes, el trámite de terminación del amparo de pobreza y la suspensión de proceso por causa diferente al común acuerdo. El amparo de pobreza y la recusación solo podrán proponerse antes de que venza el término para contestar la demanda.

- arts. 93; 127; 143; 148; 152; 158; 161; 208; 212; 223; 265; 372; 373; 391
- *Nota de vigencia:* el aparte subrayado fue declarado exequible por la Corte Constitucional mediante sentencia C-164-23 del 18 de mayo de 2023

CAPÍTULO II
DISPOSICIONES ESPECIALES

ARTÍCULO 393. LANZAMIENTO POR OCUPACIÓN DE HECHO DE PREDIOS RURALES

Sin perjuicio de lo previsto en el artículo 984 del Código Civil, la persona que explote económicamente un predio rural que hubiere sido privada de hecho, total o parcialmente, de la tenencia material del mismo, sin que haya mediado su consentimiento expreso o tácito u orden de autoridad competente, ni exista otra causa que lo justifique, podrá pedir al respectivo juez agrario que efectúe el lanzamiento del ocupante.

- NOTA: El artículo fue corregido por el Decreto 1736 de 2012
- CE Sec. Primera sent. 2012-369/2018
- arts. 17; 19; 390; 626
- CC art. 984

ARTÍCULO 394. PRESTACIÓN, MEJORA Y RELEVO DE CAUCIONES Y GARANTÍAS

Cuando la sentencia ordene la prestación, el relevo o la mejora de una caución, personal o real, el juez prevendrá al demandado para que cumpla lo dispuesto dentro del término que señale. En caso de incumplimiento se condenará al demandado a pagar diez (10) salarios mínimos mensuales a favor del demandante y a indemnizarle los perjuicios por el incumplimiento de la obligación de hacer.

- arts. 390; 493
- CC art. 65
- CCo art. 175

ARTÍCULO 395. PRIVACIÓN, SUSPENSIÓN Y RESTABLECIMIENTO DE LA PATRIA POTESTAD, REMOCIÓN DEL GUARDADOR Y PRIVACIÓN DE LA ADMINISTRACIÓN DE LOS BIENES DEL HIJO

Cuando el juez haya de promover de oficio un proceso sobre privación, suspensión o restablecimiento de la patria potestad, o remoción del guardador, dictará un auto en que exponga los hechos en que se fundamenta y la finalidad que se propone, de cuyo contenido dará traslado a la persona contra quien haya de seguirse el proceso, en la forma indicada en el artículo 91.

Quien formule demanda con uno de los propósitos señalados en el inciso anterior o para la privación de la administración de los bienes del hijo indicará el nombre de los parientes que deban ser oídos de acuerdo con el artículo 61 del Código Civil, los cuales deberán ser citados por aviso o mediante emplazamiento en la forma señalada en este código.

PARÁGRAFO. Cuando se prive al padre o madre de la administración de los bienes del hijo, una vez ejecutoriada la sentencia el juez proveerá el curador adjunto mediante incidente, salvo que el otro padre o madre conserve la representación legal.

- arts. 91; 108; 293;
- CC arts. 61; 288 y ss

ARTÍCULO 396. ADJUDICACIÓN DE APOYOS PARA LA TOMA DE DECISIONES PROMOVIDO POR PERSONA DISTINTA AL TITULAR DEL ACTO JURÍDICO

En el proceso de adjudicación de apoyos para la toma de decisiones promovido por persona distinta al titular del acto jurídico se observarán las siguientes reglas:

1. La demanda solo podrá interponerse en beneficio exclusivo de la persona con discapacidad. Esto se demostrará mediante la prueba de las circunstancias que justifican la interposición de la demanda, es decir que a) la persona titular del acto jurídico se encuentra absolutamente imposibilitada para manifestar su voluntad y preferencias por cualquier medio, modo y formato de comunicación posible, y b) que la persona con discapacidad se encuentre imposibilitada de ejercer su capacidad legal y esto conlleve a la vulneración o amenaza de sus derechos por parte de un tercero.

2. En la demanda se podrá anexar la valoración de apoyos realizada al titular del acto jurídico por parte de una entidad pública o privada.

3. En caso de que la persona no anexe una valoración de apoyos o cuando el juez considere que el informe de valoración de apoyos aportado por el demandante es insuficiente para establecer apoyos para la realización del acto o actos jurídicos para los que se inició el proceso, el Juez podrá solicitar una nueva valoración de apoyos u oficiar a los entes públicos encargados de realizarlas, en concordancia con el artículo 11 de la presente ley.

4. El informe de valoración de apoyos deberá consignar, como mínimo:

a) La verificación que permita concluir que la persona titular del acto jurídico se encuentra imposibilitada para manifestar su voluntad y preferencias por cualquier medio, modo y formato de comunicación posible.

b) Las sugerencias frente a mecanismos que permitan desarrollar las capacidades de la persona en relación con la toma de decisiones para alcanzar mayor autonomía en las mismas.

c) Las personas que pueden actuar como apoyo en la toma de decisiones de la persona frente al acto o actos jurídicos concretos que son objeto del proceso.

d) Un informe general sobre la mejor interpretación de la voluntad y preferencias de la persona titular del acto jurídico que deberá tener en consideración, entre otros aspectos, el proyecto de vida de la persona, sus actitudes, argumentos, actuaciones anteriores, opiniones, creencias y las formas de comunicación verbales y no verbales de la persona titular del acto jurídico.

5. Antes de la audiencia inicial, se ordenará notificar a las personas identificadas en la demanda y en el informe de valoración de apoyos como personas de apoyo.

6. Recibido el informe de valoración de apoyos, el Juez, dentro de los cinco (5) días siguientes, correrá traslado del mismo, por un término de diez (10) días a las personas involucradas en el proceso y al Ministerio Público.

7. Una vez corrido el traslado, el Juez decretará las pruebas que considere necesarias y convocará a audiencia para practicar las demás pruebas decretadas, en concordancia con el artículo 34 de la presente ley.

8. Vencido el término probatorio, se dictará sentencia en la que deberá constar:

a) El acto o actos jurídicos delimitados que requieren el apoyo solicitado. En ningún caso el Juez podrá pronunciarse sobre la necesidad de apoyos para la realización de actos jurídicos sobre los que no verse el proceso.

b) La individualización de la o las personas designadas como apoyo.

c) Las salvaguardias destinadas a evitar y asegurar que no existan los conflictos de interés o influencia indebida del apoyo sobre la persona.

d) La delimitación de las funciones y la naturaleza del rol de apoyo.

e) La duración de los apoyos a prestarse de la o las personas que han sido designadas como tal.

f) Los programas de acompañamiento a las familias cuando sean pertinentes y las demás medidas que se consideren necesarias para asegurar la autonomía y respeto a la voluntad y preferencias de la persona.

9. Se reconocerá la función de apoyo de las personas designadas para ello. Si la persona designada como apoyo presenta dentro de los siguientes cinco (5) días excusa, se

niega a aceptar sus obligaciones o alega inhabilidad, se tramitará incidente para decidir sobre el mismo.

- NOTA: el artículo fue modificado por el artículo 38 de la Ley 1996 de 2019
- arts. 53; 54; 82; 84
- L 1996/2019 arts. 38; 52; 53; 54; 55
- Corte Constitucional. C 022 de 4 de febrero de 2021
- Corte Constitucional. C 118 de 29 de marzo de 2021

ARTÍCULO 397. ALIMENTOS A FAVOR DEL MAYOR DE EDAD

En los procesos de alimentos se seguirán las siguientes reglas:

1. Desde la presentación de la demanda el juez ordenará que se den alimentos provisionales siempre que el demandante acompañe prueba siquiera sumaria de la capacidad económica de demandado. Para la fijación de alimentos provisionales por un valor superior a un salario mínimo legal mensual vigente (1 smlmv), también deberá estar acreditada la cuantía de las necesidades del alimentario.

2. El cobro de los alimentos provisionales se adelantará en el mismo expediente. De promoverse proceso ejecutivo, no será admisible la intervención de terceros acreedores.

3. El juez, aún de oficio, decretará las pruebas necesarias para establecer la capacidad económica del demandado y las necesidades del demandante, si las partes no las hubieren aportado.

4. La sentencia podrá disponer que los alimentos se paguen y aseguren mediante la constitución de un capital cuya renta lo satisfaga; en tal caso, si el demandado no cumple la orden en el curso de los diez (10) días siguientes, el demandante podrá ejecutar la sentencia en la forma establecida en el artículo 306.

Ejecutoriada la sentencia, el demandado podrá obtener el levantamiento de las medidas cautelares que hubieren sido practicadas, si presta garantía suficiente, del pago de alimentos por los próximos dos (2) años.

5. En las ejecuciones de que trata este artículo solo podrá proponerse la excepción de cumplimiento de la obligación.

6. Las peticiones de incremento, disminución y exoneración de alimentos se tramitarán ante el mismo juez y en el mismo expediente y se decidirán en audiencia, previa citación a la parte contraria:

PARÁGRAFO 1o. Cuando el demandante ofrezca pagar alimentos y solicite su fijación se aplicará, en lo pertinente, lo dispuesto en este artículo.

PARÁGRAFO 2º. <Eliminado por el artículo 2 de la Ley 2541 de 2025>

- NOTA: El título del artículo fue corregido por el Decreto 1736 de 2012.
- NOTA: El parágrafo 2° fue eliminado por el artículo 2 de la L 2541 de 2025 "Por medio de la cual se modifican algunos artículos de la Ley 1564 de 2012 y se reglamenta la entrega anticipada de títulos en el proceso ejecutivo por alimentos debidos a un niño, niña y adolescente (Ley Sarita)"
- CE Sec. Primera sent. 2012-369/2018
- arts. 82; 306; 597 num. 3
- CC arts. 411 y ss

- L 1098/2006
- CSJ. AC2201-2017; AC2894-2017; AC912-2021; AC726-2021; AC912-2022; STC786-2022; STC1019-2022; STC1220-2022

ARTÍCULO 397A. ALIMENTOS A FAVOR DE MENORES DE EDAD

En los procesos de alimentos a niños, niñas y adolescentes se seguirán las siguientes reglas.

a. Están legitimados para promover el proceso de alimentos y ejercer las acciones para el cumplimiento de la obligación alimentaria, sus representantes, quien lo tenga bajo su cuidado, el Ministerio Público y el Defensor de Familia.

b. En lo pertinente, en materia de alimentos para menores, se aplicará la Ley 1098 de 2006 y las normas que la modifican o la complementan.

c. Cuando no exista oposición por parte del demandado en procesos en los cuales la obligación es un título ejecutivo en materia de alimentos, a favor de un niño, niña o adolescente, con ocasión del incumplimiento previo, parcial o total del acuerdo, el juez ordenará la entrega anticipada de los títulos, conforme a lo dispuesto en el artículo 447 de este mismo código, sin perjuicio de lo señalado en el artículo 6 de la ley 2242 de 2022, en el cual se crea el mecanismo de pagos por libranza cuando exista cuota de alimentos por sentencia judicial.

- NOTA: Artículo adicionado por el art. 3 de la L 2541 de 2025 "Por medio de la cual se modifican algunos artículos de la Ley 1564 de 2012 y se reglamenta la entrega anticipada de títulos en el proceso ejecutivo por alimentos debidos a un niño, niña y adolescente (Ley Sarita)"

ARTÍCULO 398. CANCELACIÓN, REPOSICIÓN Y REIVINDICACIÓN DE TÍTULOS VALORES

Quien haya sufrido el extravío, pérdida, hurto, deterioro o la destrucción total o parcial de un título valor, podrá solicitar la cancelación y, en su caso, la reposición, comunicando al emisor, aceptante o girador la pérdida, hurto, deterioro o destrucción, mediante escrito acompañado de las constancias y pruebas pertinentes y, en su caso, devolviendo el título deteriorado o parcialmente destruido al principal obligado.

El interesado publicará un aviso informando sobre el extravío, hurto o destrucción total o parcial del título en un diario de circulación nacional y sobre la petición de cancelación y reposición, en el que se incluirán todos los datos necesarios para la completa identificación del título, incluyendo el nombre del emisor, aceptante o girador y la dirección donde este recibirá notificación.

Transcurridos diez (10) días desde la fecha de publicación del aviso, si no se presenta oposición de terceros comunicada por escrito ante la entidad o persona emisora, aceptante o giradora, esta podrá tener por cancelado el título y, si es del caso, pagarlo o reponer el documento.

En el evento previsto en el inciso anterior, el título extraviado, hurtado, deteriorado o destruido carecerá de valor y la entidad o persona emisora, aceptante o giradora estará legalmente facultada para reponerlo o cancelarlo. Cualquier reclamación de terceros vencido el término de diez (10) días del inciso anterior, deberá dirigirse directamente ante la persona que obtuvo la cancelación, reposición o pago.

Si se presenta oposición de terceros o si el emisor, aceptante o girador del título se niega a cancelarlo o a reponerlo por cualquier causa, el interesado deberá presentar la demanda ante el juez competente.

En ningún caso el trámite previsto en los incisos anteriores constituye presupuesto de procedibilidad. El interesado podrá presentar la demanda directamente ante el juez.

La demanda sobre reposición, cancelación o reivindicación de títulos valores deberá contener los datos necesarios para la completa identificación del documento. Si se trata de reposición y cancelación del título se acompañará de un extracto de la demanda que contenga los mencionados datos y el nombre de las partes. En el auto admisorio se ordenará la publicación por una vez de dicho extracto en un diario de circulación nacional, con identificación del juzgado de conocimiento.

Transcurridos diez (10) días desde la fecha de la publicación y vencido el traslado al demandado, si no se presentare oposición, se dictará sentencia que decrete la cancelación y reposición, a menos que el juez considere conveniente decretar pruebas de oficio.

El juez, si el actor otorga garantía suficiente, ordenará la suspensión del cumplimiento de las obligaciones derivadas del título y, con las restricciones y requisitos que señale, facultará al demandante para ejercitar aquellos derechos que solo podrían ejercitarse durante el procedimiento de cancelación o de reposición, en su caso.

El procedimiento de cancelación o de reposición interrumpe la prescripción y suspende los términos de caducidad.

Si los demandados niegan haber firmado el título o se formulare oposición oportuna, y llegare a probarse que dichos demandados sí habían suscrito el título o se acreditaren los hechos fundamentales de la demanda, el juez decretará la cancelación o reposición pedida.

El tercero que se oponga a la cancelación, deberá exhibir el título.

Si el título ya estuviere vencido o venciere durante el procedimiento, el actor podrá pedir al juez que ordene a los signatarios que depositen, a disposición del juzgado, el importe del título.

Si los obligados se negaren a realizar el pago, quien obtuvo la cancelación podrá legitimarse con la copia de la sentencia, para exigir las prestaciones derivadas del título.

El depósito del importe del título hecho por uno de los signatarios libera a los otros de la obligación de hacerlo. Y si lo hicieren varios, solo subsistirá el depósito de quien libere mayor número de obligados.

Si los obligados depositan parte del importe del título, el juez pondrá el hecho en conocimiento del demandante y si este aceptare el pago parcial, dispondrá que le sean entregadas las suma depositadas. En este caso dicho demandante conservará acción por el saldo insoluto.

Si al decretarse la cancelación del título no hubiere vencido, el juez ordenará a los signatarios que suscriban el título sustituto. Si no lo hicieren, el juez lo firmará.

El nuevo título vencerá treinta (30) días después del vencimiento del título cancelado.

Aún en el caso de no haber presentado oposición, el tenedor del título cancelado conservará sus derechos contra quien obtuvo la cancelación y el cobro del título.

Los títulos al portador no serán cancelables.

- CCo arts. 619 y ss

TÍTULO III
PROCESOS DECLARATIVOS ESPECIALES

CAPÍTULO I
EXPROPIACIÓN

ARTÍCULO 399. EXPROPIACIÓN

El proceso de expropiación se sujetará a las siguientes reglas:

1. La demanda se dirigirá contra los titulares de derechos reales principales sobre los bienes y, si estos se encuentran en litigio, también contra todas las partes del respectivo proceso.

Igualmente se dirigirá contra los tenedores cuyos contratos consten por escritura pública inscrita y contra los acreedores hipotecarios y prendarios que aparezcan en el certificado de registro.

2. La demanda de expropiación deberá ser presentada dentro de los tres (3) meses siguientes a la fecha en la cual quedare en firme la resolución que ordenare la expropiación, so pena de que dicha resolución y las inscripciones que se hubieren efectuado en las oficinas de registro de instrumentos públicos pierdan fuerza ejecutoria, sin necesidad de pronunciamiento judicial o administrativo alguno. El registrador deberá cancelar las inscripciones correspondientes, a solicitud de cualquier persona, previa constatación del hecho.

3. A la demanda se acompañará copia de la resolución vigente que decreta la expropiación, un avalúo de los bienes objeto de ella, y si se trata de bienes sujetos a registro, un certificado acerca de la propiedad y los derechos reales constituidos sobre ellos, por un período de diez (10) años, si fuere posible.

4. Desde la presentación de la demanda, a solicitud de la entidad demandante, se decretará La entrega anticipada del bien, siempre que aquella consigne a órdenes del juzgado el valor establecido en el avalúo aportado. Si en la diligencia el demandado demuestra que el bien objeto de la expropiación está destinado exclusivamente a su vivienda, y no se presenta oposición, el juez ordenará entregarle previamente el dinero consignado, siempre que no exista gravamen hipotecario, embargos, ni demandas registradas.

5. De la demanda se correrá traslado al demandado por el término de tres (3) días. No podrá proponer excepciones de ninguna clase. En todo caso el juez adoptará los correctivos necesarios para subsanar los defectos formales de la demanda.

Transcurridos dos (2) días sin que el auto admisorio de la demanda se hubiere podido notificar a los demandados, el juez los emplazará en los términos establecidos en este código; copia del emplazamiento se fijará en la puerta de acceso al inmueble objeto de la expropiación o del bien en que se encuentren los muebles.

6. Cuando el demandado esté en desacuerdo con el avalúo o considere que hay lugar a indemnización por conceptos no incluidos en él o por un mayor valor, deberá aportar un dictamen pericial elaborado por el Instituto Geográfico Agustín Codazzi (IGAC) o por una lonja de propiedad raíz, del cual se le correrá traslado al demandante por tres (3) días. Si no se presenta el avalúo, se rechazará de plano la objeción formulada.

A petición de la parte interesada y sin necesidad de orden judicial, el Instituto Geográfico Agustín Codazzi (IGAC) rendirá las experticias que se le soliciten, para lo cual el solicitante deberá acreditar la oferta formal de compra que haya realizado la entidad. El Gobierno Nacional reglamentará las tarifas a que haya lugar.

7. Vencido el traslado de la demanda al demandado o del avalúo al demandante, según el caso, el juez convocará a audiencia en la que interrogará a los peritos que hayan elaborado los avalúos y dictará la sentencia. En la sentencia se resolverá sobre la expropiación, y si la decreta ordenará cancelar los gravámenes, embargos e inscripciones que recaigan sobre el bien, y determinará el valor de la indemnización que corresponda.

8. El demandante deberá consignar el saldo de la indemnización dentro de los veinte (20) días siguientes a la ejecutoria de la sentencia. Si no realiza la consignación oportunamente, el juez librará mandamiento ejecutivo contra el demandante.

9. Ejecutoriada la sentencia y realizada la consignación a órdenes del juzgado, el juez ordenará la entrega definitiva del bien.

10. Realizada la entrega se ordenará el registro del acta de la diligencia y de la sentencia, para que sirvan de título de dominio al demandante.

11. Cuando en el acto de la diligencia de entrega se oponga un tercero que alegue posesión material o derecho de retención sobre la cosa expropiada, la entrega se efectuará, pero se advertirá al opositor que dentro de los diez (10) días siguientes a la terminación de la diligencia podrá promover incidente para que se le reconozca su derecho. Si el incidente se resuelve a favor del opositor, en el auto que lo decida se ordenará un avalúo para establecer la indemnización que le corresponde, la que se le pagará de la suma consignada por el demandante. El auto que resuelve el incidente será apelable en el efecto diferido.

12. Registradas la sentencia y el acta, se entregará a los interesados su respectiva indemnización, pero si los bienes estaban gravados con prenda* o hipoteca el precio quedará a órdenes del juzgado para que sobre él puedan los acreedores ejercer sus respectivos derechos en proceso separado. En este caso las obligaciones garantizadas se considerarán exigibles aunque no sean de plazo vencido.

Si los bienes fueren materia de embargo, secuestro o inscripción, el precio se remitirá a la autoridad que decretó tales medidas; y si estuvieren sujetos a condición resolutoria, el precio se entregará al interesado a título de secuestro, que subsistirá hasta el día en que la condición resulte fallida, siempre que garantice su devolución en caso de que aquella se cumpla.

13. Cuando se hubiere efectuado entrega anticipada del bien y el superior revoque la sentencia que decretó la expropiación, ordenará que el inferior, si fuere posible, ponga de nuevo al demandado en posesión o tenencia de los bienes, y condenará al demandante a pagarle los perjuicios causados, incluido el valor de las obras necesarias para restituir las cosas al estado que tenían en el momento de la entrega.

Los perjuicios se liquidarán en la forma indicada en el artículo 283 y se pagarán con la suma consignada. Concluido el trámite de la liquidación se entregará al demandante el saldo que quedare en su favor.

La sentencia que deniegue la expropiación es apelable en el efecto suspensivo; la que la decrete, en el devolutivo.

PARÁGRAFO. Para efectos de calcular el valor de la indemnización por lucro cesante, cuando se trate de inmuebles que se encuentren destinados a actividades productivas y se presente una afectación que ocasione una limitación temporal o definitiva a la generación de ingresos proveniente del desarrollo de las mismas, deberá considerarse independientemente del avalúo del inmueble, la compensación por las rentas que se dejaren de percibir ~~hasta por un periodo máximo de seis (6) meses~~.

- *Nota de vigencia:* El parágrafo fue declarado exequible en la sentencia de la Corte Constitucional C-750 del 10 de diciembre de 2015 por los cargos analizados, salvo el texto tachado declarado inexequible
- *Nota de vigencia:* el aparte subrayado del num. 5 fue declarado exequible por la Corte Constitucional mediante sentencia C-474-23 del 9 de noviembre de 2023
- arts. 83; 84; 592; 96; 100; 108; 127; 129; 226; 227; 283; 320; 323
- CP art. 58
- L 1676/2013
- Corte Constitucional. C 750 del 10 de diciembre de 2015

CAPÍTULO II
DESLINDE Y AMOJONAMIENTO

ARTÍCULO 400. PARTES

Pueden demandar el deslinde y amojonamiento el propietario pleno, el nudo propietario, el usufructuario y el comunero del bien que se pretenda deslindar, y el poseedor material con más de un (1) año de posesión.

La demanda deberá dirigirse contra todos los titulares de derechos reales principales sobre los inmuebles objeto del deslinde que aparezcan inscritos en los respectivos certificados del registrador de instrumentos públicos.

- arts. 61; 401; 402; 403; 404; 405
- CC arts. 669; 832; 834; 2330

ARTÍCULO 401. DEMANDA Y ANEXOS

La demanda expresará los linderos de los distintos predios y determinará las zonas limítrofes que habrán de ser materia de la demarcación. A ella se acompañará:

1. El título del derecho invocado y sendos certificados del registrador de instrumentos públicos sobre la situación jurídica de todos los inmuebles entre los cuales deba hacerse el deslinde, que se extenderá a un período de diez (10) años si fuere posible.

2. Cuando fuere el caso, la prueba siquiera sumaria sobre la posesión material que ejerza el demandante. En este caso podrá solicitar que el deslinde se practique con base en los títulos del colindante.

3. Un dictamen pericial en el que se determine la línea divisoria, el cual se someterá a contradicción en la forma establecida en el artículo 228.

- arts. 82; 83; 84; 228

ARTÍCULO 402. TRASLADO DE LA DEMANDA Y EXCEPCIONES

De la demanda se correrá traslado al demandado por tres (3) días.

Los hechos que constituyen excepciones previas, la cosa juzgada y la transacción, solo podrán alegarse como fundamento de recurso de reposición contra el auto admisorio de la demanda.

- arts. 91; 96; 100; 218; 219
- CSJ. AC881-2021

ARTÍCULO 403. DILIGENCIA DE DESLINDE

El juez señalará fecha y hora para el deslinde y en la misma providencia prevendrá a las partes para que presenten sus títulos a más tardar el día de la diligencia, a la cual deberán concurrir además los peritos.

En la práctica del deslinde se procederá así:

1. Trasladado el personal al lugar en que deba efectuarse, el juez recibirá las declaraciones de los testigos que las partes presenten o que de oficio decrete, examinará los títulos para verificar los linderos que en ellos aparezcan y oirá al perito o a los peritos para señalar la línea divisoria.

2. Practicadas las pruebas, si el juez encuentra que los terrenos no son colindantes, declarará por medio de auto, improcedente el deslinde; en caso contrario señalará los linderos y hará colocar mojones en los sitios en que fuere necesario para demarcar ostensiblemente la línea divisoria.

3. El juez pondrá o dejará a las partes en posesión de los respectivos terrenos con arreglo a la línea fijada. Pronunciará allí mismo sentencia declarando en firme el deslinde y ordenando cancelar la inscripción de la demanda y protocolizar el expediente en una

notaría del lugar. Hecha la protocolización el notario expedirá a las partes copia del acta de la diligencia para su inscripción en el competente registro.

4. Las oposiciones a la entrega formuladas por terceros se tramitarán en la forma dispuesta en el artículo 309.

- arts. 212; 221; 309; 400; 404
- CSJ. AC881-2021.

ARTÍCULO 404. TRÁMITE DE LAS OPOSICIONES

Si antes de concluir la diligencia alguna de las partes manifiesta que se opone al deslinde practicado, se aplicarán las siguientes reglas:

1. Dentro de los diez (10) días siguientes el opositor deberá formalizar la oposición, mediante demanda en la cual podrá alegar los derechos que considere tener en la zona discutida y solicitar el reconocimiento y pago de mejoras puestas en ella.

2. Vencido el término señalado sin que se hubiere presentado la demanda, el juez declarará desierta la oposición y ordenará las medidas indicadas en el número 3 del precedente artículo, y ejecutoriado el auto que así lo ordene, pondrá a los colindantes en posesión del sector que le corresponda según el deslinde, cuando no la tuvieren, sin que en esta diligencia pueda admitirse nueva oposición, salvo la de terceros, contemplada en el numeral 4 del artículo precedente.

3. Presentada en tiempo la demanda, de ella se correrá traslado al demandado por diez (10) días, con notificación por estado y en adelante se seguirá el trámite del proceso verbal.

La sentencia que en este proceso se dicte, resolverá sobre la oposición al deslinde y demás peticiones de la demanda, y si modifica la línea fijada, señalará la definitiva, dispondrá el amojonamiento si fuere necesario, ordenará la entrega a los colindantes de los respectivos terrenos, el registro del acta y la protocolización del expediente.

- arts. 91; 368 y ss; 403

ARTÍCULO 405. MEJORAS

El colindante que tenga mejoras en zonas del inmueble que a causa del deslinde deban pasar a otro, podrá oponerse a la entrega mientras no se le pague su valor.

En la diligencia se practicarán las pruebas que se aduzcan en relación con dichas mejoras y el juez decidirá si hay lugar a reconocerlas; en caso de decisión favorable al opositor, este las estimará bajo juramento, y de ser objetada la estimación, serán avaluadas por los peritos que hayan concurrido a la diligencia.

- arts. 404
- CC art. 966

CAPÍTULO III
PROCESO DIVISORIO

ARTÍCULO 406. PARTES

Todo comunero puede pedir la división material de la cosa común o su venta para que se distribuya el producto.

La demanda deberá dirigirse contra los demás comuneros y a ella se acompañará la prueba de que demandante y demandado son condueños. Si se trata de bienes sujetos a registro se presentará también certificado del respectivo registrador sobre la situación jurídica del bien y su tradición, que comprenda un período de diez (10) años si fuere posible.

En todo caso el demandante deberá acompañar un dictamen pericial que determine el valor del bien, el tipo de división que fuere procedente, la partición, si fuere el caso, y el valor de las mejoras si las reclama.

- arts. 61; 83; 84; 227; 407 y ss
- CC art. 2330
- Corte Constitucional. C-284 del 25 de agosto de 2021
- CSJ. AC6998-2017

ARTÍCULO 407. PROCEDENCIA

Salvo lo dispuesto en leyes especiales, la división material será procedente cuando se trate de bienes que puedan partirse materialmente sin que los derechos de los condueños desmerezcan por el fraccionamiento. En los demás casos procederá la venta.

- CC art. 2334

ARTÍCULO 408. LICENCIA PREVIA

En la demanda podrá pedirse que el juez conceda licencia cuando ella sea necesaria de conformidad con la ley sustancial, para lo cual se acompañará prueba siquiera sumaria de su necesidad o conveniencia. El juez deberá pronunciarse sobre la solicitud antes de correr traslado de la demanda.

- CSJ. STC16372-2018

ARTÍCULO 409. TRASLADO Y EXCEPCIONES

En el auto admisorio de la demanda se ordenará correr traslado al demandado por diez (10) días, y si se trata de bienes sujetos a registro se ordenará su inscripción. Si el demandado no está de acuerdo con el dictamen, podrá aportar otro o solicitar la convocatoria del perito a audiencia para interrogarlo. Si el demandado no alega pacto de indivisión en la contestación de la demanda, el juez decretará, por medio de auto, la división o la venta solicitada, según corresponda; en caso contrario, convocará a audiencia y en ella decidirá.

Los motivos que configuren excepciones previas se deberán alegar por medio del recurso de reposición contra el auto admisorio de la demanda.

El auto que decrete o deniegue la división o la venta es apelable.

- arts. 91; 100; 318; 319; 322; 227; 228; 592
- CSJ. AC6998-2017
- Corte Constitucional. C-284 del 25 de agosto de 2021

ARTÍCULO 410. TRÁMITE DE LA DIVISIÓN

Para el cumplimiento de la división se procederá así:

1. Ejecutoriado el auto que decrete la división, el juez dictará sentencia en la que determinará cómo será partida la cosa, teniendo en cuenta los dictámenes aportados por las partes.

2. Cuando la división verse sobre bienes sujetos a registro, en la sentencia se ordenará la inscripción de la partición.

3. Registrada la partición material, cualquiera de los asignatarios podrá solicitar que el juez le entregue la parte que se le haya adjudicado.

- CSJ. AC6998-2017

ARTÍCULO 411. TRÁMITE DE LA VENTA

En la providencia que decrete la venta de la cosa común se ordenará su secuestro, y una vez practicado este se procederá al remate en la forma prescrita en el proceso ejecutivo, pero la base para hacer postura será el total del avalúo. Si las partes hubieren aportado avalúos distintos el juez definirá el precio del bien.

Si las partes fueren capaces podrán, de común acuerdo, señalar el precio y la base del remate, antes de fijarse fecha para la licitación.

Cuando el secuestro no se pudiere realizar por haber prosperado la oposición de un tercero, se avaluarán y rematarán los derechos de los comuneros sobre el bien, en la forma prevista para el proceso ejecutivo.

Frustrada la licitación por falta de postores se repetirá cuantas veces fuere necesario y la base para hacer postura será entonces el setenta por ciento (70%) del avalúo.

El comunero que se presente como postor deberá consignar el porcentaje legal y pagar el precio del remate en la misma forma que los terceros, pero con deducción del valor de su cuota en proporción a aquel.

Registrado el remate y entregada la cosa al rematante, el juez, por fuera de audiencia, dictará sentencia de distribución de su producto entre los condueños, en proporción a los derechos de cada uno en la comunidad, o en la que aquellos siendo capaces señalen, y ordenará entregarles lo que les corresponda, teniendo en cuenta lo resuelto sobre mejoras.

Ni la división ni la venta afectarán los derechos de los acreedores con garantía real sobre los bienes objeto de aquellas.

- arts. 407; 448 y ss; 595
- CSJ. AC6998-2017

ARTÍCULO 412. MEJORAS

El comunero que tenga mejoras en la cosa común deberá reclamar su derecho en la demanda o en la contestación, especificándolas debidamente y estimándolas bajo juramento de conformidad con el artículo 206, y acompañará dictamen pericial sobre su valor. De la reclamación se correrá traslado a los demás comuneros por diez (10) días. En el auto que decrete la división o la venta el juez resolverá sobre dicha reclamación y si reconoce el derecho fijará el valor de las mejoras.

Cuando se trate de partición material el titular de mejoras reconocidas que no estén situadas en la parte adjudicada a él, podrá ejercitar el derecho de retención en el acto de la entrega y conservar el inmueble hasta cuando le sea pagado su valor.

- arts. 82; 96; 206; 227
- CC art. 966

ARTÍCULO 413. GASTOS DE LA DIVISIÓN

Los gastos comunes de la división material o de la venta serán de cargo de los comuneros en proporción a sus derechos, salvo que convengan otra cosa.

El comunero que hiciere los gastos que correspondan a otro tendrá derecho, si hubiere remate, a que se le reembolsen o a que su valor se impute al precio de aquel si le fuere adjudicado el bien en la licitación, o al de la compra que hiciere. Si la división fuere material podrá dicho comunero compensar tal valor con lo que deba pagar por concepto de mejoras, si fuere el caso, o ejecutar a los deudores en la forma prevista en el artículo 306.

La liquidación de los gastos se hará como la de costas.

- arts. 306; 361; 364; 366

ARTÍCULO 414. DERECHO DE COMPRA

Dentro de los tres (3) días siguientes a la ejecutoria del auto que decrete la venta de la cosa común, cualquiera de los demandados podrá hacer uso del derecho de compra.

La distribución entre los comuneros que ejerciten tal derecho se hará en proporción a sus respectivas cuotas.

El juez, de conformidad con el avalúo, determinará el precio del derecho de cada comunero y la proporción en que han de comprarlo los interesados que hubieren ofrecido hacerlo. En dicho auto se prevendrá a estos para que consignen la suma respectiva en el término de diez (10) días, a menos que los comuneros les concedan uno mayor que no podrá exceder de dos (2) meses. Efectuada oportunamente la consignación el juez dictará sentencia en la que adjudicará el derecho a los compradores.

Si quien ejercitó el derecho de compra no hace la consignación en tiempo, el juez le impondrá multa a favor de la parte contraria, por valor del veinte por ciento (20%) del precio de compra y el proceso continuará su curso. En este caso los demás comuneros que hubieren ejercitado el derecho de compra y consignado el precio podrán pedir que se les adjudique la parte que al renuente le habría correspondido y se aplicará lo dispuesto en los incisos anteriores.

- CC art. 2336

ARTÍCULO 415. DESIGNACIÓN DE ADMINISTRADOR EN EL PROCESO DIVISORIO

Cuando no haya administrador de la comunidad y solo algunos de los comuneros exploten el inmueble común en virtud de contratos de tenencia, cualquiera de los comuneros podrá pedir en el proceso divisorio que se haga el nombramiento respectivo, siempre que en la demanda se haya pedido la división material.

La petición podrá formularse en cualquier estado del proceso, después de que se haya decretado la división, y a ella deberá acompañarse prueba siquiera sumaria de la existencia de dichos contratos.

El juez resolverá lo conducente, previo traslado por tres (3) días a las partes, y si encuentra procedente la solicitud prevendrá a aquellas para que nombren el administrador, dentro de los cinco (5) días siguientes; en caso de que no lo hicieren procederá a designarlo.

El juez hará saber a los tenedores la designación del administrador una vez posesionado este.

- arts. 416; 417; 418

ARTÍCULO 416. DEBERES DEL ADMINISTRADOR

El administrador representará a los comuneros en los contratos de tenencia, percibirá las rentas estipuladas y recibirá los bienes a la expiración de ellos. El administrador tendrá las obligaciones del secuestre y podrá ser removido por las mismas causas que este.

Concluido el proceso, el administrador cesará en el ejercicio de sus funciones.

Rendidas las cuentas del administrador y consignado el saldo que se hubiere deducido a su cargo, el juez lo distribuirá entre los comuneros, en proporción a sus derechos.

Esta norma se aplicará, en lo pertinente, al administrador de hecho de la comunidad.

- arts. 52; 417; 418

ARTÍCULO 417. DESIGNACIÓN DE ADMINISTRADOR FUERA DE PROCESO DIVISORIO

Para la designación judicial de administrador de una comunidad fuera del proceso divisorio, cuando los comuneros no se avinieren en el manejo del bien común, se procederá así:

1. La petición deberá formularse por cualquiera de los comuneros, con indicación de los demás, e irá acompañada de las pruebas relacionadas en el artículo 406.
2. En el auto que admita la petición, el juez dará traslado a los restantes comuneros por tres (3) días, para que puedan formular oposición.
3. A los comuneros se les notificará personalmente.
4. Vencido el traslado se señalará fecha y hora para audiencia, con el fin de designar el administrador. Si se formulare oposición, en dicha audiencia se practicarán las pruebas a que hubiere lugar y se resolverá lo conducente.
5. La audiencia se celebrará con los comuneros que concurran, quienes podrán hacer el nombramiento por mayoría de votos. Cada comunero tendrá tantos votos cuantas veces se comprenda en su cuota la del comunero con menor derecho.
6. Si no se reúne la mayoría necesaria, el juez hará la designación.

El administrador tendrá la representación procesal de ellos, sin perjuicio de que cada uno pueda intervenir en los respectivos procesos.

- arts. 290; 291; 406; 415; 416; 418

ARTÍCULO 418. DIFERENCIAS ENTRE EL ADMINISTRADOR Y LOS COMUNEROS

Las diferencias entre el administrador y los comuneros sobre la forma de ejercer aquel sus funciones, se tramitarán como incidente en el respectivo proceso divisorio o a continuación de la audiencia en que se hizo el nombramiento, según fuere el caso, previa notificación personal de los comuneros.

- arts. 127; 129; 290; 291; 415; 416; 417

CAPÍTULO IV
PROCESO MONITORIO

ARTÍCULO 419. PROCEDENCIA

Quien pretenda el pago de una obligación en dinero, de naturaleza contractual, determinada y exigible que sea de mínima cuantía, podrá promover proceso monitorio con sujeción a las disposiciones de este Capítulo.

- *Nota de vigencia:* El artículo fue declarado exequible en la sentencia de la Corte Constitucional C-726 del 24 de septiembre de 2014, por los cargos analizados
- *Nota de vigencia:* El texto subrayado fue declarado exequible en la sentencia de la Corte Constitucional C-159 del 17 de marzo de 2016, por los cargos analizados
- arts. 25; 26; 420; 421; 422
- CC art. 1527
- Corte Constitucional. C-726 de 24 de septiembre de 2014
- Corte Constitucional. C-159 de 17 de marzo de 2016

ARTÍCULO 420. CONTENIDO DE LA DEMANDA

El proceso monitorio se promoverá por medio de demanda que contendrá:

1. La designación del juez a quien se dirige.

2. El nombre y domicilio del demandante y del demandado y, en su caso, de sus representantes y apoderados.

3. La pretensión de pago expresada con precisión y claridad.

4. Los hechos que sirven de fundamento a las pretensiones, debidamente determinados, clasificados y numerados, con la información sobre el origen contractual de la deuda, su monto exacto y sus componentes.

5. La manifestación clara y precisa de que el pago de la suma adeudada no depende del cumplimiento de una contraprestación a cargo del acreedor.

6. Las pruebas que se pretenda hacer valer, incluidas las solicitadas para el evento de que el demandado se oponga.

El demandante deberá aportar con la demanda los documentos de la obligación contractual adeudada que se encuentren en su poder. Cuando no los tenga, deberá señalar dónde están o manifestar bajo juramento que se entiende prestado con la presentación de la demanda, que no existen soportes documentales.

7. El lugar y las direcciones físicas y electrónicas donde el demandado recibirá notificaciones.

8. Los anexos pertinentes previstos en la parte general de este código.

PARÁGRAFO. El Consejo Superior de la Judicatura elaborará formato para formular la demanda y su contestación.

- NOTA: Los numerales 7 y 8 fueron corregidos por el Decreto 1736 de 2012
- arts. 82; 84; 419; 421

- Corte Constitucional. C-095 de 15 de febrero de 2017

ARTÍCULO 421. TRÁMITE

Si la demanda cumple los requisitos, el juez ordenará requerir al deudor para que en el plazo de diez (10) días pague o exponga en la contestación de la demanda las razones concretas que le sirven de sustento para negar total o parcialmente la deuda reclamada.

El auto que contiene el requerimiento de pago no admite recursos y se notificará personalmente al deudor, con la advertencia de que si no paga o no justifica su renuencia, se dictará sentencia que tampoco admite recursos y constituye cosa juzgada, en la cual se le condenará al pago del monto reclamado, de los intereses causados y de los que se causen hasta la cancelación de la deuda. Si el deudor satisface la obligación en la forma señalada, se declarará terminado el proceso por pago.

Si el deudor notificado no comparece, se dictará la sentencia a que se refiere este artículo y se proseguirá la ejecución de conformidad con lo previsto en el artículo 306. Esta misma sentencia se dictará en caso de oposición parcial, si el demandante solicita que se prosiga la ejecución por la parte no objetada. En este evento, por la parte objetada se procederá como dispone el inciso siguiente.

Si dentro de la oportunidad señalada en el inciso primero el demandado contesta con explicación de las razones por las que considera no deber en todo o en parte, para lo cual deberá aportar las pruebas en que se sustenta su oposición, el asunto se resolverá por los trámites del proceso verbal sumario y el juez dictará auto citando a la audiencia del artículo 392 previo traslado al demandante por cinco (5) días para que pida pruebas adicionales.

Si el deudor se opone infundadamente y es condenado, se le impondrá una multa del diez por ciento (10%) del valor de la deuda a favor del acreedor. Si el demandado resulta absuelto, la multa se impondrá al acreedor.

PARÁGRAFO. En este proceso no se admitirá intervención de terceros, excepciones previas reconvención, el emplazamiento del demandado, ni el nombramiento de curador ad litem. Podrán practicarse las medidas cautelares previstas para los demás procesos declarativos. Dictada la sentencia a favor del acreedor, proceden las medidas cautelares propias de los procesos ejecutivos.

- *Nota de vigencia:* El texto subrayado fue declarado exequible en la sentencia de la Corte Constitucional C-031 del 30 de enero de 2019, por los cargos analizados
- *Nota de vigencia:* El artículo fue declarado exequible en la sentencia de la Corte Constitucional C-726 del 24 de septiembre de 2014, por los cargos analizados
- arts. 55; 61 y ss; 108; 100; 290; 291; 306; 371; 390; 391; 392; 419; 420; 590; 599
- Corte Constitucional. C-726 de 24 de septiembre de 2014
- Corte Constitucional. C-031-19 de 30 de enero de 2019
- CSJ. AC 1837-2019 (en el mismo sentido: AC 727-17; AC 6628-17; AC8468-2017; AC1787-2018; AC2348-2018; AC2593-2018; AC3223-2018; AC4654-2018; AC388-2019; AC507-2019; AC1861-2019)

SECCIÓN SEGUNDA
PROCESO EJECUTIVO

TÍTULO ÚNICO
PROCESO EJECUTIVO

CAPÍTULO I
DISPOSICIONES GENERALES

ARTÍCULO 422. TÍTULO EJECUTIVO

Pueden demandarse ejecutivamente las obligaciones expresas, claras y exigibles que consten en documentos que provengan del deudor o de su causante, y constituyan plena prueba contra él, o las que emanen de una sentencia de condena proferida por juez o tribunal de cualquier jurisdicción, o de otra providencia judicial, o de las providencias que en procesos de policía aprueben liquidación de costas o señalen honorarios de auxiliares de la justicia, y los demás documentos que señale la ley. La confesión hecha en el curso de un proceso no constituye título ejecutivo, pero sí la que conste en el interrogatorio previsto en el artículo 184.

- arts. 184; 283; 366
- CCo art. 619 y ss
- CSJ. STC1981-2022

ARTÍCULO 423. REQUERIMIENTO PARA CONSTITUIR EN MORA Y NOTIFICACIÓN DE LA CESIÓN DEL CRÉDITO

La notificación del mandamiento ejecutivo hará las veces de requerimiento para constituir en mora al deudor, y de la notificación de la cesión del crédito cuando quien demande sea un cesionario. Los efectos de la mora sólo se producirán a partir de la notificación.

- arts. 94; 290; 291
- CC arts. 1608; 1609; 1610; 1959 y ss

ARTÍCULO 424. EJECUCIÓN POR SUMAS DE DINERO

Si la obligación es de pagar una cantidad líquida de dinero e intereses, la demanda podrá versar sobre aquella y estos, desde que se hicieron exigibles hasta que el pago se efectúe.

Entiéndase por cantidad líquida la expresada en una cifra numérica precisa o que sea liquidable por operación aritmética, sin estar sujeta a deducciones indeterminadas. Cuando se pidan intereses, y la tasa legal o convencional sea variable, no será necesario indicar el porcentaje de la misma.

- arts. 431
- CC art. 1617

ARTÍCULO 425. REGULACIÓN O PÉRDIDA DE INTERESES; REDUCCIÓN DE LA PENA, HIPOTECA O PRENDA, Y FIJACIÓN DE LA TASA DE CAMBIO PARA EL PAGO EN PESOS DE OBLIGACIONES EN MONEDA EXTRANJERA

Dentro del término para proponer excepciones el ejecutado podrá pedir la regulación o pérdida de intereses, la reducción de la pena, hipoteca o prenda, y la fijación de la tasa de cambio. Tales solicitudes se tramitarán y decidirán junto con las excepciones que se hubieren formulado; si no se propusieren excepciones se resolverán por incidente que se tramitará por fuera de audiencia.

- arts. 127; 128; 442; 443
- L 1676/2013
- CC arts. 2432 y ss
- CCo art. 874

ARTÍCULO 426. EJECUCIÓN POR OBLIGACIÓN DE DAR O HACER

Si la obligación es de dar una especie mueble o bienes de género distinto de dinero, el demandante podrá pedir, conjuntamente con la entrega, que la ejecución se extienda a los perjuicios moratorios desde que la obligación se hizo exigible hasta que la entrega se efectúe, para lo cual estimará bajo juramento su valor mensual, si no figura en el título ejecutivo.

De la misma manera se procederá si demanda una obligación de hacer y pide perjuicios por la demora en la ejecución del hecho.

- arts. 206; 432; 433
- CC arts. 1565 y ss; 1610

ARTÍCULO 427. EJECUCIÓN POR OBLIGACIÓN DE NO HACER Y POR OBLIGACIÓN CONDICIONAL

Cuando se pida ejecución por perjuicios derivados del incumplimiento de una obligación de no hacer, o la destrucción de lo hecho, a la demanda deberá acompañarse el documento privado que provenga del deudor, el documento público, la inspección o la confesión judicial extraprocesal, o la sentencia que pruebe la contravención.

De la misma manera deberá acreditarse el cumplimiento de la condición suspensiva cuando la obligación estuviere sometida a ella.

- arts. 84; 435
- CC arts. 1530 y ss; 1612

ARTÍCULO 428. EJECUCIÓN POR PERJUICIOS

El acreedor podrá demandar desde un principio el pago de perjuicios por la no entrega de una especie mueble o de bienes de género distintos de dinero, o por la ejecución o no ejecución de un hecho, estimándolos y especificándolos bajo juramento si no figuran en el título ejecutivo, en una cantidad como principal y otra como tasa de interés mensual, para que se siga la ejecución por suma líquida de dinero.

Cuando el demandante pretenda que la ejecución prosiga por perjuicios compensatorios en caso de que el deudor no cumpla la obligación en la forma ordenada en el mandamiento ejecutivo deberá solicitarlo subsidiariamente en la demanda, tal como se dispone en el inciso anterior.

Si no se pidiere así y la obligación original no se cumpliere dentro del término señalado, se declarará terminado el proceso por auto que no admite apelación.

- arts. 206; 426; 437
- CC arts. 1613; 1614; 1615
- CSJ. STC3900-2022

ARTÍCULO 429. EJECUCIÓN POR OBLIGACIONES ALTERNATIVAS

Si la obligación es alternativa y la elección corresponde al deudor, deberá pedirse en la demanda que el mandamiento ejecutivo se libre en la forma alternativa que el título o la ley establece, manifestándose cuál prefiere el ejecutante. El juez, en el mandamiento ejecutivo, ordenará al ejecutado que dentro de los cinco (5) días siguientes a su notificación cumpla la obligación que elija; si no cumpliere ninguna de ellas el proceso continuará por la obligación escogida por el ejecutante.

- arts. 290; 291
- CC arts. 1556 y ss

ARTÍCULO 430. MANDAMIENTO EJECUTIVO

Presentada la demanda acompañada de documento que preste mérito ejecutivo, el juez librará mandamiento ordenando al demandado que cumpla la obligación en la forma pedida, si fuere procedente, o en la que aquel considere legal.

Los requisitos formales del título ejecutivo sólo podrán discutirse mediante recurso de reposición contra el mandamiento ejecutivo. No se admitirá ninguna controversia sobre los requisitos del título que no haya sido planteada por medio de dicho recurso. En consecuencia, los defectos formales del título ejecutivo no podrán reconocerse o declararse por el juez en la sentencia o en el auto que ordene seguir adelante la ejecución, según fuere el caso.

Cuando como consecuencia del recurso de reposición el juez revoque el mandamiento de pago por ausencia de los requisitos del título ejecutivo, el demandante, dentro de los cinco (5) días siguientes a la ejecutoria del auto, podrá presentar demanda ante el juez para que se adelante proceso declarativo dentro del mismo expediente, sin que haya lugar a nuevo reparto. El juez se pronunciará sobre la demanda declarativa y, si la admite, ordenará notificar por estado a quien ya estuviese vinculado en el proceso ejecutivo.

Vencido el plazo previsto en el inciso anterior, la demanda podrá formularse en proceso separado.

De presentarse en tiempo la demanda declarativa, en el nuevo proceso seguirá teniendo vigencia la interrupción de la prescripción y la inoperancia de la caducidad generados en el proceso ejecutivo.

El trámite de la demanda declarativa no impedirá formular y tramitar el incidente de liquidación de perjuicios en contra del demandante, si a ello hubiere lugar.

- arts. 82; 94; 127; 128; 295; 318; 319
- CCo arts. 621 y ss

ARTÍCULO 431. PAGO DE SUMAS DE DINERO

Si la obligación versa sobre una cantidad líquida de dinero, se ordenará su pago en el término de cinco (5) días, con los intereses desde que se hicieron exigibles hasta la cancelación de la deuda. Cuando se trate de obligaciones pactadas en moneda extranjera, cuyo pago deba realizarse en moneda legal colombiana a la tasa vigente al momento del pago, el juez dictará el mandamiento ejecutivo en la divisa acordada.

Cuando se trate de alimentos u otra prestación periódica, la orden de pago comprenderá además de las sumas vencidas, las que en lo sucesivo se causen y dispondrá que estas se paguen dentro de los cinco (5) días siguientes al respectivo vencimiento.

Cuando se haya estipulado cláusula aceleratoria, el acreedor deberá precisar en su demanda desde qué fecha hace uso de ella.

- arts. 424; 425
- CC art. 1617

ARTÍCULO 432. OBLIGACIÓN DE DAR

Si la obligación es de dar especie mueble o bienes de género distintos de dinero, se procederá así:

1. En el mandamiento ejecutivo el juez ordenará al demandado que entregue al demandante los bienes debidos en el lugar que se indique en el título, si ello fuere posible, o en caso contrario en la sede del juzgado, para lo cual señalará un plazo prudencial. Ade-

más ordenará el pago de los perjuicios moratorios si en la demanda se hubieren pedido en debida forma.

2. Presentados los bienes, si el demandante no comparece o se niega a recibirlos sin formular objeción, el juez nombrará un secuestre a quien se le entregarán por cuenta de aquel y declarará cumplida la obligación; igual declaración hará cuando el demandante reciba los bienes.

La ejecución proseguirá por los perjuicios moratorios, si fuere el caso.

3. Si el demandante comparece y en la diligencia objeta la calidad o naturaleza de los bienes, el juez decidirá inmediatamente, salvo que considere necesario un dictamen pericial, en cuyo caso se entregarán a un secuestre que allí mismo designará.

Dentro de los veinte (20) días siguientes a la diligencia el ejecutante deberá aportar dictamen pericial para demostrar la objeción. Presentado el dictamen, se correrá traslado al ejecutado por el término de tres (3) días, dentro del cual podrá solicitar que se convoque a audiencia para interrogar al perito.

Vencido el término para aportar el dictamen, o el de su traslado al ejecutado, o surtida su contradicción en audiencia, según el caso, el juez resolverá la objeción. Si considera que los bienes son de la naturaleza y calidad debidas, ordenará su entrega al acreedor; la ejecución continuará por los perjuicios moratorios, si se hubiere ordenado su pago. Cuando prospere la objeción y se hubiere dispuesto subsidiariamente el pago de los perjuicios, continuará el proceso por estos; en caso contrario se declarará terminado por auto que no tiene apelación.

En el supuesto de que los bienes no se presenten en la cantidad ordenada el juez autorizará su entrega, siempre que el demandante lo solicite en la diligencia, por auto que no tendrá recurso alguno, y seguirá el proceso por los perjuicios compensatorios correspondientes a la parte insoluta de la obligación, si se hubiere pedido subsidiariamente en la demanda y ordenado su pago.

- arts. 226; y ss; 426; 428; 595
- CC arts. 754; 1605; 1648

ARTÍCULO 433. OBLIGACIÓN DE HACER

Si la obligación es de hacer se procederá así:

1. En el mandamiento ejecutivo el juez ordenará al deudor que se ejecute el hecho dentro del plazo prudencial que le señale y librará ejecución por los perjuicios moratorios cuando se hubieren pedido en la demanda.

2. Ejecutado el hecho se citará a las partes para su reconocimiento. Si el demandante lo acepta, no concurre a la diligencia, o no formula objeciones dentro de ella, se declarará cumplida la obligación; si las propone, se aplicará, en lo pertinente, lo dispuesto en el artículo anterior.

3. Cuando no se cumpla la obligación de hacer en el término fijado en el mandamiento ejecutivo y no se hubiere pedido en subsidio el pago de perjuicios, el demandante podrá solicitar, dentro de los cinco (5) días siguientes al vencimiento de dicho término,

que se autorice la ejecución del hecho por un tercero a expensas del deudor; así se ordenará siempre que la obligación sea susceptible de esa forma de ejecución. Con este fin el ejecutante celebrará contrato que someterá a la aprobación del juez.

4. Los gastos que demande la ejecución los sufragará el deudor y si este no lo hiciere los pagará el acreedor. La cuenta de gastos deberá presentarse con los comprobantes respectivos y una vez aprobada se extenderá la ejecución a su valor.

- arts. 426; 428
- CC art. 1610

ARTÍCULO 434. OBLIGACIÓN DE SUSCRIBIR DOCUMENTOS

Cuando el hecho debido consiste en suscribir una escritura pública o cualquier otro documento, el mandamiento ejecutivo, además de los perjuicios moratorios que se demanden, comprenderá la prevención al demandado de que en caso de no suscribir la escritura o el documento en el término de tres (3) días, contados a partir de la notificación del mandamiento, el juez procederá a hacerlo en su nombre como dispone el artículo 436. A la demanda se deberá acompañar, además del título ejecutivo, la minuta o el documento que debe ser suscrito por el ejecutado o, en su defecto, por el juez.

Cuando la escritura pública o el documento que deba suscribirse implique la transferencia de bienes sujetos a registro o la constitución de derechos reales sobre ellos, para que pueda dictarse mandamiento ejecutivo será necesario que el bien objeto de la escritura se haya embargado como medida previa y que se presente certificado que acredite la propiedad en cabeza del ejecutante o del ejecutado, según el caso. El ejecutante podrá solicitar en la demanda que simultáneamente con el mandamiento ejecutivo se decrete el secuestro del bien y, si fuere el caso, su entrega una vez registrada la escritura.

No será necesario el certificado de propiedad cuando se trate de actos referentes a terrenos baldíos ocupados con mejoras, semovientes u otros medios de explotación económica, o de la posesión material que se ejerza sobre inmuebles de propiedad privada sin título registrado a su favor. Pero en estos casos se acompañará certificado del registrador de instrumentos públicos acerca de la inexistencia del registro del título a favor del demandado.

Para que el juez pueda ordenar la suscripción de escritura o documento que verse sobre bienes muebles no sujetos a registro se requiere que estos hayan sido secuestrados como medida previa.

- arts. 84; 436; 599; 601

ARTÍCULO 435. OBLIGACIÓN DE NO HACER

Si la obligación es de no hacer y se ha probado la contravención, el juez ordenará al demandado la destrucción de lo hecho dentro de un plazo prudencial y librará ejecución por los perjuicios moratorios, si en la demanda se hubieren pedido.

Si el ejecutado considera que no es procedente la destrucción deberá proponer la respectiva excepción.

En caso de que el deudor no destruya oportunamente lo hecho, el juez ordenará su destrucción a expensas de aquel si el demandante lo pide y siempre que en subsidio no se hayan demandado perjuicios por el incumplimiento. Para este efecto podrá el juez requerir el auxilio de la fuerza pública y, en cuanto sea pertinente, aplicará lo dispuesto en el artículo 433.

- arts. 428; 433; 439
- CC art. 1612

ARTÍCULO 436. OPORTUNIDAD PARA EL CUMPLIMIENTO FORZADO

El cumplimiento forzado de las obligaciones de hacer, suscribir documentos y destruir lo hecho, no podrá llevarse a efecto sino una vez ejecutoriada la providencia que ordene seguir adelante la ejecución.

- arts. 433; 434; 435

ARTÍCULO 437. EJECUCIÓN SUBSIDIARIA POR PERJUICIOS

Cuando la demanda se formule de acuerdo con lo previsto en el inciso 2o del artículo 428, el auto ejecutivo deberá contener:

1. La orden de que se cumpla la obligación en la forma estipulada y que se paguen los perjuicios moratorios demandados.
2. La orden subsidiaria de que, en caso de no cumplir oportunamente el demandado la respectiva obligación, pague la cantidad señalada en el título ejecutivo o la estimada por el demandante como perjuicios.

- arts. 428
- CC arts. 1613; 1614; 1615

ARTÍCULO 438. RECURSOS CONTRA EL MANDAMIENTO EJECUTIVO

El mandamiento ejecutivo no es apelable; el auto que lo niegue total o parcialmente y el que por vía de reposición lo revoque, lo será en el suspensivo. Los recursos de reposición contra el mandamiento ejecutivo se tramitarán y resolverán conjuntamente cuando haya sido notificado a todos los ejecutados.

- arts. 318; 319; 321; 323 num. 1

ARTÍCULO 439. REGULACIÓN DE PERJUICIOS

Dentro del término para proponer excepciones el demandado podrá objetar la estimación de los perjuicios hecha por el ejecutante en la demanda caso en el cual se dará aplicación al artículo 206. El juez convocará a audiencia para practicar las pruebas y definir el monto de los perjuicios.

Si no se acredita la cuantía de los perjuicios el juez declarará extinguida la obligación, terminada la ejecución en lo referente a aquellos y continuará por las demás prestaciones, si fuere el caso.

- arts. 206; 428; 437; 442

ARTÍCULO 440. CUMPLIMIENTO DE LA OBLIGACIÓN, ORDEN DE EJECUCIÓN Y CONDENA EN COSTAS

Cumplida la obligación dentro del término señalado en el mandamiento ejecutivo, se condenará en costas al ejecutado, quien sin embargo, podrá pedir dentro de los tres (3) días siguientes a la notificación del auto que las imponga, que se le exonere de ellas si prueba que estuvo dispuesto a pagar antes de ser demandado y que el acreedor no se allanó a recibirle. Esta petición se tramitará como incidente que no impedirá la entrega al demandante del valor del crédito.

Si el ejecutado no propone excepciones oportunamente, el juez ordenará, por medio de auto que no admite recurso, el remate y el avalúo de los bienes embargados y de los que posteriormente se embarguen, si fuere el caso, o seguir adelante la ejecución para el cumplimiento de las obligaciones determinadas en el mandamiento ejecutivo, practicar la liquidación del crédito y condenar en costas al ejecutado.

- arts. 127; 129; 361; 365; 366; 442; 443; 448

ARTÍCULO 441. EJECUCIÓN PARA EL COBRO DE CAUCIONES JUDICIALES

Cuando en un proceso se hubiere prestado caución bancaria o de compañía de seguros con cualquier fin, si quien la otorgó o el garante no depositan el valor indicado por el juez dentro de los diez (10) días siguientes a la ejecutoria de la providencia que así lo ordene, la cual será apelable en el efecto diferido, se decretará el embargo, secuestro, avalúo y remate de los bienes que el interesado denuncie como de propiedad de quien la otorgó o de su garante, sin necesidad de prestar caución. Además se le impondrá multa al garante equivalente al veinte por ciento (20%) del valor de la caución que en ningún caso sea inferior a diez salarios mínimos legales mensuales vigentes (10 smlmv).

La providencia que ordene hacer el depósito se notificará por aviso al garante.

En esta actuación no es admisible la acumulación de procesos, ni a ella pueden concurrir otros acreedores. No obstante, cuando el inmueble hipotecado tuviere más gravámenes, se citará a los respectivos acreedores en la forma y para los fines previstos en el artículo 462.

- arts. 292; 323 num. 3; 462; 464; 599; 603; 604

ARTÍCULO 442. EXCEPCIONES

La formulación de excepciones se someterá a las siguientes reglas:

1. Dentro de los diez (10) días siguientes a la notificación del mandamiento ejecutivo el demandado podrá proponer excepciones de mérito. Deberá expresar los hechos en que se funden las excepciones propuestas y acompañar las pruebas relacionadas con ellas.

2. Cuando se trate del cobro de obligaciones contenidas en una providencia, conciliación o transacción aprobada por quien ejerza función jurisdiccional, sólo podrán alegarse las excepciones de pago, compensación, confusión, novación, remisión, prescripción o transacción, siempre que se basen en hechos posteriores a la respectiva providencia, la de nulidad por indebida representación o falta de notificación o emplazamiento y la de pérdida de la cosa debida.

3. El beneficio de excusión y los hechos que configuren excepciones previas deberán alegarse mediante reposición contra el mandamiento de pago. De prosperar alguna que no implique terminación del proceso el juez adoptará las medidas respectivas para que el proceso continúe o, si fuere el caso, concederá al ejecutante un término de cinco (5) días para subsanar los defectos o presentar los documentos omitidos, so pena de que se revoque la orden de pago, imponiendo condena en costas y perjuicios.

- arts. 96; 100; 318; 319; 133 nums. 4, 8; 443
- CC arts. 1625; 1729; 2384 y ss
- CCo art. 784

ARTÍCULO 443. TRÁMITE DE LAS EXCEPCIONES

El trámite de excepciones se sujetará a las siguientes reglas:

1. De las excepciones de mérito propuestas por el ejecutado se correrá traslado al ejecutante por diez (10) días, mediante auto, para que se pronuncie sobre ellas, y adjunte o pida las pruebas que pretende hacer valer.

2. Surtido el traslado de las excepciones el juez citará a la audiencia prevista en el artículo 392, cuando se trate de procesos ejecutivos de mínima cuantía, o para audiencia inicial y, de ser necesario, para la de instrucción y juzgamiento, como lo disponen los artículos 372 y 373, cuando se trate de procesos ejecutivos de menor y mayor cuantía.

Cuando se advierta que la práctica de pruebas es posible y conveniente en la audiencia inicial, el juez de oficio o a petición de parte, decretará las pruebas en el auto que fija fecha y hora para ella, con el fin de agotar también el objeto de la audiencia de instrucción y juzgamiento de que trata el artículo 373. En este evento, en esa única audiencia se proferirá la sentencia, de conformidad con las reglas previstas en el numeral 5 del referido artículo 373.

3. La sentencia de excepciones totalmente favorable al demandado pone fin al proceso; en ella se ordenará el desembargo de los bienes perseguidos y se condenará al ejecutante a pagar las costas y los perjuicios que aquel haya sufrido con ocasión de las medidas cautelares y del proceso.

4. Si las excepciones no prosperan o prosperan parcialmente, en la sentencia se ordenará seguir adelante la ejecución en la forma que corresponda.

5. La sentencia que resuelva las excepciones hace tránsito a cosa juzgada, excepto en el caso del numeral 3 del artículo 304.

6. Si prospera la excepción de beneficio de inventario, la sentencia limitará la responsabilidad del ejecutado al valor de los bienes que le hubieren sido adjudicados en el proceso de sucesión.

- arts. 25; 26; 304; 372; 373; 392; 442
- CC art. 1304

ARTÍCULO 444. AVALÚO Y PAGO CON PRODUCTOS

Practicados el embargo y secuestro, y notificado el auto o la sentencia que ordene seguir adelante la ejecución, se procederá al avalúo de los bienes conforme a las reglas siguientes:

1. Cualquiera de las partes y el acreedor que embargó remanentes, podrán presentar el avalúo dentro de los veinte (20) días siguientes a la ejecutoria de la sentencia o del auto que ordena seguir adelante la ejecución, o después de consumado el secuestro, según el caso. Para tal efecto, podrán contratar el dictamen pericial directamente con entidades o profesionales especializados.

2. De los avalúos que hubieren sido presentados oportunamente se correrá traslado por diez (10) días mediante auto, para que los interesados presenten sus observaciones. Quienes no lo hubieren aportado, podrán allegar un avalúo diferente, caso en el cual el juez resolverá, previo traslado de este por tres (3) días.

3. Si el ejecutado no presta colaboración para el avalúo de los bienes o impide su inspección por el perito, se dará aplicación a lo previsto en el artículo 233, sin perjuicio de que el juez adopte las medidas necesarias para superar los obstáculos que se presenten.

4. Tratándose de bienes inmuebles el valor será el del avalúo catastral del predio incrementado en un cincuenta por ciento (50%), salvo que quien lo aporte considere que no es idóneo para establecer su precio real. En este evento, con el avalúo catastral deberá presentarse un dictamen obtenido en la forma indicada en el numeral 1.

5. Cuando se trate de vehículos automotores el valor será el fijado oficialmente para calcular el impuesto de rodamiento, sin perjuicio del derecho otorgado en el numeral anterior. En tal caso también podrá acompañarse como avalúo el precio que figure en publicación especializada, adjuntando una copia informal de la página respectiva.

6. Si no se allega oportunamente el avalúo, el juez designará el perito evaluador, salvo que se trate de inmuebles o de vehículos automotores, en cuyo caso aplicará las reglas previstas para estos. En estos eventos, tampoco habrá lugar a objeciones.

7. En los casos de los numerales 7, 8 y 10 del artículo 595 y de inmuebles, si el demandante lo pide se prescindirá del avalúo y remate de bienes, con el fin de que el crédito sea cancelado con los productos de la administración, una vez consignados por el secuestre en la cuenta de depósitos judiciales.

PARÁGRAFO 1o. Cuando se trate de bienes muebles de naturaleza semejante podrán avaluarse por grupos, de manera que se facilite el remate.

PARÁGRAFO 2o. Cuando se trate de bienes inmuebles, cualquiera de las partes podrá solicitar su división en lotes con el fin de obtener mayores ventajas en la licitación siempre que la división jurídica sea factible. Para ello deberá presentar dictamen que acredite que el inmueble admite división sin afectar su valor y destinación, con sus respectivos avalúos.

Surtidos los traslados correspondientes, el juez decretará la división si la considera procedente.

- arts. 43; 44; 227; 233; 595; 599
- CSJ. AC733-2021

ARTÍCULO 445. BENEFICIO DE COMPETENCIA

Durante el término de ejecutoria del auto de traslado del avalúo el ejecutado podrá invocar el beneficio de competencia y su solicitud se tramitará como incidente, en el cual aquel deberá probar que los bienes avaluados son su único patrimonio. Si le fuere reconocido, en el mismo auto se determinarán los bienes que deben dejársele para su modesta subsistencia y se ordenará su desembargo.

- arts. 127; 129; 444
- CC arts. 1684 y ss

CAPÍTULO II
LIQUIDACIÓN DEL CRÉDITO

ARTÍCULO 446. LIQUIDACIÓN DEL CRÉDITO Y LAS COSTAS

Para la liquidación del crédito y las costas, se observarán las siguientes reglas:

1. Ejecutoriado el auto que ordene seguir adelante la ejecución, o notificada la sentencia que resuelva sobre las excepciones siempre que no sea totalmente favorable al ejecutado cualquiera de las partes podrá presentar la liquidación del crédito con especificación del capital y de los intereses causados hasta la fecha de su presentación, y si fuere el caso de la conversión a moneda nacional de aquel y de estos, de acuerdo con lo

dispuesto en el mandamiento ejecutivo, adjuntando los documentos que la sustenten, si fueren necesarios.

2. De la liquidación presentada se dará traslado a la otra parte en la forma prevista en el artículo 110, por el término de tres (3) días, dentro del cual sólo podrá formular objeciones relativas al estado de cuenta, para cuyo trámite deberá acompañar, so pena de rechazo, una liquidación alternativa en la que se precisen los errores puntuales que le atribuye a la liquidación objetada.

3. Vencido el traslado, el juez decidirá si aprueba o modifica la liquidación por auto que solo será apelable cuando resuelva una objeción o altere de oficio la cuenta respectiva. El recurso, que se tramitará en el efecto diferido, no impedirá efectuar el remate de bienes, ni la entrega de dineros al ejecutante en la parte que no es objeto de apelación.

4. De la misma manera se procederá cuando se trate de actualizar la liquidación en los casos previstos en la ley, para lo cual se tomará como base la liquidación que esté en firme.

PARÁGRAFO. El Consejo Superior de la Judicatura implementará los mecanismos necesarios para apoyar a los jueces en lo relacionado con la liquidación de créditos.

- arts. 110; 321; 323 num. 3; 361; 365; 366; 430; 431

ARTÍCULO 447. ENTREGA DE DINERO AL EJECUTANTE

Cuando lo embargado fuere dinero, una vez ejecutoriado el auto que apruebe cada liquidación del crédito o las costas, el juez ordenará su entrega al acreedor hasta la concurrencia del valor liquidado. Si lo embargado fuere sueldo, renta o pensión periódica, se ordenará entregar al acreedor lo retenido, y que en lo sucesivo se le entreguen los dineros que se retengan hasta cubrir la totalidad de la obligación.

PARÁGRAFO. En los procesos ejecutivos en materia de alimentos debidos a niños, niñas y adolescentes, estando en firme el auto que libra mandamiento de pago sobre el título ejecutivo, de no haber oposición del ejecutado frente a la anterior providencia, el juez ordenará la entrega anticipada de títulos al demandante, por el valor de la cuota periódica actual derivada del título ejecutivo, de manera sucesiva y permanente hasta el monto total de la obligación, o en su defecto, del monto total embargado, en tanto se emite providencia definitiva dentro del proceso.

Para garantizar el cumplimiento efectivo y oportuno de esta disposición, se implementarán las siguientes medidas:

1. La autoridad disciplinaria competente por petición del defensor de familia investigará a los funcionarios judiciales que retrasen injustificadamente el proceso de entrega anticipada de títulos.

2. Los jueces deberán publicar informes semestrales, en el estado electrónico del despacho, sobre el estado y cumplimiento de esta disposición en los procesos ejecutivos por alimentos.

- NOTA: el parágrafo fue adicionado por el art. 4 de la L 2541 de 2025 "Por medio de la cual se modifican algunos artículos de la Ley 1564 de 2012 y se reglamenta la entrega anticipada de títulos en el proceso ejecutivo por alimentos debidos a un niño, niña y adolescente (Ley Sarita)"
- art. 444

CAPÍTULO III
REMATE DE BIENES Y PAGO AL ACREEDOR

ARTÍCULO 448. SEÑALAMIENTO DE FECHA PARA REMATE

Ejecutoriada la providencia que ordene seguir adelante la ejecución, el ejecutante podrá pedir que se señale fecha para el remate de los bienes que lo permitan, siempre que se hayan embargado, secuestrado y avaluado, aun cuando no esté en firme la liquidación del crédito. En firme esta, cualquiera de las partes podrá pedir el remate de dichos bienes.

Cuando estuvieren sin resolver peticiones sobre levantamiento de embargos o secuestros, o recursos contra autos que hayan decidido sobre desembargos o declarado que un bien es inembargable o decretado la reducción del embargo, no se fijará fecha para el remate de los bienes comprendidos en ellos, sino una vez sean resueltos. Tampoco se señalará dicha fecha si no se hubiere citado a los terceros acreedores hipotecarios o prendarios.

En el auto que ordene el remate el juez realizará el control de legalidad para sanear las irregularidades que puedan acarrear nulidad. En el mismo auto fijará la base de la licitación, que será el setenta por ciento (70%) del avalúo de los bienes.

Si quedare desierta la licitación se tendrá en cuenta lo dispuesto en el artículo 457.

Ejecutoriada la providencia que señale fecha para el remate, no procederán recusaciones al juez o al secretario; este devolverá el escrito sin necesidad de auto que lo ordene.

- arts. 141; 142; 444; 449 y ss; 457; 599
- L 1676/2013, 3.

ARTÍCULO 449. REMATE DE INTERÉS SOCIAL

Si lo embargado es el interés social en sociedad colectiva, de responsabilidad limitada, en comandita simple o en otra sociedad de personas, el juez, antes de fijar fecha para el remate, comunicará al representante de ella el avalúo de dicho interés a fin de que manifieste dentro de los diez (10) días siguientes si los consocios desean adquirirlo por dicho precio. En caso de que dentro de este término no se haga la anterior manifestación, se fijará fecha para el remate; si los consocios desearen hacer uso de tal derecho, el representante consignará a orden del juzgado el precio al hacer la manifestación, indicando el nombre de los socios adquirentes.

El rematante del interés social adquirirá los derechos del ejecutado en la sociedad. En este caso dentro del mes siguiente a la fecha del registro del remate los demás consocios podrán decretar la disolución, con sujeción a los requisitos señalados en la ley o en los estatutos, si no desean continuar la sociedad con el rematante.

- arts. 444; 448
- CCo art. 299

ARTÍCULO 450. PUBLICACIÓN DEL REMATE

El remate se anunciará al público mediante la inclusión en un listado que se publicará por una sola vez en un periódico de amplia circulación en la localidad o, en su defecto, en otro medio masivo de comunicación que señale el juez. El listado se publicará el día domingo con antelación no inferior a diez (10) días a la fecha señalada para el remate, y en él se deberá indicar:

1. La fecha y hora en que se abrirá la licitación.
2. Los bienes materia del remate con indicación de su clase, especie y cantidad, si son muebles; si son inmuebles, la matrícula de su registro, si existiere, y la dirección o el lugar de ubicación.
3. El avalúo correspondiente a cada bien o grupo de bienes y la base de la licitación.
4. El número de radicación del expediente y el juzgado que hará el remate.
5. El nombre, la dirección y el número de teléfono del secuestre que mostrará los bienes objeto del remate.
6. El porcentaje que deba consignarse para hacer postura.

Una copia informal de la página del periódico o la constancia del medio de comunicación en que se haya hecho la publicación se agregarán al expediente antes de la apertura de la licitación Con la copia o la constancia de la publicación del aviso deberá allegarse un certificado de tradición y libertad del inmueble, expedido dentro del mes anterior a la fecha prevista para la diligencia de remate.

Cuando los bienes estén situados fuera del territorio del circuito a que corresponda el juzgado en donde se adelanta el proceso, la publicación deberá hacerse en un medio de comunicación que circule en el lugar donde estén ubicados.

- arts. 448; 451

ARTÍCULO 451. DEPÓSITO PARA HACER POSTURA

Todo el que pretenda hacer postura en la subasta deberá consignar previamente en dinero, a órdenes del juzgado, el cuarenta por ciento (40%) del avalúo del respectivo bien, y podrá hacer postura dentro de los cinco (5) días anteriores al remate o en la oportunidad señalada en el artículo siguiente. Las ofertas serán reservadas y permanecerán bajo custodia del juez. No será necesaria la presencia en la subasta, de quien hubiere hecho oferta dentro de ese plazo.

Sin embargo, quien sea único ejecutante o acreedor ejecutante de mejor derecho podrá rematar por cuenta de su crédito los bienes materia de la subasta sin necesidad de consignar porcentaje, siempre que aquel equivalga por lo menos al cuarenta por ciento (40%) del avalúo en caso contrario consignará la diferencia.

- arts. 441; 450; 452

ARTÍCULO 452. AUDIENCIA DE REMATE

Llegados el día y la hora para el remate el secretario o el encargado de realizarlo anunciará el número de sobres recibidos con anterioridad y a continuación, exhortará a los presentes para que presenten sus ofertas en sobre cerrado en dentro de la hora. El sobre deberá contener, además de la oferta suscrita por el interesado, el depósito previsto en el artículo anterior, cuando fuere necesario. La oferta es irrevocable.

Transcurrida una hora desde el inicio de la audiencia, el juez o el encargado de realizar la subasta abrirá los sobres y leerá las ofertas que reúnan los requisitos señalados en el presente artículo. A continuación adjudicará al mejor postor los bienes materia del remate. En caso de empate, el juez invitará a los postores empatados que se encuentren presentes, para que, si lo consideran, incrementen su oferta, y adjudicará al mejor postor. En caso de que ningún postor incremente la oferta el bien será adjudicado al postor empatado que primero haya ofertado.

Los interesados podrán alegar las irregularidades que puedan afectar la validez del remate hasta antes de la adjudicación de los bienes.

En la misma diligencia se ordenará la devolución de las sumas depositadas a quienes las consignaron, excepto la que corresponda al rematante, que se reservará como garantía de sus obligaciones para los fines del artículo siguiente. Igualmente, se ordenará en forma inmediata la devolución cuando por cualquier causa no se lleve a cabo el remate.

Cuando el inmueble objeto de la diligencia se hubiere dividido en lotes, si para el pago al acreedor es suficiente el precio obtenido por el remate de uno o algunos de ellos, la subasta se limitará a estos en el orden en que se hayan formulado las ofertas.

Si al tiempo del remate la cosa rematada tiene el carácter de litigiosa, el rematante se tendrá como cesionario del derecho litigioso.

El apoderado que licite o solicite adjudicación en nombre de su representado, requerirá facultad expresa. Nadie podrá licitar por un tercero si no presenta poder debidamente otorgado.

Efectuado el remate, se extenderá un acta en que se hará constar:

1. La fecha y hora en que tuvo lugar la diligencia.
2. Designación de las partes del proceso.
3. La indicación de las dos mejores ofertas que se hayan hecho y el nombre de los postores.
4. La designación del rematante, la determinación de los bienes rematados, y la procedencia del dominio del ejecutado si se tratare de bienes sujetos a registro.
5. El precio del remate.

Si la licitación quedare desierta por falta de postores, de ello se dejará constancia en el acta.

PARÁGRAFO. Podrán realizarse pujas electrónicas bajo la responsabilidad del juez o del encargado de realizar la subasta. El sistema utilizado para realizar la puja deberá garantizar los principios de transparencia, integridad y autenticidad. La Sala Administrativa del Consejo Superior de la Judicatura, con el apoyo del Ministerio de Tecnologías de la Información y las Comunicaciones, reglamentará la implementación de la subasta electrónica.

- arts. 74; 77; 451; 453
- CCo art. 846

ARTÍCULO 453. PAGO DEL PRECIO E IMPROBACIÓN DEL REMATE

El rematante deberá consignar el saldo del precio dentro de los cinco (5) días siguientes a la diligencia a órdenes del juzgado de conocimiento, descontada la suma que depositó para hacer postura, y presentar el recibo de pago del impuesto de remate si existiere el impuesto.

Vencido el término sin que se hubiere hecho la consignación y el pago del impuesto, el juez improbará el remate y decretará la pérdida de la mitad de la suma depositada para hacer postura, a título de multa.

Cuando se trate de rematante por cuenta de su crédito y este fuere inferior al precio del remate, deberá consignar el saldo del precio a órdenes del juzgado de conocimiento.

En el caso del inciso anterior solamente podrá hacer postura quien sea único ejecutante o acreedor de mejor derecho.

Cuando el rematante fuere acreedor de mejor derecho el remate sólo se aprobará si consigna además el valor de las costas causadas en interés general de los acreedores, a menos que exista saldo del precio suficiente para el pago de ellos.

Si quien remató por cuenta del crédito no presenta oportunamente los comprobantes de consignación del saldo del precio del remate y del impuesto de remate, se cancelará dicho crédito en el equivalente al veinte por ciento (20%) del avalúo de los bienes por los cuales hizo postura; si fuere el caso, por auto que no tendrá recurso, se decretará la extinción del crédito del rematante.

- arts. 365; 367; 454; 455 y 463
- L 11/1987 art. 7 modif. L 1743/2014 art. 12

ARTÍCULO 454. REMATE POR COMISIONADO

Para el remate podrá comisionarse al juez del lugar donde estén situados los bienes, si lo pide cualquiera de las partes; en tal caso, el comisionado procederá a realizarlo previo el cumplimiento de las formalidades legales.

El comisionado está facultado para recibir los títulos de consignación para hacer postura y el saldo del precio del remate, los cuales deberán hacerse a la orden del comitente y enviarse a este por el comisionado junto con el despacho comisorio. Si el rematante no consigna oportunamente el saldo, así lo hará constar el comisionado a continuación del acta de la diligencia, para que el comitente resuelva lo que fuera pertinente.

PARÁGRAFO 1o. A petición de quien tenga derecho a solicitar el remate de los bienes, se podrá comisionar a las notarías, centros de arbitraje, centros de conciliación, cámaras de comercio o martillos legalmente autorizados.

Las tarifas, expensas y gastos que se causen por el remate ante las mencionadas entidades, serán sufragadas por quien solicitó el remate, no serán reembolsables y tampoco tenidas en cuenta para efectos de la liquidación de las costas.

PARÁGRAFO 2o. La Superintendencia de Notariado y Registro fijará las tarifas de los derechos notariales que se cobrarán por la realización de las diligencias de remate. Las tarifas de los centros de arbitraje, centros de conciliación, cámaras de comercio o martillos serán fijadas por el Gobierno Nacional.

PARÁGRAFO 3o. No se requerirá la entrega material de los títulos de que trata el inciso 2o del presente artículo cuando estos se encuentren desmaterializados. En estos casos, la verificación se hará a través de la consulta del sistema de información del banco respectivo.

- arts. 24, parágrafo 1o; 37; 38; 39; 40; 41; 448 hasta 461
- D 1069/2015 art. 2.2.3.7.1 - 2.2.3.7.6
- L 2220/2022

ARTÍCULO 455. SANEAMIENTO DE NULIDADES Y APROBACIÓN DEL REMATE

Las irregularidades que puedan afectar la validez del remate se considerarán saneadas si no son alegadas antes de la adjudicación.

Las solicitudes de nulidad que se formulen después de esta, no serán oídas.

Cumplidos los deberes previstos en el inciso 1o del artículo 453, el juez aprobará el remate dentro de los cinco (5) días siguientes, mediante auto en el que dispondrá:

1. La cancelación de los gravámenes prendarios o hipotecarios, y de la afectación a vivienda familiar y el patrimonio de familia, si fuere el caso, que afecten al bien objeto del remate.

2. La cancelación del embargo y el levantamiento del secuestro.

3. La expedición de copia del acta de remate y del auto aprobatorio, las cuales deberán entregarse dentro de los cinco (5) días siguientes a la expedición de este último. Si se trata de bienes sujetos a registro, dicha copia se inscribirá y protocolizará en la notaría correspondiente al lugar del proceso; copia de la escritura se agregará luego al expediente.

4. La entrega por el secuestre al rematante de los bienes rematados.

5. La entrega al rematante de los títulos de la cosa rematada que el ejecutado tenga en su poder.

6. La expedición o inscripción de nuevos títulos al rematante de las acciones o efecto público nominativos que hayan sido rematados, y la declaración de que quedan cancelados los extendidos anteriormente al ejecutado.

7. La entrega del producto del remate al acreedor hasta concurrencia de su crédito y las costas y del remanente al ejecutado, si no estuviere embargado. Sin embargo, del producto del remate el juez deberá reservar la suma necesaria para el pago de impuestos, servicios públicos, cuotas de administración y gastos de parqueo o depósito que se causen hasta la entrega del bien rematado. Si dentro de los diez (10) días siguientes a la entrega del bien al rematante, este no demuestra el monto de las deudas por tales conceptos, el juez ordenará entregar a las partes el dinero reservado.

El incumplimiento de lo dispuesto en este artículo constituye falta disciplinaria gravísima.

- NOTA: El inciso 3 fue corregido por el Decreto 1736 de 2012 y declarado válido mediante sent. 2012-00369 del 20 de sep. de 2018 por la Sec. primera del CE
- arts. 132; 133; 134; 135; 136; 137; 138; 08; 49; 52; 453; 456; 459 y 466
- NOTA: La Corte Constitucional resolvió inhibirse e emitir un pronunciamiento de fondo sobre la expresión "Si dentro de los diez (10) días siguientes a la entrega del bien al rematante, este no demuestra el monto de las deudas por tales conceptos, el juez ordenará entregar a las partes el dinero reservado", contenida en el numeral 7º del artículo 455 de la Ley 1564 de 2012, mediante sentencia C-158-16 del 6 de abril de 2016
- CC art. 2452
- L 1676/2013 art. 3

ARTÍCULO 456. ENTREGA DEL BIEN REMATADO

Si el secuestre no cumple la orden de entrega de los bienes dentro de los tres (3) días siguientes al recibo de la comunicación respectiva, el rematante deberá solicitar que el juez se los entregue, en cuyo caso la diligencia deberá efectuarse en un plazo no mayor a quince (15) días después de la solicitud. En este último evento no se admitirán en la diligencia de entrega oposiciones, ni será procedente alegar derecho de retención por la indemnización que le corresponda al secuestre en razón de lo dispuesto en el artículo 2259 del Código Civil, la que será pagada con el producto del remate, antes de entregarlo a las partes.

- arts. 47; 48; 49; 50; 51; 52; 308; 309; 310 y 455
- CC arts. 2258 y 2259.

ARTÍCULO 457. REPETICIÓN DEL REMATE Y REMATE DESIERTO

Siempre que se impruebe o se declare sin valor el remate se procederá a repetirlo y será postura admisible la misma que rigió para el anterior.

Cuando no hubiere remate por falta de postores, el juez señalará fecha y hora para una nueva licitación. Sin embargo, fracasada la segunda licitación cualquiera de los acreedores podrá aportar un nuevo avalúo, el cual será sometido a contradicción en la forma prevista en el artículo 444 de este código. La misma posibilidad tendrá el deudor cuando haya transcurrido más de un (1) año desde la fecha en que el anterior avalúo quedó en firme. Para las nuevas subastas, deberán cumplirse los mismos requisitos que para la primera.

- arts. 444; 448 y 461

ARTÍCULO 458. VENTA DE TÍTULOS INSCRITOS EN BOLSA

En firme la liquidación del crédito, a petición de cualquiera de las partes, podrá el juez ordenar la venta de títulos inscritos en las bolsas de valores debidamente autorizados, por conducto de las mismas; pero si se trata de títulos nominativos, para autorizar la venta se requiere que el embargo esté inscrito en el registro del emisor.

Transcurridos quince (15) días sin que hubiere sido posible la venta, los bienes se podrán rematar conforme a las reglas generales, a menos que las partes insistan en que su enajenación se efectúe en la forma prevista en el inciso anterior dentro del término que indiquen.

- arts. 446; 448 hasta 461
- CCo arts. 195; 401; 405; 406; 407; 648; 649 y 650

ARTÍCULO 459. ENTREGA DEL BIEN OBJETO DE OBLIGACIÓN DE DAR

Ejecutoriada la sentencia o el auto que ordene seguir adelante la ejecución por obligación de dar una especie mueble o bienes de género distintos de dinero que hubieren sido secuestrados, el juez ordenará al secuestre que los entregue al demandante, y aplicará lo dispuesto en el artículo 455, si fuere el caso.

- arts. 302; 305; 306; 308, 309; 426; 432, 455
- CC arts. 1517 y 1605

ARTÍCULO 460. EJECUCIÓN DEL HECHO DEBIDO

Para la ejecución del hecho por un tercero, el otorgamiento de la escritura o la suscripción del documento por el juez, o la destrucción de lo hecho con intervención de aquel, una vez ejecutoriada la sentencia que ordene llevar adelante la ejecución, se dará cumplimiento a lo dispuesto en los artículos 433, 434 y 435, sin que ello impida que el proceso continúe para el pago de los perjuicios moratorios y las costas.

- arts. 302; 305; 430; 433; 434; 435 y 440

ARTÍCULO 461. TERMINACIÓN DEL PROCESO POR PAGO

Si antes de iniciada la audiencia de remate, se presentare escrito proveniente del ejecutante o de su apoderado con facultad para recibir, que acredite el pago de la obligación demandada y las costas, el juez declarará terminado el proceso y dispondrá la cancelación de los embargos y secuestros, si no estuviere embargado el remanente.

Si existieren liquidaciones en firme del crédito y de las costas, y el ejecutado presenta la liquidación adicional a que hubiere lugar, acompañada del título de consignación de dichos valores a órdenes del juzgado, el juez declarará terminado el proceso una vez sea aprobada aquella, y dispondrá la cancelación de los embargos y secuestros, si no estuviere embargado el remanente.

Cuando se trate de ejecuciones por sumas de dinero, y no existan liquidaciones del crédito y de las costas, podrá el ejecutado presentarlas con el objeto de pagar su importe, acompañadas del título de su consignación a órdenes del juzgado, con especificación de la tasa de interés o de cambio, según el caso. Sin que se suspenda el trámite del proceso, se dará traslado de ella al ejecutante por tres (3) días como dispone el artículo 110; objetada o no, el juez la aprobará cuando la encuentre ajustada a la ley.

Cuando haya lugar a aumentar el valor de las liquidaciones, si dentro de los diez (10) días siguientes a la ejecutoria del auto que las apruebe no se hubiere presentado el título de consignación adicional a órdenes del juzgado, el juez dispondrá por auto que no tiene recursos, continuar la ejecución por el saldo y entregar al ejecutante las sumas depositadas como abono a su crédito y las costas. Si la consignación se hace oportunamente el juez declarará terminado el proceso y dispondrá la cancelación de los embargos y secuestros, si no estuviere embargado el remanente.

Con todo, continuará tramitándose la rendición de cuentas por el secuestre si estuviere pendiente, o se ordenará rendirlas si no hubieren sido presentadas.

- Arts. 110; 302; 365; 366; 446; 447; 448; 452; 466 y 597
- L 2213/2022 art. 9
- CC art. 1626 hasta 1686.

CAPÍTULO IV
CITACIÓN DE ACREEDORES CON GARANTÍA REAL Y ACUMULACIÓN DE PROCESOS

ARTÍCULO 462. CITACIÓN DE ACREEDORES CON GARANTÍA REAL

Si del certificado de la oficina de registro correspondiente aparece que sobre los bienes embargados existen garantías prendarias o hipotecarias, el juez ordenará notificar a los respectivos acreedores, cuyos créditos se harán exigibles si no lo fueren, para que los hagan valer ante el mismo juez, bien sea en proceso separado o en el que se les cita, dentro de los veinte (20) días siguientes a su notificación personal. Si dentro del proceso en que se hace la citación alguno de los acreedores formula demanda que sea de competencia de un juez de superior categoría, se le remitirá el expediente para que continúe el trámite del proceso.

Si vencido el término a que se refiere el inciso anterior, el acreedor notificado no hubiere instaurado alguna de las demandas ejecutivas, sólo podrá hacer valer sus derechos en el proceso al que fue citado, dentro del plazo señalado en el artículo siguiente.

En caso de que se haya designado al acreedor curador ad lítem, notificado este deber presentar la demanda ante el mismo juez. Para estos efectos, si se trata de prenda sin tenencia servirá de título la copia de la inscripción de aquella en la correspondiente oficina de registro. Si se trata de garantía real hipotecaria el juez, de oficio o a solicitud del curador o de cualquiera de las partes, ordenará por auto que no tendrá recursos, que se libre oficio al notario ante quien se otorgó la escritura de hipoteca, para que expida y entregue al curador ad lítem copia auténtica de esta, la cual prestará mérito ejecutivo. Cuando se trate de hipoteca o prenda abierta, se deberá presentar con la demanda el título ejecutivo cuyo pago se esté garantizando con aquella.

El curador deberá hacer las diligencias necesarias para informar lo más pronto de la existencia del proceso, al acreedor que represente, so pena de incurrir en falta a la debida diligencia profesional prevista en el numeral 1 del artículo 37 de la Ley 1123 de 2007.

Cuando de los acreedores notificados con garantía real sobre el mismo bien, unos acumularon sus demandas al proceso en donde se les citó y otros adelantaron ejecución separada ante el mismo juez, quienes hubieren presentado sus demandas en el primero podrán prescindir de su intervención en este, antes del vencimiento del término previsto en el numeral 4 del artículo 468 y solicitar que la actuación correspondiente a sus respectivos créditos se agregue al expediente del segundo proceso para continuar en él su trámite. Lo actuado en el primero conservará su validez.

- arts. 27; 54; 55; 56, 111, 289; 290, 291, 422, 441; 448; 463 num. 6, 468 num. 4, y 471
- CC arts. 2409; 2410; 2432-2457
- CCo arts. 1204-1206; 1207-1220
- L 1676/2013 art. 3
- L 2213/2022 arts. 6 y 8
- CSJ. AC1300-2019

ARTÍCULO 463. ACUMULACIÓN DE DEMANDAS

Aun antes de haber sido notificado el mandamiento de pago al ejecutado y hasta antes del auto que fije la primera fecha para remate o la terminación del proceso por cualquier causa, podrán formularse nuevas demandas ejecutivas por el mismo ejecutante o por terceros contra cualquiera de los ejecutados, para que sean acumuladas a la demanda inicial, caso en el cual se observarán las siguientes reglas:

1. La demanda deberá reunir los mismos requisitos de la primera y se le dará el mismo trámite pero si el mandamiento de pago ya hubiere sido notificado al ejecutado, el nuevo mandamiento se notificará por estado.

2. En el nuevo mandamiento ejecutivo se ordenará suspender el pago a los acreedores y emplazar a todos los que tengan créditos con títulos de ejecución contra el deudor, para que comparezcan a hacerlos valer mediante acumulación de sus demandas, dentro de los cinco (5) días siguientes. El emplazamiento se surtirá a costa del acreedor que acumuló la demanda mediante la inclusión de los datos del proceso en un listado que se publicará en la forma establecida en este código.

3. Vencido el término para que comparezcan los acreedores, se adelantará simultáneamente, en cuaderno separado, el trámite de cada demanda, tal como se dispone para la primera; pero si se formulan excepciones se decidirán en una sola sentencia, junto con las propuestas a la primera demanda, si estas no hubieren sido resueltas.

4. Antes de la sentencia o del auto que ordene llevar adelante la ejecución cualquier acreedor podrá solicitar se declare que su crédito goza de determinada causa de preferencia, o se desconozcan otros créditos, mediante escrito en el cual precisará los hechos en que se fundamenta y pedirá las pruebas que estime pertinentes, solicitud que se tramitará como excepción.

5. Cuando fuere el caso, se dictará una sola sentencia que ordene llevar adelante la ejecución respecto de la primera demanda y las acumuladas, y en ella, o en la que decida las excepciones desfavorablemente al ejecutado, se dispondrá:

a) Que con el producto del remate de los bienes embargados se paguen los créditos de acuerdo con la prelación establecida en la ley sustancial;

b) Que el ejecutado pague las costas causadas y que se causen en interés general de los acreedores, y las que correspondan a cada demanda en particular, y

c) Que se practique conjuntamente la liquidación de todos los créditos y las costas.

6. En el proceso ejecutivo promovido exclusivamente para la efectividad de la garantía hipotecaria o prendaria sólo podrán acumular demandas otros acreedores con garantía real sobre los mismos bienes.

- arts. 27; 82; 88; 91; 94; 108; 148; 150; 291; 29; 295; 361; 362; 364; 365; 366; 430; 442; 443; 446; 448; 461; 464; 468 y 471
- CC arts. 2488 hasta 2511
- L 1676/2013 art. 3
- L 2213/2022 arts. 6; 8; 9 y 10
- CSJ. AC336-2021

ARTÍCULO 464. ACUMULACIÓN DE PROCESOS EJECUTIVOS

Se podrán acumular varios procesos ejecutivos, si tienen un demandado común, siempre que quien pida la acumulación pretenda perseguir total o parcialmente los mismos bienes del demandado.

Para la acumulación se aplicarán las siguientes reglas:

1. Para que pueda acumularse un proceso ejecutivo quirografario a otro en el que se persiga exclusivamente la efectividad de la garantía real, es necesario que lo solicite el ejecutante con garantía real.

2. La acumulación de procesos procede aunque no se haya notificado el mandamiento de pago. No procederá la acumulación si en cualquiera de los procesos ejecutivos hubiere precluido la oportunidad señalada en el inciso 1o del artículo precedente. En la solicitud se indicará esta circunstancia.

3. No son acumulables procesos ejecutivos seguidos ante jueces de distintas especialidades.

4. La solicitud, trámite y en su caso la notificación del mandamiento de pago, se sujetará en lo pertinente a lo dispuesto en los artículos 149 y 150. El auto que la decrete dispondrá el emplazamiento ordenado en el numeral 2 del artículo 463. De allí en adelante se aplicará en lo pertinente lo estatuido en los numerales 3, 4 y 5 del mismo artículo.

5. Los embargos y secuestros practicados en los procesos acumulados surtirán efectos respecto de todos los acreedores. Los créditos se pagarán de acuerdo con la prelación establecida en la ley sustancial.

- arts. 88; 108; 148; 149; 150, 463; 464 y 466
- CC arts. 2488 hasta 2511
- L 2213/2022 art. 10

ARTÍCULO 465. CONCURRENCIA DE EMBARGOS EN PROCESOS DE DIFERENTES ESPECIALIDADES

Cuando en un proceso ejecutivo laboral, de jurisdicción coactiva o de alimentos se decrete el embargo de bienes embargados en uno civil, la medida se comunicará inmediatamente al juez civil, sin necesidad de auto que lo ordene, por oficio en el que se indicarán el nombre de las partes y los bienes de que se trate.

El proceso civil se adelantará hasta el remate de dichos bienes, pero antes de la entrega de su producto al ejecutante, se solicitará al juez laboral, de familia o fiscal la liquidación definitiva y en firme, debidamente especificada, del crédito que ante él se cobra y de las costas, y con base en ella, por medio de auto, se hará la distribución entre todos los acreedores, de acuerdo con la prelación establecida en la ley sustancial. Dicho auto se comunicará por oficio al juez del proceso laboral, de familia o al funcionario que adelante el de jurisdicción coactiva. Tanto este como los acreedores de origen laboral, fiscal y de familia podrán interponer reposición dentro de los diez (10) días siguientes al del recibo del oficio. Los gastos hechos para el embargo, secuestro, avalúo y remate de los bienes en el proceso civil, se cancelarán con el producto del remate y con preferencia al pago de los créditos laborales, fiscales y de alimentos.

- arts. 111; 318; 448 hasta 461; 466; 469 y 470
- CC arts. 2488 hasta 2511
- CPTSS arts. 265 a 285
- L 2213/2022 art. 11
- L 1116/2006 art. 77
- STC3810-2020

ARTÍCULO 466. PERSECUCIÓN DE BIENES EMBARGADOS EN OTRO PROCESO

Quien pretenda perseguir ejecutivamente bienes embargados en otro proceso y no quiera o no pueda promover la acumulación, podrá pedir el embargo de los que por cualquier causa se llegaren a desembargar y el del remanente del producto de los embargados.

Cuando estuviere vigente alguna de las medidas contempladas en el inciso primero, la solicitud para suspender el proceso deberá estar suscrita también por los acreedores que pidieron aquellas. Los mismos acreedores podrán presentar la liquidación del crédito, solicitar la orden de remate y hacer las publicaciones para el mismo, o pedir la aplicación del desistimiento tácito y la consecuente terminación del proceso.

La orden de embargo se comunicará por oficio al juez que conoce del primer proceso, cuyo secretario dejará testimonio del día y la hora en que la reciba, momento desde el cual se considerará consumado el embargo a menos que exista otro anterior, y así lo hará saber al juez que libró el oficio.

Practicado el remate de todos los bienes y cancelado el crédito y las costas, el juez remitirá el remanente al funcionario que decretó el embargo de este.

Cuando el proceso termine por desistimiento o transacción, o si después de hecho el pago a los acreedores hubiere bienes sobrantes, estos o todos los perseguidos, según fuere el caso, se considerarán embargados por el juez que decretó el embargo del remanente o de los bienes que se desembarguen, a quien se remitirá copia de las diligencias de embargo y secuestro para que surtan efectos en el segundo proceso. Si se trata de bienes sujetos a registro, se comunicará al registrador de instrumentos públicos que el embargo continúa vigente en el otro proceso.

También se remitirá al mencionado juez copia del avalúo, que tendrá eficacia en el proceso de que conoce con sujeción a las reglas de contradicción y actualización establecidas en este código.

- arts. 111; 312; 314; 315; 317; 448 hasta 461; 463; 464; 465; 468 y 469
- L 2213/2022 art. 11

CAPÍTULO V
ADJUDICACIÓN O REALIZACIÓN ESPECIAL DE LA GARANTÍA REAL

ARTÍCULO 467. ADJUDICACIÓN O REALIZACIÓN ESPECIAL DE LA GARANTÍA REAL

El acreedor hipotecario o prendario podrá demandar desde un principio la adjudicación del bien hipotecado o prendado, para el pago total o parcial de la obligación garantizada, y solicitar en subsidio que si el propietario demandado se opone a través de excepciones de mérito, la ejecución reciba el trámite previsto en el artículo siguiente, para los fines allí contemplados.

1. A la demanda de adjudicación se deberá acompañar título que preste mérito ejecutivo, el contrato de hipoteca o de prenda, un certificado del registrador respecto de la

propiedad de demandado sobre el bien perseguido y, en el caso de la prenda sin tenencia, un certificado sobre la vigencia del gravamen. Tales certificados deberán tener una fecha de expedición no superior a un (1) mes. También se acompañará el avalúo a que se refiere el artículo 444, así como una liquidación del crédito a la fecha de la demanda.

2. El juez librará mandamiento ejecutivo en la forma prevista en el artículo 430, en el que prevendrá al demandado sobre la pretensión de adjudicación. También decretará el embargo del bien hipotecado y, en el caso de los bienes prendados, su embargo y secuestro.

3. El ejecutado podrá, en el término de diez (10) días, plantear las siguientes defensas:

a) Pedir la regulación o pérdida de intereses; la reducción de la pena, hipoteca o prenda; la fijación de la tasa de cambio, o tachar de falso el título ejecutivo o el contrato de hipoteca o de prenda, eventos en los cuales la solicitud se tramitará como incidente que se decidirá por auto apelable en el efecto diferido.

Ejecutoriado este auto, se procederá a la adjudicación en la forma aquí prevista, salvo que prospere la tacha del título ejecutivo, caso en el cual decretará la terminación del proceso. Si la que prospera es la tacha del contrato de garantía, la ejecución continuará según las reglas generales.

Si también se proponen excepciones de mérito, dichas solicitudes se tramitarán y decidirán conjuntamente con ellas.

b) Formular excepciones de mérito, a las que se les dará el trámite previsto en el artículo 443.

c) Objetar el avalúo en la forma dispuesta en el artículo 444, que el juez tramitará y decidirá en la forma señalada en esa disposición.

d) Objetar la liquidación del crédito en la forma dispuesta en el artículo 446, que el juez resolverá con sujeción a esa norma.

e) Solicitar que antes de la adjudicación se someta el bien a subasta, caso en el cual se procederá en la forma establecida en los artículos 448 y 450 a 457, en lo pertinente. Si no se presentaren postores se procederá a la adjudicación en la forma aquí prevista.

La solicitud de subasta previa también podrá ser formulada por el acreedor de remanentes.

Si sólo se hubieren objetado el avalúo y la liquidación del crédito o uno cualquiera de ellos, en firme el auto que resuelve la objeción se adjudicará el inmueble al acreedor.

4. Cuando no se formule oposición, ni objeciones, ni petición de remate previo, el juez adjudicará el bien al acreedor mediante auto, por un valor equivalente al noventa por ciento (90%) del avalúo establecido en la forma dispuesta en el artículo 444. En la misma providencia cancelará los gravámenes prendarios o hipotecarios, así como la afectación a vivienda familiar y el patrimonio de familia; cancelará el embargo y el secuestro; ordenará expedir copia del auto para que se protocolice en una notaría del lugar del proceso y, si fuere el caso, se inscriba en la oficina de registro correspondiente, copia de lo cual se agregará al expediente; y dispondrá la entrega del bien al demandante, así como de los títulos del bien adjudicado que el demandado tenga en su poder.

Si fuere necesario, el juez comisionará para la diligencia de entrega del bien. Sólo en caso de no haberse secuestrado previamente, serán escuchadas oposiciones de terceros.

5. Si el valor de adjudicación del bien es superior al monto del crédito, el acreedor deberá consignar la diferencia a órdenes del juzgado respectivo dentro de los tres (3) días siguientes al vencimiento del plazo para presentar oposición, si esta no se formula, o a la providencia que la decida. Si el acreedor no realiza oportunamente la consignación se procederá como lo dispone el inciso final del artículo 453.

6. A este trámite no se puede acudir cuando no se conozca el domicilio del propietario o su paradero, ni cuando el bien se encuentre embargado, o existan acreedores con garantía real de mejor derecho.

- arts. 37; 38; 39; 40; 82; 83; 84; 87; 127; 128; 129; 130; 131; 269; 270; 271; 309; 318; 320; 321; 322; 323; 324; 422; 424; 430; 431; 442; 443; 444; 446; 448 hasta 461; 468 y 470
- CC arts. 2409 hasta 2431 y 2432 hasta 2457
- CCo arts. 1204; 1205; 1206; 1207 hasta 1220
- L 1676/2013 art. 3

CAPÍTULO VI
DISPOSICIONES ESPECIALES PARA LA EFECTIVIDAD DE LA GARANTÍA REAL

ARTÍCULO 468. DISPOSICIONES ESPECIALES PARA LA EFECTIVIDAD DE LA GARANTÍA REAL

Cuando el acreedor persiga el pago de una obligación en dinero, exclusivamente con el producto de los bienes gravados con hipoteca o prenda, se observarán las siguientes reglas:

1. Requisitos de la demanda. La demanda, además de cumplir los requisitos de toda demanda ejecutiva, deberá indicar los bienes objeto de gravamen.

A la demanda se acompañará título que preste mérito ejecutivo, así como el de la hipoteca o prenda, y si se trata de aquella un certificado del registrador respecto de la propiedad del demandado sobre el bien inmueble perseguido y los gravámenes que lo afecten, en un período de diez (10) años si fuere posible. Cuando se trate de prenda sin tenencia, el certificado deberá versar sobre la vigencia del gravamen. El certificado que debe anexarse a la demanda debe haber sido expedido con una antelación no superior a un (1) mes.

La demanda deberá dirigirse contra el actual propietario del inmueble, la nave o la aeronave materia de la hipoteca o de la prenda.

Si el pago de la obligación a cargo del deudor se hubiere pactado en diversos instalamentos, en la demanda podrá pedirse el valor de todos ellos, en cuyo caso se harán exigibles los no vencidos.

Si del certificado del registrador aparece que sobre los bienes gravados con prenda o hipoteca existe algún embargo ordenado en proceso ejecutivo, en la demanda deberá informarse, bajo juramento, si en aquel ha sido citado el acreedor, y de haberlo sido, la fecha de la notificación.

2. Embargo y secuestro. Simultáneamente con el mandamiento ejecutivo y sin necesidad de caución, el juez decretará el embargo y secuestro del bien hipotecado o dado en prenda, que se persiga en la demanda. El registrador deberá inscribir el embargo, aunque el demandado haya dejado de ser propietario del bien. Acreditado el embargo, si el bien ya no pertenece al demandado, el juez de oficio tendrá como sustituto al actual propietario a quien se le notificará el mandamiento de pago. En este proceso no habrá lugar a reducción de embargos ni al beneficio de competencia.

3. Orden de seguir adelante la ejecución. Si no se proponen excepciones y se hubiere practicado el embargo de los bienes gravados con hipoteca o prenda, o el ejecutado hubiere prestado caución para evitarlo o levantarlo, se ordenará seguir adelante la ejecución para que con el producto de ellos se pague al demandante el crédito y las costas.

El secuestro de los bienes inmuebles no será necesario para ordenar seguir adelante la ejecución, pero sí para practicar el avalúo y señalar la fecha del remate. Cuando no se pueda efectuar el secuestro por oposición de poseedor, o se levante por el mismo motivo, se aplicará lo dispuesto en el numeral 3 del artículo 596, sin que sea necesario reformar la demanda.

4. Intervención de terceros acreedores. En el mandamiento ejecutivo se ordenará la citación de los terceros acreedores que conforme a los certificados del registrador acompañados a la demanda, aparezca que tienen a su favor hipoteca o prenda sobre los mismos bienes, para que en el término de diez (10) días contados desde su respectiva notificación hagan valer sus créditos, sean o no exigibles. La citación se hará mediante notificación personal y si se designa curador ad litem el plazo para que este presente la demanda será de diez (10) días a partir de su notificación.

Citados los terceros acreedores, todas las demandas presentadas en tiempo se tramitarán conjuntamente con la inicial, y el juez librará un solo mandamiento ejecutivo para las que cumplan los requisitos necesarios para ello; respecto de las que no los cumplan se proferirán por separado los correspondientes autos. En la providencia que ordene seguir adelante la ejecución se fijará el orden de preferencia de los distintos créditos y se condenará al deudor en las costas causadas en interés general de los acreedores y en las propias de cada uno, que se liquidarán conjuntamente.

Vencido el término para que concurran los acreedores citados, se adelantará el proceso hasta su terminación. Si hecho el pago al demandante y a los acreedores que concurrieron sobrare dinero, se retendrá el saldo a fin de que sobre él puedan hacer valer sus créditos los que no hubieren concurrido, mediante proceso ejecutivo que se tramitará a continuación, en el mismo expediente, y deberá iniciarse dentro de los treinta (30) días siguientes al mencionado pago, vencidos los cuales se entregará al ejecutado dicho saldo.

5. Remate de bienes. El acreedor con hipoteca de primer grado, podrá hacer postura con base en la liquidación de su crédito; si quien lo hace es un acreedor hipotecario de segundo grado, requerirá la autorización de aquel y así sucesivamente los demás acreedores hipotecarios.

Si el precio del bien fuere inferior al valor del crédito y las costas, se adjudicará el bien por dicha suma; si fuere superior, el juez dispondrá que el acreedor consigne a orden del juzgado la diferencia con la última liquidación aprobada del crédito, y de las costas si las hubiere, en el término de tres (3) días, caso en el cual aprobará el remate.

Si el acreedor no realiza oportunamente la consignación se procederá como lo dispone el inciso final del artículo 453.

Si son varios los acreedores y se han liquidado costas a favor de todos, se aplicará lo preceptuado en el numeral 7 artículo 365.

Cuando el proceso verse sobre la efectividad de la prenda y esta se justiprecie en suma no mayor a un salario mínimo mensual, en firme el avalúo el acreedor podrá pedir su adjudicación dentro de los cinco (5) días siguientes, para lo cual en lo pertinente se aplicarán las reglas de este artículo.

Cuando a pesar del remate o de la adjudicación del bien la obligación no se extinga, el acreedor podrá perseguir otros bienes del ejecutado, sin necesidad de prestar caución, siempre y cuando este sea el deudor de la obligación.

6. Concurrencia de embargos. El embargo decretado con base en título hipotecario o prendario sujeto a registro, se inscribirá aunque se halle vigente otro practicado sobre el mismo bien en proceso ejecutivo seguido para el cobro de un crédito sin garantía real. Recibida la comunicación del nuevo embargo, simultáneamente con su inscripción el registrador deberá cancelar el anterior, dando inmediatamente informe escrito de ello al juez que lo decretó, quien, en caso de haberse practicado el secuestro, remitirá copia de la diligencia al juez que adelanta el proceso con base en garantía real para que tenga efectos en este y le oficie al secuestre dándole cuenta de ello.

En tratándose de bienes no sujetos a registro, cuando el juez del proceso con garantía prendaria, antes de llevar a cabo el secuestro, tenga conocimiento de que en otro ejecutivo sin dicha garantía ya se practicó, librará oficio al juez de este proceso para que proceda como se dispone en el inciso anterior. Si en el proceso con base en garantía real se practica secuestro sobre los bienes prendados que hubieren sido secuestrados en proceso ejecutivo sin garantía real, el juez de aquel librará oficio al de este, para que cancele tal medida y comunique dicha decisión al secuestre.

En todo caso, el remanente se considerará embargado a favor del proceso en el que se canceló el embargo o el secuestro a que se refieren los dos incisos anteriores.

Cuando en diferentes procesos ejecutivos se decrete el embargo del mismo bien con base en garantías reales, prevalecerá el embargo que corresponda al gravamen que primero se registró.

El demandante del proceso cuyo embargo se cancela, podrá hacer valer su derecho en el otro proceso dentro de la oportunidad señalada en el inciso primero del numeral 4. En tal caso, si en el primero se persiguen más bienes, se suspenderá su trámite hasta la terminación del segundo, una vez que en aquel se presente copia de la demanda y del mandamiento de pago.

Si el producto de los bienes rematados en el proceso cuyo embargo prevaleció, no alcanzare a cubrir el crédito cobrado por el demandante del otro proceso, este se reanudará a fin de que se le pague la parte insoluta.

Si en el proceso cuyo embargo se cancela intervienen otros acreedores, el trámite continuará respecto de estos, pero al distribuir el producto del remate se reservará lo que corresponda al acreedor hipotecario o prendario que hubiere comparecido al proceso cuyo embargo prevaleció. Satisfecho a dicho acreedor total o parcialmente su crédito en el otro proceso, la suma reservada o lo que restare de ella se distribuirá entre los demás acreedores cuyos créditos no hubieren sido cancelados; si quedare remanente y no estuviere embargado, se entregará al ejecutado.

Cuando el embargo se cancele después de dictada sentencia de excepciones no podrá el demandado proponerlas de nuevo en el otro proceso.

7. Obligaciones distintas de pagar sumas de dinero. Si la obligación garantizada con hipoteca o prenda es de entregar un cuerpo cierto o bienes de género, de hacer o de no hacer, el demandante procederá de conformidad con lo dispuesto en el artículo 428.

PARÁGRAFO. En los procesos de que trata este artículo no se aplicarán los artículos 462, 463 y 600.

- arts. 82; 84; 97; 207; 290; 291; 365; 411; 422; 424; 440; 442; 443; 445; 448; 453; 461; 462; 463; 588; 596; 597 y 600
- L 2213 de 2022; art. 8
- L 1676/2013
- L 2213/2022 art. 8

CAPÍTULO VII
EJECUCIÓN PARA EL COBRO DE DEUDAS FISCALES

ARTÍCULO 469. TÍTULOS EJECUTIVOS

Sin perjuicio de lo previsto en normas especiales, también prestan mérito ejecutivo en las ejecuciones por jurisdicción coactiva:

1. Los alcances líquidos declarados por las contralorías contra los responsables del erario, contenidos en providencias definitivas y ejecutoriadas.

2. Las resoluciones ejecutoriadas de funcionarios administrativos o de policía, que impongan multas a favor de las entidades de derecho público, si no se ha establecido otra forma de recaudo.

3. Las providencias ejecutoriadas que impongan multas a favor de entidades de derecho público en procesos seguidos ante las autoridades de la rama jurisdiccional del Estado.

4. Las liquidaciones de impuestos contenidas en providencias ejecutoriadas que practiquen los respectivos funcionarios fiscales, a cargo de los contribuyentes, las certificaciones expedidas por los administradores o recaudadores de impuestos nacionales sobre el monto de las liquidaciones correspondientes, y la copia de la liquidación privada del impuesto de renta y complementarios para el cobro de las cuotas vencidas.

- arts. 422; 424; 431 y 465

ARTÍCULO 470. EMBARGOS

Si el deudor no denuncia bienes para el pago o los denunciados no fueren suficientes, el funcionario ejecutor solicitará toda clase de datos sobre los que a aquel pertenezcan, y las entidades o personas a quienes se les soliciten deberán suministrarlos, so pena de que se les impongan multas sucesivas de cinco (5) a diez (10) salarios mínimos mensuales (smlmv), salvo que exista reserva legal.

En caso de concurrencia de embargos, se aplicará lo dispuesto en el artículo 465.

- arts. 44 num. 7; 465; 466; 599 y 601

ARTÍCULO 471. ACUMULACIÓN DE DEMANDAS Y PROCESOS, Y CITACIÓN DE ACREEDORES HIPOTECARIOS

En los procesos de jurisdicción coactiva no es admisible acumulación de demandas ni de procesos con títulos distintos a los determinados en el artículo 469.

Si del respectivo certificado del registrador resulta que los bienes embargados están gravados, el funcionario ejecutor hará saber al acreedor la existencia del proceso, mediante notificación personal, para que pueda hacer valer su crédito ante juez competente.

El dinero que sobre del remate del bien hipotecado se enviará al juez que adelante el proceso para el cobro del crédito con garantía real o se depositará a la orden de la entidad ejecutora para los fines indicados en el inciso anterior, a menos que el acreedor y el deudor manifiesten otra cosa.

- arts. 27; 148; 149; 150; 289; 290, 291; 463; 464; 465 y 469
- L 2213/2022 art. 8

ARTÍCULO 472. COMISIONES

Cuando haya lugar a comisiones, los funcionarios investidos de jurisdicción coactiva deberán conferirlas de preferencia a otro empleado de la misma clase, de igual o inferior categoría, sin perjuicio de que puedan comisionar a los jueces municipales.

- arts. 37; 38; 39; 40 y 41

SECCIÓN TERCERA
PROCESOS DE LIQUIDACIÓN

TÍTULO I
PROCESO DE SUCESIÓN

CAPÍTULO I
MEDIDAS PREPARATORIAS EN SUCESIONES TESTADAS

ARTÍCULO 473. APERTURA Y PUBLICACIÓN JUDICIAL DEL TESTAMENTO CERRADO EN CASO DE OPOSICIÓN

Para la apertura y publicación del testamento cerrado en caso de oposición, se procederá así:

1. Entregada por el notario al juzgado la cubierta del testamento y la copia de lo actuado ante aquel, una vez reconocidas las firmas, se extenderá acta sobre el estado en que aquella se encuentre, con expresión de sus marcas, sellos y demás circunstancias de interés y se señalará fecha y hora para audiencia, con el fin de resolver sobre la oposición. Si fuere conocida la dirección del opositor, a este se le citará mediante cualquier medio de comunicación expedito, dejando constancia de ello en el expediente, haciéndole saber la fecha y hora de la audiencia. Si quien la formuló no comparece sin causa justificada o no se ratifica, el juez la rechazará de plano, por auto que no admite recursos. De lo contrario decretará y practicará en la audiencia las pruebas allí pedidas y las que decrete de oficio, y decidirá.

2. Rechazada la oposición, se abrirá y publicará el testamento, que se protocolizará por el juez con todo lo actuado en una de las notarías del lugar.

3. Si las firmas puestas en la cubierta del testamento no fueren reconocidas por el notario que lo autorizó o por cualquiera de los testigos instrumentales, o no hubieren sido debidamente abonadas, el juez procederá siempre a su apertura y publicación y dejará en el acta el respectivo testimonio.

De igual manera procederá el juez cuando en concepto del notario o de los testigos, la cubierta ofrezca señales evidentes de haber sido abierta.

En los casos anteriores el juez dispondrá que el testamento no es ejecutable mientras no se declare su validez en proceso verbal, con citación de quienes tendrían el carácter de herederos abintestato o testamentarios, en virtud de un testamento anterior.

- arts. 18 num. 5; 22 num. 10 y 489 num. 2
- CC arts. 1008; 1009 y 1012

ARTÍCULO 474. PUBLICACIÓN DEL TESTAMENTO OTORGADO ANTE CINCO (5) TESTIGOS

Para la publicación del testamento otorgado ante cinco (5) testigos se procederá así:

La petición deberá dirigirse al juez del lugar donde se otorgó, acompañada del escrito que lo contenga y de la prueba de la defunción del testador.

El juez ordenará la citación de los testigos instrumentales para que concurran a audiencia cuya fecha y hora señalará, con el fin de que reconozcan sus firmas y la del testador, en la forma prevista en el artículo 1077 del Código Civil.

Surtida la audiencia, si fuere el caso, el juez declarará nuncupativo el testamento y procederá a rubricar con su secretario todas las páginas de este, con indicación de la fecha en que lo hace, a dejar copia de lo actuado en su archivo y protocolizar el expediente en una notaría del lugar.

Si las firmas del testador o de los testigos no fueren reconocidas o debidamente abonadas, o si de las declaraciones no aparece que dicho acto es el testamento del causante, el juez declarará que el escrito no reviste el carácter del testamento nuncupativo, sin perjuicio de que la cuestión se ventile en proceso de conocimiento, con audiencia de quienes tendrían el carácter de heredero abintestato o testamentarios en virtud de un testamento anterior.

- arts. 18 num. 5; 213; 214 y 217
- CC arts. 1009; 1064; 1066; 1068; 1070; 1071; 1076; 1077 y1078

ARTÍCULO 475. REDUCCIÓN A ESCRITO DEL TESTAMENTO VERBAL

La petición para reducir a escrito el testamento verbal deberá presentarse al juez del lugar donde se otorgó, dentro de los treinta (30) días siguientes a la defunción del testador, y se sujetará a las siguientes reglas:

1. Al escrito se acompañará la prueba de la muerte del testador, y en él deberá pedirse que se reciba declaración a los testigos instrumentales y a las demás personas de quienes se afirme que tienen conocimiento de los hechos relativos al otorgamiento del testamento, con indicación de su nombre, vecindad y lugar donde habiten o trabajen.

2. Si la solicitud fuere procedente, se ordenará la recepción de las declaraciones en audiencia, para la cual se señalará fecha y hora, a fin de esclarecer los puntos relacionados en los artículos 1094 y 1095 del Código Civil.

3. Antes de la celebración de la audiencia se emplazará a los posibles interesados por medio de edicto que se fijará en la secretaría del despacho por cinco (5) días y que se publicará en la forma prevista para el emplazamiento.

4. Recibidos los testimonios, el mismo juez dictará la providencia que ordena el artículo 1096 del Código Civil, siempre que se reúnan las condiciones previstas en dicha norma, y adquiera certeza sobre los hechos que allí se indican y dispondrá que la actuación se protocolice en notaría del lugar, previa expedición de copia para su archivo.

5. Cuando de las declaraciones de los testigos instrumentales no aparece claramente la última voluntad del testador, el juez declarará que de ellas no resulta testamento verbal.

6. Si de las declaraciones o de otras pruebas practicadas en la misma audiencia, a solicitud de interesado o por decreto oficioso del juez aparece que el testador falleció después de los treinta (30) días siguientes a la fecha en que fue otorgado el testamento, el juez lo declarará inexistente como tal.

- arts. 18 num. 5; 107; 108; 214; 217; 221 y 293
- L 2213/2022 art. 10
- CC arts. 1087 num. 1 hasta 1097

CAPÍTULO II
MEDIDAS CAUTELARES

ARTÍCULO 476. GUARDA Y APOSICIÓN DE SELLOS

Dentro de los treinta (30) días siguientes a la fecha de la defunción del causante, toda persona que pruebe al menos sumariamente su interés efectivo o presunto en el proceso de sucesión podrá pedir que los muebles y documentos del difunto se aseguren bajo llave y sello.

A la solicitud se acompañará la prueba de la defunción del causante, y en ella se indicará el lugar donde se encuentran los bienes.

Son competentes a prevención para estas diligencias el juez que deba conocer del proceso de sucesión y el juez municipal en cuyo territorio se encuentren los bienes.

Si la solicitud fuere procedente, el juez decretará la medida y señalará fecha y hora para la diligencia, que se practicará dentro de los dos (2) días siguientes.

- arts. 17 num. 2; 18 num. 4; 22 num. 9; 23; 28 num. 12, 107; 298, 477; 478 y 479
- CC arts. 1279; 1280 y 1281

ARTÍCULO 477. PRÁCTICA DE LA GUARDA Y APOSICIÓN DE SELLOS

Para la práctica de la guarda y aposición de sellos, el juez procederá así:

1. Hará una lista de los muebles domésticos de uso cotidiano, y los dejará en poder de su tenedor, si lo hubiere y este lo solicitare.

2. Hará una relación de los libros de cuenta y de los documentos que encuentre, que deberá colocar en una cubierta que cerrará y sellará. Dichos documentos se trasladarán al despacho del juzgado para su conservación y custodia.

3. Cerrará bajo llave que conservará en su poder, las puertas de las habitaciones o locales que destine para la guarda de los bienes muebles, y pondrá en ellas el sello del juzgado.

4. Ordenará depositar las joyas u objetos preciosos en un establecimiento especializado, si lo hubiere en el lugar, o en caso contrario, decretará su secuestro conforme el artículo 480.

5. Consignará en la cuenta de depósitos judiciales el dinero que encuentre.

6. Dispondrá que por la policía se custodien los bienes muebles dejados bajo guarda y sello, si lo considera conveniente.

7. Extenderá acta de la diligencia, que se firmará por quienes hubieren intervenido en ella.

8. Si al practicarse la diligencia se presenta oposición, para resolver sobre su admisión se aplicará lo preceptuado en los numerales 1 y 2 del artículo 596, y si se admite se dejarán los bienes en poder del opositor como secuestre de ellos.

- arts. 17 num. 2, 18 num. 4, 22 num. 9; 23; 28; 52; 107; 309; 477; 479 y 480
- CC arts. 1279; 1280 y 1281

ARTÍCULO 478. TERMINACIÓN DE LA GUARDA

Si dentro de los diez (10) días siguientes a la diligencia no se hubiere promovido el proceso de sucesión, el juez levantará las anteriores medidas, salvo que se haya solicitado el secuestro de los mismos.

- arts. 477; 479; 480; 488 y 490
- CC 2273 hasta 2281.

ARTÍCULO 479. MEDIDAS POLICIVAS

Las autoridades de policía podrán adoptar únicamente la medida sobre aposición de sellos, sujetándose a lo dispuesto en el artículo 477; concluida la diligencia, lo actuado se remitirá al juez que fuere competente para el proceso de sucesión, quien levantará los sellos como lo dispone el artículo precedente y dará aviso al funcionario que los puso.

- arts. 17 num. 2; 18 num. 4; 22 num. 9; 2 7; 28 y 477

ARTÍCULO 480. EMBARGO Y SECUESTRO

Aun antes de la apertura del proceso de sucesión cualquier persona de las que trata el artículo 1312 del Código Civil, el compañero permanente del causante, que acredite siquiera sumariamente interés podrá pedir el embargo y secuestro de los bienes del causante, sean propios o sociales, y de los que formen parte del haber de la sociedad conyugal o patrimonial que estén en cabeza del cónyuge o compañero permanente.

Para la práctica del embargo y secuestro el juez, además de lo previsto en las reglas generales, procederá así:

1. Al hacer entrega al secuestre, se cerciorará de que los bienes pertenezcan al causante, cónyuge o compañero permanente y con tal fin examinará los documentos que encuentre o se le presenten e interrogará a los interesados y demás personas que asistan a la diligencia.

2. Si los bienes se encuentran en poder de persona que los tenga por orden judicial, se abstendrá de practicar el secuestro.

3. Si se demuestra que las medidas decretadas recaen sobre bienes propios del cónyuge o compañero permanente, se abstendrá de practicarlas. Si ya hubieren sido practicadas, el interesado podrá promover incidente para que se levanten.

4. Si hubiere bienes consumibles, en la diligencia autorizará al secuestre para enajenarlos.

5. En acta se relacionarán los bienes entregados al secuestre.

También podrá decretarse el embargo y secuestro después de iniciado el proceso de sucesión y antes de proferirse la sentencia aprobatoria de la partición.

- arts. 52; 107; 127; 128; 129; 130; 131; 298, 321; 481; 482; 500; 588; 593; 594; 595; 596 y 597
- CC arts. 1312; 1781; 1782; 1783; 1784; 1785; 1786; 1787; 1788; 2273; 2274; 2275; 2276; 2277; 2278; 2279; 2280 y 2281
- L 2213/2022

ARTÍCULO 481. TERMINACIÓN DEL SECUESTRO

El secuestro terminará:

1. Cuando por orden del juez deban entregarse los bienes al administrador de la herencia yacente.

2. Cuando por decreto judicial deban entregarse los bienes a un albacea con tenencia de bienes.

3. Cuando se ordene entregar los bienes a heredero, cónyuge o compañero permanente sobreviviente reconocidos en el proceso como tales.

En estos casos, si el secuestre se negare a hacer la entrega, se procederá a ella con intervención del juez, sin que puedan admitirse oposiciones ni derecho de retención.

- arts. 308; 309; 480; 482; 483; 484; 496; 497; 498; 499 y 500
- CC arts. 1327 hasta 1367
- L 1306/2009 art. 114

CAPÍTULO III
HERENCIA YACENTE

ARTÍCULO 482. DECLARACIÓN DE YACENCIA

Si pasados quince (15) días desde la apertura de la sucesión no se hubiere aceptado la herencia o una cuota de ella, ni hubiere albacea con tenencia de bienes y que haya aceptado el cargo, el juez, de oficio o a petición del cónyuge, del compañero permanente, de cualquiera de los parientes o dependientes del difunto, o de quien pretenda promover demanda respecto de ella, declarará yacente la herencia y le designará administrador.

En la solicitud deberán relacionarse y determinarse los bienes del causante de que se tenga conocimiento e indicarse el lugar de su ubicación, y conocerá de ella el juez competente para el proceso de sucesión.

- arts. 17 num. 2; 18 num. 5; 22 num. 9; 87 y 483
- CC arts. 1012; 1297; 1298; 1299; 1300; 1301; 1302 y 1303
- L 1306/2009 arts. 114; 115 y 116

ARTÍCULO 483. TRÁMITE

Cumplido lo anterior se procederá así:

1. El juez ordenará el emplazamiento de todos los que se crean con derecho para intervenir en la sucesión en la forma prevista en este código. Si existiere testamento, se ordenará además la notificación personal o en su defecto el emplazamiento de los herederos y legatarios.

2. Cuando el causante tuviere herederos extranjeros, el cónsul del país a que pertenezcan podrá proponer candidato para administrador, que el juez aceptará si fuere idóneo. A la solicitud se acompañará prueba de la existencia de tales herederos.

3. Posesionado el administrador, el juez ordenará que preste caución en el término de diez (10) días, y si no lo hiciere procederá a reemplazarlo; una vez prestada la caución le discernirá el cargo y señalará fecha y hora para entregarle los bienes relictos, relacionándolos detalladamente en el acta respectiva.

4. Transcurridos dos (2) años desde el fallecimiento del causante sin que comparezcan herederos, el juez, de oficio o a petición del administrador ordenará el remate de los bienes relictos, previo aviso escrito al director del Instituto Colombiano de Bienestar Familiar.

Del precio de la venta se deducirán los gastos causados por la administración y los honorarios que el juez señale al administrador, y el sobrante se consignará a órdenes del Consejo Superior de la Judicatura.

5. Para atender el pago de gastos de administración o de deudas que no hayan podido cubrirse con los dineros de la herencia, podrá decretarse en cualquier momento el remate de determinados bienes previo su avalúo.

6. El remate de bienes de la herencia yacente se sujetará a lo dispuesto sobre el particular en el proceso divisorio.

7. Los acreedores provistos de títulos ejecutivos contra el causante y los que figuren en el testamento, podrán solicitar el reconocimiento de sus créditos, en cualquier oportunidad. De su solicitud se dará traslado al administrador por tres (3) días, vencidos los cuales se decidirá sobre su aceptación.

Las peticiones que se formulen después de la venta y de terminada la administración, se resolverán previo traslado al Ministerio Público.

8. El administrador podrá entregar a los legatarios las especies muebles y el dinero que se les legaron, conforme al artículo 1431 del Código Civil, previa autorización del juez a solicitud de aquel o del interesado. Cuando la solicitud no sea formulada por el administrador se le dará el traslado que ordena el numeral anterior.

Si hubiere legados de bienes inmuebles, los legatarios podrán solicitar la adjudicación. De sus peticiones se dará traslado al administrador por tres (3) días, y el juez las resolverá en sentencia que pronunciará transcurridos seis (6) meses desde la declaración de yacencia, o en la aprobatoria de la partición si entre tanto se hubieren presentado herederos.

- arts. 17 num. 2; 18 num. 5; 87; 108; 290; 291; 292; 293; 411; 448; 482; 483; 485 y 490
- CC arts. 1012; 1162; 1289; 1297; 1298; 1299; 1300; 1301; 1302; 1303 y1431
- L 1306/2009 arts. 114; 115 y 116
- L 2213/2022 arts. 8 y10

ARTÍCULO 484. ATRIBUCIONES Y DEBERES DEL ADMINISTRADOR

El administrador representa la herencia yacente y tendrá atribuciones y deberes de secuestre, además de los especiales que la ley le asigna. Estará sujeto a las causas de remoción del administrador y a las del secuestre, y el trámite de las cuentas que deba rendir se sujetará a lo establecido para los secuestres.

- arts. 47; 48; 49; 50; 51; 52, 481 num. 1 y 496
- L 1306/2009 arts. 114; 115 y 116

ARTÍCULO 485. DECLARACIÓN DE VACANCIA

Transcurridos diez (10) años desde el fallecimiento del causante sin que se presenten herederos que reclamen la herencia, el juez de oficio o a petición del interesado, la declarará vacante y dará a los dineros de que trata el numeral 4 del artículo 483 la destinación que la ley sustancial establece.

- arts. 482, 483 y 486
- CC arts. 1040 y 1051

ARTÍCULO 486. TRANSFORMACIÓN DE LAS DILIGENCIAS EN PROCESO DE SUCESIÓN

Si comparecen herederos o cónyuges antes de declararse la vacancia, las diligencias continuarán como proceso de sucesión, sin que haya lugar a nuevo emplazamiento.

- arts. 108 y 487 hasta 520
- L 2213/2022 art. 10

CAPÍTULO IV
TRÁMITE DE LA SUCESIÓN

ARTÍCULO 487. DISPOSICIONES PRELIMINARES

Las sucesiones testadas, intestadas o mixtas se liquidarán por el procedimiento que señala este Capítulo, sin perjuicio del trámite notarial previsto en la ley.

También se liquidarán dentro del mismo proceso las sociedades conyugales o patrimoniales que por cualquier causa estén pendientes de liquidación a la fecha de la muerte del causante, y las disueltas con ocasión de dicho fallecimiento.

PARÁGRAFO. La partición del patrimonio que en vida espontáneamente quiera efectuar una persona para adjudicar todo o parte de sus bienes, con o sin reserva de usufructo o administración, deberá, previa licencia judicial, efectuarse mediante escritura pública, en la que también se respeten las asignaciones forzosas, los derechos de terceros y los gananciales. En el caso de estos será necesario el consentimiento del cónyuge o compañero.

Los herederos, el cónyuge o compañero permanente y los terceros que acrediten un interés legítimo, podrán solicitar su rescisión dentro de los dos (2) años siguientes a la fecha en que tuvieron o debieron tener conocimiento de la partición.

Esta partición no requiere proceso de sucesión.

- *Nota de vigencia:* El parágrafo fue declarado exequible en la sentencia de la Corte Constitucional C-683 del 10 de septiembre de 2014, por los cargos por unidad de materia e igualdad en los términos analizados
- arts. 17 num. 2; 18 num. 4; 22 num. 9; 23; 26 num. 5; 28 num. 12; 577 y 581
- CC arts. 1008; 1009; 1010; 1011; 1037; 1040; 1041; 1052; 1820 y 1821

ARTÍCULO 488. DEMANDA

Desde el fallecimiento de una persona, cualquiera de los interesados que indica el artículo 1312 del Código Civil o el compañero permanente con sociedad patrimonial reconocida, podrá pedir la apertura del proceso de sucesión. La demanda deberá contener:

1. El nombre y vecindad del demandante e indicación del interés que le asiste para proponerla.
2. El nombre del causante y su último domicilio.
3. El nombre y la dirección de todos los herederos conocidos.
4. La manifestación de si se acepta la herencia pura y simplemente o con beneficio de inventario, cuando se trate de heredero. En caso de que guarde silencio se entenderá que la acepta con beneficio de inventario.

- arts. arts. 17 num. 2; 18 num. 4; 22 num. 9; 23; 26 num. 5; 28 num. 12; 82; 87; 290; 489; 490 y 491
- CC arts. 1012; 1298; 1304 hasta 1320 y 1728
- L 2213/2022 arts. 6 y 8

ARTÍCULO 489. ANEXOS DE LA DEMANDA

Con la demanda deberán presentarse los siguientes anexos:

1. La prueba de la defunción del causante.
2. Copia del testamento y de la escritura de protocolización de las diligencias, y de su apertura y publicación, según el caso.
3. Las pruebas de estado civil que acrediten el grado de parentesco del demandante con el causante, si se trata de sucesión intestada.
4. La prueba de la existencia del matrimonio, de la unión marital o de la sociedad patrimonial reconocida si el demandante fuere el cónyuge o el compañero permanente.
5. Un inventario de los bienes relictos y de las deudas de la herencia, y de los bienes, deudas y compensaciones que correspondan a la sociedad conyugal o patrimonial, junto con las pruebas que se tengan sobre ellos.
6. Un avalúo de los bienes relictos de acuerdo con lo dispuesto en el artículo 444.
7. La prueba del crédito invocado, si el demandante fuere acreedor hereditario.
8. La prueba del estado civil de los asignatarios, cónyuge o compañero permanente, cuando en la demanda se refiera su existencia, sin perjuicio de lo dispuesto en el artículo 85.

- arts. 84; 85; 87; 444; 473; 474; 475; 488 y 501
- CC arts. 1781 hasta 1804.
- L 2213/2022 art. 6

ARTÍCULO 490. APERTURA DEL PROCESO

Presentada la demanda con los requisitos legales y los anexos, el Juez declarará abierto el proceso de sucesión, ordenará notificar a los herederos conocidos y al cónyuge o compañero permanente, para los efectos previstos en el artículo 492, así como emplazar a los demás que se crean con derecho a intervenir en él, en la forma prevista en este código. Si en la demanda no se señalan herederos conocidos y el demandante no lo es, el juez ordenará notificar al Instituto Colombiano de Bienestar Familiar o a las entidades que tengan vocación legal. En todo caso, ordenará además informar a la Dirección de Impuestos y Aduanas Nacionales.

El auto que niegue la apertura del proceso de sucesión es apelable.

PARÁGRAFO 1o. El Consejo Superior de la Judicatura llevará el Registro Nacional de Apertura de Procesos de Sucesión y reglamentará la forma de darle publicidad.

Cuando las circunstancias lo exijan, el juez ordenará la publicación en una radiodifusora con amplia sintonía en la localidad o región del último domicilio del causante.

PARÁGRAFO 2o. El Registro Nacional de Apertura de Procesos de Sucesión deberá estar disponible en la página web del Consejo Superior de la Judicatura.

PARÁGRAFO 3o. Si en el curso de proceso se conoce la existencia de algún heredero, cónyuge o compañero permanente, se procederá a su notificación personal o por aviso.

Cuando se trate de niños, niñas, adolescentes o incapaces su notificación se surtirá a través de su representante legal y, si fuere el caso, se le designará curador ad litem.

- NOTA: El Parágrafo fue corregido por el Decreto 1736 de 2012
- arts. 47; 48; 49; 50; 54; 55; 108; 290; 291; 292; 318; 321 y 492
- CC arts. 1012; 1013; 1279 y 1312
- L 2213/2022 arts. 8 y 10
- CSJud, Ac. No. PSAA14-10118 de 2014 "Por el cual se crean y organizan los Registros Nacionales de Personas Emplazadas, Bienes Vacantes o Mostrencos y Procesos de Sucesión"

ARTÍCULO 491. RECONOCIMIENTO DE INTERESADOS

Para el reconocimiento de interesados se aplicarán las siguientes reglas:

1. En el auto que declare abierto el proceso se reconocerán los herederos, legatarios, cónyuge, compañero permanente o albacea que hayan solicitado su apertura, si aparece la prueba de su respectiva calidad.

2. Los acreedores podrán hacer valer sus créditos dentro del proceso hasta que termine la diligencia de inventario, durante la cual se resolverá sobre su inclusión en él.

3. Desde que se declare abierto el proceso y hasta antes de la ejecutoria de la sentencia aprobatoria de la última partición o adjudicación de bienes, cualquier heredero, legatario o cesionario de estos, el cónyuge o compañero permanente o el albacea podrán pedir que se les reconozca su calidad. Si se trata de heredero, se aplicará lo dispuesto en el numeral 4 del artículo 488. En caso de que haya sido aprobada una partición parcial, no podrá ser modificada en el mismo proceso.

Si la asignación estuviere sometida a condición suspensiva, deberá acompañarse la prueba del hecho que acredite el cumplimiento de la condición.

Los interesados que comparezcan después de la apertura del proceso lo tomarán en el estado en que se encuentre.

4. Cuando se hubieren reconocido herederos o legatarios y se presenten otros, solo se les reconocerá si fueren de igual o de mejor derecho.

La solicitud de quien pretenda ser heredero o legatario de mejor derecho se tramitará como incidente, sin perjuicio de que la parte vencida haga valer su derecho en proceso separado.

5. El adquirente de todos o parte de los derechos de un asignatario podrá pedir dentro de la oportunidad indicada en el numeral 3, que se le reconozca como cesionario, para lo cual, a la solicitud acompañará la prueba de su calidad.

6. Cuando al proveer sobre el reconocimiento de un interesado el juez advierta deficiencia en la prueba de la calidad que invoca o en la personería de su representante o apoderado, lo denegará hasta cuando aquella se subsane.

7. Los autos que acepten o nieguen el reconocimiento de herederos, legatarios, cesionarios, cónyuge o compañero permanente, lo mismo que los que decidan el incidente de que trata el numeral 4, son apelables en el efecto diferido; pero si al mismo tiempo resuelven sobre la apertura de la sucesión, la apelación se surtirá en el efecto devolutivo.

- arts. 127; 128; 129; 130; 131; 305; 318; 321; 322; 323; 488; 489; 490; 502; 509; 514 y 518
- CC arts. 1008; 1011; 1019; 1136; 1327; 1352; 1536; 1728; 1967 y 1968

ARTÍCULO 492. REQUERIMIENTO A HEREDEROS PARA EJERCER EL DERECHO DE OPCIÓN, Y AL CÓNYUGE O COMPAÑERO SOBREVIVIENTE

Para los fines previstos en el artículo 1289 del Código Civil, el juez requerirá a cualquier asignatario para que en el término de veinte (20) días, prorrogable por otro igual, declare si acepta o repudia la asignación que se le hubiere deferido, y el juez ordenará el requerimiento si la calidad de asignatario aparece en el expediente, o el peticionario presenta la prueba respectiva.

De la misma manera se procederá respecto del cónyuge o compañero sobreviviente que no haya comparecido al proceso, para que manifieste si opta por gananciales, porción conyugal o marital, según el caso.

El requerimiento se hará mediante la notificación del auto que declaró abierto el proceso de sucesión, en la forma prevista en este código.

Si se ignora el paradero del asignatario, del cónyuge o compañero permanente y estos carecen de representante o apoderado, se les emplazará en la forma indicada en este código. Surtido el emplazamiento, si no hubiere comparecido, se le nombrará curador, a quien se le hará el requerimiento para los fines indicados en los incisos anteriores, según corresponda. El curador representará al ausente en el proceso hasta su apersonamiento y, en el caso de los asignatarios, podrá pedirle al juez que lo autorice para repudiar. El curador del cónyuge o compañero permanente procederá en la forma prevista en el artículo 495.

Los asignatarios que hubieren sido notificados personalmente o por aviso de la apertura del proceso de sucesión, y no comparezcan, se presumirá que repudian la herencia, según lo previsto en el artículo 1290 del Código Civil, a menos que demuestren que con anterioridad la habían aceptado expresa o tácitamente. En ningún caso, estos adjudicatarios podrán impugnar la partición con posterioridad a la ejecutoria de la sentencia que la aprueba.

Cuando el proceso de sucesión se hubiere iniciado por un acreedor y ningún heredero hubiere aceptado la herencia, ni lo hubiere hecho el Instituto Colombiano de Bienestar Familiar, el juez declarará terminado el proceso dos (2) meses después de agotado el emplazamiento previsto en el artículo 490, salvo que haya concurrido el cónyuge o compañero permanente a hacer valer su derecho.

- arts. 108; 290; 291; 292; 297 y 490
- CC arts. 1008; 1011; 1012; 1013; 1019; 1136; 1210; 1282; 1283; 1284; 1285; 1286; 1287; 1288; 1289; 1290; 1291; 1292; 1293; 1294; 1295; 1296; 1298; 1327 y 1728
- L 2213/2022 arts. 8; 9 y 10

ARTÍCULO 493. ACEPTACIÓN POR LOS ACREEDORES DEL ASIGNATARIO

Con el fin de iniciar el proceso de sucesión o para intervenir en él, mientras no se haya proferido sentencia aprobatoria de la partición o adjudicación de bienes, cualquier acreedor de un heredero o legatario que hubiere repudiado la asignación, podrá solicitar al juez que lo autorice para aceptarla hasta concurrencia de su crédito, para lo cual deberá afirmar bajo juramento, que se entenderá prestado por la presentación del escrito, que la repudiación le causa perjuicio.

El juez concederá la autorización si se acompaña título que pruebe el crédito, aunque esté sujeto a plazo o condición pendiente. El auto que niegue la solicitud durante el curso del proceso es apelable en el efecto diferido; el que la concede en el devolutivo.

- arts. 318; 321; 322; 323; 490 y 491
- CC arts. 1290; 1295; 1530 y 1551

ARTÍCULO 494. REPUDIACIÓN DE ASIGNACIONES A FAVOR DE INCAPACES O AUSENTES

La solicitud de autorización para repudiar asignaciones a favor de incapaces o ausentes se tramitará como incidente, con intervención del Ministerio Público y del defensor de familia. El auto que lo decida es apelable en el efecto diferido.

- arts. 45; 46; 127; 128; 129; 130; 131; 321; 322; 323
- CC art. 1282

ARTÍCULO 495. OPCIÓN ENTRE PORCIÓN CONYUGAL O MARITAL Y GANANCIALES

Cuando el cónyuge o compañero permanente pueda optar entre porción conyugal y gananciales deberá hacer la elección antes de la diligencia de inventario y avalúos. En caso de que haya guardado silencio se entenderá que optó por gananciales. Si no tuviere derecho a estos, se entenderá que eligió por aquella.

Si el cónyuge o compañero permanente opta por porción conyugal o porción marital, según el caso y abandona sus bienes propios, estos se incluirán en el activo correspondiente.

- arts. 492 y 501
- CC arts. 1016 num. 5; 1230; 1231; 1232; 1233; 1234; 1235; 1236; 1237 y 1238

ARTÍCULO 496. ADMINISTRACIÓN DE LA HERENCIA

Desde la apertura del proceso de sucesión, hasta cuando se ejecutoríe la sentencia aprobatoria de la partición o adjudicación de bienes, la administración de estos se sujetará a las siguientes reglas:

1. La tendrá el albacea con tenencia de bienes y a falta de este los herederos que hayan aceptado la herencia, con arreglo a lo prescrito por el artículo 1297 del Código Civil. Los bienes de la sociedad conyugal o patrimonial serán administrados conjuntamente por el cónyuge sobreviviente, compañero permanente y el albacea, o por aquel y los mencionados herederos, según el caso.

2. En caso de desacuerdo entre los herederos, o entre estos y el cónyuge o compañero permanente sobrevivientes, o entre cualquiera de los anteriores y el albacea, en torno a la administración que adelanten, el juez a solicitud de cualquiera de ellos decretará el secuestro de los bienes, sin perjuicio del albaceazgo.

3. Las diferencias que ocurran entre el cónyuge o compañero permanente o los herederos y el albacea serán resueltas por el juez, de plano si no hubiere hechos que probar, o mediante incidente en caso contrario. El auto que resuelva estas peticiones solo admite recurso de reposición.

- arts. 127; 128; 129; 130; 131; 302; 318; 490; 491; 509; 513; 580; 595 y 596
- CC arts. 1297; 1298; 2273 hasta 1281

ARTÍCULO 497. REQUERIMIENTO AL ALBACEA

Desde la demanda de apertura del proceso de sucesión, cualquiera de los herederos podrá pedir que se requiera al albacea para que exprese si acepta el cargo, en los términos y para los fines del artículo 1333 del Código Civil.

- arts. 82; 297 y 490
- CC arts. 1327 hasta 1367
- L 2213/2022 art. 6

ARTÍCULO 498. ENTREGA DE BIENES AL ALBACEA

El juez entregará al albacea con tenencia de bienes que haya aceptado el cargo, aquellos a que se refiera su gestión, en diligencia para cuya práctica señalará día y hora. En caso de que el albacea no comparezca, se declarará caducado su nombramiento, a menos que dentro de los tres (3) días siguientes presente prueba siquiera sumaria, de haber tenido motivo justificado para ello. Respecto de los bienes sociales se tendrá en cuenta lo dispuesto en el artículo 496.

Cuando haya varios albaceas con tenencia de bienes y atribuciones comunes, la entrega se hará en un solo acto a todos los que hayan aceptado el cargo. Si el testador dividió las atribuciones de los albaceas, en la diligencia se hará la separación de los bienes que deba administrar cada uno de ellos.

Se tendrán por entregados y se prescindirá de la diligencia si el albacea manifiesta que tiene los bienes en su poder y presenta una relación de ellos.

- arts. 308, 309 y 496

- CC arts. 1327 hasta 1367

ARTÍCULO 499. ATRIBUCIONES, DEBERES Y REMOCIÓN DEL ALBACEA

El albacea con tenencia de bienes, además de las atribuciones y deberes que le señala el Código Civil, tendrá los propios de un secuestre.

Las solicitudes sobre remoción del albacea en los casos previstos por el Código Civil, se resolverá mediante incidente. El auto que lo resuelva solo admite recurso de reposición.

- arts. 47; 48; 49; 50; 51; 52; 127; 128; 129; 130; 131 y 318
- CC arts. 2273 hasta 2281; 1327 hasta 1367

ARTÍCULO 500. RESTITUCIÓN DE BIENES POR EL ALBACEA, RENDICIÓN DE CUENTAS Y HONORARIOS

El albacea con tenencia de bienes deberá hacer entrega a quien corresponda, de los que haya administrado. La diligencia se practicará con intervención del juez y no se admitirán oposiciones; sin embargo, podrá prescindirse de ella si los asignatarios manifiestan que han recibido los bienes.

Mientras el proceso de sucesión esté en curso, las cuentas del albacea una vez expirado el cargo, se tramitarán así:

1. Si no se presentaron espontáneamente, el juez a solicitud de cualquiera de los herederos ordenará rendirlas en el término que señale, que no podrá exceder de veinte (20) días.

2. Rendidas las cuentas se dará traslado de ellas a los herederos por diez (10) días, y si las aceptan expresamente o guardan silencio, el juez las aprobará y ordenará el pago del saldo que resulte a favor o a cargo del albacea, mediante auto que no admite recurso y presta mérito ejecutivo.

3. Quien objete las cuentas deberá explicar las razones de su desacuerdo y hacer una estimación de ellas. La objeción se tramitará mediante incidente y, en el auto que lo resuelva, se impondrá multa de diez salarios mínimos mensuales vigentes (smlmv) al albacea, si las cuentas rendidas difieren en más del treinta por ciento (30%) de la regulación hecha por el juez, o al objetante si se advierte que la objeción fue temeraria.

4. Si las cuentas fueren rechazadas, el juez declarará terminada la actuación, para que se rindan en proceso separado.

Cuando el testador no hubiere señalado los honorarios del albacea, el juez los regulará en la providencia que las apruebe.

Lo dispuesto en este artículo se aplicará, en lo pertinente, a los secuestres.

- arts. 47; 48; 49; 50; 51; 52; 79; 110; 127; 128; 129; 130; 131; 496; 497; 498 y 499.
- CC arts. 1327 hasta 1367
- L 2213/2022 art. 9

ARTÍCULO 501. INVENTARIO Y AVALÚOS

Realizadas las citaciones y comunicaciones previstas en el artículo 490, se señalará fecha y hora para la diligencia de inventarios y avalúos, en la cual se aplicarán las siguientes reglas:

1. A la audiencia podrán concurrir los interesados relacionados en el artículo 1312 del Código Civil y el compañero permanente. El inventario será elaborado de común acuerdo por los interesados por escrito en el que indicarán los valores que asignen a los bienes, caso en el cual será aprobado por el juez.

En el activo de la sucesión se incluirán los bienes denunciados por cualquiera de los interesados.

En el pasivo de la sucesión se incluirán las obligaciones que consten en título que preste mérito ejecutivo, siempre que en la audiencia no se objeten, y las que a pesar de no tener dicha calidad se acepten expresamente en ella por todos los herederos o por estos y por el cónyuge o compañero permanente, cuando conciernan a la sociedad conyugal o patrimonial. En caso contrario las objeciones se resolverán en la forma indicada en el numeral 3. Se entenderá que quienes no concurran a la audiencia aceptan las deudas que los demás hayan admitido.

También se incluirán en el pasivo los créditos de los acreedores que concurran a la audiencia. Si fueren objetados, el juez resolverá en la forma indicada en el numeral 3, y si prospera la objeción, el acreedor podrá hacer valer su derecho en proceso separado.

Si no se presentaren objeciones el juez aprobará los inventarios y avalúos. Lo mismo se dispondrá en la providencia que decida sobre las objeciones propuestas.

2. Cuando en el proceso de sucesión haya de liquidarse la sociedad conyugal o patrimonial, en el inventario se relacionarán los correspondientes activos y pasivos para lo cual se procederá conforme a lo dispuesto en el artículo 4o de la Ley 28 de 1932, con observancia de lo dispuesto en el numeral anterior, en lo pertinente.

En el activo de la sociedad conyugal se incluirán las compensaciones debidas a la masa social por cualquiera de los cónyuges o compañeros permanentes, siempre que se denuncien por la parte obligada o que esta acepte expresamente las que denuncie la otra y los bienes muebles e inmuebles aportados expresamente en las capitulaciones matrimoniales o maritales. En los demás casos se procederá como dispone el numeral siguiente.

En el pasivo de la sociedad conyugal o patrimonial se incluirán las compensaciones debidas por la masa social a cualquiera de los cónyuges o compañeros permanentes, para lo cual se aplicará lo dispuesto en el inciso anterior.

No se incluirán en el inventario los bienes que conforme a los títulos fueren propios del cónyuge sobreviviente. En caso de que se incluyeren el juez resolverá en la forma indicada en el numeral siguiente.

La objeción al inventario tendrá por objeto que se excluyan partidas que se consideren indebidamente incluidas o que se incluyan las deudas o compensaciones debidas, ya sea a favor o a cargo de la masa social.

Todas las objeciones se decidirán en la continuación de la audiencia mediante auto apelable.

3. Para resolver las controversias sobre objeciones relacionadas con los inventarios y avalúos o sobre la inclusión o exclusión de bienes o deudas sociales, el juez suspenderá la audiencia y ordenará la práctica de las pruebas que las partes soliciten y las que de oficio considere, las cuales se practicarán en su continuación. En la misma decisión señalará fecha y hora para continuar la audiencia y advertirá a las partes que deben presentar las pruebas documentales y los dictámenes sobre el valor de los bienes, con antelación no inferior a cinco (5) días a la fecha señalada para reanudar la audiencia, término durante el cual se mantendrán en secretaría a disposición de las partes.

En la continuación de la audiencia se oirá a los testigos y a los peritos que hayan sido citados, y el juez resolverá de acuerdo con las pruebas aportadas y practicadas. Si no se presentan los avalúos en la oportunidad señalada en el inciso anterior, el juez promediará los valores que hubieren sido estimados por los interesados, sin que excedan el doble del avalúo catastral.

- arts. arts. 17 num. 2; 18 num. 4; 22 num. 9; 26 num. 5; 165; 169; 170; 208 hasta 235; 243 hasta 264; 490 y 502
- CC arts. 1155; 1191; 1312; 1411; 1412; 1413; 1414; 1415; 1416 y1417
- L 28/1932 art. 4

ARTÍCULO 502. INVENTARIOS Y AVALÚOS ADICIONALES

Cuando se hubieren dejado de inventariar bienes o deudas, podrá presentarse inventario y avalúo adicionales. De ellos se correrá traslado por tres (3) días, y si se formulan objeciones serán resueltas en audiencia que deberá celebrarse dentro de los cinco (5) días siguientes al vencimiento de dicho traslado.

Si el proceso se encuentra terminado, el auto que ordene el traslado se notificará por aviso.

Si no se formularen objeciones, el juez aprobará el inventario y los avalúos. Lo mismo se dispondrá en la providencia que decida las objeciones propuestas.

- arts. 110; 292 y 501
- CC arts. 1388 y 1406.
- L 2213/2022 arts. 8 y 9

ARTÍCULO 503. PAGO DE DEUDAS

En firme el inventario y los avalúos, si existe dinero disponible para el pago de alguna deuda y de consuno lo solicitan los interesados, el juez podrá autorizar el pago. Si no hubiere dinero suficiente para el pago de las deudas hereditarias o legados exigibles, el cónyuge, el albacea o cualquiera de los herederos podrá pedir la dación en pago o el remate de determinados bienes en pública subasta o en una bolsa de valores si fuere el caso.

El juez resolverá la solicitud después de oír a los interesados, para lo cual se les dará traslado de ella por tres (3) días en la forma prevista en el artículo 110, salvo que se presente de consuno.

El producto de la venta se destinará al pago de las deudas hereditarias o de los legados, con sujeción a lo dispuesto en el artículo 1431 del Código Civil.

- arts. 110; 499; 513 y 515
- CC. art. 1431
- L 2213/2022 art. 9

ARTÍCULO 504. ENTREGA DE LEGADOS EN ESPECIE

Los legados de especies muebles podrán entregarse al asignatario, teniendo en cuenta lo previsto en el artículo 1431 del Código Civil, con la autorización del juez.

Los legatarios no podrán adelantar proceso ejecutivo para el cobro de su asignación, mientras no haya sido aprobada la partición o la adjudicación de bienes.

- art. 503; 508 y 509
- CC arts. 1431; 1432 y1433

ARTÍCULO 505. EXCLUSIÓN DE BIENES DE LA PARTICIÓN

En caso de haberse promovido proceso sobre la propiedad de bienes inventariados, el cónyuge o compañero permanente, o cualquiera de los herederos podrá solicitar que aquellos se excluyan total o parcialmente de la partición, según fuere el caso, sin perjuicio de que si el litigio se decide en favor de la herencia, se proceda conforme a lo previsto en el artículo 1406 del Código Civil.

Esta petición solo podrá formularse antes de que se decrete la partición y a ella se acompañará certificado sobre la existencia del proceso y copia de la demanda, y del auto admisorio y su notificación.

- art. 507.
- CC arts. 1406

ARTÍCULO 506. BENEFICIO DE SEPARACIÓN

Mientras en el proceso no se haya decretado la partición o aprobado la adjudicación, los acreedores hereditarios y testamentarios podrán pedir que se les reconozca el beneficio de separación.

El juez concederá el beneficio si fuere procedente conforme al Código Civil, siempre que a la petición se acompañe documento en que conste el crédito, aunque este no sea exigible, y que se indiquen los bienes que comprenda. Esta solicitud se tramitará como incidente, y el auto que lo decida solo admite reposición.

- arts. 127; 128; 129; 130; 131; 318 y 507
- CC arts. 1435 hasta 1442

ARTÍCULO 507. DECRETO DE PARTICIÓN Y DESIGNACIÓN DE PARTIDOR

En la demanda de apertura del proceso de sucesión se entiende incluida la solicitud de partición, siempre que esté legitimado para pedirla quien lo haya promovido.

Aprobado el inventario y avalúo el juez, en la misma audiencia, decretará la partición y reconocerá al partidor que los interesados o el testador hayan designado; si estos no lo hubieren hecho, nombrará partidor de la lista de auxiliares de la justicia.

Cuando existan bienes de la sociedad conyugal o patrimonial y en la misma audiencia el cónyuge o compañero permanente manifieste que no acepta el partidor testamentario, el juez designará otro de la lista de auxiliares de la justicia.

El auto que decrete la partición lleva implícita la autorización judicial para realizarla si hubiere incapaces, caso en el cual el juez designará el partidor. En todo caso se fijará término para presentar el trabajo.

Los interesados podrán hacer la partición por sí mismos o por conducto de sus apoderados judiciales, si lo solicitan en la misma audiencia, aunque existan incapaces.

- arts. 47; 51; 488; 501 y 510
- CC arts. 1374 hasta 1410

ARTÍCULO 508. REGLAS PARA EL PARTIDOR

En su trabajo el partidor se sujetará a las siguientes reglas, además de las que el Código Civil consagra:

1. Podrá pedir a los herederos, al cónyuge o compañero permanente las instrucciones que juzgue necesarias a fin de hacer las adjudicaciones de conformidad con ellos, en todo lo que estuvieren de acuerdo, o de conciliar en lo posible sus pretensiones.

2. Cuando considere que es el caso dar aplicación a la regla primera del artículo 1394 del Código Civil, lo expresará al juez con indicación de las especies que en su concepto deban licitarse, para que convoque a los herederos y al cónyuge a una audiencia con el fin de oír sus ofertas y resolver lo que corresponde. La base de las ofertas será el total del avalúo practicado en el proceso y el auto que haga la adjudicación tendrá los mismos efectos que el aprobatorio del remate.

Cualquiera de los interesados podrá pedir en la audiencia que se admitan licitadores extraños, y en tal caso se procederá a la subasta como se dispone en el artículo 515.

3. Cuando existan especies que no admitan división o cuya división la haga desmerecer, se hará la adjudicación en común y pro indiviso.

4. Para el pago de los créditos insolutos relacionados en el inventario, formará una hijuela suficiente para cubrir las deudas, que deberá adjudicarse a los herederos en común, o a estos y al cónyuge o compañero permanente si dichos créditos fueren de la sociedad conyugal o patrimonial, salvo que todos convengan en que la adjudicación de la hijuela se haga en forma distinta.

5. Podrá pedir la venta de determinados bienes en pública subasta o en bolsa de valores, cuando la considere necesaria para facilitar la partición. De la solicitud se dará

traslado a los herederos y al cónyuge en la forma prevista en el artículo 110 por tres (3) días, vencidos los cuales el juez resolverá lo procedente.

Igual solicitud podrá formularse cuando se haya obtenido autorización para realizar la partición por los interesados, y si estuviere suscrita por todos, el juez accederá a ella.

- arts. 110; 411; 455 y 515
- CC arts. 1374 hasta 1410
- L 2213 de 2022. art. 9

ARTÍCULO 509. PRESENTACIÓN DE LA PARTICIÓN, OBJECIONES Y APROBACIÓN

Una vez presentada la partición, se procederá así:

1. El juez dictará de plano sentencia aprobatoria si los herederos y el cónyuge sobreviviente o el compañero permanente lo solicitan. En los demás casos conferirá traslado de la partición a todos los interesados por el término de cinco (5) días, dentro del cual podrán formular objeciones con expresión de los hechos que les sirvan de fundamento.

2. Si ninguna objeción se propone, el juez dictará sentencia aprobatoria de la partición, la cual no es apelable.

3. Todas las objeciones que se formulen se tramitarán conjuntamente como incidente, pero si ninguna prospera, así lo declarará el juez en la sentencia aprobatoria de la partición.

4. Si el juez encuentra fundada alguna objeción, resolverá el incidente por auto, en el cual ordenará que se rehaga la partición en el término que señale y expresará concretamente el sentido en que debe modificarse. Dicha orden se comunicará al partidor por el medio más expedito.

5. Háyanse o no propuesto objeciones, el Juez ordenará que la partición se rehaga cuando no esté conforme a derecho y el cónyuge o compañero permanente, o algunos de los herederos fuere incapaz o estuviere ausente y carezca de apoderado.

6. Rehecha la partición, el juez la aprobará por sentencia si la encuentra ajustada al auto que ordenó modificarla; en caso contrario dictará auto que ordene al partidor reajustarla en el término que le señale.

7. La sentencia que verse sobre bienes sometidos a registro será inscrita, lo mismo que las hijuelas, en las oficinas respectivas, en copia que se agregará luego al expediente.

La partición y la sentencia que la aprueba serán protocolizadas en una notaría del lugar que el juez determine, de lo cual se dejará constancia en el expediente.

- arts. 110; 127; 128; 129; 130; 131; 278; 493 y 508
- CC arts. 1374 hasta 1410
- L 1579/ 2012 art. 4; 8; 31; 32; 33 y 34
- L 2213/2022 art. 9

ARTÍCULO 510. REEMPLAZO DEL PARTIDOR

El juez reemplazará al partidor cuando no presente la partición o no la rehaga o reajuste en el término señalado, y le impondrá multa de uno (1) a diez (10) salarios mínimos mensuales.

- arts. 44; 367; 507; 508 y 509

ARTÍCULO 511. REMATE DE BIENES DE HIJUELA DE DEUDAS

Tanto los adjudicatarios como los acreedores podrán pedir que se rematen los bienes adjudicados para el pago de deudas.

La solicitud deberá formularse dentro de los cinco (5) días siguientes a la ejecutoria de la sentencia que apruebe la partición, o de la notificación del auto de obedecimiento a lo resuelto por el superior.

- arts. 278; 289; 302; 329 y 509
- CC arts. 1343 y 1393
- L 2213/2022 art. 9

ARTÍCULO 512. ENTREGA DE BIENES A LOS ADJUDICATARIOS

La entrega de bienes a los adjudicatarios se sujetará a las reglas del artículo 308 de este código, y se verificará una vez registrada la partición.

Si al hacerse la entrega se encuentran los bienes en poder de persona que acredite siquiera sumariamente título de tenencia procedente del causante, o del adjudicatario, aquella se efectuará dejando a salvo los derechos del tenedor, pero se le prevendrá que en lo sucesivo se entienda con el adjudicatario, quien en el primer caso se tendrá por subrogado en los derechos del causante.

Si los bienes se encuentran en poder de persona que alegue posesión material, o de un tenedor que derive sus derechos de un tercero poseedor, se procederá como dispone el artículo 309, siempre que prueben siquiera sumariamente sus respectivas calidades.

No se admitirán oposiciones de los herederos, ni del secuestre o del albacea. Sin embargo, los herederos podrán alegar derecho de retención por mejoras puestas en el inmueble antes del fallecimiento del causante, o posteriormente a ciencia y paciencia del adjudicatario, casos en los cuales se procederá como lo dispone el artículo 310.

- arts. 308; 309; 310.
- CC arts. 762; 775; 808 y 972 hasta 985
- L 1579/2012 art. 2 y 4

ARTÍCULO 513. ADJUDICACIÓN DE LA HERENCIA

El heredero único deberá pedir que se le adjudiquen los bienes inventariados, para lo cual presentará el correspondiente trabajo con las especificaciones que consten en la diligencia de inventarios y las de los títulos de adquisición y su registro, si se trata de bienes sujetos a este. En caso de que hayan de pagarse deudas testamentarias, determinará los bienes con cuyo producto deba hacerse el pago.

El juez dictará sentencia aprobatoria de la adjudicación siempre que el trabajo reúna los anteriores requisitos. La sentencia se registrará en la forma prevista para la aprobatoria de la partición.

- arts. 501; 502; 509; 511; 512 y 514
- CC art. 1011 y 1411
- L 1579/2012 art. 2 y 4

ARTÍCULO 514. ADJUDICACIÓN ADICIONAL

Cuando después de terminado el proceso de sucesión aparezcan nuevos bienes del causante o si se hubieren dejado de adjudicar bienes inventariados se aplicará lo dispuesto en los artículos 513 y 518 en lo pertinente.

- arts. 513 y 518
- CC arts. 1406

ARTÍCULO 515. REMATES EN EL CURSO DEL PROCESO

Los remates que se efectúen en el curso del proceso de sucesión se sujetarán a lo dispuesto en el artículo 411.

Cuando los remates versen sobre bienes sujetos a registro no podrán decretarse mientras no se presente un certificado sobre propiedad y libertad de los bienes, el cual se extenderá en materia de inmuebles a un periodo de diez (10) años, si fuere posible, y se hubiere practicado su secuestro. Se exceptúa de lo dispuesto en el presente artículo el caso contemplado en el numeral 2 del artículo 508.

- arts. 411; 448 hasta 457; 508 y 595

ARTÍCULO 516. SUSPENSIÓN DE LA PARTICIÓN

El juez decretará la suspensión de la partición por las razones y en las circunstancias señaladas en los artículos 1387 y 1388 del Código Civil, siempre que se solicite antes de quedar ejecutoriada la sentencia aprobatoria de la partición o adjudicación y con ella deberá presentarse el certificado a que se refiere el inciso segundo del artículo 505. El auto que la resuelva es apelable en el efecto suspensivo.

Acreditada la terminación de los respectivos procesos se reanudará el de sucesión, en el que se tendrá en cuenta lo que se hubiere resuelto en aquellos. El asignatario cuyas pretensiones hubieren sido acogidas, podrá solicitar que se rehagan los inventarios y avalúos.

- arts. 161; 162; 163; 321; 322; 323; 324; 505 y 509
- CC arts. 1387 y 1388

ARTÍCULO 517. PARTICIÓN POR EL TESTADOR

En caso de que el testador haya hecho la partición conforme al artículo 1375 del Código Civil, se procederá así:

1. Aprobados los inventarios y avalúos, el juez dictará sentencia aprobatoria de la partición, siempre que verse únicamente sobre los bienes herenciales, que no sea contraria a derecho y que no se requiera formar hijuela de deudas o que sea suficiente la prevista por el testador. Si la partición incluye la liquidación de la sociedad conyugal o patrimonial, será necesario que el cónyuge o compañero permanente la acepte expresamente.
2. Si no se cumplen los requisitos indicados en el numeral anterior, la partición se hará por el partidor que se designe, con sujeción a las reglas contenidas en el presente Capítulo, respetando en lo posible la voluntad del testador.

- arts. 278; 501; 503; 507; 508 y 509
- CC arts. 1375 y 1393

ARTÍCULO 518. PARTICIÓN ADICIONAL

Hay lugar a partición adicional cuando aparezcan nuevos bienes del causante o de la sociedad conyugal o patrimonial, o cuando el partidor dejó de adjudicar bienes inventariados. Para estos fines se aplicarán las siguientes reglas:

1. Podrá formular la solicitud cualquiera de los herederos, el cónyuge, el compañero permanente, o el partidor cuando hubiere omitido bienes, y en ella se hará una relación de aquellos a los cuales se contrae.
2. De la partición adicional conocerá el mismo juez ante quien cursó la sucesión, sin necesidad de reparto. Si el expediente se encuentra protocolizado, se acompañará copia de los autos de reconocimiento de herederos, del inventario, la partición o adjudicación y la sentencia aprobatoria, su notificación y registro y de cualquiera otra pieza que fuere pertinente. En caso contrario la actuación se adelantará en el mismo expediente.
3. Si la solicitud no estuviere suscrita por todos los herederos y el cónyuge o compañero permanente, se ordenará notificar por aviso a los demás y correrles traslado por diez (10) días, en la forma prevista en el artículo 110.
4. Expirado el traslado, si se formulan objeciones, se fijará audiencia y se aplicará lo dispuesto en el artículo 501.
5. El trámite posterior se sujetará a lo dispuesto en los artículos 505 a 517.

- arts. 110; 292; 501; 505 hasta 517
- CC arts. 1388 y 1406.
- L 2213/2022 art. 9

ARTÍCULO 519. SUCESIÓN PROCESAL

Si falleciere alguno de los asignatarios después de haber sido reconocido en el proceso, cualquiera de sus herederos podrá intervenir en su lugar para los fines del artículo 1378 del Código Civil, pero en la partición o adjudicación de bienes la hijuela se hará a nombre y a favor del difunto.

- arts. 68; 69 y 70.
- CC arts. 1041 y 1378.

CAPÍTULO V
ACUMULACIÓN DE SUCESIONES

ARTÍCULO 520. SUCESIÓN DE AMBOS CÓNYUGES O DE COMPAÑEROS PERMANENTES

En el mismo proceso de sucesión podrá liquidarse la herencia de ambos cónyuges o de los compañeros permanentes y la respectiva sociedad conyugal o patrimonial. Será competente el juez a quien corresponda la sucesión de cualquiera de ellos.

Para los efectos indicados en el inciso anterior, podrá acumularse directamente al proceso de sucesión de uno de los cónyuges o compañeros permanentes, el del otro que se inicie con posterioridad; si se hubieren promovido por separado, cualquiera de los herederos reconocidos podrá solicitar la acumulación. En ambos casos, a la solicitud se acompañará la prueba de la existencia del matrimonio o de la sociedad patrimonial de los causantes si no obra en el expediente, y se aplicará lo dispuesto en los artículos 149 y 150. Si por razón de la cuantía el juez no puede conocer del nuevo proceso, enviará los dos al competente.

La solicitud de acumulación de los procesos sólo podrá formularse antes de que se haya aprobado la partición o adjudicación de bienes en cualquiera de ellos.

- arts. 25; 26; 27; 149; 150 y 509
- CC arts. 1821 y 1836

CAPÍTULO VI
CONFLICTO ESPECIAL DE COMPETENCIA

ARTÍCULO 521. ABSTENCIÓN PARA SEGUIR TRAMITANDO EL PROCESO

Cualquiera de las partes podrá pedir al juez que conoce de un proceso de sucesión, si lo considera incompetente por razón del territorio, que se abstenga de seguir conociendo de él. La solicitud indicará cuál es el juez competente y se resolverá de plano si la presentan todos los interesados; en caso contrario, se tramitará como incidente. Si la solicitud prospera, en el mismo auto se ordenará remitir el expediente al juez que corresponda, y se aplicará lo dispuesto en los incisos segundo a cuarto del artículo 139.

- arts. 16; 28; 127; 128; 129; 130; 131 y 139

ARTÍCULO 522. SUCESIÓN TRAMITADA ANTE DISTINTOS JUECES

Cuando se adelanten dos o más procesos de sucesión de un mismo causante, cualquiera de los interesados podrá solicitar que se decrete la nulidad del proceso inscrito con posterioridad en el Registro Nacional de Apertura de Procesos de Sucesión.

La solicitud se presentará con la prueba del interés del solicitante, los certificados sobre la existencia de los procesos y el estado en que se encuentren, y se tramitará como incidente después de recibidos los expedientes, cuya remisión ordenará el juez o tribunal.

Si el juez tiene conocimiento de que el mismo proceso de sucesión se adelanta ante notario, le oficiará a este para que suspenda el trámite.

- arts. 127; 128; 129; 130; 131; 139 y 490
- CSJud. Ac. No. PSAA14-10118 de 2014 "Por el cual se crean y organizan los Registros Nacionales de Personas Emplazadas, Bienes Vacantes o Mostrencos y Procesos de Sucesión"
- CSJ. AC8680-2017; AC872-2017; AC8155-2017; AC2019-2018

TÍTULO II
LIQUIDACIÓN DE SOCIEDADES CONYUGALES O PATRIMONIALES POR CAUSA DISTINTA DE LA MUERTE DE LOS CÓNYUGES O COMPAÑEROS PERMANENTES

ARTÍCULO 523. LIQUIDACIÓN DE SOCIEDAD CONYUGAL O PATRIMONIAL A CAUSA DE SENTENCIA JUDICIAL

Cualquiera de los cónyuges o compañeros permanentes podrá promover la liquidación de la sociedad conyugal o patrimonial disuelta a causa de sentencia judicial, ante el juez que la profirió, para que se tramite en el mismo expediente. La demanda deberá contener una relación de activos y pasivos con indicación del valor estimado de los mismos.

Cuando la disolución haya sido declarada por sentencia proferida por autoridad religiosa, a la demanda también se acompañará copia de la misma.

El juez ordenará correr traslado de la demanda por diez (10) días al otro cónyuge o compañero permanente mediante auto que se notificará por estado si aquella ha sido formulada dentro de los treinta (30) días siguientes a la ejecutoria de la sentencia que causó la disolución; en caso contrario la notificación será personal.

El demandado sólo podrá proponer las excepciones previas contempladas en los numerales 1, 4, 5, 6 y 8 del artículo 100. También podrá alegar como excepciones la cosa juzgada, que el matrimonio o unión marital de hecho no estuvo sujeto al régimen de comunidad de bienes o que la sociedad conyugal o patrimonial ya fue liquidada, las cuales se tramitarán como previas.

Podrá también objetar el inventario de bienes y deudas en la forma prevista para el proceso de sucesión.

Si el demandado no formula excepciones o si fracasan las propuestas, se observarán, en lo pertinente, las reglas establecidas para el emplazamiento, la diligencia de inventarios y avalúos, y la partición en el proceso de sucesión.

Admitida la demanda, surtido el traslado o resueltas las excepciones previas desfavorablemente al demandado, según el caso, el juez ordenará el emplazamiento de los acreedores de la sociedad conyugal, para que hagan valer sus créditos. El emplazamiento se sujetará a las reglas previstas en este código.

PARÁGRAFO 1o. Cuando se trate de la liquidación de sociedad conyugal disuelta por sentencia de nulidad proferida por autoridad religiosa, el juez deberá pronunciarse sobre su homologación en el auto que ordene el traslado de la demanda al demandado, disponer su inscripción en el registro civil de matrimonio y la expedición de copia del mismo con destino al expediente.

PARÁGRAFO 2o. Lo dispuesto en este artículo también se aplicará a la solicitud de cualquiera de los compañeros permanentes o sus herederos para que se liquide la sociedad patrimonial, y a la liquidación adicional de sociedades conyugales o patrimoniales, aun cuando la liquidación inicial haya sido tramitada ante notario.

- arts. 21; 22; 91; 100; 101; 108; 293; 295; 303; 305; 306; 314; 501; 505; 506; 507; 508 y 509
- CC arts. 1406; 1771; 1820; 1821; 1824; 1825; 1826 y 1836
- L 2213/2022 arts. 9 y 10
- AC 2412-2020

TÍTULO III
DISOLUCIÓN, NULIDAD Y LIQUIDACIÓN DE SOCIEDADES

ARTÍCULO 524. LEGITIMACIÓN

Cualquiera de los socios podrá demandar la declaratoria de nulidad del contrato social o la disolución de la sociedad, invocando cualquiera de las causales previstas en la ley o en el contrato.

Las reglas de liquidación contenidas en el presente título no serán aplicables a los procedimientos de insolvencia regidos por la Ley 1116 de 2006 o las disposiciones que las modifiquen, sustituyan o adicionen.

- arts. 20 num. 4; 525; 526; 527; 528; 529 y 530
- CCo art. 104; 105; 106; 109; 218; 219; 220; 31 y 333
- L 2069/2020 art. 4 par 2
- L 1258/2008 art. 34
- L 1116/2006

ARTÍCULO 525. TRÁMITE

Los asuntos mencionados en el artículo anterior se tramitarán conforme a las reglas generales del proceso verbal.

- arts. 368 hasta 373

ARTÍCULO 526. VINCULACIÓN DE LA SOCIEDAD Y LOS SOCIOS

Antes del traslado de la demanda el Juez ordenará al representante legal de la sociedad que de manera inmediata informe a todos los socios la existencia del proceso.

- arts. 61 y 369
- L 2213/2022 arts. 6 y 9

ARTÍCULO 527. DEFENSA POR PARTE DE LA SOCIEDAD

La sociedad podrá ejercer su defensa en los términos señalados para el proceso verbal.

- arts. 368 hasta 373
- L 2213/2022

ARTÍCULO 528. AUDIENCIA INICIAL

En la audiencia inicial el juez instará a los socios a conciliar las diferencias y a designar liquidador.

En lo demás, se aplicará lo dispuesto en los artículos 372 y 373.

- arts. 372 y 373
- L 2213/2022

ARTÍCULO 529. SENTENCIA

Si en la sentencia el juez decreta la nulidad total del contrato social o la disolución de la compañía, deberá:

1. Designar liquidador de la lista de auxiliares de la justicia y ordenar su inscripción en el registro mercantil.
2. Fijar la remuneración del liquidador de acuerdo con las tablas establecidas por el Consejo Superior de la Judicatura.
3. Ordenar que se agregue a la razón o denominación social la expresión "en liquidación".
4. Ordenar la inscripción de la providencia en el registro mercantil de la Cámara de Comercio del domicilio principal, y en los lugares donde tenga sucursales, agencias o establecimientos de comercio.
5. Ordenar al liquidador que en el término que le señale preste caución para el manejo de los bienes sociales, cuyo monto fijará a su prudente juicio.
6. Decretar el embargo y secuestro de todos los activos de propiedad de la compañía.
7. Ordenar que se oficie a los jueces del domicilio de la compañía, de sus sucursales, agencias o establecimientos de comercio y a los funcionarios que puedan conocer de jurisdicción coactiva, acerca de la existencia del proceso, a fin de que se abstengan de adelantar o de continuar procesos ejecutivos contra la sociedad.

Los procesos ejecutivos en contra de la compañía así como las medidas cautelares decretadas y practicadas en ellos, quedarán a órdenes del juez que conoce de la liquidación, para lo cual de manera inmediata se procederá a su remisión e incorporación.

- arts. 47; 48; 49; 51; 125 y 363
- CCo art. 218; 219; 221; 222 y 225
- L 2213/2022 art. 11

ARTÍCULO 530. REGLAS DE LA LIQUIDACIÓN

Para la liquidación se procederá así:

1. Una vez posesionado el liquidador deberá elaborar el inventario de activos y pasivos y presentarlo dentro del término que el juez le otorgue teniendo en cuenta el tamaño de la sociedad y el número de acreedores.

Los pasivos deberán presentarse con sujeción a la prelación legal y actualizarse a la fecha en que quede en firme la sentencia que decretó la nulidad o dispuso la liquidación, incluyendo capital, sanciones legales o convencionales y los correspondientes intereses.

Los activos serán relacionados uno por uno, indicando cantidad, calidad, nomenclatura y cualquier dato necesario para su identificación.

2. Una vez presentado el inventario de activos y pasivos, el juez señalará fecha y hora para audiencia, en la cual lo pondrá en conocimiento de los acreedores y de los socios.

En la providencia que señale fecha para audiencia, el juez ordenará al liquidador que informe a cada acreedor la cuantificación de su acreencia, así como la fecha señalada, lo cual deberá acreditar al despacho de manera inmediata, so pena de remoción.

En todo caso, la providencia que señale fecha para la audiencia deberá inscribirse en el registro mercantil.

3. En la audiencia el juez pondrá en conocimiento de los acreedores y de los socios, el inventario de activos y pasivos, a fin de que cualquier acreedor pueda formular objeciones, solicitar aclaración o complementación.

Si a juicio de un acreedor o de los socios, el inventario no incluye la totalidad de los activos, deberá denunciar tal circunstancia, indicando los datos exactos del bien y su lugar de ubicación.

4. Quien formule la objeción por considerar que una acreencia no es cierta, que no tiene la prelación legal dada por el liquidador, o que su cuantía no es la señalada en el inventario, deberá expresar las razones de su dicho, solicitar la práctica de pruebas y aportar los documentos que obren en su poder.

5. Practicadas las pruebas si a ello hubiere lugar, el juez decidirá la objeción en la misma audiencia.

6. En firme la decisión, el liquidador procederá a pagar las acreencias con estricta sujeción a la prelación legal.

7. En cuanto al avalúo de bienes y su venta se aplicarán las reglas del proceso ejecutivo.

8. Si practicadas tres (3) diligencias de remate no se ha logrado enajenar todos los activos, el juez ordenará al liquidador que dentro de los diez (10) días siguientes a la última diligencia presente una propuesta de distribución de los activos entre los acreedores.

9. Existiendo dineros y otros activos, el liquidador distribuirá el dinero descontando los gastos del proceso aprobados por el juez, entre los acreedores de mejor derecho, con observancia del principio de igualdad entre cada clase y grado de prelación legal.

La propuesta de distribución se dará a conocer a los acreedores y a los socios en una audiencia en la que además el juez resolverá cualquier objeción que presenten los acreedores o los socios, y procederá a adjudicar los bienes.

10. Proferida la providencia de adjudicación, el juez levantará las medidas cautelares y ordenará al liquidador que dentro de los diez (10) días siguientes haga entrega física de los activos a los adjudicatarios.

11. Entregados los activos a los acreedores o pagadas las acreencias según el caso, el liquidador rendirá cuentas finales al juez quien luego de aprobarlas ordenará el pago de la remuneración final al auxiliar de la justicia y la terminación del proceso.

- arts. 47 hasta 50; 444; 448 hasta 457

TÍTULO IV
INSOLVENCIA DE LA PERSONA NATURAL NO COMERCIANTE Y DE LA PEQUEÑA COMERCIANTE

Nombre título modificado por el artículo 2 de la Ley 2445 de 2025

CAPÍTULO I
DISPOSICIONES GENERALES

ARTÍCULO 531. FINALIDAD DEL RÉGIMEN DE INSOLVENCIA DE LA PERSONA NATURAL

El régimen de insolvencia de la persona natural que en este título se regula tiene por objeto el reintegro de la persona natural que ha sufrido un quebranto económico a la actividad productiva nacional, mediante la normalización de sus relaciones crediticias a través de (i) un acuerdo con sus acreedores, (ii) la convalidación de los acuerdos privados que obtenga con algunos de ellos o (iii) la liquidación de su patrimonio, siempre bajo la necesaria presunción de la buena fe de las partes y la legítima expectativa del acreedor respecto del cumplimiento por parte de aquel del deber del honrar las obligaciones que con él contrajo, hasta donde ello sea posible.

Mediante la negociación de deudas, la persona natural podrá, a través del acuerdo al que llegue con todos sus acreedores o con algunos de ellos, atender sus obligaciones en condiciones de cuantía, plazo y tasa favorables, adecuadas a su sobreviniente situación económica: con la convalidación de acuerdos privados, hacer oponibles a todos los acreedores el acuerdo de este tipo que haya alcanzado con la mayoría calificada de sus acreedores cuando temía incumplir sus obligaciones, y con la liquidación patrimonial, la adjudicación a los acreedores de los bienes embargables que posea, hasta el monto de su pasivo o el valor de los activos, mutando los saldos insolutos a obligaciones naturales. En el caso de las personas comerciantes, los dos primeros procedimientos también tienen por objetivo lograr su formalización.

Con estos instrumentos se fomenta la resolución pacífica de los conflictos y el uso de los mecanismos alternativos que buscan tal objetivo.

- *Nota de vigencia:* este artículo fue modificado por el artículo 3 de la Ley 2445 de 11 de febrero de 2025, "por medio de la cual se modifica el Título IV de la Ley 1564 de 2012, referente a los procedimientos de insolvencia de la persona natural no comerciante y se dictan otras disposiciones", publicada en el Diario Oficial No. 53.027 de 11 de febrero de 2025
- arts. 532; 533 y 538
- C.co. art. 10 y 20

ARTÍCULO 532. ÁMBITO DE APLICACIÓN

Los procedimientos contemplados en el presente título serán aplicables a las personas naturales no comerciantes y a las personas naturales comerciantes que cuenten con activos totales por valor inferior a mil (1.000) salarios mínimos mensuales legales vigentes, excluido el valor de la vivienda de su familia y del vehículo que se utiliza como instrumento de trabajo, a los que, para los afectos de esta ley, se denominarán pequeñas comerciantes.

La persona natural comerciante podrá acceder al régimen previsto en este título, aunque no esté cumpliendo con los deberes que le impone el artículo 19 del Código de Comercio, excepto el primero, que debe acreditar con su solicitud; también podrá acudir, si así lo prefiere y cumple los requisitos exigidos en cada caso, a los procedimientos de insolvencia empresarial previstos en la ley. Las demás personas naturales comerciantes se sujetarán a los regímenes de insolvencia previstos para las sociedades comerciales. El juez competente será el civil del circuito del domicilio del deudor.

PARÁGRAFO 1o. Las reglas de este título no se aplicarán a las personas naturales que tengan la condición de controlantes de sociedades mercantiles que se encuentren adelantando un proceso insolvencia empresarial ante la Superintendencia de Sociedades o que formen parte de un grupo de empresas que lo estén haciendo por causas relacionadas entre ellas. A dichas personas se aplicarán las normas previstas en la Ley 1116 de 2006.

PARÁGRAFO 2o. Son ineficaces las estipulaciones contractuales que tengan por objeto impedir u obstaculizar directa o indirectamente el inicio de un procedimiento de insolvencia mediante la terminación anticipada de contratos, la aceleración de obligaciones, la imposición de restricciones y, en general, a través de cualquier clase de prohibiciones, solicitud de autorizaciones o imposición de efectos desfavorables para el deudor que sea admitido a un procedimiento de insolvencia previsto en esta ley.

PARÁGRAFO 3o. Ningún empleador o contratante podrá tener en cuenta negativamente que un empleado o contratista o un aspirante a serlo esté tramitando un procedimiento de insolvencia o se hubiere acogido en el pasado a alguno, al decidir sobre su vinculación o desvinculación laboral, civil o administrativa. En el caso de los servidores públicos, hacerlo será causal de mala conducta.

- *Nota de vigencia:* este artículo fue modificado por el artículo 4 de la Ley 2445 de 11 de febrero de 2025, "por medio de la cual se modifica el Título IV de la Ley 1564 de 2012, referente a los procedimientos de insolvencia de la persona natural no comerciante y se dictan otras disposiciones", publicada en el Diario Oficial No. 53.027 de 11 de febrero de 2025
- NOTA: El primer inciso fue corregido por el artículo 2 del Decreto 1136 del 27 de octubre de 2025 "Por el cual se corrigen unos yerros en la Ley 2445 de 2025"
- NOTA: la Corte Constitucional resolvió inhibirse de proferir decisión de mérito respecto del artículo 532 de la Ley 1564 de 2012, "Por medio de la cual se expide el Código General del Proceso y se dictan otras disposiciones", por ineptitud sustancial de la demanda, mediante sentencia C-169-21 del 2 de junio de 2021
- arts. 531
- C.co. art. 10 y 20
- L 1116/2006

ARTÍCULO 533. COMPETENCIA PARA CONOCER DE LOS PROCEDIMIENTOS DE NEGOCIACIÓN DE DEUDAS Y CONVALIDACIÓN DE ACUERDOS DE LA PERSONA NATURAL

Conocerán de los procedimientos de negociación de deudas y convalidación de acuerdos de la persona natural los centros de conciliación del lugar del domicilio del deudor expresamente autorizados por el Ministerio de Justicia y del Derecho para adelantar este tipo de procedimientos, a través de los conciliadores inscritos en sus listas. Las notarías del lugar de domicilio del deudor lo harán a través de los conciliadores inscritos en las listas conformadas para el efecto de acuerdo con el reglamento.

Los abogados conciliadores no podrán conocer directamente de estos procedimientos y en consecuencia, ellos solo podrán conocer de estos asuntos a través de la designación que realice el correspondiente centro de conciliación.

Cuando en el municipio del domicilio del deudor no existan centros de conciliación autorizados por el Ministerio de Justicia y del Derecho ni notaría que tenga lista de conciliadores inscritos, el deudor podrá, a su elección, presentar la solicitud ante cualquier centro de conciliación que lo esté o notaría que se encuentre en el mismo circuito judicial o círculo notarial, respectivamente.

En todo caso, los centros de conciliación autorizados para este tipo de procedimientos constituidos de conformidad con la ley colombiana para prestar servicios en el país y las notarías que cuenten con conciliadores inscritos tendrán competencia para adelantar virtualmente los procedimientos de negociación de deudas y de convalidación de acuerdos privados, cualquiera que sea el domicilio del deudor, siempre que cuenten con la infraestructura tecnológica que les permita hacerlo, inclusive si el deudor se encuentra domiciliado en el exterior, en cuyo caso solamente harán parte del procedimiento las obligaciones sujetas a la ley colombiana.

PARÁGRAFO. El Gobierno Nacional dispondrá lo necesario para garantizar que todos los notarios y conciliadores del país reciban capacitación permanente sobre el procedimiento de insolvencia para persona natural y reglamentará lo relacionado con las exigencias de infraestructura técnica requeridas para que los centros de conciliación y las notarías adquieran competencia nacional.

- *Nota de vigencia:* este artículo fue modificado por el artículo 5 de la Ley 2445 de 11 de febrero de 2025, "por medio de la cual se modifica el Título IV de la Ley 1564 de 2012, referente a los procedimientos de insolvencia de la persona natural no comerciante y se dictan otras disposiciones", publicada en el Diario Oficial No. 53.027 de 11 de febrero de 2025
- NOTA: El tercer inciso y el parágrafo fueron corregidos por el artículo 3 del Decreto 1136 del 27 de octubre de 2025 "Por el cual se corrigen unos yerros en la Ley 2445 de 2025"
- art. 531; 532; 537 y 538
- L 2220/2022

ARTÍCULO 534. COMPETENCIA DE LA JURISDICCIÓN ORDINARIA CIVIL

De las controversias previstas en los artículos 549, 552, 557 y 560 conocerá, en única instancia, el juez civil del domicilio del deudor o en su defecto del domicilio en donde se adelante el procedimiento de negociación de deudas o convalidación del acuerdo. Cuando el monto total del capital de los pasivos relacionados por el deudor en la solicitud no supere la menor cuantía, la competencia será del juez municipal, y cuando sea de mayor cuantía lo será el del circuito.

En los mismos términos, dichos jueces serán competentes para conocer del procedimiento de liquidación patrimonial.

PARÁGRAFO. El juez que conozca la primera de las controversias que se susciten en el trámite previsto en esta ley conocerá de manera privativa de todas las demás controversias que se presenten durante el trámite o ejecución del acuerdo. En estos eventos no habrá lugar a reparto. Sin perjuicio de lo previsto en este artículo, en ningún otro caso el juez hará control de legalidad sobre las actuaciones del conciliador, ni podrá solicitarle a este piezas del expediente de negociación o convalidación que no se le hayan remitido, sin sustentar debidamente la necesidad de ellas para tomar la decisión, excepto en aquellos casos en los que se evidencien posibles casos de fraude.

- *Nota de vigencia:* este artículo fue modificado por el artículo 6 de la Ley 2445 de 11 de febrero de 2025,"por medio de la cual se modifica el Título IV de la Ley 1564 de 2012, referente a los procedimientos de insolvencia de la persona natural no comerciante y se dictan otras disposiciones", publicada en el Diario Oficial No. 53.027 de 11 de febrero de 2025
- NOTA: El primer inciso fue corregido por el artículo 4 del Decreto 1136 del 27 de octubre de 2025 "Por el cual se corrigen unos yerros en la Ley 2445 de 2025"
- art. 17 num. 9; 531; 532 y 538

ARTÍCULO 535. GRATUIDAD

Los procedimientos de negociación de deudas y de convalidación de acuerdo ante centros de conciliación de consultorios jurídicos de facultades de derecho y de las entidades públicas serán gratuitos y la prestación de este servicio se implementará a más tardar el 1 de enero de 2026 en todos los centros de conciliación de dichas entidades y en los que se creen posteriormente; el Gobierno nacional, a través del Ministerio de Justicia y del Derecho deberá expedir a más tardar el 31 de diciembre de 2025 la reglamentación en esta materia, y expedirá la autorización para adelantar procedimientos de negociación de deudas y de convalidación de acuerdos, previa solicitud del director, acreditando los requisitos que se establezcan para los centros de conciliación y que sus operadores han cursado y aprobado el Programa de Formación en Insolvencia.

Las expensas que se causen dentro de dichos procedimientos deberán ser asumidas por la parte solicitante, de conformidad con lo previsto en las reglas generales del presente código.

En el evento en que las expensas no sean canceladas, se entenderá desistida la solicitud. Son expensas causadas en dichos procedimientos, las relacionadas con comunicaciones, remisión de expedientes y demás gastos secretariales.

PARÁGRAFO. Los consultorios jurídicos de las facultades de derecho podrán representar o acompañar a los deudores o a los acreedores en los procedimientos contemplados en este título cuando el monto total del capital de los pasivos relacionados por el deudor en la solicitud o el de la obligación a favor del acreedor interesado, según el caso, no supere la mínima cuantía. También deberán asesorar a los deudores que sean designados liquidadores, siempre que ellos se lo soliciten.

- *Nota de vigencia:* este artículo fue modificado por el artículo 7 de la Ley 2445 de 11 de febrero de 2025, "por medio de la cual se modifica el Título IV de la Ley 1564 de 2012, referente a los procedimientos de insolvencia de la persona natural no comerciante y se dictan otras disposiciones", publicada en el Diario Oficial No. 53.027 de 11 de febrero de 2025
- NOTA: El primer inciso fue corregido por el artículo 5 del Decreto 1136 del 27 de octubre de 2025 "Por el cual se corrigen unos yerros en la Ley 2445 de 2025"
- arts. 10; 17 num. 9; 531; 532 y 538
- L 2220/2022

ARTÍCULO 536. TARIFAS PARA LOS CENTROS DE CONCILIACIÓN REMUNERADOS

El Gobierno Nacional reglamentará las tarifas que podrán cobrar los centros de conciliación y las notarías para tramitar de los procedimientos de negociación de deudas y de convalidación de acuerdo. Dichas tarifas no pueden constituir una barrera de acceso al procedimiento aquí previsto, deben ser acordes con la situación de insolvencia de la persona natural y no deben impedir a los centros de conciliación privados prestar el servicio.

- arts. 2; 10; 531; 532 y 538
- D 1069 de 2015 art. 2.2.4.2.6.1.1 hasta 2.2.4.2.6.1.6.
- L 2220/2022 art. 22

ARTÍCULO 537. FACULTADES Y ATRIBUCIONES DEL CONCILIADOR

Sin perjuicio de lo establecido en otras disposiciones, el conciliador tendrá las siguientes facultades y atribuciones en relación con el procedimiento de negociación de deudas:

1. Citar al deudor y a sus acreedores de conformidad con lo dispuesto en este título.
2. Citar por escrito a quienes, en su criterio, deban asistir a la audiencia, y hacerlo a solicitud sustentada del deudor o de cualquier acreedor, si lo considera conveniente.
3. Ilustrar al deudor y a los acreedores sobre el objeto, alcance y límites del procedimiento de negociación de deudas y del acuerdo de pagos.
4. Verificar los supuestos de insolvencia y el suministro de toda la información que aporte el deudor.
5. Solicitar la información que considere necesaria para la adecuada orientación del procedimiento de negociación de deudas.

6. Actuar como conciliador en el curso del procedimiento de insolvencia.

7. Motivar a las partes para que presenten fórmulas de arreglo con base en la propuesta de negociación presentada por el deudor.

8. Propiciar que el acuerdo de pagos cumpla con los requisitos de celebración y contenido exigidos en el código y formular las propuestas de arreglo que en ese sentido estime necesarias, dejando constancia de ello en el acta respectiva.

9. Levantar las actas de las audiencias que se celebren en desarrollo de este procedimiento y llevar el registro de las mismas.

10. Registrar el acta de la audiencia de conciliación y sus modificaciones ante el centro de conciliación o la notaría respectiva.

11. Certificar la aceptación al trámite de negociación de deudas, el fracaso de la negociación, la celebración del acuerdo y la declaratoria de cumplimiento o incumplimiento del mismo.

12. Con base en la información presentada por el deudor en la solicitud, las conciliaciones realizadas en la audiencia y la decisión adoptada por el juez en materia de objeciones a los créditos, elaborar la relación definitiva de acreencias que serán objeto del acuerdo y conferirán los derechos de voto que correspondan, según las reglas previstas en este título. Para el caso de la reforma del acuerdo, el conciliador actualizará esta relación teniendo en cuenta la parte cumplida del acuerdo inicial.

13. Comunicar la aceptación de la solicitud dé negociación a las autoridades jurisdiccionales y administrativas, empresas de servicios públicos, pagadores y particulares que adelanten procesos civiles de cobranza, a fin de que se sujeten a los efectos de dicha providencia.

PARÁGRAFO. Es deber del conciliador velar por que no se menoscaben los derechos ciertos e indiscutibles, así como los derechos mínimos e intransigibles protegidos constitucionalmente.

- *Nota de vigencia:* el artículo 8 de la Ley 2445 de 11 de febrero de 2025, "por medio de la cual se modifica el Título IV de la Ley 1564 de 2012, referente a los procedimientos de insolvencia de la persona natural no comerciante y se dictan otras disposiciones", publicada en el Diario Oficial No. 53.027 de 11 de febrero de 2025, modificó los numerales 2 y 12, adicionó el numeral 13 y modificó el parágrafo
- arts. 531; 532; 533; 534; 535; 536 y 538
- L 2220/2022

CAPÍTULO II
PROCEDIMIENTO DE NEGOCIACIÓN DE DEUDAS

ARTÍCULO 538. SUPUESTOS DE INSOLVENCIA

Para los fines previstos en este título, se entenderá que la persona natural podrá acogerse a los procedimientos de insolvencia cuando se encuentre en cesación de pagos.

Estará en cesación de pagos la persona natural que como deudor o garante incumpla el pago de dos (2) o más obligaciones a favor de dos (2) o más acreedores por más de noventa (90) días, o contra el cual se hayan iniciado dos (2) o más procedimientos públicos o privados de cobro de obligaciones dineradas, de ejecución especial o de restitución de bienes por mora en el pago de cánones.

En cualquier caso, el valor porcentual de las obligaciones deberá representar no menos del treinta por ciento (30%) del pasivo total a su cargo, sin tener en cuenta los créditos cuyo pago se esté realizando mediante libranza o cualquier otro tipo de descuento por nómina, a menos que estos hayan dejado de abonarse efectivamente a la obligación por cualquier causa. Para la verificación de esta situación bastará la declaración del deudor, la cual se entenderá prestada bajo la gravedad del juramento.

- *Nota de vigencia:* este artículo fue modificado por el artículo 9 de la Ley 2445 de 11 de febrero de 2025, "por medio de la cual se modifica el Título IV de la Ley 1564 de 2012, referente a los procedimientos de insolvencia de la persona natural no comerciante y se dictan otras disposiciones", publicada en el Diario Oficial No. 53.027 de 11 de febrero de 2025
- art. 539
- CCo art. 10 y 20
- L 1116/2006

ARTÍCULO 539. REQUISITOS DE LA SOLICITUD DE TRÁMITE DE NEGOCIACIÓN DE DEUDAS

La solicitud de trámite de negociación de deudas deberá ser presentada directamente por el deudor, quien podrá comparecer al trámite acompañado o representado por apoderado judicial. Será obligatoria su asistencia con o a través de apoderado judicial en los casos en que sea superada la mínima cuantía. La solicitud deberá contener:

1. Un informe que indique de manera precisa las causas que lo llevaron a la situación de cesación de pagos.
2. La propuesta para la negociación de deudas, que debe ser clara, expresa y objetiva.
3. Una relación completa y actualizada de todos los acreedores, en el orden de prelación de créditos que señalan los artículos 2488 y siguientes del Código Civil.

Las obligaciones amparadas con garantía mobiliaria constituidas a favor de las empresas vigiladas por la Superintendencia de la Economía Solidaria garantizados mediante aportes sociales individuales y ahorros permanentes en el caso de los fondos de empleados serán considerados de la segunda clase prevista en el artículo 2497 del Código Civil, cumpliendo los requisitos de la Ley 1676 de 2013, hasta el monto de dichos aportes y ahorros, que deberán precisarse y cuantificarse como se exige en el numeral siguiente; si el crédito excediere tal monto, el saldo restante se calificará en la quinta clase.

Se deberá indicar nombre, domicilio y dirección de cada uno de ellos; dirección de correo electrónico; cuantía, diferenciando capital e intereses, aún en los cánones vencidos de los contratos de leasing, y otros conceptos concretamente señalados; naturaleza de los créditos, incluida la condición de postergados en virtud de la causal primera del artículo 572A; tasas de interés; documentos en que consten; fecha de otorgamiento del crédito y vencimiento, y nombre, domicilio y dirección de la oficina o lugar de habitación de los codeudores, fiadores o avalistas. En caso de no conocer alguna información, el deudor deberá expresarlo.

4. Una relación completa y detallada de sus bienes, si los hubiere, incluidos los que posea en el exterior. Deberán indicarse los valores estimados y los datos necesarios para su identificación, así como la información detallada de los gravámenes, afectaciones y medidas cautelares que pesen sobre ellos, y deberá indicarse cuáles de ellos tienen afectación a vivienda familiar y cuáles son objeto de patrimonio de familia inembargable.

A la relación detallada de los bienes se deberán adjuntar los documentos idóneos para acreditar la veracidad de la información de que trata este numeral.

5. Una relación de los procesos judiciales y de cualquier procedimiento o actuación administrativa o privada de carácter patrimonial que adelante el deudor o que curse contra él, indicando el juzgado o la oficina donde están radicados y su estado actual.

6. Certificación de los ingresos del deudor expedida por su empleador o fondo de pensiones o, en caso de que sea trabajador independiente, una declaración de los mismos.

7. Monto al que ascienden los recursos disponibles para el pago de las obligaciones descontados los gastos necesarios para la subsistencia del deudor y de las personas a su cargo si los hubiese, los de conservación de los bienes y de los del procedimiento.

8. Información relativa a si tiene o no sociedad conyugal o patrimonial vigente. En el evento en que la haya tenido, deberá aportar copia de la escritura pública o de la sentencia por medio de la cual esta se haya liquidado, o de la sentencia que haya declarado la separación de bienes, si ello ocurrió dentro de los dos (2) años anteriores a la solicitud. En este último caso, se deberá señalar el valor comercial estimado de los bienes embargables que fueron objeto de la liquidación.

9. Una discriminación de las obligaciones alimentarias a su cargo, indicando cuantía y beneficiarios y anexando certificado del Registro de Deudores Alimenticios Morosos (Redam).

10. Constancia de su matrícula mercantil, en caso de que el solicitante sea pequeño comerciante.

PARÁGRAFO 1o. La información de la solicitud del trámite de negociación de deudas y las declaraciones hechas por el deudor en cumplimiento de lo dispuesto en este artículo se entenderán rendidas bajo la gravedad del juramento, y en la solicitud deberá incluirse expresamente la manifestación de que no se ha incurrido en omisiones, imprecisiones o errores que impidan conocer su verdadera situación económica y su capacidad de pago.

PARÁGRAFO 2o. La relación de acreedores y de bienes deberá hacerse con corte al último día calendario del mes inmediatamente anterior a aquel en que se presente la solicitud.

PARÁGRAFO 3o. Cualquiera de los acreedores relacionados en la solicitud podrá solicitar al deudor que aporte las pruebas que tenga en su poder respecto de la información plasmada en ella, con los soportes idóneos, según el caso, y este la deberá allegar a más tardar en la siguiente reanudación de la audiencia de negociación de deudas, o manifestar que no la posee. Tal manifestación se entenderá hecha bajo la gravedad del juramento.

PARÁGRAFO 4o. En ningún caso los centros de conciliación o notarías podrán imponer a los deudores interesados en la prestación del servicio modelos inmodificables de solicitud.

- *Nota de vigencia:* este artículo fue modificado por el artículo 10 de la Ley 2445 de 11 de febrero de 2025, "por medio de la cual se modifica el Título IV de la Ley 1564 de 2012, referente a los procedimientos de insolvencia de la persona natural no comerciante y se dictan otras disposiciones", publicada en el Diario Oficial No. 53.027 de 11 de febrero de 2025
- NOTA: El tercer inciso del numeral 3 fue corregido por el artículo 6 del Decreto 1136 del 27 de octubre de 2025 "Por el cual se corrigen unos yerros en la Ley 2445 de 2025"
- arts. 531; 531; 538; 540 y 542
- CCo art. 10 y 20
- CC arts. 2488 hasta 2511

ARTÍCULO 539A. SOLICITUDES Y TRÁMITES DE DEUDORES PERTENECIENTES A UN MISMO NÚCLEO FAMILIAR

Un mismo conciliador tramitará coordinadamente la insolvencia de varios deudores pertenecientes a un mismo núcleo familiar que así lo pidan, siempre que respecto de cada uno de ellos se den los presupuestos de insolvencia previstos en el artículo 538 y cada solicitud cumpla los requisitos del artículo 539.

En este caso, el centro de conciliación o notaría designará un mismo conciliador para todos los solicitantes, el valor de sus servicios no podrá exceder del cincuenta por ciento (50%) adicional al caso que corresponda al de mayor pasivo y complejidad y las reglas del trámite y de la aprobación de los acuerdos se aplicarán a cada trámite individualmente, buscando la mayor armonía entre los flujos de caja de cada uno de los deudores. En ningún caso esta modalidad se considerará una negociación conjunta de los trámites, aunque el conciliador podrá realizar simultáneamente audiencias de los varios deudores siempre que lo considere conveniente, de las que se extenderán actas individuales.

En caso de que proceda la intervención de la jurisdicción ordinaria civil en cualquiera de los trámites, incluida la liquidación, esta disposición se aplicará, en lo pertinente, por parte del juez al que correspondan, que será el mismo para todos ellos.

PARÁGRAFO 1o. En este caso, los términos previstos en el primer inciso del artículo 544 se incrementarán en un cincuenta por ciento (50%).

PARÁGRAFO 2o. Para los efectos del presente artículo se entenderá que pertenecen a un mismo núcleo familiar los cónyuges, los compañeros permanentes y los parientes dentro del segundo grado de consanguinidad y único civil.

- *Nota de vigencia:* este artículo fue adicionado por el artículo 11 de la Ley 2445 de 11 de febrero de 2025, "por medio de la cual se modifica el Título IV de la Ley 1564 de 2012, referente a los procedimientos de insolvencia de la persona natural no comerciante y se dictan otras disposiciones", publicada en el Diario Oficial No. 53.027 de 11 de febrero de 2025

ARTÍCULO 540. DACIONES EN PAGO

En la propuesta de negociación de deudas, el deudor podrá incluir daciones en pago con bienes propios para extinguir total o parcialmente una o varias de sus obligaciones.

- arts. 538; 539; 541 hasta 561
- CC 1672 hasta 1683

ARTÍCULO 541. DESIGNACIÓN DEL CONCILIADOR Y ACEPTACIÓN DEL CARGO

Al día siguiente a la presentación de la solicitud, el centro de conciliación designará al conciliador. Esté manifestará su aceptación dentro de los dos (2) días siguientes a la notificación del encargo, so pena de ser excluido de la lista.

El cargo de conciliador es de obligatoria aceptación. En el evento en que el conciliador se encuentre impedido y no lo declare, podrá ser recusado por las causales previstas en este código.

- *Nota de vigencia:* este artículo fue modificado por el artículo 12 de la Ley 2445 de 11 de febrero de 2025, "por medio de la cual se modifica el Título IV de la Ley 1564 de 2012, referente a los procedimientos de insolvencia de la persona natural no comerciante y se dictan otras disposiciones", publicada en el Diario Oficial No. 53.027 de 11 de febrero de 2025
- 531; 532 y 539
- L 2220/2022

ARTÍCULO 542. DECISIÓN DE LA SOLICITUD DE NEGOCIACIÓN

Dentro de los tres (3) días siguientes a la aceptación del cargo, el conciliador verificará si la solicitud cumple con los requisitos legales.

Si la solicitud no cumple con alguna de las exigencias requeridas, el conciliador inmediatamente señalará los defectos de que adolezca y otorgará al deudor un plazo de cinco (5) días para que la corrija. Si dentro del plazo otorgado el deudor no subsana los defectos de la solicitud, esta será rechazada. Contra esta decisión solo procederá el recurso de reposición ante el mismo conciliador.

- *Nota de vigencia:* este artículo fue modificado por el artículo 13 de la Ley 2445 de 11 de febrero de 2025, "por medio de la cual se modifica el Título IV de la Ley 1564 de 2012, referente a los procedimientos de insolvencia de la persona natural no comerciante y se dictan otras disposiciones", publicada en el Diario Oficial No. 53.027 de 11 de febrero de 2025
- arts. 318; 319; 538; 539 y 541

ARTÍCULO 543. ACEPTACIÓN DE LA SOLICITUD DE NEGOCIACIÓN DE DEUDAS

Una vez el conciliador verifique el cumplimiento de los requisitos en la solicitud de negociación de deudas, el conciliador designado por el centro de conciliación, según fuere el caso, la aceptará, dará inicio al procedimiento de negociación de deudas y fijará fecha para audiencia de negociación dentro de los diez (10) días siguientes a la aceptación de la solicitud.

PARÁGRAFO 1o. Cuando se trate de la negociación de deudas de una persona comerciante, en la providencia se dispondrá su inscripción inmediata en el registro mercantil de la cámara de comercio del domicilio del deudor.

PARÁGRAFO 2o. Las controversias relacionadas con la aceptación de la solicitud de negociación de deudas solamente se podrán proponer al iniciarse la primera sesión de la audiencia correspondiente.

- *Nota de vigencia:* este artículo fue modificado por el artículo 14 de la Ley 2445 de 11 de febrero de 2025, "por medio de la cual se modifica el Título IV de la Ley 1564 de 2012, referente a los procedimientos de insolvencia de la persona natural no comerciante y se dictan otras disposiciones", publicada en el Diario Oficial No. 53.027 de 11 de febrero de 2025
- arts. 538; 539; 541; 542; 543 y 550
- L 2220/2022

ARTÍCULO 544. DURACIÓN DEL PROCEDIMIENTO DE NEGOCIACIÓN DE DEUDAS

El término para llevar a cabo el procedimiento de negociación de deudas es de sesenta (60) días, contados a partir de la fecha en la que quede en firme la aceptación de la solicitud. A solicitud conjunta del deudor y de cualquiera de los acreedores con quienes se hayan conciliado definitivamente sus derechos, este término podrá ser prorrogado por treinta (30) días más, y, para el deudor comerciante, con el voto favorable de la Mayoría de los votos se podrá prorrogar hasta por otros noventa (90) días.

Dicho término de duración del procedimiento de negociación de deudas se suspenderá durante el tiempo que dure el trámite de las controversias que deba resolver la jurisdicción ordinaria civil y se reanudará a partir de la fecha en que la audiencia se reinicie por convocatoria que hará el conciliador al recibir la decisión judicial. También se suspenderá durante la vacancia judicial, aunque no estén pendientes decisiones de la jurisdicción ordinaria civil.

- *Nota de vigencia:* este artículo fue modificado por el artículo 15 de la Ley 2445 de 11 de febrero de 2025, "por medio de la cual se modifica el Título IV de la Ley 1564 de 2012, referente a los procedimientos de insolvencia de la persona natural no comerciante y se dictan otras disposiciones", publicada en el Diario Oficial No. 53.027 de 11 de febrero de 2025
- art. 538; 539; 542 y 543

ARTÍCULO 545. EFECTOS DE LA ACEPTACIÓN

A partir de la aceptación de la solicitud se producirán los siguientes efectos:

1. Los previstos en el numeral 1 del artículo 565. En consecuencia, no podrán iniciarse contra el deudor nuevos procesos o trámites públicos o privados de ejecución, de jurisdicción coactiva, de cobro de obligaciones dineradas, de ejecución especial, ni de

restitución de bienes por mora en el pago de los cánones, y se suspenderán los que estuvieren en curso al momento de la aceptación. La suspensión incluirá la ejecución aún no totalmente practicada de medidas cautelares ya decretadas respecto de bienes o derechos pertenecientes al deudor y emolumentos que este tenga por recibir por cualquier causa, personalmente o en cuentas bancarias o por medio de cualquier producto financiero, y los actos preparatorios del perfeccionamiento de tales medidas.

El deudor podrá alegar la nulidad del proceso ante el juez o funcionario competente, o ante el particular o mandatario encargado del cobro o ejecución, para lo cual bastará presentar copia de la certificación que expida el conciliador sobre la aceptación al procedimiento de negociación de deudas.

Las diligencias judiciales o extrajudiciales de cobranza, habiendo sido comunicado directamente el titular o cesionario sobre la admisión del deudor a un procedimiento de insolvencia darán lugar a un llamado de atención, en la primera ocasión, a una amonestación, en la segunda, y a la postergación del pago de todas las obligaciones que se hayan calificado y graduado o deban calificarse y graduarse a favor del acreedor, en la tercera, sanciones que serán impuestas, a petición del deudor, por el conciliador o el juez de la liquidación. A partir de la cuarta ocasión, el conciliador o el juez enviarán la queja a la Superintendencia Financiera o a la de Industria y Comercio, de acuerdo con el marco de competencias previsto en la Ley 2300 de 2023. junto con las pruebas que haya aportado el quejoso, a efecto de que se imponga al acreedor una multa equivalente al diez por ciento (10%) del monto de los créditos cobrados, incluidos los intereses, por cada vez que este adelante diligencias de este tipo, sin perjuicio de los límites previstos en el artículo 18 de la Ley Estatutaria 1266 de 2008.

2. Se suspenderán los descuentos de nómina o de productos financieros, pagos por libranza o cualquier otra forma de prerrogativa relacionada con el pago o abono automático o directo del acreedor o de mandatario suyo que se haya pactado contractualmente o que disponga la ley, excepto los relacionados con las obligaciones alimentarias del deudor.

Los actos que se ejecuten en contravención a esta disposición serán ineficaces de pleno derecho, sanción que será puesta en conocimiento del pagador y del acreedor del caso por el conciliador, junto con la orden de devolución inmediata al deudor de las sumas pagadas o descontadas, para cuyo efecto ellos serán solidariamente responsables a partir del momento en que recibieron la comunicación. Adicionalmente, se impondrán al acreedor las sanciones previstas en el numeral anterior.

3. No podrá suspenderse la prestación de los servicios públicos domiciliarios en la casa de habitación ni en el lugar de trabajo del deudor por mora en el pago de las obligaciones anteriores a la aceptación de la solicitud. Si hubiere operado la suspensión de los servicios públicos domiciliarios, estos deberán restablecerse y las obligaciones causadas con posterioridad por este concepto serán pagadas como gastos de administración, y como tales serán registrados en la contabilidad del acreedor; la desatención a este deber estando el acreedor debidamente informado de la existencia del procedimiento de insolvencia, dará lugar a los trámites y sanciones previstas en el numeral 1 de este artículo para los casos de acreedores concúrsales que adelanten diligencias judiciales o extrajudiciales

de cobranza. La misma regla aplicará a los casos de cualquier tipo de contratos de tracto sucesivo, como arrendamiento, educación, salud, administración de propiedad horizontal, y cualquier otro de similares características.

4. Dentro de los cinco (5) días siguientes a la aceptación del trámite de negociación de deudas el deudor deberá presentar una relación actualizada de sus obligaciones, bienes y procesos, en la que deberá incluir todas sus acreencias causadas al día inmediatamente anterior a la aceptación, conforme al orden de prefación legal previsto en el Código Civil. La ausencia de esta actualización se tendrá como manifestación de que la relación presentada con la solicitud no ha variado. Cualquier cambio relevante de la situación del deudor que suceda entre la aceptación de la negociación de deudas y la apertura de la liquidación patrimonial en relación con su crisis económica deberá ser comunicada a los acreedores a través del conciliador a efecto de que aquellos lo puedan tener en cuenta al momento de tomar las decisiones que les correspondan. Igualmente deberá informar cualquier cambio de domicilio, residencia o direcciones física y electrónica de notificación.

5. El deudor no podrá solicitar el inicio de otro procedimiento de insolvencia, hasta que se cumpla el término previsto en el artículo 574.

6. Se interrumpirá el término de prescripción y no operará la caducidad de las acciones respecto de los créditos que contra el deudor se hubieren hecho exigibles antes de la iniciación de dicho trámite.

7. El pago de impuestos prediales, cuotas de administración, servicios públicos y cualquier otra tasa o contribución necesarios para obtener el paz y salvo en la enajenación de inmuebles o cualquier otro bien sujeto a registro solo podrá exigirse respecto de aquellas acreencias causadas con posterioridad a la aceptación de la solicitud. Las restantes quedarán sujetas a los términos del acuerdo o a las resultas del procedimiento de liquidación patrimonial. Este tratamiento se aplicará a toda obligación *propter rem* que afecte los bienes del deudor.

8. El deudor admitido a un trámite de insolvencia podrá buscar la renegociación de mutuo acuerdo de los contratos de' arrendamiento comercial o financiero (leasing) de los que sea parte arrendataria o locataria. En caso de que no se logre la negociación, cualquiera de las partes podrá dar por terminado el contrato unilateralmente con solamente comunicar tal decisión a su contraparte y al I conciliador, quedando el deudor sujeto a la entrega inmediata del bien en las condiciones previstas en el contrato y a las sanciones contractuales o legales del caso, decididas mediante incidente por el juez del concurso, las que harán parte del pasivo a negociar o liquidar. En todo caso, la terminación del contrato por iniciativa del deudor podrá darse cuando acredite las siguientes circunstancias: (i) el contrato es uno de tracto sucesivo que aún se encuentra en proceso de ejecución, y (ii) las prestaciones a cargo del deudor resultan excesivas, tomando en consideración el precio de las operaciones equivalentes o de reemplazo que el deudor podría obtener en el mercado.

Al momento de comunicar tal decisión, el deudor deberá presentar un análisis de la relación costo-beneficio para el propósito de la negociación de llevarse a cabo la terminación, en la cual se tome en cuenta la indemnización a cuyo pago podría verse sujeto el deudor con ocasión de la terminación.

PARÁGRAFO. El solicitante podrá retirar su solicitud de negociación mientras no se hubiere hecho efectivo ninguno de los efectos previstos en los numerales 1, 2 del presente artículo, y podrá desistir expresamente del procedimiento, mientras no se haya aprobado el acuerdo. Al desistimiento se aplicarán, en lo pertinente, los artículos 314 a 316 del Código General del Proceso, pero no habrá lugar a condena en costas, y su aceptación conllevará la reanudación inmediata de los procedimientos de ejecución suspendidos, para lo cual el conciliador oficiará con destino a los funcionarios y particulares correspondientes, al día siguiente de que esta se produzca. La indemnización de perjuicios que pretendan los acreedores se tramitarán ante el juez del proceso suspendido o en su defecto ante el que señala el artículo 534.

- *Nota de vigencia:* este artículo fue modificado por el artículo 16 de la Ley 2445 de 11 de febrero de 2025, "por medio de la cual se modifica el Título IV de la Ley 1564 de 2012, referente a los procedimientos de insolvencia de la persona natural no comerciante y se dictan otras disposiciones", publicada en el Diario Oficial No. 53.027 de 11 de febrero de 2025
- arts. 94; 133; 135; 161; 162; 531; 532; 533; 534; 535; 536; 537; 538; 539; 543; 546 y 574
- CC arts. 2488 hasta 5511

ARTÍCULO 546. PROCESOS EJECUTIVOS ALIMENTARIOS EN CURSO

Se exceptúan de lo dispuesto en el artículo anterior los procesos ejecutivos alimentarios que se encuentren en curso al momento de aceptarse la solicitud del procedimiento de negociación de deudas, los cuales continuarán adelantándose conforme al procedimiento previsto en la ley, sin que sea procedente decretar su suspensión ni el levantamiento de las medidas cautelares.

En caso de llegar a desembargarse bienes o de quedar un remanente del producto de los embargados o subastados dentro del proceso ejecutivo de alimentos, estos serán puestos a disposición del deudor y se informará de ello al conciliador que tenga a su cargo el procedimiento de negociación de deudas.

- arts. 161; 162; 538; 539; 543 y 545

ARTÍCULO 547. TERCEROS GARANTES Y CODEUDORES

Cuando una obligación del deudor esté respaldada por terceros que hayan constituido garantías reales sobre sus bienes, o que se hayan obligado en calidad de codeudores, fiadores, avalistas, aseguradores, emisores de cartas de crédito, o en general a través de cualquier figura que tenga como finalidad asegurar su pago se seguirán las siguientes reglas:

1. Los procesos ejecutivos que se hubieren iniciado contra los terceros garantes o codeudores continuarán, salvo manifestación expresa en contrario del acreedor demandante.

2. En caso de que al momento de la aceptación no se hubiere iniciado proceso alguno contra los terceros, los acreedores conservan incólumes sus derechos frente a ellos.

PARÁGRAFO. El acreedor informará al juez o al conciliador acerca de los pagos o arreglos que de la obligación se hubieren producido en cualquiera de los procedimientos.

- arts. 531; 543 y 545

ARTÍCULO 548. COMUNICACIÓN DE LA ACEPTACIÓN

A más tardar al día siguiente a aquel en que reciba la información actualizada de las acreencias por parte del deudor, el conciliador comunicará a todos los acreedores relacionados por el deudor la aceptación de la solicitud, adjuntando copia de la misma y de sus anexos, e indicándoles la fecha en que se llevará a cabo la audiencia de negociación de deudas.

En la misma oportunidad, el conciliador oficiará a los jueces de conocimiento de los procesos de ejecución y restitución y a los servidores públicos y empleados privados encargados de los cobros coactivos y contractuales de obligaciones dineradas y de los descuentos de nómina como mecanismo de pago o abono a las obligaciones que se hayan indicado en la solicitud, comunicando el inicio del procedimiento de negociación de deudas con el fin de que se sujeten a los efectos de la aceptación de la solicitud.

En la decisión que reconozca la suspensión, el juez, funcionario o particular a cargo del cobro realizará el control de legalidad y dejará sin efecto cualquier actuación que se haya adelantado en su despacho público o privado o por parte de funcionario comisionado o particular mandatario con posterioridad a la aceptación. La suspensión del proceso no implicará la de los deberes de los auxiliares de la justicia frente a los bienes que administren, ni las del juez frente a dichos auxiliares ni impedirá las actuaciones derivadas del contenido o la ejecución del acuerdo que lo afecten. El control de legalidad conllevará la orden de restituir al deudor los bienes secuestrados o retenidos a cualquier título derivado del cobro que se hubiesen practicado después de tal aceptación.

Los centros de conciliación y las notarías dispondrán de una plataforma electrónica para la realización de las audiencias y de una dirección electrónica para el envío de las comunicaciones y notificaciones a las partes, así como para el recibo de la documentación y observaciones correspondientes al proceso.

PARÁGRAFO. Cuando el deudor manifieste que ignora el lugar donde puede ser citado un acreedor, la citación se entenderá cumplida con la inscripción de la decisión de aceptación de la solicitud en el Registro Nacional de Personas Emplazadas de que trata el artículo 108 de este código.

- *Nota de vigencia:* este artículo fue modificado por el artículo 17 de la Ley 2445 de 11 de febrero de 2025, "por medio de la cual se modifica el Título IV de la Ley 1564 de 2012, referente a los procedimientos de insolvencia de la persona natural no comerciante y se dictan otras disposiciones", publicada en el Diario Oficial No. 53.027 de 11 de febrero de 2025
- arts. 161; 162; 291; 543 y 545
- L 2213/2022 art. 8

ARTÍCULO 549. GASTOS DE ADMINISTRACIÓN

Los gastos necesarios para la subsistencia del deudor y de las personas a su cargo, así como las obligaciones que este debe continuar sufragando durante el procedimiento de insolvencia desde la aceptación de la solicitud de negociación de deudas hasta que el acuerdo sea aprobado deberán estar al día al momento de la aprobación del mismo y no estarán sujetos al sistema que en el acuerdo de pago se establezca para las demás acreencias.

También se considerarán gastos de administración los aportes a la seguridad social de sus empleados, aún si se hubieren causado antes de la aceptación de la solicitud.

Mientras no se haya decretado la liquidación patrimonial por cualquier causa, los titulares de obligaciones causadas con posterioridad a la aprobación del acuerdo podrán adelantar las gestiones de cobro* coactivo y de restitución previstas en la ley o en el contrato.

El deudor no podrá otorgar garantías sin el consentimiento de los acreedores que representen más de la mitad más uno de los votos.

El incumplimiento en el pago de los gastos de administración es causal de fracaso del procedimiento de negociación de deudas. En este caso, el acreedor de la obligación en mora informará de esta al conciliador, de lo cual se correrá traslado al deudor, quien podrá allanarse y pagar o convenir con aquel los términos en que solucionará la obligación u oponerse, en: cuyo caso el conciliador suspenderá la audiencia en los términos del artículo 551 con el objeto de que este allegue las pruebas que pretenda hacer valer. Reanudada la audiencia, el conciliador resolverá mediante decisión que solamente admite el recurso de reposición que decidirá de inmediato. Si la decisión favoreciere al deudor o este solucionare el incumplimiento, continuará la audiencia. Si el conciliador encuentra probado el incumplimiento y el deudor no lo soluciona ni logra un acuerdo con el quejoso con tal fin, dejará constancia de todo ello en el acta de fracaso y remitirá lo actuado al juez competente, quien decretará la apertura de la liquidación patrimonial si está conforme con la conclusión del conciliador. En caso de no estarlo, así lo declarará mediante auto que no admite recurso y devolverá la actuación al conciliador para que continúe con la audiencia.

En caso de que se decrete la liquidación patrimonial, los gastos de administración y las obligaciones causadas durante la ejecución del acuerdo insolutos podrán presentarse a dicho trámite, y los correspondientes procesos de ejecución iniciados contra el deudor estarán sujetos a lo dispuesto en el numeral 7 del artículo 565.

PARÁGRAFO. Que el acreedor al que se incumplió sea el centro de conciliación o notaría no constituirá causal de impedimento del conciliador, y el centro o notaría estará representado por su director o notario, según sea el caso, o por apoderado designado para el efecto.

- *Nota de vigencia:* este artículo fue modificado por el artículo 18 de la Ley 2445 de 11 de febrero de 2025, "por medio de la cual se modifica el Título IV de la Ley 1564 de 2012, referente a los procedimientos de insolvencia de la persona natural no comerciante y se dictan otras disposiciones", publicada en el Diario Oficial No. 53.027 de 11 de febrero de 2025
- art. 544 y 545

ARTÍCULO 550. DESARROLLO DE LA AUDIENCIA DE NEGOCIACIÓN DE DEUDAS

La audiencia de negociación de deudas se sujetará a las siguientes reglas:

1. El conciliador preguntará a los acreedores si tienen reparos jurídicos que hacer a la decisión de aceptación de la solicitud de negociación. En caso afirmativo, oirá las alegaciones de los presentes y decidirá de plano si contare con las pruebas que se lo permitan. De lo contrario, suspenderá la audiencia en los términos del artículo 551 para que los interesados aporten las pruebas que pretendan hacer valer. Reanudada la audiencia, el conciliador resolverá con las pruebas documentales con que cuente, mediante decisión contra la que cabe recurso de reposición. Si no se presentan reparos contra la aceptación, se considerará saneada cualquier irregularidad que se hubiera presentado en ella y se continuará la audiencia, salvo en aquellos casos en que los acreedores no hubieren asistido por falta o indebida notificación.

2. El conciliador pondrá en conocimiento de los acreedores la relación detallada de las acreencias y les preguntará si están de acuerdo con la existencia, naturaleza y cuantía de las obligaciones relacionadas por parte del deudor y si tienen dudas o discrepancias con relación a las propias o respecto de otras acreencias. Si no se presentaren objeciones, ella constituirá la relación definitiva de acreencias.

3. De existir discrepancias, el conciliador propiciará fórmulas de arreglo acordes con la finalidad y los principios del régimen de insolvencia, para lo cual podrá suspender la audiencia.

4. Si reanudada la audiencia las objeciones no fueren conciliadas, el conciliador procederá en la forma descrita en los artículos 551 y 552.

5. Si no hay objeciones o estas fueren conciliadas, habrá lugar a considerar la propuesta del deudor.

6. El conciliador solicitará al deudor que haga una exposición de la propuesta de pago para la atención de las obligaciones, que pondrá a consideración de los acreedores con el fin de que expresen sus opiniones en relación con ella.

7. El conciliador preguntará al deudor y a los acreedores acerca de la propuesta y las contrapropuestas que surjan y podrá formular otras alternativas de arreglo.

8. De la audiencia se levantará un acta que será suscrita por el conciliador y el deudor. El original del acta y sus modificaciones deberán reposar en los archivos del centro de conciliación o de la notaría. En cualquier momento, las partes podrán solicitar y obtener copia del acta que allí se extienda.

PARÁGRAFO. La inasistencia del deudor o su apoderado a dos citaciones a audiencia consecutivas, no justificadas dentro de los tres (3) días siguientes, será causal de fracaso de la negociación, salvo que los acreedores presentes en la segunda reunión fallida que representen más del cincuenta por ciento (50%) de los créditos dispongan que el conciliador fije nueva fecha y hora para continuarla. Para efectos de este parágrafo, en caso de que aún no haya una relación definitiva de todas las acreencias se tendrán por tales las relacionadas en la solicitud, con las modificaciones a que haya dado lugar la conciliación de las mismas.

- *Nota de vigencia:* este artículo fue modificado por el artículo 19 de la Ley 2445 de 11 de febrero de 2025, "por medio de la cual se modifica el Título IV de la Ley 1564 de 2012, referente a los procedimientos de insolvencia de la persona natural no comerciante y se dictan otras disposiciones", publicada en el Diario Oficial No. 53.027 de 11 de febrero de 2025
- arts. 547; 548; 551 y 552
- L 2220/2022

ARTÍCULO 551. SUSPENSIÓN DE LA AUDIENCIA DE NEGOCIACIÓN DE DEUDAS

Si no se llegare a un acuerdo en la misma audiencia y siempre que se advierta una posibilidad objetiva de arreglo, el conciliador podrá suspender la audiencia las veces que sea necesario, la cual deberá reanudar a más tardar dentro de los diez (10) días siguientes.

En todo caso, las deliberaciones no podrán extenderse más allá del término legal para la celebración del acuerdo, so pena de que el procedimiento se dé por fracasado.

- arts. 544 y 550

ARTÍCULO 552. DECISIÓN SOBRE OBJECIONES

Si no se conciliaren las objeciones en la audiencia, el conciliador la suspenderá por una única vez, durante diez (10) días, para que dentro de los cinco (5) primeros días inmediatamente siguientes a la suspensión, los objetantes presenten ante él y por escrito la objeción, junto con las pruebas que pretendan hacer valer y las que pidan al juez. Vencido este término, correrá uno igual para que el deudor y los titulares de los créditos objetados se pronuncien por escrito sobre la objeción formulada y aporten y pidan las pruebas a que hubiere lugar. Dentro del mismo término, los restantes acreedores podrán pronunciarse por escrito sobre las objeciones y aportar las pruebas que pretendan hacer valer, pero no podrán pedir otras. La sustentación no podrá versar sobre objeciones diferentes a las manifestadas de manera precisa en la audiencia.

Los escritos presentados, junto con las pruebas allegadas por las partes y el acta correspondiente al día en que las objeciones fueron planteadas, serán remitidos de manera inmediata por el conciliador al juez, quien, previo decreto y práctica de pruebas, incluidas las que de oficio disponga, las resolverá mediante auto que no admite recurso, y ordenará la devolución de las diligencias al conciliador.

Las obligaciones no objetadas en la audiencia y las objetadas y conciliadas en ella quedarán en firme al suspenderse la misma, y se considerarán parte de la relación definitiva de acreencias desde ese momento. Una vez recibida por el conciliador la decisión del juez, se señalará fecha y hora para la continuación de la audiencia, que se comunicará en la misma forma prevista para la aceptación de la solicitud. Si dentro del término a que alude el inciso primero de esta disposición no se sustentaren por escrito las objeciones, quedará en firme la relación de acreencias hecha por el conciliador y la audiencia continuará al décimo día siguiente a aquel en que se hubiere suspendido y a la misma hora en que ella se llevó a cabo.

PARÁGRAFO. En la evaluación probatoria, el juez tendrá en cuenta lo dispuesto en el artículo 167, y valorará las pruebas bajo las reglas de la sana crítica, aplicando el principio de esencia sobre forma.

- *Nota de vigencia:* este artículo fue modificado por el artículo 20 de la Ley 2445 de 11 de febrero de 2025, "por medio de la cual se modifica el Título IV de la Ley 1564 de 2012, referente a los procedimientos de insolvencia de la persona natural no comerciante y se dictan otras disposiciones", publicada en el Diario Oficial No. 53.027 de 11 de febrero de 2025
- arts. 534; 544; 550 y 551

ARTÍCULO 553. ACUERDO DE PAGO

El acuerdo de pago estará sujeto a las siguientes reglas:

1. Deberá celebrarse dentro del término previsto en el presente capítulo y dentro de la audiencia.

2. Deberá ser aprobado por dos o más acreedores que representen más del cincuenta por ciento (50%) de los votos y deberá contar con la aceptación expresa del deudor.

Para efectos de la mayoría decisoria se tomarán en cuenta únicamente los valores por capital, sin contemplar intereses, multas o sanciones de orden legal o convencional, con corte al día inmediatamente anterior a la aceptación de la solicitud. Cuando se trate de deudas contraídas en UVR, moneda extranjera o cualquier otra unidad de cuenta, se liquidarán en su equivalencia en pesos con corte a esa misma fecha.

3. Debe comprender a la totalidad de los acreedores objeto de la negociación. No obstante, en caso de que no pueda lograr un acuerdo con todos los acreedores, el deudor podrá realizar, en esa misma audiencia, acuerdos bilaterales con acreedores que tengan garantía real o arrendamiento financiero sobre el inmueble que sea su vivienda o sobre muebles que constituyan un activo necesario para su actividad productiva o su vida de relación, los que tendrán plenos efectos entre las partes. En tal caso los créditos y activos de que se trate se excluirán de la liquidación patrimonial y los que tengan tales garantías u objeto se pagarán por el deudor en los términos contemplados en dichos acuerdos, que no podrán ser impugnados sino por la causal de no cumplir los bienes con las condiciones previstas en este numeral.

Los acuerdos bilaterales no podrán realizarse con los cónyuges, compañeros permanentes o parientes dentro del cuarto grado de consanguinidad, segundo de afinidad o primero civil del deudor.

4. Podrá versar sobre cualquier tipo de obligación patrimonial contraída por el deudor, incluidas aquellas en las que el Estado sea acreedor.

5. Si el acuerdo involucra actos jurídicos que afecten bienes sujetos a registro, se inscribirá copia del acta contentiva del acuerdo, sin que sea necesario el otorgamiento de escritura pública.

6. Podrá disponer la enajenación de los bienes del deudor que estuvieren embargados en los procesos ejecutivos suspendidos o el pago de acreencias con las sumas de dinero que también lo estén, para lo cual el deudor solicitará al juez, funcionario o empleado

competente o autorizado el levantamiento de la medida cautelar, allegando el acta que lo contenga.

El precio de la venta de bienes que sean objeto de garantías mobiliarias y reales se destinará al pago del capital de las obligaciones garantizadas y el excedente al de las demás, en el orden previsto en el acuerdo o, en su defecto, en el que establece la ley.

7. Todos los créditos estatales estarán sujetos a las reglas señaladas en el acuerdo para los demás créditos, inclusive en materia de intereses, y no se aplicarán respecto de los mismos las disposiciones especiales existentes. Sin embargo, tratándose de créditos fiscales, el acuerdo no podrá contener reglas que impliquen rebajas de capital por impuestos, tasas o contribuciones, salvo en los casos que lo permitan las disposiciones fiscales.

8. Respetará la prelación y privilegios señalados en la ley civil y dispondrá un mismo trato para todos los acreedores que pertenezcan a una misma clase o grado. No obstante, con la aprobación del 60% de los votos se podrá disponer que los créditos de la segunda clase sean pagados total o parcialmente al mismo tiempo que los de la primera, los de la tercera con los de la segunda y los de estas dos con los de la primera, y que se pague a los pequeños acreedores antes que a todos los demás, sin perjuicio de la prelación que la Constitución y la ley le reconocen a las obligaciones alimentarias de los menores de edad y a los créditos de índole laboral. Para tal efecto, se considerarán pequeños los acreedores de más baja cuantía cuya suma total no exceda el cinco por ciento (5%) de la suma total de las acreencias reconocidas y graduadas en la relación definitiva por concepto de capital. No podrán beneficiarse de estas excepciones los créditos postergados por cualquier causal.

Con todo, sin necesidad de una mayoría calificada ni de la aquiescencia del acreedor respectivo, en el acuerdo se podrá pactar que una o más obligaciones que se encuentren al día puedan seguir siendo atendidas por los codeudores solidarios del insolvente en los términos en que fueron pactadas inicialmente, sin sujetarse al orden de pago previsto en el acuerdo para las demás obligaciones; en los mismos términos se podrán pactar pagos a los acreedores que así lo acepten expresamente, por parte de terceros que se obliguen a ello en el acuerdo. En tales casos, el incumplimiento de dichas obligaciones por parte de los codeudores o terceros se considerará un incumplimiento del acuerdo por parte del insolvente, y dará lugar al trámite previsto para el efecto en el artículo 560.

Los acreedores destinatarios de dichos pagos conservarán sus derechos y acciones contra los condeudores y terceros obligados mediante el acuerdo, en caso de que ellos mismos o el deudor insolvente incumplan los pagos pactados en el mismo, sin perjuicio de los que le correspondan dentro de la liquidación patrimonial, llegado el caso. Igualmente, sin necesidad de mayoría calificada se podrá pactar que se reconozca el pago de intereses de espera a algunas clases de menor derecho mientras se paga el capital de otras de mejor derecho.

9. En ningún caso el acuerdo de pagos implicará novación de obligaciones, salvo pacto en contrario aceptado de manera expresa por el deudor y por cada acreedor de manera individual o por la totalidad dé acreedores.

10. No podrá preverse en el acuerdo celebrado entré el deudor y sus acreedores ni en sus reformas un plazo para la atención del pasivo superior a cinco (5) años contados desde

la fecha de celebración del acuerdo, salvo que así lo dispongan dos o más acreedores que representen más del sesenta por ciento (60%) de los votos, o que originalmente alguna de las obligaciones hubiere sido pactada por un término superior a este límite.

11. Los acuerdos de las personas comerciantes deben contemplar de manera expresa el deber del deudor de cumplir con todos los deberes que la ley prevé para ellas, incluida la de llevar contabilidad, y la advertencia de que el incumplimiento de cualquiera de ellos será causal de incumplimiento del acuerdo, al que se dará el trámite previsto en los artículos 560 y 561.

PARÁGRAFO 1o. En caso de que los datos necesarios para que el deudor haga los pagos no se encuentren incluidos en el texto del acuerdo, el acreedor podrá informarlos al deudor por correo certificado o al correo electrónico que este haya señalado para sus notificaciones en la solicitud de negociación de deudas, pero su pago se suspenderá durante el tiempo en que no haya cumplido con este deber si dentro del mismo hubiere instalamentos que atender a su favor, cuyas fechas de vencimiento se aplazarán consecutivamente.

PARÁGRAFO 2o. Los acuerdos de negociación de deudas celebrados en los términos previstos en el presente artículo serán de obligatorio cumplimiento para el deudor y para todos los acreedores, incluyendo a quienes no hubieran participado en la negociación del mismo o que, habiéndolo hecho, no hubiesen consentido en él.

PARÁGRAFO 3o. Cuando el deudor sea comerciante, una vez el acuerdo haya quedado en firme el conciliador oficiará a la cámara de comercio de su domicilio para efectos de que se inscriba en el registro mercantil tal hecho.

PARÁGRAFO 4o. El deudor deberá continuar sufragando los aportes a la seguridad social de sus empleados.

- *Nota de vigencia:* este artículo fue modificado por el artículo 21 de la Ley 2445 de 11 de febrero de 2025, "por medio de la cual se modifica el Título IV de la Ley 1564 de 2012, referente a los procedimientos de insolvencia de la persona natural no comerciante y se dictan otras disposiciones", publicada en el Diario Oficial No. 53.027 de 11 de febrero de 2025
- NOTA: El segundo y tercer inciso del numeral 8 fueron corregidos por el artículo 7 del Decreto 1136 del 27 de octubre de 2025 "Por el cual se corrigen unos yerros en la Ley 2445 de 2025"
- arts. 544; 545; 550; 554; 555; 556; 557; 558; 560 y 597
- CC arts. 1687 hasta 1710; 2488 hasta 2511

ARTÍCULO 554. CONTENIDO DEL ACUERDO

El acuerdo de pago contendrá, como mínimo:

1. La forma en que serán atendidas las obligaciones objeto del mismo, en el orden de prelación de créditos previsto en esta ley.

2. Los plazos en días, meses o años en que se pagarán las obligaciones objeto de la negociación, y los números de cuentas bancarias o lugar exacto en los que el deudor deberá hacer los pagos.

3. El régimen de intereses al que se sujetarán las distintas obligaciones, incluidas las fiscales, y, en caso de que así se convenga, la condonación de los mismos.

4. En caso de que se pacten daciones en pago, la determinación de los bienes que se entregarán y de las obligaciones que se extinguirán como consecuencia de ello.

5. La relación de los acreedores que acepten quitas o daciones en pago.

6. La sustitución o disminución de garantías requerirá el consentimiento expreso del respectivo acreedor, al igual que las quitas de capital. Tales quitas no darán lugar a impuesto de ganancia ocasional a cargo del deudor beneficiario.

Las daciones en pago también requerirán el consentimiento expreso del respectivo acreedor. Tratándose de bienes que garanticen las obligaciones correspondientes, no se requerirá este consentimiento, siempre que el valor estimado de los bienes en el acuerdo no supere el monto de las obligaciones, en cuyo caso se continuará adeudando el saldo restante.

7. El término máximo para su cumplimiento.

- *Nota de vigencia:* los numerales 1, 2, 3 y 6 fueron modificados por el artículo 22 de la Ley 2445 de 11 de febrero de 2025, "por medio de la cual se modifica el Título IV de la Ley 1564 de 2012, referente a los procedimientos de insolvencia de la persona natural no comerciante y se dictan otras disposiciones", publicada en el Diario Oficial No. 53.027 de 11 de febrero de 2025
- NOTA: El inciso segundo del numeral 6 fue corregido por el artículo 8 del Decreto 1136 del 27 de octubre de 2025 "Por el cual se corrigen unos yerros en la Ley 2445 de 2025"
- arts. 545; 553; 555; 556; 557; 558; 560 y 561
- CC arts. 1617; 1687 hasta 1710 y 2488 hasta 2511

ARTÍCULO 555. EFECTOS DE LA CELEBRACIÓN DEL ACUERDO DE PAGO SOBRE LOS PROCESOS EN CURSO

Una vez celebrado el acuerdo de pago, los procesos de ejecución y de restitución de tenencia promovidos por los acreedores continuarán suspendidos hasta tanto se verifique cumplimiento o incumplimiento del acuerdo.

- arts. 161; 162; 545; 553; 554; 556; 557; 558; 560 y 561

ARTÍCULO 556. REFORMA DEL ACUERDO

El acuerdo podrá ser objeto de reformas posteriores a solicitud del deudor o de un grupo de acreedores que represente por lo menos una cuarta parte de los créditos insolutos, conforme a la certificación que para el efecto expida el conciliador producida con el reporte de pagos que para el efecto le presente el deudor.

La solicitud deberá formularse ante el centro de conciliación o la notaría que conoció del procedimiento inicial, acompañada de la actualización de la relación definitiva de acreedores junto con la información relativa a las fechas y condiciones en que se hubieren realizado pagos a los créditos que fueron materia del acuerdo de pago. Cuando el centro de conciliación o la notaría ante la que se desarrolló el trámite de negociación de deudas hubiere dejado de existir la solicitud podrá ser presentada ante cualquier otro centro o notaría.

Aceptada dicha solicitud, el conciliador comunicará a los acreedores en la forma prevista para la aceptación de la solicitud y los citará a audiencia de reforma del acuerdo dentro de los diez (10) días siguientes.

Durante la audiencia de reforma del acuerdo se indagará en primer término a los acreedores sobre la conformidad en torno a la actualización de la relación definitiva de acreedores. Si existieren discusiones con relación a las acreencias se dará aplicación a las reglas establecidas para la celebración del acuerdo. Posteriormente se someterá a consideración la propuesta de modificación que presente el deudor, cuya aprobación y características se sujetará a las reglas previstas en el presente artículo. Si no se logra dicha aprobación, continuará vigente el acuerdo anterior. En esta audiencia no se admitirán suspensiones.

- arts. 541; 548; 550; 552; 553 y 554
- L 2220/2022

ARTÍCULO 557. IMPUGNACIÓN DEL ACUERDO O DE SU REFORMA

El acuerdo de pago podrá ser impugnado cuando:

1. Sin perjuicio de lo dispuesto en el numeral 8 del artículo 553, contenga cláusulas que violen el orden legal de prelación de créditos, sea porque alteren el orden establecido en la Constitución y en la ley o dispongan órdenes distintos de los allí establecidos, a menos que hubiere mediado renuncia expresa del acreedor afectado con la respectiva cláusula.
2. Sin perjuicio de lo dispuesto en el numeral 8 del artículo 553, contenga cláusulas que establezcan privilegios a uno o algunos de los créditos que pertenezcan a una misma clase u orden, o de alguna otra manera vulneren la igualdad entre los acreedores, a menos que hubiere mediado renuncia expresa del acreedor afectado con la respectiva cláusula.
3. No comprenda a todos los acreedores anteriores a la aceptación de la solicitud.
4. Contenga cualquier otra cláusula que viole la Constitución o la ley.
5. Su aprobación o la de alguna de sus cláusulas no haya contado con la mayoría necesaria para el caso.
6. Contenga la dación en pago al acreedor garantizado con los bienes objeto de ella, por un valor que difiera en más de un diez por ciento (10%) de aquel que defina el juez.

Los acreedores disidentes deberán impugnar el acuerdo en la misma audiencia en que este se haya votado, anunciando concretamente sus reparos al texto aprobado. El impugnante sustentará su inconformidad por escrito ante el conciliador dentro de los cinco (5) días siguientes a la audiencia, limitando sus alegatos a los motivos presentados en la audiencia y allegando las pruebas que pretenda hacer valer, so pena de ser considerada desierta. Vencido este término, correrá uno igual para que el deudor y los demás acreedores se pronuncien por escrito sobre la sustentación y aporten las pruebas documentales a que hubiere lugar. Los escritos presentados serán remitidos de manera inmediata por el conciliador al juez, quien resolverá sobre la impugnación. En tratándose de la causal número 6, si lo considera necesario, el juez podrá decretar prueba pericial a costa del impugnante, y condenará al deudor, si resulta vencido, a su reembolso de preferencia a las demás obligaciones en el acuerdo o en la liquidación patrimonial, según sea el caso.

Si el juez no encuentra probada la nulidad, o si esta puede ser saneada por vía de interpretación, así lo declarará en la providencia que resuelva la impugnación y devolverá las diligencias al conciliador para que se inicie la ejecución del acuerdo de pago. En caso contrario el juez declarará la nulidad del acuerdo, expresando las razones que tuvo para ello y lo devolverá al conciliador para que en un término de diez (10) días, contados desde la reanudación de la audiencia, se corrija. A solicitud conjunta del deudor y de cualquiera de los acreedores, este término podrá ser prorrogado por veinte (20) días más.

La corrección no requerirá una nueva votación del acuerdo corregido por parte de los acreedores, pero cualquiera de los que habían votado favorablemente el acuerdo censurado por el juez podrá dejar constancia en la audiencia de su inconformidad por haber visto deterioradas las condiciones de atención de sus créditos contra su voluntad. Si el voto de quienes hubieren hecho tales manifestaciones hubiere sido imprescindible para lograr la mayoría necesaria para la aprobación del acuerdo o de una de sus cláusulas, la corrección no será aceptada por el juez, a menos que otros acreedores cuyo voto al acuerdo inicial no fue contabilizado a favor decidan en la audiencia apoyar las modificaciones de manera que con su voto se restablezca la mayoría requerida legalmente.

En todo caso, el conciliador dejará constancia en el acta de las acusaciones de ilegalidad de las modificaciones a que haya dado lugar la corrección, hechas por cualquiera de los presentes, y de los argumentos de defensa de quienes los hubieran presentado, para que el juez tenga en cuenta unas y otros al decidir si la corrección atendió cabalmente su decisión y si las modificaciones aprobadas se ajustaron a la ley, teniendo como parámetro las causales de impugnación previstas en el presente artículo, haciendo uso de las facultades que en el mismo se le conceden y acatando las limitaciones que en él se le imponen.

El conciliador deberá remitir inmediatamente el acta correspondiente al juez. En caso de que este encuentre la corrección ajustada a su decisión y a la ley, procederá a ordenar su ejecución, a partir del mes siguiente a la fecha en que se realice la audiencia en la que el conciliador dé a conocer a los acreedores lo decidido.

En el evento de que el acuerdo no fuere corregido dentro del plazo mencionado, el conciliador informará de dicha circunstancia al juez para que decrete la apertura del proceso de liquidación patrimonial y remitirá las diligencias. De igual manera el juez decretará la liquidación patrimonial cuando pese a la corrección, subsistan las falencias que dieron lugar a la nulidad y cuando encuentre que las modificaciones aprobadas dieron lugar a nuevas ilegalidades alegadas y sustentadas en la audiencia.

PARÁGRAFO 1o. El juez resolverá sobre la impugnación atendiendo el principio de conservación del acuerdo. Si la nulidad es parcial, y pudiere ser saneada sin alterar la base del acuerdo, el juez lo interpretará y señalará el sentido en el cual este no contraríe el ordenamiento. Las nulidades relativas solamente podrán ser decretadas cuando hayan sido alegadas en la audiencia y sustentadas por escrito en la impugnación al acuerdo y oralmente en la corrección del mismo.

PARÁGRAFO 2o. Los acreedores ausentes no podrán impugnar el acuerdo.

PARÁGRAFO 3o. De igual forma, en la audiencia el deudor podrá impugnar la manifestación del conciliador de que el acuerdo no obtuvo la mayoría de los votos necesaria para su aprobación, y a tal manifestación se le dará el trámite previsto en este artículo para la impugnación del acuerdo.

- *Nota de vigencia:* este artículo fue modificado por el artículo 23 de la Ley 2445 de 11 de febrero de 2025, "por medio de la cual se modifica el Título IV de la Ley 1564 de 2012, referente a los procedimientos de insolvencia de la persona natural no comerciante y se dictan otras disposiciones", publicada en el Diario Oficial No. 53.027 de 11 de febrero de 2025
- NOTA: El inciso segundo del numeral 6 fue corregido por el artículo 9 del Decreto 1136 del 27 de octubre de 2025 "Por el cual se corrigen unos yerros en la Ley 2445 de 2025"
- arts. 534; 553; 554; 555 y 556
- CC arts. 2488 hasta 2511
- L 2213/2022 art. 11

ARTÍCULO 558. CUMPLIMIENTO DEL ACUERDO

Vencido el término previsto en el acuerdo para su cumplimiento, el deudor solicitará al conciliador la verificación de su cumplimiento, para lo cual discriminará la forma en que las obligaciones fueron satisfechas, acompañando los documentos que den cuenta de ello. El conciliador comunicará a los acreedores a fin de que dentro de los cinco (5) días siguientes se pronuncien con relación a tal hecho. Si el acreedor guarda silencio, se entenderá que consintió en lo afirmado por el deudor. Si el acreedor discute lo afirmado por el deudor, se seguirá el trámite previsto para el incumplimiento del acuerdo.

Verificado el cumplimiento, el conciliador expedirá la certificación correspondiente, y comunicará a los jueces que conocen de los procesos ejecutivos contra el deudor o contra los terceros codeudores o garantes, a fin de que los den por terminados.

El deudor podrá solicitar el inicio de un nuevo trámite de negociación de deudas, únicamente después de transcurridos cinco (5) años desde la fecha de cumplimiento total del acuerdo anterior, con base en la certificación expedida por el conciliador.

PARÁGRAFO. El deudor podrá solicitar al conciliador la verificación y certificación del cumplimiento del acuerdo respecto de algunos acreedores, en particular, con el objeto de terminar procesos que se encontraren suspendidos, o cualquier otra finalidad. En tales casos, el conciliador no solamente verificará el pago de las obligaciones relacionadas con el proceso de cuya terminación se trate, o con la | finalidad buscada por el deudor, sino el cumplimento del acuerdo en todo lo que haya sido pactado hasta la fecha de la verificación.

- *Nota de vigencia:* el parágrafo fue adicionado por el artículo 24 de la Ley 2445 de 11 de febrero de 2025, "por medio de la cual se modifica el Título IV de la Ley 1564 de 2012, referente a los procedimientos de insolvencia de la persona natural no comerciante y se dictan otras disposiciones", publicada en el Diario Oficial No. 53.027 de 11 de febrero de 2025
- arts. 544, 545; 553; 554 y 555
- L 2213/2022 art. 11

ARTÍCULO 559. FRACASO DE LA NEGOCIACIÓN

Si transcurrido el término previsto en el artículo 544 no se celebra el acuerdo de pago, el conciliador declarará el fracaso de la negociación e inmediatamente remitirá las diligencias al juez civil de conocimiento, para que decrete la apertura del proceso de liquidación patrimonial.

El conciliador también declarará el fracaso cuando en el transcurso de la audiencia se haya efectuado una votación formal que no alcance la mayoría de los votos, a menos que el deudor manifieste que mejorará su propuesta de pago, y el término previsto en el citado artículo 544 no haya vencido.

- *Nota de vigencia:* este artículo fue modificado por el artículo 25 de la Ley 2445 de 11 de febrero de 2025, "por medio de la cual se modifica el Título IV de la Ley 1564 de 2012, referente a los procedimientos de insolvencia de la persona natural no comerciante y se dictan otras disposiciones", publicada en el Diario Oficial No. 53.027 de 11 de febrero de 2025
- arts. 534 y 544

ARTÍCULO 560. INCUMPLIMIENTO DEL ACUERDO

Si el deudor no cumple las obligaciones convenidas en el acuerdo de pago, cualquiera de los acreedores o el mismo deudor, informarán por escrito de dicha situación al conciliador, dando cuenta precisa de los hechos constitutivos de incumplimiento. Dentro de los diez (10) días hábiles siguientes al recibo de dicha solicitud el conciliador citará a audiencia a fin de revisar y estudiar por una sola vez la reforma del acuerdo de pago, de conformidad con el procedimiento previsto en el artículo 556.

Si en la audiencia se presentaren diferencias en torno a la ocurrencia de los eventos de incumplimiento del acuerdo, y estas no fueren conciliadas, el conciliador dispondrá la suspensión de la audiencia, para que quien haya alegado el incumplimiento formule su queja por escrito dentro de los cinco (5) días siguientes, junto con la correspondiente sustentación y las pruebas que pretenda hacer valer. Vencido este término, correrá uno igual para que el deudor o los restantes acreedores se pronuncien por escrito sobre el incumplimiento alegado y aporten las pruebas a que hubiere lugar. Los escritos presentados serán remitidos de manera inmediata por el conciliador al juez, quien resolverá de plano sobre el asunto, mediante auto que no admite ningún recurso.

Si dentro del término a que alude el inciso anterior no se presentare el escrito de sustentación, se entenderá desistida la inconformidad y se continuará la ejecución del acuerdo.

En caso de no hallar probado el incumplimiento, el juez ordenará que se devuelvan las diligencias al conciliador, quien comunicará de ello a las partes para l que se continúe con la ejecución del acuerdo.

En caso de encontrar probado el incumplimiento, en el mismo auto que lo declare, el juez ordenará que se devuelvan las diligencias al conciliador, para que se proceda a la reforma del acuerdo.

Si al cabo de la audiencia de reforma no se modifica el acuerdo, el conciliador remitirá el proceso al juez civil de conocimiento para que decrete la apertura del proceso de liquidación patrimonial. De igual manera, habrá lugar al decreto de liquidación patrimonial cuando, pese a la corrección, subsistan las falencias que dieron lugar a la nulidad.

Si, pactada la modificación, el deudor incumple nuevamente, se seguirá el trámite previsto en este mismo artículo, pero, en caso de encontrar el juez probado el incumplimiento, en el mismo auto que lo declare decretará la apertura del proceso de liquidación patrimonial.

Los costos en que hayan incurrido los acreedores con el fin de activar la actuación del centro de conciliación o notaría para estos efectos serán incluidos en el acuerdo reformado o en la liquidación patrimonial en primer orden de pago después de las obligaciones por alimentos y de los créditos laborales, a menos que se demuestre que el deudor no tuvo responsabilidad alguna en el incumplimiento o que hubo concurrencia de culpas, en cuyo caso el juez decidirá la proporción en que deba contribuir cada culpable.

PARÁGRAFO 1o. El incumplimiento de una obligación con garantía mobiliaria o real por parte de un codeudor de trámites de deudores pertenecientes a un mismo núcleo familiar según lo previsto en el artículo 539A, se tendrá como incumplimiento del acuerdo del codeudor a quien aún no le hubiere llegado el momento de pagar, siempre que este sea condueño del bien dado en garantía, salvo que en el acuerdo del deudor aún no incumplido se haya previsto una solución distinta o que el acreedor afectado consienta en otra.

PARÁGRAFO 2o. El incumplimiento de los acuerdos parciales que se celebren en virtud de lo dispuesto en el numeral 3 del artículo 553, dará al acreedor la posibilidad de iniciar o continuar la acción ejecutiva correspondiente.

- *Nota de vigencia:* este artículo fue modificado por el artículo 26 de la Ley 2445 de 11 de febrero de 2025, "por medio de la cual se modifica el Título IV de la Ley 1564 de 2012, referente a los procedimientos de insolvencia de la persona natural no comerciante y se dictan otras disposiciones", publicada en el Diario Oficial No. 53.027 de 11 de febrero de 2025
- arts. 534; 550; 554 y 556
- L 2213/2022 art. 11

ARTÍCULO 561. EFECTOS DEL FRACASO DE LA NEGOCIACIÓN, DE LA NULIDAD DEL ACUERDO O DE SU INCUMPLIMIENTO

El fracaso de la negociación de deudas y la declaración de nulidad del acuerdo de pagos o de su incumplimiento que no fueren subsanadas a través de los mecanismos previstos en este capítulo darán lugar a la apertura del procedimiento de liquidación patrimonial previsto en el Capítulo IV del presente título.

- *Nota de vigencia:* este artículo fue modificado por el artículo 27 de la Ley 2445 de 11 de febrero de 2025, "por medio de la cual se modifica el Título IV de la Ley 1564 de 2012, referente a los procedimientos de insolvencia de la persona natural no comerciante y se dictan otras disposiciones", publicada en el Diario Oficial No. 53.027 de 11 de febrero de 2025
- arts. 544; 559; 560; 563 hasta 571

CAPÍTULO III
CONVALIDACIÓN DEL ACUERDO PRIVADO

ARTÍCULO 562. CONVALIDACIÓN DEL ACUERDO PRIVADO

La persona natural no comerciante que por la pérdida de su empleo, la disolución y liquidación de la sociedad conyugal o de otras circunstancias similares, enfrente dificultades para la atención de su pasivo, que se traduzcan en una cesación de pagos dentro de los siguientes 120 días, podrá solicitar que se convalide el acuerdo privado que hubiere celebrado con un número plural de acreedores que representen más del sesenta por ciento (60%) del monto total del capital de sus obligaciones.

Este procedimiento de negociación de deudas seguirá las siguientes reglas especiales:

1. La solicitud se tramitará en los mismos términos dispuestos para el procedimiento de negociación de deudas y deberá llenar los mismos requisitos previstos en el artículo 539. En este caso el acuerdo privado reemplazará la propuesta de acuerdo prevista en el numeral 2 del mismo artículo.

2. El acuerdo privado que se presente para convalidación debe constar por escrito, ser reconocido ante autoridad judicial o notarial por quienes lo suscriben y reunir la totalidad de los requisitos previstos en los artículos 553 y 554 para el acuerdo de pago.

3. La aceptación de la solicitud de convalidación no producirá los efectos previstos en los numerales 1, 2 y 5 del artículo 545, ni los dispuestos en el artículo 547. Estos efectos sólo se producirán a partir de la providencia que lo convalide.

4. Los acreedores que conjuntamente con el deudor celebraron el acuerdo privado no podrán presentar objeciones ni impugnar el contenido del acuerdo, pero podrán pronunciarse y aportar pruebas para contradecir los reparos que presenten los demás acreedores que no hayan sido parte del acuerdo.

5. El acuerdo convalidado, será oponible y obligará a todos los acreedores del deudor, incluyendo a quienes no concurrieron a su celebración o votaron en contra.

Si dentro de la audiencia no se formularon reparos de legalidad al acuerdo o a los créditos que fueron tomados en cuenta para su celebración, el acuerdo quedará en firme y así lo hará constar el Conciliador en la audiencia. En caso de que existan reparos de legalidad al acuerdo u objeciones a los créditos, se dará aplicación a las reglas respectivas del procedimiento de negociación de deudas.

6. La decisión del juez de no convalidar el acuerdo impedirá que el deudor presente una nueva solicitud de convalidación durante el término previsto en el artículo 574. No obstante, podrá solicitar la apertura de un procedimiento de negociación de deudas o de liquidación patrimonial directa, si ya se encuentra en cesación de pagos.

7. En lo demás se sujetará al procedimiento de negociación de deudas.

- *Nota de vigencia:* el numeral 6 fue modificado por el artículo 28 de la Ley 2445 de 11 de febrero de 2025, "por medio de la cual se modifica el Título IV de la Ley 1564 de 2012, referente a los procedimientos de insolvencia de la persona natural no comerciante y se dictan otras disposiciones", publicada en el Diario Oficial No. 53.027 de 11 de febrero de 2025
- arts. arts. 533; 534; 539; 543; 544; 545; 547; 550; 551; 552; 553 y 554

- CCo. arts. 10 y 20

CAPÍTULO IV
LIQUIDACIÓN PATRIMONIAL

ARTÍCULO 563. APERTURA DE LA LIQUIDACIÓN PATRIMONIAL

La liquidación patrimonial del deudor persona natural se iniciará en los siguientes eventos:

1. Por fracaso de la negociación del acuerdo de pago.

2. Como consecuencia de la nulidad no saneada del acuerdo de pago o de su reforma forzada por un primer incumplimiento, declarada en el trámite de impugnación previsto en el artículo 557 de este Título.

3. Por incumplimiento del acuerdo de pago que no pudo ser subsanado en los términos del artículo 560.

4. Por solicitud de la persona natural al juez competente, independientemente de si tiene o no bienes o de si estos son suficientes o no para cubrir su pasivo total. En este caso, a la solicitud le serán aplicables los artículos 539, excepto su numeral 2, y 539A, excepto su parágrafo.

PARÁGRAFO 1o. Cuando la liquidación patrimonial se dé como consecuencia de la nulidad o el incumplimiento del acuerdo de pago, el juez decretará su apertura en el mismo auto en que declare tales situaciones.

En caso de fracaso de la negociación, el conciliador remitirá las actuaciones al juez, quien decretará de plano la apertura del procedimiento liquidatorio, para lo que solamente verificará: (i) que en el expediente de la negociación de deudas obra un acta de fracaso expedida por un conciliador; (ii) que este haga parte de la lista de conciliadores de un centro de conciliación o de una notaría, y (iii) que, si es un conciliador de un centro de conciliación, este tenga autorización del Ministerio de Justicia y del Derecho. En caso de que la anterior información no esté completa, el juez requerirá al conciliador remitente, a efecto de que allegue las pruebas que hagan falta. En caso de que no se dé alguno de los anteriores requisitos, el juez devolverá la documentación recibida a su remitente. Satisfechos los mencionados presupuestos, el juez decretará la apertura de la liquidación, a menos que de la documentación completa concluya que no es competente para conocer de la liquidación patrimonial del deudor, de conformidad con las reglas sobre competencia previstas en este título, en cuyo caso remitirá los documentos al despacho que lo sea.

En caso de solicitud directa por parte del deudor, el juez decidirá sobre ella bajo los parámetros establecidos en el artículo 542 para el conciliador frente a la solicitud de negociación de deudas, comunicará la apertura a las autoridades, entidades y personas a que se refiere el numeral 13 del artículo 537 a fin de que se sujeten a sus efectos, y durante el proceso aplicará las disposiciones contempladas en el artículo 121.

PARÁGRAFO 2o. La apertura de liquidaciones patrimoniales derivadas del fracaso de la negociación de deudas que fueron negadas o anuladas antes de la vigencia de la presente ley con fundamento en motivos distintos a los señalados en este artículo se decretará a solicitud del deudor o de cualquiera de los acreedores por el juez de reparto competente a la fecha de la solicitud. En los casos en que la liquidación se hubiere abierto y después se hubiera dejado sin valor ni efecto, el despacho que así lo hizo deberá reabrirla y continuarla ajustándola, en lo pertinente, a las disposiciones contenidas en la presente ley.

- *Nota de vigencia:* este artículo fue modificado por el artículo 29 de la Ley 2445 de 11 de febrero de 2025, "por medio de la cual se modifica el Título IV de la Ley 1564 de 2012, referente a los procedimientos de insolvencia de la persona natural no comerciante y se dictan otras disposiciones", publicada en el Diario Oficial No. 53.027 de 11 de febrero de 2025
- NOTA: El numeral cuarto y el parágrafo primero fueron corregidos por el artículo 10 del Decreto 1136 del 27 de octubre de 2025 "Por el cual se corrigen unos yerros en la Ley 2445 de 2025"
- arts. 553; 554; 556; 557; 559 y 560
- CCo. arts. 10 y 20

ARTÍCULO 564. PROVIDENCIA DE APERTURA

El juez, al proferir la providencia de apertura, dispondrá:

1. El nombramiento del liquidador y dos suplentes y la fijación de sus honorarios provisionales de conformidad con lo regulado al respecto por el Consejo Superior de la Judicatura.

A solicitud del propio deudor, el juez lo designará como liquidador conjuntamente con un profesional del derecho o con un consultorio jurídico de facultad de derecho, en los casos en que fuera procedente el amparo de pobreza o cuando la solicitud esté coadyuvada por dos o más acreedores que representen más del sesenta y cinco por ciento (65%) del monto total del capital adeudado, según (i) la relación definitiva de las acreencias determinada en la negociación de deudas; (ii) el saldo de las mismas por cumplimiento parcial del acuerdo certificado por el conciliador o (iii) la relación suministrada por el deudor en su solicitud de liquidación patrimonial, según el caso. También lo designará cuando hasta el momento no aparezca prueba de la existencia de bienes de los que sea titular o cuando hayan transcurrido cinco (5) meses sin que se haya posesionado ninguno de los liquidadores designados, siempre que él así lo solicite. Hecha la designación, el deudor asumirá el cargo de secuestre de sus propios bienes sin necesidad de posesión formal y no recibirá remuneración por su trabajo. En todo caso, respecto de sus funciones de liquidador y de secuestre estará sujeto a las normas que las regulan y a sus regímenes sancionatorios.

En los demás casos, el juez designará al liquidador entre quienes figuren para tal función en las listas de los auxiliares de la justicia para la rama judicial, dando preferencia a quienes hayan aprobado un Programa de Formación en Insolvencia que incluya la intensidad horaria en liquidación patrimonial que señale el reglamento. Las Entidades Avaladas para impartir tales programas enviarán al Consejo Superior de la Judicatura las listas de las personas que obtengan la certificación de conciliadores en insolvencia, a efecto de que este los incluya en las listas de liquidadores de los juzgados civiles de su domicilio.

El cargo de liquidador es de forzosa aceptación, salvo excusa aceptada por el juez, so pena de exclusión de las listas de liquidadores a que se refiere el presente artículo.

En cualquier caso, el liquidador podrá ser removido de su cargo por incumplimiento de sus funciones, mediante decisión motivada del juez en la que se citará a sus suplentes para que se posesionen o excusen y, en su defecto, se harán nuevas designaciones, sin perjuicio del trámite disciplinario correspondiente. Cuando el liquidador sea el mismo deudor, el juez del concurso podrá decretar el desistimiento tácito en caso de falta grave en el ejercicio de alguna de sus funciones, que haya causado demora significativa e injustificada del proceso.

A menos que en el inventario hubiera: recursos en efectivo que pudieran destinarse al efecto, el deudor correrá con los gastos de la liquidación y al respecto se podrán aplicar las causales y el trámite correspondientes al desistimiento tácito para que el juez termine el proceso, aunque este no se haya iniciado a solicitud del deudor.

2. La orden al liquidador para que dentro de los cinco (5) días siguientes a su posesión notifique por aviso a los acreedores del deudor incluidos en la relación definitiva de acreencias o en la solicitud de liquidación patrimonial directa, según el caso, y al cónyuge o compañero permanente, si fuere el caso, acerca de la existencia del proceso, y para que publique un aviso en un periódico de amplia circulación nacional en el que se convoque a los acreedores del deudor, a fin de que se hagan parte en el proceso. Cuando se trate de la liquidación patrimonial de una persona comerciante, también dispondrá la inscripción de la providencia 1 de apertura en el registro mercantil de la cámara de comercio del domicilio del deudor, dentro de dicho término.

3. La orden al liquidador para que dentro de los veinte (20) días siguientes a su posesión actualice el inventario valorado de los bienes del deudor, y la relación de acreencias, cuando la causal de liquidación haya sido el incumplimiento no subsanado del acuerdo.

Para lo primero, el liquidador tomará como base la relación presentada por el deudor en la solicitud de negociación de deudas o de liquidación directa y las actualizaciones de información que este hubiere hecho entre la primera y el auto de apertura en cumplimiento de lo dispuesto al respecto en el numeral 4 del artículo 545. Para la valoración de inmuebles y automotores, tomará en cuenta lo dispuesto en los numerales 4 y 5 del artículo 444. La actualización de la relación de acreencias se basará en la actuación que dio lugar a la apertura de la liquidación.

4. Oficiar a todos los jueces, funcionarios y particulares que adelanten procesos de ejecución contra el deudor para que los remitan a la liquidación, salvo aquellos que se adelanten por concepto de alimentos, los que, de todas formas, harán parte de la liquidación, con preferencia sobre todos los demás créditos. La incorporación deberá darse antes del traslado para objeciones de los créditos so pena de ser considerados estos créditos como extemporáneos.

5. La prevención a todos los deudores del concursado de obligaciones anteriores a la fecha de apertura de la liquidación patrimonial para que solo paguen al liquidador, advirtiéndoles de la ineficacia de todo pago hecho a persona distinta, salvo que el liquidador

sea el mismo deudor, en cuyo caso el pago deberá hacerse a través de un depósito judicial a órdenes del juez del concurso.

PARÁGRAFO. El requisito de publicación de la providencia de apertura se entenderá cumplido con la inscripción de la providencia en el Registro Nacional de Personas Emplazadas de que trata el artículo 108 del presente código.

- *Nota de vigencia:* este artículo fue modificado por el artículo 30 de la Ley 2445 de 11 de febrero de 2025, "por medio de la cual se modifica el Título IV de la Ley 1564 de 2012, referente a los procedimientos de insolvencia de la persona natural no comerciante y se dictan otras disposiciones", publicada en el Diario Oficial No. 53.027 de 11 de febrero de 2025
- arts. 47; 48; 49; 108; 292; 444 nums. 4 y 5; y 565
- L 2213/2022 art. 8; 10 y 11

ARTÍCULO 565. EFECTOS DE LA PROVIDENCIA DE APERTURA

La declaración de apertura de la liquidación patrimonial produce como efectos:

1. La prohibición al deudor de hacer pagos, compensaciones, daciones en pago, arreglos, desistimientos, allanamientos, terminaciones unilaterales o de mutuo acuerdo de procesos en curso, conciliaciones o transacciones sobre obligaciones anteriores a la apertura de la liquidación, ni sobre los bienes que a dicho momento se encuentren en su patrimonio. Tampoco podrán los acreedores ejecutar garantías.

2. La destinación exclusiva de los bienes que el deudor posea a la fecha a pagar las obligaciones anteriores al inicio del procedimiento de liquidación patrimonial. Los bienes e ingresos que el deudor adquiera con posterioridad solo podrán ser perseguidos por los acreedores de obligaciones contraídas después de esa fecha, salvo cuando se trate de procesos ejecutivos de alimentos, en los que se podrán perseguir independientemente de su fecha de causación. En consecuencia, la muerte del deudor no dará lugar a la terminación de este procedimiento.

3. La incorporación de todas las obligaciones a cargo del deudor que hayan nacido con anterioridad a la providencia de apertura, sin perjuicio de la continuación de los procesos por alimentos. Las obligaciones de carácter alimentario tendrán prelación sobre todas las demás. Los gastos de administración del procedimiento de negociación de deudas se pagarán de preferencia sobre las acreencias incorporadas en la relación definitiva de acreedores que se. hubiere elaborado en este.

4. La integración de la masa de los activos del deudor, que se conformará por los bienes y derechos de los cuales este sea titular al momento de la apertura de la liquidación patrimonial y los que se hayan reintegrado a su patrimonio en virtud de acciones revocatorias o de simulación que hubieran prosperado. El auto de apertura dispondrá el embargo y secuestro de dichos bienes, que el juez dejará en depósito gratuito en manos del deudor. Cuando el liquidador sea el mismo deudor no se requerirá diligencia de secuestro para que se perfeccione la medida, pero el deudor allegará al expediente constancia detallada, acompañada de fotos o videos, del estado en que los bienes se encuentren, información que deberá actualizar trimestralmente, so pena de ser removido del cargo de secuestre

o perder la calidad de depositario de los bienes, salvo que el deudor demuestre que su incumplimiento se debió a fuerza mayor.

No se contarán dentro de la masa de la liquidación los bienes de su cónyuge o compañero permanente, ni aquellos sobre los cuales haya constituido patrimonio de familia inembargable, los que se hubieren afectado a vivienda familiar, así como aquellos que tengan la condición de inembargables. El juez de la liquidación resolverá mediante incidente cualquier solicitud de que se embarguen inmuebles afectados a vivienda familiar o que constituyan patrimonio de familia que haga un acreedor que alegue tener derecho a perseguir dichos bienes.

5. La interrupción del término de prescripción y la inoperancia de la caducidad de las acciones respecto de las obligaciones a cargo del deudor que estuvieren perfeccionadas o sean exigibles desde antes del inicio del proceso de liquidación.

6. La exigibilidad de todas las obligaciones a plazo a cargo del deudor. Sin embargo, la apertura del proceso de liquidación patrimonial no conllevará la exigibilidad de las obligaciones respecto de sus codeudores solidarios.

7. La remisión de todos los procesos o trámites públicos o privados de ejecución, de jurisdicción coactiva, de cobro de obligaciones dinerarias, de ejecución especial que estén siguiéndose contra el deudor por obligaciones anteriores a la fecha de apertura de la liquidación patrimonial, salvo los que se lleven por concepto de alimentos y los de restitución de bienes que no hayan de continuarse de conformidad con el parágrafo Segundo de este artículo. Las medidas cautelares que se hubieren decretado en estos sobre los bienes del deudor serán puestas a disposición del juez que conoce de la liquidación patrimonial, quien ordenará la cesación de los embargos de salarios, prestaciones, pensiones y cualquier otro emolumento que devengue periódicamente el concursado a partir de la fecha de apertura de la liquidación, así como la devolución inmediata al deudor de las sumas embargadas después de tal fecha.

Los procesos que se incorporen a la liquidación patrimonial estarán sujetos a la suerte de esta y deberán incorporarse antes del traslado para objeciones a los créditos, so pena de extemporaneidad. Cuando en el proceso ejecutivo no se hubiesen decidido aún las excepciones de mérito propuestas, estas se considerarán objeciones y serán resueltas como tales. En los procesos ejecutivos que se sigan en contra de codeudores o cualquier clase de garante se aplicarán las reglas previstas para el procedimiento de negociación de deudas.

8. La terminación de los contratos de trabajo respecto de aquellos contratos en los que tuviere el deudor la condición de patrono, con el correspondiente pago de las indemnizaciones a favor de los trabajadores, de conformidad con lo previsto en el Código Sustantivo del Trabajo, sin que sea necesaria la autorización administrativa o judicial alguna quedando sujetas a las reglas del concurso, las obligaciones derivadas de dicha finalización sin perjuicio de las preferencias y prelaciones que les correspondan.

9. La preferencia de las normas del proceso de liquidación patrimonial sobre cualquier otra que le sea contraria.

PARÁGRAFO 1o. En el caso en que la liquidación patrimonial se hubiere iniciado por solicitud directa del deudor, habrá lugar a los efectos previstos en el artículo 545.

PARÁGRAFO 2o. El decreto de medidas cautelares sobre los bienes del deudor no impedirá la publicidad del proceso, de manera que el juez garantizará el acceso al expediente de las partes, aunque no se hayan practicado.

PARÁGRAFO 3o. Los procesos de restitución de tenencia de los bienes entregados en leasing contra el deudor continuarán su curso. Los créditos insolutos que dieron origen al proceso de restitución se sujetarán a las reglas de la liquidación.

- *Nota de vigencia:* los numerals 1, 2, 3, 4 y 7 fueron modificados por el artículo 31 de la Ley 2445 de 11 de febrero de 2025, "por medio de la cual se modifica el Título IV de la Ley 1564 de 2012, referente a los procedimientos de insolvencia de la persona natural no comerciante y se dictan otras disposiciones", publicada en el Diario Oficial No. 53.027 de 11 de febrero de 2025, mismo artículo que adicionó los tres parágrafos.
- arts. 547; 549; 550; 564; 566 y 594

ARTÍCULO 566. TÉRMINO PARA HACERSE PARTE Y PRESENTACIÓN DE OBJECIONES

A partir de la providencia de admisión y hasta el vigésimo día siguiente a la publicación en prensa del aviso que dé cuenta de la apertura de la liquidación, los acreedores que no hubieren sido parte dentro del procedimiento de negociación de deudas deberán presentarse personalmente al proceso o por medio de apoderado judicial, presentando prueba siquiera sumaria de la existencia de su crédito.

Tan pronto haya culminado este plazo el juez, por medio de auto que no tiene recursos, correrá traslado de los escritos recibidos y de la relación de acreencias actualizada por el liquidador por un término de cinco (5) días, para que los acreedores y el deudor presenten objeciones y acompañen las pruebas que pretendan hacer valer. Vencido este término, correrá uno igual para que se contradigan las objeciones que se hayan presentado y se aporten las pruebas a que hubiere lugar. El juez resolverá sobre las objeciones presentadas en el auto que cite a audiencia de adjudicación.

PARÁGRAFO 1o. Los acreedores que hubieren sido incluidos en el procedimiento de negociación de deudas se tendrán reconocidos en la clase, grado y cuantía dispuestos en la relación definitiva de acreedores; ellos no podrán objetar los créditos que hubieren sido objeto de la negociación, pero sí podrán contradecir las nuevas reclamaciones que se presenten durante el procedimiento de liquidación patrimonial. Los titulares de los créditos relacionados en la solicitud de liquidación patrimonial directa no tienen necesidad de presentarse al proceso en la forma prevista en el inciso primero de este artículo para hacer parte del mismo, pero podrán ser objetados en los términos del inciso segundo.

PARÁGRAFO 2o. Las obligaciones causadas con posterioridad a la fecha de apertura de la liquidación patrimonial podrán ser demandadas ejecutivamente contra el deudor, incluidas aquellas propter rem que afecten a los bienes objeto de adjudicación.

- *Nota de vigencia:* este artículo fue modificado por el artículo 32 de la Ley 2445 de 11 de febrero de 2025, "por medio de la cual se modifica el Título IV de la Ley 1564 de 2012, referente a los procedimientos de insolvencia de la persona natural no comerciante y se dictan otras disposiciones", publicada en el Diario Oficial No. 53.027 de 11 de febrero de 2025
- NOTA: El inciso segundo fue corregido por el artículo 11 del Decreto 1136 del 27 de octubre de 2025 "Por el cual se corrigen unos yerros en la Ley 2445 de 2025"

- arts. 118; 563; 564; 565 y 567
- L 2213/2022 arts. 9 y 10

ARTÍCULO 567. INVENTARIO VALORADO DE LOS BIENES DEL DEUDOR

Del inventario valorado presentado por el liquidador el juez correrá traslado a las partes por diez (10) días por medio de auto que no admite recursos, para que presenten observaciones y sí lo estiman pertinente, alleguen un avalúo diferente. De tales observaciones inmediatamente se correrá traslado por secretaría a las demás partes interesadas, por el término de cinco (5) días, para que se pronuncien sobre las observaciones presentadas. El juez resolverá sobre el inventario valorado en el mismo auto que cita a audiencia de adjudicación.

- *Nota de vigencia:* este artículo fue modificado por el artículo 33 de la Ley 2445 de 11 de febrero de 2025, "por medio de la cual se modifica el Título IV de la Ley 1564 de 2012, referente a los procedimientos de insolvencia de la persona natural no comerciante y se dictan otras disposiciones", publicada en el Diario Oficial No. 53.027 de 11 de febrero de 2025
- arts. 563; 564; 565; 566 y 568
- L 2213/2022 art. 9

ARTÍCULO 568. PROVIDENCIA DE RESOLUCIÓN DE OBJECIONES, APROBACIÓN DE INVENTARIOS Y AVALÚOS Y CITACIÓN A AUDIENCIA

Una vez surtido el trámite previsto en los dos artículos anteriores, el juez en un mismo auto resolverá sobre:

1. Los créditos presentados, los actualizados por el liquidador y las objeciones que se hubieren propuesto contra ellos.

2. El inventario valorado presentado por el liquidador y las observaciones que se hubieren formulado frente a ellos.

3. Las acciones revocatorias o de simulación o cualquier otro asunto que esté pendiente de decisión.

4. Los derechos de voto de los acreedores como se exige al conciliador en la parte final de numeral 12 del artículo 537 para la reforma del acuerdo, teniendo en cuenta, además, los créditos aceptados al resolver sobre el numeral 1 del presente artículo.

En la misma providencia el juez citará a audiencia de adjudicación a realizarse dentro de los treinta (30) días siguientes, y, ordenará al liquidador que presente un proyecto de adjudicación dentro de los diez (10) días siguientes. El proyecto de adjudicación permanecerá en la secretaría a disposición de las partes interesadas, quienes podrán consultarlo antes de la celebración de la audiencia.

PARÁGRAFO 1o. En caso de que en el inventario se encuentren bienes sujetos a registro que estén garantizando obligaciones de las que no sea deudor el concursado, el juez le comunicará al acreedor la existencia del proceso de liquidación patrimonial para los efectos previstos en el artículo 462 de este código. El acreedor garantizado solamente podrá hacer valer sus derechos dentro de este proceso, con arreglo a las normas de prelación establecidas en esta ley.

PARÁGRAFO 2o. Si no hubiere bienes que adjudicar, el juez omitirá la audiencia de adjudicación y declarará terminado el proceso, señalando expresamente los mismos efectos previstos en el artículo 571 de la presente ley, según el caso.

- *Nota de vigencia:* este artículo fue modificado por el artículo 34 de la Ley 2445 de 11 de febrero de 2025, "por medio de la cual se modifica el Título IV de la Ley 1564 de 2012, referente a los procedimientos de insolvencia de la persona natural no comerciante y se dictan otras disposiciones", publicada en el Diario Oficial No. 53.027 de 11 de febrero de 2025
- arts. 566; 567 y 570
- L 2213/2022 art. 11

ARTÍCULO 569. ACUERDO DE NEGOCIACIÓN DE DEUDAS DENTRO DE LA LIQUIDACIÓN PATRIMONIAL

En cualquier momento de la liquidación y antes de la celebración de la audiencia de adjudicación, el deudor y un número plural de acreedores que representen más del cincuenta por ciento (50%) de los votos determinados en la liquidación o, en su defecto, de las que consten en la relación definitiva de acreencias de la negociación podrán celebrar un acuerdo de negociación de deudas dentro de la liquidación patrimonial. El acuerdo deberá reunir los mismos requisitos exigidos en los artículos 553 y 554, y quedará sujeto, en todo, a lo previsto sobre el mismo en el presente título, para su aprobación y verificación de legalidad. Igualmente, podrán convenirse los acuerdos parciales de que trata la segunda parte del numeral 3 del artículo 553, en los términos y con las consecuencias en él previstas.

Del acuerdo presentado se correrá traslado a los acreedores que no lo hayan suscrito, por el término de cinco (5) días, para que lo impugnen por alguna de las causales previstas en el artículo 557, escritos sobre los que el juez resolverá atendiendo los lineamientos señalados en este, mediante auto contra el que solamente procede el recurso de reposición. En el trámite se hará caso omiso de las referencias que dicho artículo hace a la audiencia, así como de los parágrafos segundo y tercero.

El auto que no apruebe el acuerdo señalará concretamente en qué consisten sus ilegalidades, de manera que sus suscriptores las puedan subsanar, si a bien lo tienen, y ordenará que se continúe con la liquidación, sin perjuicio de que se presenten nuevos acuerdos dentro del término señalado en el primer inciso del presente artículo.

El auto que apruebe el acuerdo dispondrá la suspensión de la liquidación durante el término previsto para su cumplimiento. En caso de que alguna de las partes de la liquidación denuncie su incumplimiento, se seguirá en lo pertinente, el procedimiento previsto en el artículo 560, y si lo encuentra probado, en el mismo auto el juez ordenará que se reanude la liquidación, para lo cual adoptará las medidas que se requiera para ajustar el saldo insoluto de las obligaciones, en caso de que haya habido cumplimiento parcial del acuerdo, o el inventario y su valoración, en caso de que haya cambiado.

PARÁGRAFO. El liquidador tendrá entre sus funciones la de promover activamente, en la medida de lo posible, un acuerdo de negociación de deudas, para lo cual se reunirá con el deudor y los acreedores de la manera que considere conveniente en tanto vea posibilidades serias de lograrlo. De dichas diligencias o de los motivos de su omisión el liquidador dejará constancia en actas que remitirá al despacho para su incorporación al expediente.

- *Nota de vigencia:* este artículo fue modificado por el artículo 35 de la Ley 2445 de 11 de febrero de 2025, "por medio de la cual se modifica el Título IV de la Ley 1564 de 2012, referente a los procedimientos de insolvencia de la persona natural no comerciante y se dictan otras disposiciones", publicada en el Diario Oficial No. 53.027 de 11 de febrero de 2025
- arts. 553; 554; 557; 560 y 570

ARTÍCULO 569A. ACUERDO DE ADJUDICACIÓN

Dentro del término de consulta del proyecto de adjudicación presentado por el liquidador, las partes podrán presentar un acuerdo de adjudicación aprobado por un número plural de personas que representen más del cincuenta por ciento (50%) del monto total de las obligaciones por capital con vocación de pago más los derechos del deudor al remanente, si lo hubiere.

El acuerdo deberá respetar las reglas previstas en el artículo 570, a menos que los acreedores desfavorecidos consientan de manera expresa en la no aplicación de algunas de ellas.

El acuerdo de adjudicación permanecerá en la secretaría a disposición de las partes interesadas, quienes podrán consultarlo antes de la celebración de la audiencia.

PARÁGRAFO. El liquidador tendrá entre sus funciones la de promover activamente, en la medida de lo posible, un acuerdo de adjudicación, para lo cual se reunirá con el deudor y los acreedores de la manera que considere conveniente en tanto vea posibilidades serias de lograrlo. De dichas diligencias o de los motivos de su omisión el liquidador dejará constancia en actas que remitirá al despacho para su incorporación al expediente.

- *Nota de vigencia:* este artículo fue adicionado por el artículo 36 de la Ley 2445 de 11 de febrero de 2025, "por medio de la cual se modifica el Título IV de la Ley 1564 de 2012, referente a los procedimientos de insolvencia de la persona natural no comerciante y se dictan otras disposiciones", publicada en el Diario Oficial No. 53.027 de 11 de febrero de 2025

ARTÍCULO 570. AUDIENCIA DE ADJUDICACIÓN

Si se hubiere presentado un acuerdo de adjudicación, el juez oirá las alegaciones que las partes no firmantes del mismo tengan respecto de su aprobación o contenido, y decidirá sobre su legalidad, siguiendo los lineamientos previstos en este artículo, con la salvedad contemplada en el inciso 2 del artículo 569A, y aplicando las facultades de saneamiento por vía de interpretación del acuerdo y el principio de conservación del mismo que se prevén en el artículo 557 para el acuerdo de negociación de deudas. Los interesados podrán modificar el acuerdo dentro de la misma audiencia a fin de sanear los reparos legales que en ella haga el juez, si están presentes o representados los votos necesarios para tenerlo por aprobado.

En caso de que no se haya presentado un acuerdo de adjudicación o este no sea aprobado por el juez ni saneado a su satisfacción en la audiencia, este oirá las alegaciones que las partes tengan respecto del proyecto de adjudicación presentado por el liquidador, y a continuación proferirá la providencia de adjudicación, que seguirá las siguientes reglas:

1. Determinará la forma en que serán atendidas con los bienes del deudor las obligaciones incluidas en la liquidación, en el orden de prelación legal de créditos.

2. Comprenderá la totalidad de los bienes a adjudicar, incluyendo el dinero existente, que serán repartidos con sujeción a la prelación legal de créditos.

3. Respetará la igualdad entre los acreedores, adjudicando en lo posible a todos y cada uno de la misma clase, en proporción a su respectivo crédito, cosas de la misma naturaleza y calidad.

4. En primer lugar será repartido el dinero, enseguida los inmuebles, posteriormente los bienes muebles corporales y finalmente las cosas incorporales.

5. Habrá de preferirse la adjudicación en bloque, de acuerdo con la naturaleza de los activos. Si no pudiera hacerse en tal forma, los bienes serán adjudicados en forma separada, procurando siempre la generación del mayor valor.

6. La adjudicación de bienes a varios acreedores será realizada en común y proindiviso en la proporción que corresponda a cada uno.

7. El juez hará la adjudicación aplicando criterios de semejanza, igualdad y equivalencia entre los bienes, con el propósito de obtener el resultado más equitativo posible.

8. So pena de tener la adjudicación por rechazada, la misma deberá ser aceptada de manera expresa por cada acreedor; dentro de la audiencia o mediante comunicación remitida al juzgado con anterioridad, en la que se manifieste el interés en recibir ciertos bienes y no otros, o su aceptación de lo que sea que se le adjudique. El juez, de manera inmediata, procederá a adjudicar los bienes rechazados a los acreedores restantes respetando el orden de prelación.

9. Si quedaren remanentes, estos serán adjudicados al deudor.

PARÁGRAFO 1o. Sea que hubieren aceptado y recibido los bienes o no, los acreedores se tendrán por pagados en el valor inicialmente adjudicado y en el posteriormente acrecido.

PARÁGRAFO 2o. En ningún caso podrán adjudicarse bienes por un valor menor al definido en este proceso.

PARÁGRAFO 3o. Si hubiere lugar a la adjudicación de una cuota parte de inmuebles afectados a vivienda familiar o que constituyan patrimonio de familia a un acreedor con derecho a ello, la cuota parte restante se adjudicará exclusivamente al deudor y esta no será objeto de adjudicaciones adicionales.

PARÁGRAFO 4o. Las obligaciones que se deriven para el adjudicatario por recaer sobre los bienes adjudicados serán las que se causen a partir de la ejecutoria de la providencia que apruebe o decrete la adjudicación, siempre y cuando el liquidador haya cumplido con la entrega en los términos legales.

- *Nota de vigencia:* este artículo fue mofificado por el artículo 37 de la Ley 2445 de 11 de febrero de 2025, "por medio de la cual se modifica el Título IV de la Ley 1564 de 2012, referente a los procedimientos de insolvencia de la persona natural no comerciante y se dictan otras disposiciones", publicada en el Diario Oficial No. 53.027 de 11 de febrero de 2025
- arts. 567; 568 y 571

ARTÍCULO 570A. VENTA DE BIENES DEL DEUDOR

En firme el auto que aprueba el inventario valorado de los bienes del deudor y antes de que se presente un acuerdo de negociación de deudas o un acuerdo de adjudicación, cualquier interesado podrá presentar, directamente o a través de apoderado, oferta de compra de uno, varios o todos ellos, a un valor igual o superior al de la valoración aprobada, a la que adjuntará el original del depósito judicial de la suma ofrecida, a órdenes del juez. Mediante auto contra el que no cabe recurso, el juez correrá traslado de todas las ofertas durante cinco (5) días a los acreedores, el deudor y el liquidador, al cabo del cual decidirá mediante auto contra el que cabe recurso de reposición. Durante el término del traslado, cualquiera de los acreedores podrá hacer oferta o mejorar la ya realizada, acompañando el depósito judicial del monto ofrecido o del mayor valor, si está mejorando la anterior. En caso de que haya varios oferentes sobre un mismo bien, el juez resolverá cuál es el más conveniente, y, en igualdad de condiciones, lo adjudicará a quien primero haya radicado la oferta. En el auto que decide el asunto, el juez ordenará la devolución de los títulos a los oferentes no favorecidos y citará nuevamente a audiencia de adjudicación.

PARÁGRAFO. El concursado está en el deber de cooperar activamente con quienes manifiesten interés en adquirir uno o más de los bienes inventariados, permitiéndole a este y a sus asesores el acceso al lugar donde se encuentren, a efecto de verificar su estado de conservación y se requieran para que no sufran desmejora alguna, todo ello a costa del tercero interesado.

- *Nota de vigencia:* este artículo fue adicionado por el artículo 38 de la Ley 2445 de 11 de febrero de 2025, "por medio de la cual se modifica el Título IV de la Ley 1564 de 2012, referente a los procedimientos de insolvencia de la persona natural no comerciante y se dictan otras disposiciones", publicada en el Diario Oficial No. 53.027 de 11 de febrero de 2025

ARTÍCULO 571. EFECTOS DE LA ADJUDICACIÓN

La providencia de adjudicación produce los siguientes efectos:

1. El saldo total o parcial de las obligaciones comprendidas por la liquidación mutarán a obligaciones naturales y producirán los efectos previstos por el artículo 1527 del Código Civil. Tal mutación no dará lugar a impuesto por ganancia ocasional.

No habrá lugar a este efecto si, mediante incidente promovido por cualquier acreedor, el juez encuentra que en la solicitud de cualquiera de los procedimientos de insolvencia el deudor dolosamente omitió información que claramente se pudiera considerar relevante para la torna de decisiones por parte de los acreedores, corno ingresos, bienes o créditos los ocultó o simuló deudas o que durante el trámite de la negociación de deudas o de la convalidación de acuerdos privados se abstuvo de actualizar la información que dispone el numeral 4 del artículo 545 en relación con su situación de crisis económica y direcciones de notificación o que realizó conductas activas u omisivas que hubieran impedido o dificultado la venta de un activo cuya posibilidad se prevé en el artículo 570A. Tampoco habrá lugar a aplicar dicha regla si prosperan las acciones revocatorias o de simulación que se propongan en el curso de los procedimientos, ni respecto de los saldos insolutos por obligaciones alimentarias. Igualmente perderá tal beneficio el deudor que con dolo o culpa grave hubiera ocasionado el deterioro de los activos que componen el inventario a adjudicar o lo hubiere permitido habiendo podido evitarlo, a menos que antes de iniciarse la audiencia de adjudicación o durante su desarrollo compense en dinero efectivo el perjuicio causado a sus acreedores o llegue con ellos a un acuerdo sobre la forma de hacerlo.

Salvo en procesos de alimentos, los acreedores insatisfechos del deudor no podrán perseguir los bienes que el deudor adquiera con posterioridad al inicio del procedimiento de liquidación.

2. Para la transferencia del derecho de dominio de bienes sujetos a registro, bastará la inscripción de la providencia de adjudicación en el correspondiente registro, sin necesidad de otorgar ningún otro documento. Dicha providencia será considerada sin cuantía para efectos de impuestos y derechos de registro, sin que al nuevo adquirente se le puedan hacer exigibles las obligaciones que pesen sobre los bienes adjudicados o adquiridos, como impuestos prediales, valorizaciones, cuotas de administración, servicios públicos o en general aquellas derivadas de la condición de propietario.

PARÁGRAFO 1o. El efecto previsto en el numeral 1 de este artículo también se aplicará a los deudores personas naturales comerciantes que adelanten un proceso de liquidación judicial en los términos establecidos en la Ley 1116 de 2006 o en los de cualquier otro régimen liquidatorio empresarial aplicable a la persona natural.

PARÁGRAFO 2o. Los deudores a quienes antes de la vigencia de la presente ley se les haya negado el efecto previsto en el numeral 1 de este artículo podrán solicitar al juez el inicio del incidente previsto en el mismo, con el objeto de que vuelva a decidir al respecto bajo las condiciones previstas en el texto contenido en la presente ley.

- *Nota de vigencia:* este artículo fue modificado por el artículo 39 de la Ley 2445 de 11 de febrero de 2025, "por medio de la cual se modifica el Título IV de la Ley 1564 de 2012, referente a los procedimientos de insolvencia de la persona natural no comerciante y se dictan otras disposiciones", publicada en el Diario Oficial No. 53.027 de 11 de febrero de 2025
- NOTA: El inciso segundo del numeral primero fue corregido por el artículo 12 del Decreto 1136 del 27 de octubre de 2025 "Por el cual se corrigen unos yerros en la Ley 2445 de 2025"
- arts. 118; 567 y 570
- CC art. 1527
- L 2213/2022 art. 9
- L 1116/2006

ARTÍCULO 571A. ENTREGA DE LOS BIENES A LOS ADJUDICATARIOS

Salvo lo dispuesto en el numeral 1 del presente artículo, el liquidador procederá a la entrega material de los bienes muebles e inmuebles dentro de los treinta (30) días siguientes a la ejecutoria de la providencia de adjudicación, en el estado en que se encuentren, de conformidad con las siguientes reglas:

1. Del dinero se hará entrega directamente por el juez, mediante fraccionamiento de los certificados de depósito judicial según corresponda.

2. Dentro de los tres (3) días siguientes a la ejecutoria de la providencia de adjudicación, el liquidador comunicará al deudor y a los acreedores adjudicatarios de los bienes el día, la hora y el lugar en que se les hará entrega de los bienes muebles e inmuebles a cada uno de ellos, a efecto de que el concursado los ponga a disposición y colabore con la diligencia, de la que se levantará acta que deberán firmar todos los que en ella intervengan.

3. Los adjudicatarios que no concurran a la diligencia estarán representados en ella por el liquidador, quien recibirá los bienes como su agente oficioso, y contarán con un (1) mes para reclamarle a este la entrega de lo recibido en su nombre, la que se hará en los términos que entre ellos convengan, de lo cual dejarán constancia escrita. Para tal efecto, dentro de los tres días siguientes a la realización de la diligencia prevista en el numeral precedente, el liquidador enviará a las direcciones de notificación física y electrónica de cada uno de ellos copia del acta que de la misma da cuenta y le pondrá de presente a cada destinatario la consecuencia de la no reclamación de que trata el inciso siguiente. Ante el silencio de los acreedores requeridos, el liquidador reiterará una semana después su llamado por los mismos medios y cualquier otro que llegare a encontrar en las redes sociales o donde su iniciativa le aconseje, y lo hará de nuevo otra semana más tarde.

Los bienes no recibidos por sus adjudicatarios iniciales se ofrecerán por el liquidador a los acreedores que sí hayan recibido lo adjudicado, hasta concurrencia del saldo de sus créditos reconocidos, respetando las prelaciones de ley y la igualdad de los acreedores de una misma clase o grado. De esta gestión el liquidador informará al juez, para que formalice, mediante auto, las adjudicaciones adicionales a los acreedores interesados.

En firme la providencia de adjudicación adicional, el liquidador procederá a hacer las nuevas entregas en la forma descrita en el numeral anterior y, de ser necesario, en el presente, pero sin el concurso del deudor, a menos que este sea beneficiario de adjudicación adicional, en cuyo caso acudirá en tal calidad, y así sucesivamente hasta que las continuas adjudicaciones adicionales sean recibidas por los adjudicatarios finales.

4. En caso de que el deudor no concurra a la diligencia de entrega o en ella se niegue a entregar los bienes a los adjudicatarios y/o al liquidador, este lo informará al juez de inmediato, quien ordenará la inmovilización de los vehículos y la entrega de los muebles e inmuebles que estén en poder del deudor, para lo que fijará fecha mediante auto contra el que no procederá recurso alguno. El liquidador irá entregando a los adjudicatarios los bienes que vaya recibiendo, como quedó descrito en el numeral anterior.

En caso de que el liquidador sea el mismo deudor contumaz, el juez designará nuevo liquidador mediante auto contra el que no procederá ningún recurso y pondrá en conocimiento de la Fiscalía General de la Nación los hechos a efecto de que ella adelante la investigación penal correspondiente contra el deudor.

5. Cumplidas las diligencias anteriores, el liquidador deberá presentar al juez una rendición de las cuentas finales de su gestión, en la que incluirá una relación pormenorizada de los pagos efectuados y los bienes entregados, acompañada de las pruebas pertinentes. El juez resolverá sobre las cuentas rendidas, previo traslado por tres (3) días a las partes, y declarará terminado el procedimiento de liquidación patrimonial, providencia que se inscribirá en el registro mercantil cuando el proceso haya versado sobre persona natural comerciante.

PARÁGRAFO. Los bienes que hayan sido adjudicados a más de una persona en común y proindiviso sé entregarán materialmente a quienes ellas designen de común acuerdo. A falta de dicho acuerdo, el deudor conservará el bien en calidad de depositario gratuito o secuestre, según la calidad que en ese momento ostente, hasta que reciba la instrucción de todos los condueños de entregarlos u orden judicial de hacerlo a alguno de ellos o al secuestre designado en otro proceso por cualquier causa.

- *Nota de vigencia:* este artículo fue adicionado por el artículo 40 de la Ley 2445 de 11 de febrero de 2025, "por medio de la cual se modifica el Título IV de la Ley 1564 de 2012, referente a los procedimientos de insolvencia de la persona natural no comerciante y se dictan otras disposiciones", publicada en el Diario Oficial No. 53.027 de 11 de febrero de 2025

ARTÍCULO 572A. CRÉDITOS LEGALMENTE POSTERGADOS

En cualquier procedimiento de insolvencia, los siguientes créditos serán atendidos una vez pagados los demás, y, salvo los correspondientes al numeral 1, no tendrán derecho de voto:

1. Las deudas cuyos titulares sean el cónyuge o los parientes del deudor, hasta el cuarto grado de consanguinidad, segundo de afinidad o único civil.

2. Las deudas por servicios públicos y demás contratos de tracto sucesivo de que trata el numeral 3 del artículo 545, si el acreedor se niega a restablecer los servicios contratados, cuando hayan sido suspendidos sin atender lo dispuesto en la norma citada.

3. Créditos cuyos titulares se hayan pagado o hayan intentado hacerlo por su propia cuenta a costa de bienes o derechos del deudor, o que hayan imputado a obligaciones sujetas al trámite concursal los pagos de gastos de administración hechos por el deudor en cumplimiento del deber impuesto en el artículo 549.

4. Los intereses, las sanciones legales o pactadas contractualmente y las obligaciones derivadas de otros conceptos; distintos al capital. En el acuerdo de negociación de deudas estas obligaciones se podrán condonar con el voto de la mayoría prevista en el numeral 2 del artículo 553, inclusive los causados por mora en el pago de obligaciones fiscales y en la liquidación patrimonial solamente se podrán reclamar los incluidos en. la relación definitiva de acreencias de la negociación de deudas, a los que se restarán los pagados en el cumplimiento parcial del acuerdo y los adeudados a la fecha de apertura directa del proceso, según el caso.

5. Créditos cuyos titulares, cesionarios o mandatarios hubieran adelantado reiteradamente diligencias judiciales o extrajudiciales de cobranza teniendo el titular o cesionario conocimiento de que el deudor ya estaba admitido a un procedimiento de insolvencia.

PARÁGRAFO. Tanto en el acuerdo de negociación como en la liquidación patrimonial, al interior de los créditos postergados se respetarán las reglas de pago y adjudicación que rigen cada procedimiento.

- *Nota de vigencia:* este artículo fue adicionado por el artículo 41 de la Ley 2445 de 11 de febrero de 2025, "por medio de la cual se modifica el Título IV de la Ley 1564 de 2012, referente a los procedimientos de insolvencia de la persona natural no comerciante y se dictan otras disposiciones", publicada en el Diario Oficial No. 53.027 de 11 de febrero de 2025

CAPÍTULO V
DISPOSICIONES COMUNES A LOS CAPÍTULOS ANTERIORES

ARTÍCULO 572. ACCIONES REVOCATORIAS Y DE SIMULACIÓN

Durante los procedimientos de negociación de deudas, convalidación del acuerdo privado o liquidación patrimonial, podrá demandarse la revocatoria o la simulación de los siguientes actos celebrados por el deudor:

1. Los contratos a título oneroso, la constitución de hipotecas, prendas, y en general todo acto a título oneroso que implique transferencia, disposición, limitación o desmembración del dominio sobre bienes que representen más del diez por ciento (10%) del total de sus activos, y que hayan sido celebrados dentro de los dieciocho (18) meses anteriores a la aceptación de la iniciación del respectivo procedimiento.

La revocatoria procederá si se acredita además que a través del acto demandado se causó un daño a los acreedores y que el tercero que adquirió los bienes conocía o debía conocer el mal estado de los negocios del deudor.

2. Todo acto a título gratuito celebrado en perjuicio de los acreedores dentro de los veinticuatro (24) meses anteriores a la aceptación de la solicitud de negociación de deudas.

3. Los actos entre cónyuges o compañeros permanentes y las separaciones de bienes celebradas de común acuerdo dentro de los veinticuatro (24) meses anteriores a la aceptación de la solicitud de negociación de deudas, siempre que con ellos se haya causado un perjuicio a los acreedores.

Podrá solicitar la revocatoria cualquier acreedor anterior al inicio del procedimiento de negociación de deudas, convalidación del acuerdo privado o liquidación patrimonial, según fuere el caso, y solo podrá interponerse durante el trámite de dichos procedimientos, so pena de caducidad.

La solicitud de revocatoria concursal prevista en este artículo seguirá el trámite del proceso verbal sumario, y de ella conocerá el mismo juez que conoce de las objeciones, la impugnación del acuerdo, el incumplimiento o la liquidación patrimonial, sin que sea necesario nuevo reparto.

La providencia que declare la revocatoria solo beneficiará a los acreedores que fueren reconocidos dentro del procedimiento respectivo.

El acreedor que promueva de manera exitosa la acción revocatoria se le reconocerá a título de recompensa una suma equivalente al diez por ciento (10%) del valor recuperado para el procedimiento.

- arts. 254; 390; 534; 538 hasta 5634
- L 1676/2013 art. 3

ARTÍCULO 573. INFORMACIÓN CREDITICIA

El conciliador o el juez deberán reportar en forma inmediata a las entidades que administren bases de datos de carácter financiero, crediticio, comercial y de servicios, la información relativa a la aceptación de la solicitud de negociación de deudas, la celebración del acuerdo de pago y su cumplimiento, el inicio del procedimiento de convalidación del acuerdo privado o la apertura del procedimiento de liquidación patrimonial y su terminación.

Para los efectos previstos en el artículo 13 de la Ley 1266 de 2008, bastará demostrar la apertura del proceso de liquidación patrimonial. En estos casos, el término de caducidad del dato negativo empezará a contarse un (1) año después de la fecha de dicha providencia.

Sin embargo, si con posterioridad a la terminación de la liquidación patrimonial el deudor paga los saldos que hubieren quedado insolutos, el acreedor respectivo informará a la entidad que administre la base de datos respectiva para que el dato sea eliminado en forma inmediata.

- arts. 563 y 569
- L 1266/2008 art. 13

ARTÍCULO 574. SOLICITUD DE UN NUEVO PROCEDIMIENTO DE INSOLVENCIA

El deudor que cumpla un acuerdo de pago, solo podrá solicitar un nuevo procedimiento de insolvencia una vez transcurridos cinco (5) años desde la fecha de cumplimiento total del acuerdo anterior, con base en la certificación expedida por el conciliador. Igual término aplicará para el deudor que desista del procedimiento de negociación de deudas, contado a partir de la fecha de la decisión en la que se aceptó el desistimiento. Las personas naturales que se beneficien de la regla prevista en el numeral 1 del artículo 571 solo podrán presentar una nueva solicitud de liquidación judicial o patrimonial a los diez (10) años de iniciado el anterior proceso de liquidación, y las que hayan cubierto con sus bienes el total reconocido dentro del proceso podrán hacerlo transcurridos cinco (5) años.

Las personas naturales a las que se haya negado tal beneficio solo podrán solicitar un proceso de insolvencia, transcurridos quince (15) años contados a partir de la apertura de la liquidación.

- *Nota de vigencia:* este artículo fue modificado por el artículo 42 de la Ley 2445 de 11 de febrero de 2025, "por medio de la cual se modifica el Título IV de la Ley 1564 de 2012, referente a los procedimientos de insolvencia de la persona natural no comerciante y se dictan otras disposiciones", publicada en el Diario Oficial No. 53.027 de 11 de febrero de 2025
- arts. 558; 562; 563 y 569

ARTÍCULO 575. DIVULGACIÓN

El Gobierno Nacional, a través de los programas institucionales de televisión y las páginas web oficiales de las entidades públicas que lo integran divulgará permanentemente los procedimientos previstos en el presente título, la manera de acogerse, sus beneficios y efectos.

PARÁGRAFO. El Ministerio de Justicia y del Derecho y la Superintendencia de Sociedades podrán incorporar los recursos necesarios para que se financien productos audiovisuales cortos con perfil multiplataforma que instruya a las personas sobre los procedimientos de insolvencia de la persona natural comerciante y no comerciante y las alternativas que estos ofrecen en caso de requerir su utilización.

- *Nota de vigencia:* el parágrafo fue adicionado por el artículo 43 de la Ley 2445 de 11 de febrero de 2025, "por medio de la cual se modifica el Título IV de la Ley 1564 de 2012, referente a los procedimientos de insolvencia de la persona natural no comerciante y se dictan otras disposiciones", publicada en el Diario Oficial No. 53.027 de 11 de febrero de 2025
- arts. 538; 562 y 563

ARTÍCULO 576. PREVALENCIA NORMATIVA

Las normas establecidas en el presente título prevalecerán sobre cualquier otra norma que le sea contraria, incluso las de carácter tributario.

- arts. 538; 562 y 563

ARTÍCULO 576A. APLICACIÓN DE LA LEY 2213 DE 2022

A los procedimientos previstos en este título se aplicará, en lo pertinente, lo dispuesto en la Ley 2213 de 2022 y en las que la sustituyan, modifiquen, adicionen o complementen y los decretos que las reglamenten.

- *Nota de vigencia:* este artículo fue adicionado por el artículo 44 de la Ley 2445 de 11 de febrero de 2025, "por medio de la cual se modifica el Título IV de la Ley 1564 de 2012, referente a los procedimientos de insolvencia de la persona natural no comerciante y se dictan otras disposiciones", publicada en el Diario Oficial No. 53.027 de 11 de febrero de 2025

SECCIÓN CUARTA
PROCESOS DE JURISDICCIÓN VOLUNTARIA

TÍTULO ÚNICO
PROCESOS DE JURISDICCIÓN VOLUNTARIA

CAPÍTULO I
NORMAS GENERALES

ARTÍCULO 577. ASUNTOS SUJETOS A SU TRÁMITE

Se sujetarán al procedimiento de jurisdicción voluntaria los siguientes asuntos:

1. La licencia que soliciten el padre o madre de familia o los guardadores para enajenar o gravar bienes de sus representados, o para realizar otros actos que interesen a estos, en los casos en que el Código Civil u otras leyes la exijan.
2. La licencia para la emancipación voluntaria.
3. La designación de guardadores, consejeros a administradores.
4. La declaración de ausencia.
5. La declaración de muerte presuntiva por desaparecimiento.
6. La adjudicación, modificación o terminación de apoyos en la toma de decisiones promovido por la persona titular del acto jurídico.
7. La autorización requerida en caso de adopción.
8. La autorización para levantar patrimonio de familia inembargable.
9. Cualquier otro asunto de jurisdicción voluntaria que no tenga señalado trámite diferente.
10. El divorcio, la separación de cuerpos y de bienes por mutuo consentimiento, sin perjuicio de la competencia atribuida a los notarios.
11. La corrección, sustitución o adición de partidas de estado civil o del nombre, o anotación del seudónimo en actas o folios de registro de aquel.
12. Los demás asuntos que la ley determine.
13. La declaración del reconocimiento del hijo (a) de crianza, salvo disposición en contrario.

- NOTA: El numeral 6 entra en vigencia el 26 de agosto del 2021
- NOTA: el numeral 13 fue adicionado por el artículo 4 de la Ley 2388 de 2024"Por medio de la cual se dictan disposiciones sobre la familia de crianza"
- L 1996/2019 arts. 36 y 52
- arts. 18 num. 6; 20 num. 11; 21; 22; 23; 28num. 13; 304 num. 1; 312; 315 num. 1; 396; 487 y 617
- CCo art. 653

- L 1306/2009
- L 1531/2012.
- L 1996/2019
- Corte Constitucional. C-022 del 4 de febrero de 2021

ARTÍCULO 578. DEMANDA

La demanda deberá reunir los requisitos previstos en los artículos 82 y 83, con exclusión de los que se refieren al demandado o sus representantes. A ella se acompañarán los anexos y pruebas previstos en los numerales 1, 3 y 5 del artículo 84, y los necesarios para acreditar el interés del demandante.

- arts. 82; 83; 84 num. 1, 3 y 5; 85 y 89
- L 2213/2022 art. 6

ARTÍCULO 579. PROCEDIMIENTO

Para el trámite del proceso se aplicarán las siguientes reglas:

1. Presentada la demanda el juez ordenará las citaciones y publicaciones a que hubiere lugar y la notificación al agente del Ministerio Público en los procesos relacionados en los numerales 1 a 8 del artículo 577 y en los casos que expresamente señale la ley.

2. Cumplido lo anterior el juez decretará las pruebas que considere necesarias y convocará a audiencia para practicarlas y proferir sentencia.

3. Cuando a causa de la sentencia se requiera posterior intervención del juez, este dispondrá lo que estime conveniente para el cumplimiento rápido y eficaz.

- arts. 45; 46; 107; 278; 290; 291; 372; 373 y 577 num. 1 hasta el 8
- L 2213/2022 arts. 2; 7; 8 y 11

ARTÍCULO 580. EFECTOS DE LA SENTENCIA

Las declaraciones que se hagan y las autorizaciones que se concedan producirán sus efectos mientras no sean modificadas o sustituidas por otra sentencia, en proceso posterior, si ello fuere posible.

- arts. 278; 280 y 304 num. 1

CAPÍTULO II
DISPOSICIONES ESPECIALES

ARTÍCULO 581. LICENCIAS O AUTORIZACIONES

En la solicitud de licencia para levantamiento de patrimonio de familia inembargable o para enajenación de bienes de incapaces, deberá justificarse la necesidad y expresarse la destinación del producto, en su caso.

Cuando se concedan licencias o autorizaciones, en la sentencia se fijará el término dentro del cual deban utilizarse, que no podrá exceder de seis (6) meses, y una vez vencido se entenderán extinguidas.

Cuando se concedan licencias para enajenar bienes de incapaces, la enajenación no se hará en pública subasta, pero el juez tomará las medidas que estime convenientes para proteger el patrimonio del incapaz.

- arts. 21 nums. 4; 312; 315; 408; 487 y 577
- CC art. 303 y 304
- L 1306/2009

ARTÍCULO 582. RECONOCIMIENTO DEL GUARDADOR TESTAMENTARIO Y POSESIÓN DEL CARGO

En los procesos para el reconocimiento de guardador testamentario y posesión del cargo, se observarán las siguientes reglas.

1. Cuando el guardador solicite directamente que se le dé posesión del cargo, deberá acompañar a la demanda copia del testamento, la partida de defunción del testador y la prueba de la incapacidad del pupilo y cuando fuere el caso, de que no se halla bajo patria potestad. Si la prueba es suficiente, se prescindirá del término probatorio y se pronunciará la sentencia que lo reconozca, en el cual se le señalará caución en los casos previstos y término para presentarla.

2. Prestada la caución, el juez fijará la hora y fecha para entregar al guardador los bienes del pupilo por inventario, en el que se incluirán las cosas que, bajo juramento, denuncie el solicitante. A la entrega se aplicará, en lo pertinente, lo dispuesto en el artículo 87 de la ley 1306 de 2009.

3. El menor adulto podrá pedir que se requiera al guardador para que manifieste si acepta el cargo y así lo ordenará el Juez y le señalará el término legal establecido para esa manifestación. Si el guardador presenta dentro de dicho término excusa o alega inhabilidad, se tramitará incidente, con la intervención del Ministerio Público.

Si el guardador acepta el cargo, se procederá como indican los numerales anteriores.

- arts. 45; 46; 69; 127; 128; 129; 130; 131 y 577 num. 3
- L 1306/2009
- L 2213/2022 arts. 6

ARTÍCULO 583. DECLARACIÓN DE AUSENCIA

Para la declaración de ausencia de una persona se observarán las siguientes reglas:

1. En la demanda deberá hacerse una relación de los bienes y deudas del ausente.

2. En el auto admisorio, el juez designará administrador provisorio, quien una vez posesionado asumirá la administración de los bienes. Igualmente, ordenará hacer una publicación un (1) día domingo en uno de los periódicos de mayor circulación en la capital de la República, y en un periódico de amplia circulación en el último domicilio conocido del ausente y en una radiodifusora con sintonía en ese lugar, que contenga:

a) La identificación de la persona cuya declaración de ausencia se persigue, el lugar de su último domicilio conocido y el nombre de la parte demandante.

b) La prevención a quienes tengan noticias del ausente para que lo informen al juzgado.

3. Recibidas noticias sobre el paradero del ausente, el juez hará las averiguaciones que estime necesarias a fin de esclarecer el hecho, para lo cual empleará todos los medios de información que considere convenientes. En caso contrario designará curador ad litem al ausente.

4. Cumplidos los trámites anteriores el juez convocará a audiencia en la que practicará las pruebas necesarias y dictará sentencia. Si esta fuere favorable a lo pedido, en ella nombrará administrador legítimo o dativo. A esta administración se aplicará lo dispuesto en los numerales 2 y 3 del artículo precedente y, en lo pertinente, las normas sobre administración de bienes previstas en la Ley 1306 de 2009.

5. Se decretará la terminación de la administración de bienes del ausente en los casos del artículo 115, numeral 5, de la Ley 1306 de 2009. La solicitud podrá formularla cualquier interesado o el Ministerio Público. Cuando haya lugar a la entrega de bienes, el juez la efectuará.

- arts. 22 num. 21; 28 num. 13 lit. b.; 45; 46; 55; 56; 308; 309; 577 num. 4; 578; 579; 580 y 585
- CC arts. 96 y 100
- L 1306/2009 arts. 87; 114 y 115 num. 5
- L 2213/2022 art. 6

ARTÍCULO 584. PRESUNCIÓN DE MUERTE POR DESAPARECIMIENTO

Para la declaración de muerte presuntiva de una persona, se observarán las siguientes reglas:

1. El juez dará cumplimiento a lo previsto en los numerales 2, 3 y 4 del artículo anterior, en lo que fuere pertinente, con sujeción al numeral 2 del artículo 97 del Código Civil, salvo lo relativo a la publicación en el Diario Oficial.

2. Si en la sentencia se declara la muerte presunta del desaparecido, en ella se fijará la fecha presuntiva en que ocurrió, con arreglo a las disposiciones del Código Civil, ordenará transcribir lo resuelto al funcionario del estado civil del mismo lugar para que extienda el folio de defunción, y dispondrá que se publique el encabezamiento y parte resolutiva

de la sentencia, una vez ejecutoriada, en la forma prevista en el numeral 2 del artículo precedente.

3. Efectuada la publicación de la sentencia, podrá promoverse por separado el proceso de sucesión del causante y la liquidación de la sociedad conyugal, pero la sentencia aprobatoria de la partición o adjudicación que en él se dicte podrá rescindirse en favor de las personas indicadas en el artículo 108 del Código Civil, si promueven el respectivo proceso verbal dentro de los diez (10) años siguientes a la fecha de dicha publicación.

En la sentencia del proceso verbal, si fuere el caso, se decretará la restitución de bienes en el estado en que se encuentren; pero si se hubieren enajenado se decidirá de conformidad con la ley sustancial.

- arts. 22 num. 21; 28 num. 13 lit. b; 577 num. 5; 578; 579; 580, 583 num. 2, 3 y 4 y 585
- CC arts. 96; 97 num. 2; 108 y 109
- L 2213/2022 art. 6

ARTÍCULO 585. DEMANDA PARA TRÁMITE SIMULTÁNEO DE DECLARACIÓN DE AUSENCIA Y DE MUERTE POR DESAPARECIMIENTO

Podrá pedirse en la misma demanda, que se haga la declaración de ausencia y posteriormente la de muerte por desaparecimiento, y en tal caso los trámites correspondientes se adelantarán en cuadernos separados, sin que interfieran entre sí, y las solicitudes se resolverán con distintas sentencias.

- arts. 22 num. 21; 28 num. 13 lit. b y 577 nums. 4 y 5
- CC arts. 96; 97; 100; 107 y 108
- L 2213/2022 art. 6

ARTÍCULO 586. ADJUDICACIÓN DE APOYOS EN LA TOMA DE DECISIONES PROMOVIDO POR LA PERSONA TITULAR DEL ACTO JURÍDICO

Para la adjudicación de apoyos promovida por la persona titular del acto jurídico, se observarán las siguientes reglas:

1. En la demanda que eleve la persona titular del acto jurídico deberá constar su voluntad expresa de solicitar apoyos en la toma de decisiones para la celebración de uno o más actos jurídicos en concreto.

2. En la demanda se podrá anexar la valoración de apoyos realizada al titular del acto jurídico por parte de una entidad pública o privada.

3. En caso de que la persona no anexe una valoración de apoyos o cuando el juez considere que el informe de valoración de apoyos aportado por la persona titular del acto jurídico es insuficiente para establecer apoyos para la realización del acto o actos jurídicos para los que se inició el proceso, el Juez podrá solicitar una nueva valoración de apoyos u oficiar a los entes públicos encargados de realizarlas, en concordancia con el artículo 11 de la presente ley.

4. En todo caso, como mínimo, el informe de valoración de apoyos deberá consignar:

a) Los apoyos que la persona requiere para la comunicación y la toma de decisiones en los aspectos que la persona considere relevantes.

b) Los ajustes procesales y razonables que la persona requiera para participar activamente del proceso.

c) Las sugerencias frente a mecanismos que permitan desarrollar las capacidades de la persona en relación con la toma de decisiones para alcanzar mayor autonomía en las mismas.

d) Las personas que pueden actuar como apoyo en la toma de decisiones de la persona, para cada aspecto relevante de su vida, y en especial, para la realización de los actos jurídicos por los cuales se inició el proceso.

e) Un informe general sobre el proyecto de vida de la persona.

5. En el auto admisorio de la demanda se ordenará notificar a las personas que hayan sido identificadas como personas de apoyo en la demanda.

6. Recibido el Informe de valoración de apoyos, el Juez, dentro de los cinco (5) días siguientes, correrá traslado del mismo, por un término de diez (10) días a las personas involucradas en el proceso y al Ministerio Público.

7. Una vez corrido el traslado, el Juez decretará las pruebas que considere necesarias y convocará a audiencia para escuchar a la persona titular del acto jurídico, a las personas citadas en el auto admisorio y para practicar las demás pruebas decretadas, en concordancia con el artículo 34 de la presente ley.

8. Vencido el término probatorio, se dictará sentencia en la que deberá constar:

a) El acto o actos jurídicos delimitados por la sentencia que requieren el apoyo solicitado.

b) La individualización de la o las personas designadas como apoyo.

c) La delimitación de las funciones de la o las personas designadas como apoyo.

d) Los programas de acompañamiento a las familias cuando sean pertinentes y las demás medidas que se consideren necesarias para asegurar la autonomía y respeto a la voluntad y preferencias de la persona.

e) En ningún caso el Juez podrá pronunciarse sobre la necesidad de apoyos para la realización de actos jurídicos sobre los que no verse el proceso.

f) Las salvaguardias destinadas a evitar y asegurar que no existan los conflictos de interés o influencia indebida del apoyo sobre la persona.

9. Se reconocerá la función de apoyo de las personas designadas para ello. Si la persona designada como apoyo presenta dentro de los siguientes cinco (5) días excusa, se niega a ser designado como apoyo, o alega inhabilidad, se tramitará incidente para decidir sobre el mismo.

- NOTA: Artículo modificado por la L 1996/2019 arts. 37 y 52. Entra en vigencia el 26 de agosto del 2021
- arts. 22 num. 7, 28 num. 13; 108; 127; 128; 129; 130; 131; 290; 291; 396 y 587.
- L 2213/2022 art. 6; 8; 9 y 10
- L 1306/2009
- L 1996/2019 arts. 11; 32 hasta 43; 52 y 54
- Corte Constitucional. C-022 del 4 de febrero de 2021

- Corte Constitucional. C118 del 29 de abril de 2021

ARTÍCULO 587. MODIFICACIÓN Y TERMINACIÓN DE LA ADJUDICACIÓN DE APOYOS

En cualquier momento, podrán solicitar la modificación o terminación de los apoyos adjudicados:

a. La persona titular del acto jurídico;

b. La persona distinta que haya promovido el proceso de adjudicación judicial y que demuestre interés legítimo podrá solicitar;

c. La persona designada como apoyo, cuando medie justa causa;

d. El juez de oficio.

El Juez deberá notificar de ello a las personas designadas como apoyo y a la persona titular del acto, si es del caso, y correrá traslado de la solicitud por diez (10) días para que estas se pronuncien al respecto.

En caso de no presentarse oposición, el Juez modificará o terminará la adjudicación de apoyos, conforme a la solicitud.

- NOTA: Artículo modificado por la L 1996/2019 arts. 42 y 52. Entra en vigencia el 26 de agosto del 2021
- arts. 22 num. 7; 577 num. 6 y 586
- L 1996/2019
- L 2213/2022 art. 9
- Corte Constitucional. C-022 del 4 de febrero de 2021; C118 del 29 de abril de 2021

LIBRO CUARTO
MEDIDAS CAUTELARES Y CAUCIONES

TÍTULO I
MEDIDAS CAUTELARES

CAPÍTULO I
NORMAS GENERALES

ARTÍCULO 588. PRONUNCIAMIENTO Y COMUNICACIÓN SOBRE MEDIDAS CAUTELARES

Cuando la solicitud de medidas cautelares se haga por fuera de audiencia, el juez resolverá, a más tardar, al día siguiente del reparto o a la presentación de la solicitud.

Tratándose de embargo o de inscripción de demanda sobre bienes sometidos a registro el juez la comunicará al registrador por el medio más expedito.

De la misma manera se comunicará el decreto de medidas cautelares a quien deba cumplir la orden.

- arts. 42 num. 8; 77; 109; 111; 117; 298; 360; 444; 466; 468 num. 2; 480; 529 num. 6 e inciso final; 589 hasta 602
- L 1563/2012 arts. 80 hasta 90
- L 1579/2012 arts. 17; 20; 21; 24 y 31
- L 2213/2022 art. 2, 3 y 11

ARTÍCULO 589. MEDIDAS CAUTELARES EN LA PRÁCTICA DE PRUEBAS EXTRAPROCESALES

En los asuntos relacionados con violaciones a la propiedad intelectual, la competencia desleal y en los demás en que expresamente una ley especial permita la práctica de medidas cautelares extraprocesales, estas podrán solicitarse, decretarse y practicarse en el curso de una prueba extraprocesal.

El juez las decretará cuando el peticionario acredite el cumplimiento de los requisitos exigidos por dicha ley.

Si para la práctica de la medida cautelar la ley exige prestar caución, el juez inmediatamente fijará su monto y esta deberá prestarse después de la diligencia en el término que el juez indique, que no podrá exceder del establecido por la ley para la iniciación del respectivo proceso. Si la caución no se constituye oportunamente, el solicitante deberá pagar los daños y perjuicios que se hubieren causado, multa de hasta cien salarios mínimos legales mensuales vigentes (100 smlmv), y la medida cautelar se levantará. Mientras no sea prestada la caución, el solicitante no podrá desistir de la medida cautelar, salvo que el perjudicado con la misma lo acepte.

PARÁGRAFO. Las pruebas extraprocesales y las medidas cautelares extraprocesales practicadas ante quien ejerce funciones jurisdiccionales podrán hacerse valer ante cualquier otra autoridad o particular con funciones jurisdiccionales.

- NOTA: la Corte Constitucional se declaró inhibida de fallar sobre este artículo en la sentencia C-536-16 del 5 de octubre de 2016
- arts. 18 num. 7; 20 num. 10; 23 inciso 2; 24; 28 num. 14; 31; 33 num. 2; 37; 139; 174; 183 hasta 190; 298; 360; 588; 590 y 598

ARTÍCULO 590. MEDIDAS CAUTELARES EN PROCESOS DECLARATIVOS

En los procesos declarativos se aplicarán las siguientes reglas para la solicitud, decreto, práctica, modificación, sustitución o revocatoria de las medidas cautelares:

1. Desde la presentación de la demanda, a petición del demandante, el juez podrá decretar las siguientes medidas cautelares:

a) La inscripción de la demanda sobre bienes sujetos a registro y el secuestro de los demás cuando la demanda verse sobre dominio u otro derecho real principal, directamente o como consecuencia de una pretensión distinta o en subsidio de otra, o sobre una universalidad de bienes.

Si la sentencia de primera instancia es favorable al demandante, a petición de este el juez ordenará el secuestro de los bienes objeto del proceso.

b) La inscripción de la demanda sobre bienes sujetos a registro que sean de propiedad del demandado, cuando en el proceso se persiga el pago de perjuicios provenientes de responsabilidad civil contractual o extracontractual.

Si la sentencia de primera instancia es favorable al demandante, a petición de este el juez ordenará el embargo y secuestro de los bienes afectados con la inscripción de la demanda, y de los que se denuncien como de propiedad del demandado, en cantidad suficiente para el cumplimiento de aquella.

El demandado podrá impedir la práctica de las medidas cautelares a que se refiere este literal o solicitar que se levanten, si presta caución por el valor de las pretensiones para garantizar el cumplimiento de la eventual sentencia favorable al demandante o la indemnización de los perjuicios por la imposibilidad de cumplirla. También podrá solicitar que se sustituyan por otras cautelas que ofrezcan suficiente seguridad.

c) Cualquiera otra medida que el juez encuentre razonable para la protección del derecho objeto del litigio, impedir su infracción o evitar las consecuencias derivadas de la misma, prevenir daños, hacer cesar los que se hubieren causado o asegurar la efectividad de la pretensión.

Para decretar la medida cautelar el juez apreciará la legitimación o interés para actuar de las partes y la existencia de la amenaza o la vulneración del derecho.

Así mismo, el juez tendrá en cuenta la apariencia de buen derecho, como también la necesidad, efectividad y proporcionalidad de la medida y, si lo estimare procedente, podrá decretar una menos gravosa o diferente de la solicitada. El juez establecerá su alcance, determinará su duración y podrá disponer de oficio o a petición de parte la modificación, sustitución o cese de la medida cautelar adoptada.

Cuando se trate de medidas cautelares relacionadas con pretensiones pecuniarias, el demandado podrá impedir su práctica o solicitar su levantamiento o modificación mediante la prestación de una caución para garantizar el cumplimiento de la eventual sentencia favorable al demandante o la indemnización de los perjuicios por la imposibilidad de cumplirla. No podrá prestarse caución cuando las medidas cautelares no estén relacionadas con pretensiones económicas o procuren anticipar materialmente el fallo.

2. Para que sea decretada cualquiera de las anteriores medidas cautelares, el demandante deberá prestar caución equivalente al veinte por ciento (20%) del valor de las pretensiones estimadas en la demanda, para responder por las costas y perjuicios derivados de su práctica. Sin embargo, el juez, de oficio o a petición de parte, podrá aumentar o disminuir el monto de la caución cuando lo considere razonable, o fijar uno superior al momento de decretar la medida. No será necesario prestar caución para la práctica de embargos y secuestros después de la sentencia favorable de primera instancia.

PARÁGRAFO 1o. En todo proceso y ante cualquier jurisdicción, cuando se solicite la práctica de medidas cautelares se podrá acudir directamente al juez, sin necesidad de agotar la conciliación prejudicial como requisito de procedibilidad.

PARÁGRAFO 2o. Las medidas cautelares previstas en los literales b) y c) del numeral 1 de este artículo se levantarán si el demandante no promueve ejecución dentro del término a que se refiere el artículo 306.

- arts. 82; 83; 89; 278; 280; 298; 306; 360; 591 hasta 602; 603; 604 y 613
- L 640/2001 art. 35 y 38
- L 1579/2012 art. 4 y 31
- L 2213/2022 art. 6 y 9
- CSJ. AC 3103-2015; AC 143-2020; STC 2343-2014; STC 16248-2016; STC 869-2017

ARTÍCULO 591. INSCRIPCIÓN DE LA DEMANDA

Para la inscripción de la demanda remitirá comunicación a la autoridad competente de llevar el registro haciéndole saber quiénes son las partes en el proceso, el objeto de este, el nombre, nomenclatura, situación de dichos bienes y el folio de matrícula o datos del registro si aquella no existiere. El registrador se abstendrá de inscribir la demanda si el bien no pertenece al demandado.

El registro de la demanda no pone los bienes fuera del comercio pero quien los adquiera con posterioridad estará sujeto a los efectos de la sentencia de acuerdo con lo previsto en el artículo 303. Si sobre aquellos se constituyen posteriormente gravámenes reales o se limita el dominio, tales efectos se extenderán a los titulares de los derechos correspondientes.

La vigencia del registro de otra demanda o de un embargo no impedirá el de una demanda posterior, ni el de una demanda el de un embargo posterior.

Si la sentencia fuere favorable al demandante, en ella se ordenará su registro y la cancelación de las anotaciones de las transferencias de propiedad, gravámenes y limitaciones al dominio efectuados después de la inscripción de la demanda, si los hubiere; cumplido lo anterior, se cancelará el registro de esta, sin que se afecte el registro de otras demandas. Si en la sentencia se omitiere la orden anterior, de oficio o a petición de parte, la dará el juez por auto que no tendrá recursos y se comunicará por oficio al registrador.

- arts. 111; 298; 303; 318; 588; 590 y 592
- CC 665 y 756
- L 1579/2012 arts. 20; 21; 23; 24; 31 y 33
- L 2213/2022 arts. 2 y 11

ARTÍCULO 592. INSCRIPCIÓN DE LA DEMANDA EN OTROS PROCESOS

En los procesos de pertenencia, deslinde y amojonamiento, servidumbres, expropiaciones y división de bienes comunes, el juez ordenará de oficio la inscripción de la demanda antes de la notificación del auto admisorio al demandado. Una vez inscrita, el oficio se remitirá por el registrador al juez, junto con un certificado sobre la situación jurídica del bien.

- arts. 90; 290; 291; 375; 376; 399; 400 hasta 405; 406 hasta 418 y 591
- L 1579/2012 arts. 20; 21; 23; 24; 31 y 33
- L 2213/2022 arts. 2; 8 y 11

ARTÍCULO 593. EMBARGOS

Para efectuar embargos se procederá así:

1. El de bienes sujetos a registro se comunicará a la autoridad competente de llevar el registro con los datos necesarios para la inscripción: si aquellos pertenecieren al afectado con la medida, lo inscribirá y expedirá a costa del solicitante un certificado sobre su situación jurídica en un período equivalente a diez (10) años, si fuere posible. Una vez inscrito el embargo, el certificado sobre la situación jurídica del bien se remitirá por el registrador directamente al juez.

Si algún bien no pertenece al afectado, el registrador se abstendrá de inscribir el embargo y lo comunicará al juez; si lo registra, este de oficio o a petición de parte ordenará la cancelación del embargo. Cuando el bien esté siendo perseguido para hacer efectiva la garantía real, deberá aplicarse lo dispuesto en el numeral 2 del artículo 468.

2. El de los derechos que por razón de mejoras o cosechas tenga una persona que ocupa un predio de propiedad de otra, se perfeccionará previniendo a aquella y al obligado al respectivo pago, que se entiendan con el secuestre para todo lo relacionado con las mejoras y sus productos o beneficios.

Para el embargo de mejoras plantadas por una persona en terrenos baldíos, se notificará a esta para que se abstenga de enajenarlas o gravarlas.

3. El de bienes muebles no sujetos a registro y el de la posesión sobre bienes muebles o inmuebles se consumará mediante el secuestro de estos, excepto en los casos contemplados en los numerales siguientes.

4. El de un crédito u otro derecho semejante se perfeccionará con la notificación al deudor mediante entrega del correspondiente oficio, en el que se le prevendrá que para hacer el pago deberá constituir certificado de depósito a órdenes del juzgado. Si el deudor se negare a firmar el recibo del oficio, lo hará por él cualquiera persona que presencie el hecho.

Al recibir el deudor la notificación deberá informar acerca de la existencia del crédito, de cuándo se hace exigible, de su valor, de cualquier embargo que con anterioridad se le hubiere comunicado y si se le notificó antes alguna cesión o si la aceptó, con indicación del nombre del cesionario y la fecha de aquella, so pena de responder por el correspondiente pago, de todo lo cual se le prevendrá en el oficio de embargo.

La notificación al deudor interrumpe el término para la prescripción del crédito, y si aquel no lo paga oportunamente, el juez designará secuestre quien podrá adelantar proceso judicial para tal efecto. Si fuere hallado el título del crédito, se entregará al secuestre; en caso contrario, se le expedirán las copias que solicite para que inicie el proceso.

El embargo del crédito de percepción sucesiva comprende los vencimientos posteriores a la fecha en que se decretó y los anteriores que no hubieren sido cancelados.

5. El de derechos o créditos que la persona contra quien se decrete el embargo persiga o tenga en otro proceso se comunicará al juez que conozca de él para los fines consiguientes, y se considerará perfeccionado desde la fecha de recibo de la comunicación en el respectivo despacho judicial.

6. El de acciones en sociedades anónimas o en comandita por acciones, bonos, certificados nominativos de depósito, unidades de fondos mutuos, títulos similares, efectos públicos nominativos y en general títulos valores a la orden, se comunicará al gerente, administrador o liquidador de la respectiva sociedad o empresa emisora o al representante administrativo de la entidad pública o a la entidad administradora, según sea el caso, para que tome nota de él, de lo cual deberá dar cuenta al juzgado dentro de los tres (3) días siguientes, so pena de incurrir en multa de dos (2) a cinco (5) salarios mínimos legales mensuales. El embargo se considerará perfeccionado desde la fecha de recibo del oficio y a partir de esta no podrá aceptarse ni autorizarse transferencia ni gravamen alguno.

El de acciones, títulos, bonos y efectos públicos, títulos valores y efectos negociables a la orden y al portador, se perfeccionará con la entrega del respectivo título al secuestre.

Los embargos previstos en este numeral se extienden a los dividendos, utilidades, intereses y demás beneficios que al derecho embargado correspondan, con los cuales deberá constituirse certificado de depósito a órdenes del juzgado, so pena de hacerse responsable de dichos valores.

El secuestre podrá adelantar el cobro judicial, exigir rendición de cuentas y promover cualesquiera otras medidas autorizadas por la ley con dicho fin.

7. El del interés de un socio en sociedad colectiva y de gestores de la en comandita, o de cuotas en una de responsabilidad limitada, o en cualquier otro tipo de sociedad, se comunicará a la autoridad encargada de la matrícula y registro de sociedades, la que no podrá registrar ninguna transferencia o gravamen de dicho interés, ni reforma de la sociedad que implique la exclusión del mencionado socio o la disminución de sus derechos en ella.

A este embargo se aplicará lo dispuesto en el inciso tercero del numeral anterior y se comunicará al representante de la sociedad en la forma establecida en el inciso primero del numeral 4, a efecto de que cumpla lo dispuesto en tal inciso.

8. Si el deudor o la persona contra quien se decreta el embargo fuere socio comanditario, se comunicará al socio o socios gestores o al liquidador, según fuere el caso. El embargo se considerará perfeccionado desde la fecha de recibo del oficio.

9. El de salarios devengados o por devengar se comunicará al pagador o empleador en la forma indicada en el inciso primero del numeral 4 para que de las sumas respectivas retenga la proporción determinada por la ley y constituya certificado de depósito, previniéndole que de lo contrario responderá por dichos valores.

Si no se hicieren las consignaciones el juez designará secuestre que deberá adelantar el cobro judicial, si fuere necesario.

10. El de sumas de dinero depositadas en establecimientos bancarios y similares, se comunicará a la correspondiente entidad como lo dispone el inciso primero del numeral 4, debiéndose señalar la cuantía máxima de la medida, que no podrá exceder del valor del crédito y las costas más un cincuenta por ciento (50%). Aquellos deberán constituir certi-

ficado del depósito y ponerlo a disposición del juez dentro de los tres (3) días siguientes al recibo de la comunicación; con la recepción del oficio queda consumado el embargo.

11. El de derechos proindiviso en bienes muebles se comunicará a los otros copartícipes, advirtiéndoles que en todo lo relacionado con aquellos deben entenderse con el secuestre.

PARÁGRAFO 1o. En todos los casos en que se utilicen mensajes de datos los emisores dejarán constancia de su envío y los destinatarios, sean oficinas públicas o particulares, tendrán el deber de revisarlos diariamente y tramitarlos de manera inmediata.

PARÁGRAFO 2o. La inobservancia de la orden impartida por el juez, en todos los caso previstos en este artículo, hará incurrir al destinatario del oficio respectivo en multas sucesivas de dos (2) a cinco (5) salarios mínimos mensuales.

- arts. 43 num. 4; 44 num. 3.; 48; 52; 94; 103; 111; 114; 298; 467; 468, 470; 480; 594; 595; 596 y 597
- CC arts. 655; 666; 674; 714; 715; 717; 738; 739; 754; 755; 756; 762; 764 y 1959 hasta 1966
- CCo arts. 27; 28; 42; 61; 164; 299; 323; 408; 414; 415; 619; 624; 629; 651; 668; 669; 752; 757; 922; 1908 y 1909
- L 769/2002 art. 47
- L 1579/2012 arts. 20; 21; 23; 24; 31 y 33
- L 2213/2022 arts. 2; 9 y 11

ARTÍCULO 594. BIENES INEMBARGABLES

Además de los bienes inembargables señalados en la Constitución Política o en leyes especiales, no se podrán embargar:

1. Los bienes, las rentas y recursos incorporados en el presupuesto general de la Nación o de las entidades territoriales, las cuentas del sistema general de participación, regalías y recursos de la seguridad social.

2. Los depósitos de ahorro constituidos en los establecimientos de crédito, en el monto señalado por la autoridad competente, salvo para el pago de créditos alimentarios.

3. Los bienes de uso público y los destinados a un servicio público cuando este se preste directamente por una entidad descentralizada de cualquier orden, o por medio de concesionario de estas; pero es embargable hasta la tercera parte de los ingresos brutos del respectivo servicio, sin que el total de embargos que se decreten exceda de dicho porcentaje.

Cuando el servicio público lo presten particulares, podrán embargarse los bienes destinados a él, así como los ingresos brutos que se produzca y el secuestro se practicará como el de empresas industriales.

4. Los recursos municipales originados en transferencias de la Nación, salvo para el cobro de obligaciones derivadas de los contratos celebrados en desarrollo de las mismas.

5. Las sumas que para la construcción de obras públicas se hayan anticipado o deben anticiparse por las entidades de derecho público a los contratistas de ellas, mientras no hubiere concluido su construcción, excepto cuando se trate de obligaciones en favor de los trabajadores de dichas obras, por salarios, prestaciones sociales e indemnizaciones.

6. Los salarios y las prestaciones sociales en la proporción prevista en las leyes respectivas. La inembargabilidad no se extiende a los salarios y prestaciones legalmente enajenados.

7. Las condecoraciones y pergaminos recibidos por actos meritorios.

8. Los uniformes y equipos de los militares.

9. Los terrenos o lugares utilizados como cementerios o enterramientos.

10. Los bienes destinados al culto religioso de cualquier confesión o iglesia que haya suscrito concordato o tratado de derecho internacional o convenio de derecho público interno con el Estado colombiano.

11. El televisor, el radio, el computador personal o el equipo que haga sus veces, y los elementos indispensables para la comunicación personal, los utensilios de cocina, la nevera y los demás muebles necesarios para la subsistencia del afectado y de su familia, o para el trabajo individual, salvo que se trate del cobro del crédito otorgado para la adquisición del respectivo bien. Se exceptúan los bienes suntuarios de alto valor.

12. El combustible y los artículos alimenticios para el sostenimiento de la persona contra quien se decretó el secuestro y de su familia durante un (1) mes, a criterio del juez.

13. Los derechos personalísimos e intransferibles.

14. Los derechos de uso y habitación.

15. Las mercancías incorporadas en un título-valor que las represente, a menos que la medida comprenda la aprehensión del título.

16. Las dos terceras partes de las rentas brutas de las entidades territoriales.

17. Los animales domésticos de compañía y de soporte emocional de los que trata el artículo 687 del Código Civil.

PARÁGRAFO. Los funcionarios judiciales o administrativos se abstendrán de decretar órdenes de embargo sobre recursos inembargables. En el evento en que por ley fuere procedente decretar la medida no obstante su carácter de inembargable, deberán invocar en la orden de embargo el fundamento legal para su procedencia.

Recibida una orden de embargo que afecte recursos de naturaleza inembargable, en la cual no se indicare el fundamento legal para la procedencia de la excepción, el destinatario de la orden de embargo, se podrá abstener de cumplir la orden judicial o administrativa, dada la naturaleza de inembargable de los recursos. En tal evento, la entidad destinataria de la medida, deberá informar al día hábil siguiente a la autoridad que decretó la medida, sobre el hecho del no acatamiento de la medida por cuanto dichos recursos ostentan la calidad de inembargables. La autoridad que decretó la medida deberá pronunciarse dentro de los tres (3) días hábiles siguientes a la fecha de envío de la comunicación, acerca de si procede alguna excepción legal a la regla de inembargabilidad. Si pasados tres (3) días hábiles el destinatario no se recibe oficio alguno, se entenderá revocada la medida cautelar.

En el evento de que la autoridad judicial o administrativa insista en la medida de embargo, la entidad destinataria cumplirá la orden, pero congelando los recursos en una cuenta especial que devengue intereses en las mismas condiciones de la cuenta o producto de la cual se produce el débito por cuenta del embargo. En todo caso, las sumas retenidas solamente se pondrán a disposición del juzgado, cuando cobre ejecutoria la sentencia o la providencia que le ponga fin al proceso que así lo ordene.

- *Nota de vigencia:* El texto subrayado fue declarado condicionalmente exequible en la sentencia de la Corte Constitucional C-346 del 31 de julio de 2019 "en el entendido que todas las confesiones e iglesias, que tengan personería jurídica y que cumplan con los requisitos legales, pueden acceder a la celebración de alguno de estos instrumentos en condiciones de igualdad"
- NOTA: el numeral 17 fue adicionado por el artículo 3 de la Ley 2473 del 8 de julio de 2025 "Por la cual se modifica el artículo 687 del código civil, se incluye el numeral 17 al artículo 594 de la ley 1564 de 2012 código general del proceso, se incorporan los animales domésticos de compañía y de soporte emocional y se declara su inembargabilidad"
- *Nota de vigencia:* Artículo declarado exequible por la Corte Constitucional en la Sentencia C-408-24 del 25 de septiembre de 2024 "en el entendido de que el listado de bienes inembargables allí contenido también incluye a los animales de compañía o mascotas, es decir, aquellos animales domésticos: (i) que generan relaciones emocionales y de mutuo apoyo con los seres humanos; (ii) sobre los que no media interés exclusivo de aprovechamiento económico y (iii) que dependen de los seres humanos para su alimentación y cuidado"
- Corte Constitucional. C-346 del 31 de julio de 2019
- Corte Constitucional. C-416 del 10 de septiembre de 2019
- arts. 42; 111; 278; 280; 302; 593 y 595
- CP arts. 42; 48; 63 y 72
- CC 674; 675; 677 y 678
- CPACA art. 195 segundo parag.
- CST arts. 149 num. 2; 154; 155; 156 y 344.
- L 100/1993 art. 134; L 258/1996 art. 7 y L 1551/2012 art. 45
- L 2213/2022 art. 2 y 11

ARTÍCULO 595. SECUESTRO

Para el secuestro de bienes se aplicarán las siguientes reglas:

1. En el auto que lo decrete se señalará fecha y hora para la diligencia y se designará secuestre que deberá concurrir a ella, so pena de multa de diez (10) a veinte (20) salarios mínimos mensuales. Aunque no concurra el secuestre la diligencia se practicará si el interesado en la medida lo solicita para los fines del numeral 3.

2. Las partes, de común acuerdo, antes o después de practicada la diligencia, podrán designar secuestre o disponer que los bienes sean dejados al ejecutado en calidad de secuestre, casos en los cuales el juez hará las prevenciones correspondientes.

3. Cuando se trate de inmueble ocupado exclusivamente para la vivienda de la persona contra quien se decretó la medida, el juez se lo dejará en calidad de secuestre y le hará las prevenciones del caso, salvo que el interesado en la medida solicite que se le entregue al secuestre designado por el juez.

4. La entrega de bienes al secuestre se hará previa relación de ellos en el acta, con indicación del estado en que se encuentren.

5. Cuando se trate de derechos proindiviso en bienes inmuebles, en la diligencia de secuestro se procederá como se dispone en el numeral 11 del artículo 593.

6. Salvo lo dispuesto en los numerales siguientes y en el artículo 51, el secuestre depositará inmediatamente los vehículos, máquinas, mercancías, muebles, enseres y demás bienes en la bodega de que disponga y a falta de esta en un almacén general de depósito

u otro lugar que ofrezca plena seguridad, de lo cual informará por escrito al juez al día siguiente, y deberá tomar las medidas adecuadas para la conservación y mantenimiento. En cuanto a los vehículos de servicio público, se estará a lo estatuido en el numeral 9.

No obstante, cuando se trate de vehículos automotores, el funcionario que realice la diligencia de secuestro los entregará en depósito al acreedor, si este lo solicita y ha prestado, ante el juez que conoce del proceso, caución que garantice la conservación e integridad del bien. En este caso, el depósito será a título gratuito.

7. Si se trata de semovientes o de bienes depositados en bodegas, se dejarán con las debidas seguridades en el lugar donde se encuentren hasta cuando el secuestre considere conveniente su traslado y este pueda ejecutar, en las condiciones ordinarias del mercado, las operaciones de venta o explotación a que estuvieren destinados, procurando seguir el sistema de administración vigente.

8. Cuando lo secuestrado sea un establecimiento de comercio, o una empresa industrial o minera u otra distinta, el factor o administrador continuará en ejercicio de sus funciones con calidad de secuestre y deberá rendir cuentas periódicamente en la forma que le señale el juez. Sin embargo, a solicitud del interesado en la medida, el juez entregará la administración del establecimiento al secuestre designado y el administrador continuará en el cargo bajo la dependencia de aquel, y no podrá ejecutar acto alguno sin su autorización, ni disponer de bienes o dineros.

Inmediatamente se hará inventario por el secuestre y las partes o personas que estas designen sin que sea necesaria la presencia del juez, copia del cual, firmado por quienes intervengan, se agregará al expediente.

La maquinaria que esté en servicio se dejará en el mismo lugar, pero el secuestre podrá retirarla una vez decretado el remate, para lo cual podrá solicitar el auxilio de la policía.

9. El secuestro de los bienes destinados a un servicio público prestado por particulares se practicará en la forma indicada en el inciso primero del numeral anterior.

10. El secuestro de cosechas pendientes o futuras se practicará en el inmueble, dejándolas a disposición del secuestre, quien adoptará las medidas conducentes para su administración, recolección y venta en las condiciones ordinarias del mercado.

11. Cuando lo secuestrado sea dinero el juez ordenará constituir con él inmediatamente un certificado de depósito.

12. Cuando se trate de títulos de crédito, alhajas y en general objetos preciosos, el secuestre los entregará en custodia a una entidad especializada, previa su completa especificación, de lo cual informará al juez al día siguiente.

13. Cuando no se pueda practicar inmediatamente un secuestro o deba suspenderse, el juez o el comisionado podrá asegurar con cerraduras los almacenes o habitaciones u otros locales donde se encuentren los bienes o documentos, colocar sellos que garanticen su conservación y solicitar vigilancia de la policía.

PARÁGRAFO. Cuando se trate del secuestro de vehículos automotores, el juez comisionará al respectivo inspector de tránsito para que realice la aprehensión y el secuestro del bien.

- arts. 37; 38; 39; 40; 48; 49; 50; 51; 52; 278; 308; 309; 367; 384; 399; 444; 445; 448; 593 y 599

- CC arts. 2158; 2236 hasta 2239 y 2273 hasta 2281
- CCo arts. 624; 629; 668; 752 y 757

ARTÍCULO 596. OPOSICIONES AL SECUESTRO

A las oposiciones al secuestro se aplicarán las siguientes reglas:

1. Situación del tenedor. Si al practicarse el secuestro los bienes se hallan en poder de quien alegue y demuestre título de tenedor con especificación de sus estipulaciones principales, anterior a la diligencia y procedente de la parte contra la cual se decretó la medida, esta se llevará a efecto sin perjudicar los derechos de aquel, a quien se prevendrá que en lo sucesivo se entienda con el secuestre, que ejercerá los derechos de dicha parte con fundamento en el acta respectiva que le servirá de título, mientras no se constituya uno nuevo.

2. Oposiciones. A las oposiciones se aplicará en lo pertinente lo dispuesto en relación con la diligencia de entrega.

3. Persecución de derechos sobre el bien cuyo secuestro se levanta. Levantado el secuestro de bienes muebles no sujetos a registro quedará insubsistente el embargo. Si se trata de bienes sujetos a aquel embargados en proceso de ejecución, dentro de los tres (3) días siguientes a la ejecutoria del auto favorable al opositor, que levante el secuestro, o se abstenga de practicarlo en razón de la oposición, podrá el interesado expresar que insiste en perseguir los derechos que tenga el demandado en ellos, caso en el cual se practicará el correspondiente avalúo; de lo contrario se levantará el embargo.

- arts. 302; 308; 309; 444; 480; 481; 595; 597; 599 y 601
- CC arts. 762 y 775
- CCo arts. 693; 694; 964 y 965

ARTÍCULO 597. LEVANTAMIENTO DEL EMBARGO Y SECUESTRO

Se levantarán el embargo y secuestro en los siguientes casos:

1. Si se pide por quien solicitó la medida, cuando no haya litisconsortes o terceristas; si los hubiere, por aquel y estos, y si se tratare de proceso de sucesión por todos los herederos reconocidos y el cónyuge o compañero permanente.

2. Si se desiste de la demanda que originó el proceso, en los mismos casos del numeral anterior.

3. Si el demandado presta caución para garantizar lo que se pretende, y el pago de las costas.

4. Si se ordena la terminación del proceso ejecutivo por la revocatoria del mandamiento de pago o por cualquier otra causa.

5. Si se absuelve al demandado en proceso declarativo, o este termina por cualquier otra causa.

6. Si el demandante en proceso declarativo no formula la solicitud de que trata el inciso primero del artículo 306 dentro de los treinta (30) días siguientes a la ejecutoria de la sentencia que contenga la condena.

7. Si se trata de embargo sujeto a registro, cuando del certificado del registrador aparezca que la parte contra quien se profirió la medida no es la titular del dominio del respectivo bien, sin perjuicio de lo establecido para la efectividad de la garantía hipotecaria o prendaria.

8. Si un tercero poseedor que no estuvo presente en la diligencia de secuestro solicita al juez del conocimiento, dentro de los veinte (20) días siguientes a la práctica de la diligencia, si lo hizo el juez de conocimiento o a la notificación del auto que ordena agregar el despacho comisorio, que se declare que tenía la posesión material del bien al tiempo en que aquella se practicó, y obtiene decisión favorable. La solicitud se tramitará como incidente, en el cual el solicitante deberá probar su posesión.

También podrá promover el incidente el tercero poseedor que haya estado presente en la diligencia sin la representación de apoderado judicial, pero el término para hacerlo será de cinco (5) días.

Si el incidente se decide desfavorablemente a quien lo promueve, se impondrá a este una multa de cinco (5) a veinte (20) salarios mínimos mensuales.

9. Cuando exista otro embargo o secuestro anterior.

10. Cuando pasados cinco (5) años a partir de la inscripción de la medida, no se halle el expediente en que ella se decretó. Con este propósito, el respectivo juez fijará aviso en la secretaría del juzgado por el término de veinte (20) días, para que los interesados puedan ejercer sus derechos. Vencido este plazo, el juez resolverá lo pertinente.

En los casos de los numerales 1, 2, 9 y 10 para resolver la respectiva solicitud no será necesario que se haya notificado el auto admisorio de la demanda o el mandamiento ejecutivo.

Siempre que se levante el embargo o secuestro en los casos de los numerales 1, 2, 4, 5 y 8 del presente artículo, se condenará de oficio o a solicitud de parte en costas y perjuicios a quienes pidieron tal medida, salvo que las partes convengan otra cosa.

En todo momento cualquier interesado podrá pedir que se repita el oficio de cancelación de medidas cautelares.

11. Cuando el embargo recaiga contra uno de los recursos públicos señalados en el artículo 594, y este produzca insostenibilidad fiscal o presupuestal del ente demandado, el Procurador General de la Nación, el Ministro del respectivo ramo, el Alcalde, el Gobernador o el Director de la Agencia Nacional de Defensa Jurídica del Estado, podrán solicitar su levantamiento.

PARÁGRAFO. Lo previsto en los numerales 1, 2, 5, 7 y 10 de este artículo también se aplicará para levantar la inscripción de la demanda.

- arts. 45; 60; 61; 62; 71; 72; 92; 111; 117; 118; 127; 128; 129; 130; 131; 278; 280; 289; 290; 291; 302; 306 inc. 1°; 312; 313; 314; 315; 316; 317; 365; 367; 368; 387; 388; 389; 430; 443; 455; 461, 468; 480; 481; 490; 590; 591; 593; 594; 595; 602; 603 y 604
- CC arts. 762 y 981
- CCo art. 1909

- L 1579/2012 arts. 64
- L 1676/2013 art. 3
- L 2213/2022 arts. 2; 8; 9 y 11

ARTÍCULO 598. MEDIDAS CAUTELARES EN PROCESOS DE FAMILIA

En los procesos de nulidad de matrimonio, divorcio, cesación de efectos civiles de matrimonio religioso, separación de cuerpos y de bienes, liquidación de sociedades conyugales, disolución y liquidación de sociedades patrimoniales entre compañeros permanentes, se aplicarán las siguientes reglas:

1. Cualquiera de las partes podrá pedir embargo y secuestro de los bienes que puedan ser objeto de gananciales y que estuvieran en cabeza de la otra.

2. El embargo y secuestro practicados en estos procesos no impedirán perfeccionar los que se decreten sobre los mismos bienes en trámite de ejecución, antes de quedar en firme la sentencia favorable al demandante que en aquellos se dicte; con tal objeto, recibida la comunicación del nuevo embargo, simultáneamente con su inscripción, el registrador cancelará el anterior e informará de inmediato y por escrito al juez que adelanta el proceso de familia, quien, en caso de haberse practicado el secuestro, remitirá al juzgado donde se sigue el ejecutivo copia de la diligencia a fin de que tenga efecto en este, y oficiará al secuestre para darle cuenta de lo sucedido. El remanente no embargado en otras ejecuciones y los bienes que en estas se desembarguen, se considerarán embargados para los fines del asunto familiar.

Ejecutoriada la sentencia que se dicte en los procesos nulidad, divorcio, cesación de los efectos civiles del matrimonio religioso, separación de cuerpos y de bienes, cesará la prelación, por lo que el juez lo comunicará de inmediato al registrador, para que se abstenga de inscribir nuevos embargos, salvo el hipotecario.

3. Las anteriores medidas se mantendrán hasta la ejecutoria de la sentencia; pero si a consecuencia de esta fuere necesario liquidar la sociedad conyugal o patrimonial, continuarán vigentes en el proceso de liquidación.

Si dentro de los dos (2) meses siguientes a la ejecutoria de la sentencia que disuelva la sociedad conyugal o patrimonial, no se hubiere promovido la liquidación de esta, se levantarán aun de oficio las medidas cautelares.

4. Cualquiera de los cónyuges o compañeros permanentes podrá promover incidente con el propósito de que se levanten las medidas que afecten sus bienes propios.

5. Si el juez lo considera conveniente, también podrá adoptar, según el caso, las siguientes medidas:

a) Autorizar la residencia separada de los cónyuges, y si estos fueren menores, disponer el depósito en casa de sus padres o de sus parientes más próximos o en la de un tercero.

b) Dejar a los hijos al cuidado de uno de los cónyuges o de ambos, o de un tercero.

c) Señalar la cantidad con que cada cónyuge deba contribuir, según su capacidad económica, para gastos de habitación y sostenimiento del otro cónyuge y de los hijos comunes, y la educación de estos.

d) Decretar, en caso de que la mujer esté embarazada, las medidas previstas por la ley para evitar suposición de parto.

e) Decretar, a petición de parte, el embargo y secuestro de los bienes sociales y los propios, con el fin de garantizar el pago de alimentos a que el cónyuge y los hijos tuvieren derecho, si fuere el caso.

f) A criterio del juez cualquier otra medida necesaria para evitar que se produzcan nuevos actos de violencia intrafamiliar o para hacer cesar sus efectos y, en general, en los asuntos de familia, podrá actuar de oficio en la adopción de las medidas personales de protección que requiera la pareja, el niño, niña o adolescente, el discapacitado mental y la persona de la tercera edad; para tal fin, podrá decretar y practicar las pruebas que estime pertinentes, incluyendo las declaraciones del niño, niña o adolescente.

6. En el proceso de alimentos se decretará la medida cautelar prevista en el literal c) del numeral 5 y se dará aviso a las autoridades de emigración para que el demandado no pueda ausentarse del país sin prestar garantía suficiente que respalde el cumplimiento de la obligación hasta por dos (2) años.

- arts. 127; 128; 129; 130; 131; 298; 302; 321; 387; 388; 389; 397; 466; 523, 546; 570; 588; 593; 594; 595 y 602
- CC arts. 197; 203; 1781; 1782; 1783; 1820; 1821y 1826
- L 1579/2012
- L 2213/2022 arts. 2 y 11

CAPÍTULO II
MEDIDAS CAUTELARES EN PROCESOS EJECUTIVOS

ARTÍCULO 599. EMBARGO Y SECUESTRO

Desde la presentación de la demanda el ejecutante podrá solicitar el embargo y secuestro de bienes del ejecutado.

Cuando se ejecute por obligaciones de una persona fallecida, antes de liquidarse la sucesión, sólo podrán embargarse y secuestrarse bienes del causante.

El juez, al decretar los embargos y secuestros, podrá limitarlos a lo necesario; el valor de los bienes no podrá exceder del doble del crédito cobrado, sus intereses y las costas prudencialmente calculadas, salvo que se trate de un solo bien o de bienes afectados por hipoteca o prenda que garanticen aquel crédito, o cuando la división disminuya su valor o su venalidad.

En el momento de practicar el secuestro el juez deberá de oficio limitarlo en la forma indicada en el inciso anterior, si el valor de los bienes excede ostensiblemente del límite mencionado, o aparece de las facturas de compra, libros de contabilidad, certificados de catastro o recibos de pago de impuesto predial, o de otros documentos oficiales, siempre que se le exhiban tales pruebas en la diligencia.

En los procesos ejecutivos, el ejecutado que proponga excepciones de mérito o el tercer afectado con la medida cautelar, podrán solicitarle al juez que ordene al ejecutante prestar caución hasta por el diez por ciento (10%) del valor actual de la ejecución para responder por los perjuicios que se causen con su práctica, so pena de levantamiento. La caución deberá prestarse dentro de los quince (15) días siguientes a la notificación del auto que la ordene. Contra la providencia anterior, no procede recurso de apelación. Para establecer el monto de la caución, el juez deberá tener en cuenta la clase de bienes sobre los que recae la medida cautelar practicada y la apariencia de buen derecho de las excepciones de mérito.

La caución a que se refiere el artículo anterior, no procede cuando el ejecutante sea una entidad financiera o vigilada por la Superintendencia Financiera de Colombia o una entidad de derecho público.

Cuando se trate de caución expedida por compañía de seguros, su efectividad podrá reclamarse también por el asegurado o beneficiario directamente ante la aseguradora, de acuerdo con las normas del Código de Comercio.

PARÁGRAFO. El ejecutado podrá solicitar que de la relación de bienes de su propiedad e ingresos, el juez ordene el embargo y secuestro de los que señale con el fin de evitar que se embarguen otros, salvo cuando el embargo se funde en garantía real. El juez, previo traslado al ejecutante por dos (2) días, accederá a la solicitud siempre que sean suficientes, con sujeción a los criterios establecidos en los dos incisos anteriores.

- arts. 37; 77; 82; 83; 89; 110; 118; 298; 321; 384; 422; 424; 513; 588; 594; 595; 600; 603 y 604
- CC art. 2432
- L 1676/2013 art. 3
- L 2213/2022 arts. 2; 9 y 11

ARTÍCULO 600. REDUCCIÓN DE EMBARGOS

En cualquier estado del proceso una vez consumados los embargos y secuestros, y antes de que se fije fecha para remate, el juez, a solicitud de parte o de oficio, cuando con fundamento en los documentos señalados en el cuarto inciso del artículo anterior considere que las medidas cautelares son excesivas, requerirá al ejecutante para que en el término de cinco (5) días, manifieste de cuáles de ellas prescinde o rinda las explicaciones a que haya lugar. Si el valor de alguno o algunos de los bienes supera el doble del crédito, sus intereses y las costas prudencialmente calculadas, decretará el desembargo de los demás, a menos que estos sean objeto de hipoteca o prenda que garantice el crédito cobrado, o se perjudique el valor o la venalidad de los bienes embargados.

Cuando exista embargo de remanente el juez deberá poner los bienes desembargados a disposición del proceso en que haya sido decretado.

- arts. 118; 446; 448; 455; 461; 466; 593; 594; 595; 597 y 599
- L 1676/2013 art. 3

ARTÍCULO 601. SECUESTRO DE BIENES SUJETOS A REGISTRO

El secuestro de bienes sujetos a registro sólo se practicará una vez se haya inscrito el embargo. En todo caso, debe perfeccionarse antes de que se ordene el remate; en el evento de levantarse el secuestro, se aplicará lo dispuesto en el numeral 3 del artículo 596.

El certificado del registrador no se exigirá cuando lo embargado fuere la explotación económica que el demandado tenga en terrenos baldíos, o la posesión sobre bienes muebles o inmuebles.

- arts. 448 hasta 457; 593; 596 num. 3; 597 y 599
- CC arts. 655; 656; 675 y 762
- CCo art. 922; 1432 y 1908
- L 1579/2002
- L 769/2002 art. 46 y 47

ARTÍCULO 602. CONSIGNACIÓN PARA IMPEDIR O LEVANTAR EMBARGOS Y SECUESTROS

El ejecutado podrá evitar que se practiquen embargos y secuestros solicitados por el ejecutante o solicitar el levantamiento de los practicados, si presta caución por el valor actual de la ejecución aumentada en un cincuenta por ciento (50%).

Cuando existiere embargo de remanente o los bienes desembargados fueren perseguidos en otro proceso, deberán ponerse a disposición de este o del proceso en que se decretó aquel.

- arts. 441; 465; 466; 590; 593; 595; 597; 603 y 604

TÍTULO II
CAUCIONES

ARTÍCULO 603. CLASES, CUANTÍA Y OPORTUNIDAD PARA CONSTITUIRLAS

Las cauciones que ordena prestar la ley o este código pueden ser reales, bancarias u otorgadas por compañías de seguros, en dinero, títulos de deuda pública, certificados de depósito a término o títulos similares constituidos en instituciones financieras.

En la providencia que ordene prestar la caución se indicará su cuantía y el plazo en que debe constituirse, cuando la ley no las señale. Si no se presta oportunamente, el juez resolverá sobre los efectos de la renuencia, de conformidad con lo dispuesto en este código.

Las cauciones en dinero deberán consignarse en la cuenta de depósitos judiciales del respectivo despacho.

Cualquier caución constituida podrá reemplazarse por dinero o por otra que ofrezca igual o mayor efectividad.

- arts. 57; 309; 32; 341; 382; 384; 394; 441; 483; 529; 582; 589; 590; 595; 597; 599; 602 y 604
- CC arts. 65 y 834
- CCo arts. 568; 569; 570; 806; 873; 1222; 1231 y 1660

ARTÍCULO 604. CALIFICACIÓN Y CANCELACIÓN

Prestada la caución, el juez calificará su suficiencia y la aceptará o rechazará, para lo cual observará las siguientes reglas:

1. La caución hipotecaria se otorgará a favor del respectivo juzgado o tribunal y dentro del término señalado para prestarla deberá presentarse un certificado del notario sobre la fecha de la escritura de hipoteca, copia de la minuta de esta autenticada por el mismo funcionario, el título de propiedad del inmueble, un certificado de su tradición y libertad en un período de diez (10) años si fuere posible, y el certificado de avalúo catastral. Los notarios darán prelación a estas escrituras, y su copia registrada se presentará al juez dentro de los seis (6) días siguientes al registro.

2. Cuando se trate de caución prendaria, deberá acompañarse el certificado de la cotización de los bienes en la última operación que sobre ellos haya habido en una bolsa de valores que funcione legalmente, o un avalúo.

Los bienes dados en prenda deberán entregarse al juez junto con la solicitud para que se acepte la caución, si su naturaleza lo permite, y aquel ordenará el depósito en un establecimiento especializado; en los demás casos, en la misma solicitud se indicará el lugar donde se encuentren los bienes para que se proceda al secuestro, que el juez decretará y practicará inmediatamente, previa designación del secuestre y señalamiento de fecha y hora para la diligencia; si en esta se presenta oposición y el juez la considera justificada, se prescindirá del secuestro.

3. Si la caución no reúne los anteriores requisitos, el juez negará su aprobación y se tendrá por no constituida, y si se trata de hipoteca procederá a su cancelación.

4. Salvo disposición legal en contrario, las cauciones se cancelarán una vez extinguido el riesgo que amparen, o cumplida la obligación que de él se derive, o consignado el valor de la caución a órdenes del juez.

- arts. 57; 321; 341; 382; 394; 441; 589; 590; 595; 597; 599; 602; 603 y 604
- CC arts. 2409 hasta 2431; 2432 hasta 2457
- L 1676/2013 art. 3

LIBRO QUINTO
CUESTIONES VARIAS

TÍTULO I
SENTENCIAS Y LAUDOS PROFERIDOS EN EL EXTERIOR Y COMISIONES DE JUECES EXTRANJEROS

CAPÍTULO I
SENTENCIAS Y LAUDOS

ARTÍCULO 605. EFECTOS DE LAS SENTENCIAS EXTRANJERAS

Las sentencias y otras providencias que revistan tal carácter, pronunciadas por autoridades extranjeras, en procesos contenciosos o de jurisdicción voluntaria, tendrán en Colombia la fuerza que les concedan los tratados existentes con ese país, y en su defecto la que allí se reconozca a las proferidas en Colombia.

El exequátur de laudos arbitrales proferidos en el extranjero se someterá a las normas que regulan la materia.

- arts. 30 num. 4 y 5 y 607
- L 39/1990
- CSJ. AC1309-2016

ARTÍCULO 606. REQUISITOS

Para que la sentencia extranjera surta efectos en el país, deberá reunir los siguientes requisitos:

1. Que no verse sobre derechos reales constituidos en bienes que se encontraban en territorio colombiano en el momento de iniciarse el proceso en que la sentencia se profirió.
2. Que no se oponga a leyes u otras disposiciones colombianas de orden público, exceptuadas las de procedimiento.
3. Que se encuentre ejecutoriada de conformidad con la ley del país de origen, y se presente en copia debidamente legalizada.
4. Que el asunto sobre el cual recae, no sea de competencia exclusiva de los jueces colombianos.
5. Que en Colombia no exista proceso en curso ni sentencia ejecutoriada de jueces nacionales sobre el mismo asunto.
6. Que si se hubiere dictado en proceso contencioso, se haya cumplido el requisito de la debida citación y contradicción del demandado, conforme a la ley del país de origen, lo que se presume por la ejecutoria.
7. Que se cumpla el requisito del exequátur.

- arts. 30 nums. 4 y 5; 605 y 607
- L 39/1990 art. 4
- CSJ. AC 2610-2016; AC478-2017; AC4399-2017; AC4398-2017; SC5194-2020; SC571-2021; SC572-2021; SC466-2021; AC658-2021 y AC868-2021

ARTÍCULO 607. TRÁMITE DEL EXEQUÁTUR

La demanda sobre exequátur de una sentencia extranjera, con el fin de que produzca efectos en Colombia, se presentará por el interesado a la Sala de Casación Civil de la Corte Suprema de Justicia, salvo que conforme a los tratados internacionales corresponda a otro juez, y ante ella deberá citarse a la parte afectada por la sentencia, si hubiere sido dictado en proceso contencioso.

Cuando la sentencia o cualquier documento que se aporte no estén en castellano, se presentará con la copia del original su traducción en legal forma.

Para el exequátur se tendrán en cuenta las siguientes reglas:

1. En la demanda deberán pedirse las pruebas que se consideren pertinentes.
2. La Corte rechazará la demanda si faltare alguno de los requisitos exigidos en los numerales 1 a 4 del artículo precedente.
3. De la demanda se dará traslado a la parte afectada con la sentencia y al procurador delegado que corresponda en razón de la naturaleza del asunto, en la forma señalada en el artículo 91, por el término de cinco (5) días.
4. Vencido el traslado se decretarán las pruebas y se fijará audiencia para practicarlas, oír los alegatos de las partes y dictar la sentencia.
5. Si la Corte concede el exequátur y la sentencia extranjera requiere ejecución, conocerá de esta el juez competente conforme a las reglas generales.

- arts. 30 num. 4 y 5; 82; 91; 165; 251; 605 y 606
- L 39/1990
- L 2213/2022 arts. 6 y 9
- CSJ. AC532-2016; AC743-2016; AC5678-2016; AC4399-2017; AC4398-2017; AC2416-2020; AC487-2021; SC571-2021; SC572-2021 y SC466-2021

CAPÍTULO II
PRÁCTICA DE PRUEBAS Y OTRAS DILIGENCIAS

ARTÍCULO 608. PROCEDENCIA

Sin perjuicio de lo dispuesto en los tratados y convenios internacionales sobre cooperación judicial, los jueces colombianos deberán diligenciar los exhortos sobre pruebas decretadas por funcionarios extranjeros del orden jurisdiccional o de tribunales de arbitramento, y las notificaciones, requerimientos y actos similares ordenados por aquellos, siempre que no se opongan a las leyes u otras disposiciones nacionales de orden público.

- art. 609

ARTÍCULO 609. COMPETENCIA Y TRÁMITE

De las comisiones a que se refiere el artículo precedente conocerán los jueces civiles del circuito del lugar en que deban cumplirse, a menos que conforme a los tratados internacionales correspondan a otro juez.

Las comisiones se ordenarán cumplir siempre que el exhorto se halle debidamente autenticado. Si este no estuviere en castellano, el juez dispondrá su previa traducción a costa del interesado.

Si el exhorto reúne los requisitos indicados, se dará traslado al Ministerio Público por tres (3) días para que emita concepto, vencidos los cuales se resolverá lo pertinente.

Surtida la diligencia, se devolverá el exhorto a la autoridad extranjera comitente, por conducto del Ministerio de Relaciones Exteriores. De la misma manera se procederá cuando la comisión no haya podido cumplirse.

- arts. 19; 46; 181; 182; 251 y 608

TÍTULO II
DISPOSICIONES RELATIVAS A LA AGENCIA NACIONAL DE DEFENSA JURÍDICA DEL ESTADO

ARTÍCULO 610. INTERVENCIÓN DE LA AGENCIA NACIONAL DE DEFENSA JURÍDICA DEL ESTADO

En los procesos que se tramiten ante cualquier jurisdicción, la Agencia Nacional de Defensa Jurídica del Estado, podrá actuar en cualquier estado del proceso, en los siguientes eventos:

1. Como interviniente, en los asuntos donde sea parte una entidad pública o donde se considere necesario defender los intereses patrimoniales del Estado.

2. Como apoderada judicial de entidades públicas, facultada, incluso, para demandar.

PARÁGRAFO 1o. Cuando la Agencia Nacional de Defensa Jurídica del Estado actúe como interviniente, tendrá las mismas facultades atribuidas legalmente a la entidad o entidades públicas vinculadas como parte en el respectivo proceso y en especial, las siguientes:

a) Proponer excepciones previas y de mérito, coadyuvar u oponerse a la demanda.

b) Aportar y solicitar la práctica de pruebas e intervenir en su práctica.

c) Interponer recursos ordinarios y extraordinarios.

d) Recurrir las providencias que aprueben acuerdos conciliatorios o que terminen el proceso por cualquier causa.

e) Solicitar la práctica de medidas cautelares o solicitar el levantamiento de las mismas, sin necesidad de prestar caución.

f) Llamar en garantía.

PARÁGRAFO 2o. Cuando la Agencia Nacional de Defensa Jurídica del Estado obre como apoderada judicial de una entidad pública, esta le otorgará poder a aquella.

La actuación de la Agencia Nacional de Defensa Jurídica del Estado, en todos los eventos, se ejercerá a través del abogado o abogados que designe bajo las reglas del otorgamiento de poderes.

PARÁGRAFO 3o. La Agencia Nacional de Defensa Jurídica del Estado podrá interponer acciones de tutela en representación de las entidades públicas.

Así mismo, en toda tutela, la Agencia Nacional de Defensa Jurídica del Estado podrá solicitarle a la Corte Constitucional la revisión de que trata el artículo 33 del Decreto 2591 de 1991.

- arts. 30 parag.; 31 parag.; 32 parag.; 64; 71; 96; 100; 101 y 597 num. 11
- CPACA arts. 199; 242 y 243
- L 1444/2011 art. 5
- L 2080/2021 art. 48
- D 4085/2011 art. 6 num. 3 (i); (x); (xi)
- D 2591/1991 art. 33

ARTÍCULO 611. SUSPENSIÓN DEL PROCESO POR INTERVENCIÓN DE LA AGENCIA NACIONAL DE DEFENSA JURÍDICA DEL ESTADO

Los procesos que se tramiten ante cualquier jurisdicción, se suspenderán por el término de treinta (30) días cuando la Agencia Nacional de Defensa del Estado manifieste su intención de intervenir en el proceso, mediante escrito presentado ante el juez de conocimiento. La suspensión tendrá efectos automáticos para todas las partes desde el momento en que se radique el respectivo escrito. Esta suspensión sólo operará en los eventos en que la Agencia Nacional de Defensa Jurídica del Estado no haya actuado en el proceso y siempre y cuando este se encuentre en etapa posterior al vencimiento del término de traslado de la demanda.

- arts. 91; 161; 162 y 610

ARTÍCULO 612

Modifíquese el Artículo 199 de la Ley 1437 de 2011, el cual quedará así:

Artículo 199. Notificación personal del auto admisorio y del mandamiento de pago a entidades públicas, al Ministerio Público, a personas privadas que ejerzan funciones públicas y a particulares que deban estar inscritos en el registro mercantil. El auto admisorio de la demanda y el mandamiento de pago contra las entidades públicas y las personas privadas que ejerzan funciones propias del Estado se deben notificar personalmente a sus representantes legales o a quienes estos hayan delegado la facultad de recibir notificaciones, o directamente a las personas naturales, según el caso, y al Ministerio Público, mediante mensaje dirigido al buzón electrónico para notificaciones judiciales a que se refiere el artículo 197 de este código.

De esta misma forma se deberá notificar el auto admisorio de la demanda a los particulares inscritos en el registro mercantil en la dirección electrónica por ellos dispuesta para recibir notificaciones judiciales.

El mensaje deberá identificar la notificación que se realiza y contener copia de la providencia a notificar y de la demanda.

Se presumirá que el destinatario ha recibido la notificación cuando el iniciador recepcione acuse de recibo o se pueda por otro medio constatar el acceso del destinatario al mensaje. El secretario hará constar este hecho en el expediente.

En este evento, las copias de la demanda y de sus anexos quedarán en la secretaría a disposición del notificado y el traslado o los términos que conceda el auto notificado, sólo comenzarán a correr al vencimiento del término común de veinticinco (25) días después de surtida la última notificación. Deberá remitirse de manera inmediata y a través del servicio postal autorizado, copia de la demanda, de sus anexos y del auto admisorio, sin perjuicio de las copias que deban quedar en el expediente a su disposición de conformidad con lo establecido en este inciso.

En los procesos que se tramiten ante cualquier jurisdicción en donde sea demandada una entidad pública, deberá notificarse también a la Agencia Nacional de Defensa Jurídica del Estado, en los mismos términos y para los mismos efectos previstos en este artículo. En este evento se aplicará también lo dispuesto en el inciso anterior.

La notificación de la Agencia Nacional de Defensa Jurídica del Estado se hará en los términos establecidos y con la remisión de los documentos a que se refiere este artículo para la parte demandada.

- Este artículo fue derogado por el artículo 87 L 2080/2021
- L 2080/2021 art. 48

ARTÍCULO 613. AUDIENCIA DE CONCILIACIÓN EXTRAJUDICIAL EN LOS ASUNTOS CONTENCIOSO ADMINISTRATIVOS

Cuando se solicite conciliación extrajudicial, el peticionario deberá acreditar la entrega de copia a la Agencia Nacional de Defensa Jurídica de la Nación, en los mismos términos previstos para el convocado, con el fin de que la Agencia Nacional de Defensa Jurídica del Estado resuelva sobre su intervención o no en el Comité de Conciliación de la entidad convocada, así como en la audiencia de conciliación correspondiente.

No será necesario agotar el requisito de procedibilidad en los procesos ejecutivos, cualquiera que sea la jurisdicción en la que se adelanten, como tampoco en los demás procesos en los que el demandante pida medidas cautelares de carácter patrimonial o cuando quien demande sea una entidad pública.

Las entidades públicas en los procesos declarativos que se tramitan ante la jurisdicción de lo contencioso administrativo contra particulares, podrán solicitar las medidas cautelares previstas para los procesos declarativos en el Código General del Proceso.

- *Nota de vigencia:* El texto subrayado fue declarado exequible en la sentencia de la Corte Constitucional C-834 del 20 de noviembre de 2013, por los cargos examinados.
- Corte Constitucional. C-834 del 20 de noviembre de 2013
- arts. 590
- CPAC art. 161
- L 2220/2022 arts. 3; 4; 6; 67; 86 y ss

ARTÍCULO 614. EXTENSIÓN DE LA JURISPRUDENCIA

Con el objeto de resolver las peticiones de extensión de la jurisprudencia a que se refieren los artículos 10 y 102 de la Ley 1437 de 2011, las entidades públicas deberán solicitar concepto previo a la Agencia Nacional de Defensa Jurídica del Estado. En el término de diez (10) días, la Agencia informará a la entidad pública respectiva, su intención de rendir concepto. La emisión del concepto por parte de la Agencia Nacional de Defensa Jurídica del Estado se deberá producir en un término máximo de veinte (20) días.

El término a que se refiere el inciso 4o del numeral 3 del artículo 102 de la Ley 1437 de 2011, empezará a correr al día siguiente de recibido el concepto de la Agencia Nacional de Defensa Jurídica del Estado o del vencimiento del término a que se refiere el inciso anterior, lo que ocurra primero.

- CPACA arts. 10; 102 y 269
- L 2080/2021 arts. 17 y 77

ARTÍCULO 615

Modifíquese el artículo 150 de la Ley 1437 de 2011, el cual quedará así:

"Artículo 150. Competencia del Consejo de Estado en segunda instancia y cambio de radicación. El Consejo de Estado, en Sala de lo Contencioso Administrativo, conocerá en segunda instancia de las apelaciones de las sentencias dictadas en primera instancia por los tribunales administrativos y de las apelaciones de autos susceptibles de este medio de impugnación. También conocerá del recurso de queja que se formule contra decisiones de los tribunales, según lo regulado en el artículo 245 de este código.

El Consejo de Estado, en Sala de lo Contencioso Administrativo, conocerá de las peticiones de cambio de radicación de un proceso o actuación, que se podrá disponer excepcionalmente cuando en el lugar en donde se esté adelantando existan circunstancias que puedan afectar el orden público, la imparcialidad o la independencia de la administración de justicia, las garantías procesales o la seguridad o integridad de los intervinientes.

Adicionalmente, podrá ordenarse el cambio de radicación cuando se adviertan deficiencias de gestión y celeridad de los procesos, previo concepto de la Sala Administrativa del Consejo Superior de la Judicatura.

PARÁGRAFO. En todas las jurisdicciones las solicitudes de cambio de radicación podrán ser formuladas por la Agencia Nacional de Defensa Jurídica del Estado".

- El inciso subrayado fue modificado por L 2080/2021 art. 26
- CPACA arts. 243; 243A; 244; 245 y 248

ARTÍCULO 616

Modifíquese el inciso 2o del artículo 269 de la Ley 1437 de 2011, el cual quedará así:

"Del escrito se dará traslado a la administración demandada y a la Agencia Nacional de Defensa Jurídica del Estado por el término común de treinta (30) días para que aporten las pruebas que consideren. La administración y la Agencia Nacional de Defensa Jurídica del Estado podrán oponerse por las mismas razones a las que se refiere el artículo 102 de este código".

- *Nota de vigencia:* Este artículo fue derogado por el artículo 87 L 2080/2021

TÍTULO III
TRÁMITES NOTARIALES

ARTÍCULO 617. TRÁMITES NOTARIALES

Sin perjuicio de las competencias establecidas en este Código y en otras leyes, los notarios podrán conocer y tramitar, a prevención, de los siguientes asuntos:

1. De la autorización para enajenar bienes de los incapaces, sean estos mayores o menores de edad, de conformidad con el artículo 581 de este código.
2. De la declaración de ausencia de que trata el artículo 583 de este código.
3. Del inventario solemne de bienes propios de menores bajo patria potestad o mayores discapacitados, en caso de matrimonio, de declaración de unión marital de hecho o declaración de sociedad patrimonial de hecho de uno de los padres, así como de la declaración de inexistencia de bienes propios del menor o del mayor discapacitado cuando fuere el caso, de conformidad con lo establecido en los artículos 169 y 170 del Código Civil.
4. De la custodia del hijo menor o del mayor discapacitado y la regulación de visitas, de común acuerdo.
5. De las declaraciones de constitución, disolución y liquidación de la sociedad patrimonial de hecho, y de la existencia y cesación de efectos civiles de la unión marital de hecho, entre compañeros permanentes, de común acuerdo.

6. De la declaración de bienes de la sociedad patrimonial no declarada, ni liquidada que ingresan a la sociedad conyugal.

7. De la cancelación de hipotecas en mayor extensión, en los casos de subrogación.

8. De la solicitud de copias sustitutivas de las primeras copias que prestan mérito ejecutivo.

9. De las correcciones de errores en los registros civiles.

10. De la cancelación y sustitución voluntaria del patrimonio de familia inembargable.

PARÁGRAFO. Cuando en estos asuntos surjan controversias o existan oposiciones, el trámite se remitirá al juez competente.

- arts. 581 y 583
- CC arts. 96; 97; 169; 170; 256 y 303

TÍTULO IV
PLAN DE IMPLEMENTACIÓN DEL CÓDIGO Y COMISIÓN DE SEGUIMIENTO

ARTÍCULO 618. PLAN DE ACCIÓN PARA LA IMPLEMENTACIÓN DEL CÓDIGO GENERAL DEL PROCESO

La Sala Administrativa del Consejo Superior de la Judicatura, con la colaboración armónica del Ministerio de Justicia y del Derecho, dentro de los seis (6) meses siguientes a la promulgación de la presente ley, elaborará el correspondiente Plan de Acción para la Implementación del Código General del Proceso que incluirá, como mínimo, los siguientes componentes respecto de los despachos judiciales con competencias en lo civil, comercial, de familia y agrario:

1. Plan especial de descongestión, incluyendo el previo inventario real de los procesos clasificados por especialidad, tipo de proceso, afinidad temática, cuantías, fecha de reparto y estado del trámite procesal, entre otras.

2. Nuevo modelo de gestión, estructura interna y funcionamiento de los despachos, así como de las oficinas y centros de servicios judiciales.

3. Reglamentación de los asuntos de su competencia que guarden relación con las funciones atribuidas en este código.

4. Creación y redistribución de despachos judiciales, ajustes al mapa judicial y desconcentración de servicios judiciales según la demanda y la oferta de justicia.

5. Uso y adecuación de la infraestructura física y tecnológica de los despachos, salas de audiencias y centros de servicios, que garanticen la seguridad e integridad de la información.

6. Selección, en los casos a que haya lugar, del talento humano por el sistema de carrera judicial de acuerdo con el perfil requerido para la implementación del nuevo código.

7. Programa de formación y capacitación para la transformación cultural y el desarrollo en los funcionarios y empleados judiciales de las competencias requeridas para la implementación del nuevo código, con énfasis en la oralidad, las nuevas tendencias en la dirección del proceso por audiencias y el uso de las tecnologías de la información y las comunicaciones.

8. Modelo de atención y comunicación con los usuarios.

9. Formación de funcionarios de las entidades con responsabilidades en procesos regidos por la oralidad.

10. Planeación y control financiero y presupuestal de acuerdo con el estudio de costos y beneficios para la implementación del código;

11. Sistema de seguimiento y control a la ejecución del plan de acción.

- CP arts. 254; 255 y 256
- CSJud, Ac. No. PSAA13-9810/2013

ARTÍCULO 619. COMISIÓN DE SEGUIMIENTO A LA EJECUCIÓN DEL PLAN DE ACCIÓN PARA LA IMPLEMENTACIÓN DEL CÓDIGO GENERAL DEL PROCESO

La ejecución del Plan de Acción para la Implementación del Código General del Proceso estará a cargo de la Sala Administrativa del Consejo Superior de la Judicatura.

Confórmase una Comisión de Seguimiento a la Ejecución del Plan de Acción para la Implementación del Código General del Proceso integrada por:

1. El Ministro de Justicia y del Derecho, quien la presidirá.

2. El Ministro de Hacienda y Crédito Público.

3. El Procurador General de la Nación.

4. El Presidente de la Sala de Casación Civil de la Corte Suprema de Justicia.

5. Dos (2) Presidentes de salas especializadas en lo civil o de familia de tribunal superior de distrito judicial, designados por la Sala de Casación Civil de la Corte Suprema de Justicia.

6. Cuatro (4) abogados expertos en derecho procesal con experiencia académica, en litigios o en la magistratura, designados por el Presidente de la Comisión de seguimiento a que se refiere este artículo.

7. Dos (2) representantes de organizaciones no gubernamentales de la sociedad civil especializadas en temas de justicia, designados por el Presidente de la Comisión de seguimiento a que se refiere este artículo.

PARÁGRAFO 1o. El Presidente de la Sala Administrativa del Consejo Superior de la Judicatura será invitado permanente de la Comisión.

PARÁGRAFO 2o. Los miembros a los que se refieren los numerales 1, 2, 3, 4 y 5 podrán delegar, únicamente, en Viceministros, Viceprocuradores o Procuradores Delegados y Vicepresidente, respectivamente.

PARÁGRAFO 3o. Los delegados a los que se refiere los numerales 6 y 7 tendrán voz pero no voto.

PARÁGRAFO 4o. La Sala Administrativa del Consejo Superior de la Judicatura y las demás entidades públicas estarán obligadas a suministrar la información que le solicite la Comisión.

- CP arts. 254; 255 y 256
- CSJud, Ac. No. PSAA13-9810/2013

TÍTULO V
OTRAS MODIFICACIONES, DEROGACIONES Y VIGENCIA

ARTÍCULO 620

Modifíquese el parágrafo 2o del artículo 1o de la Ley 640 de 2001, el cual quedará así:

"Parágrafo 2o. Las partes deberán asistir personalmente a la audiencia de conciliación y podrán hacerlo junto con su apoderado. Con todo, en aquellos eventos en los que el domicilio de alguna de las partes no esté en el municipio del lugar donde se vaya a celebrar la audiencia o alguna de ellas se encuentre por fuera del territorio nacional, la audiencia de conciliación podrá celebrarse con la comparecencia de su apoderado debidamente facultado para conciliar, aun sin la asistencia de su representado".

- *Nota de vigencia:* Este artículo fue derogado por el artículo 146 de la L 2220/2022 a partir del 30 de diciembre de 2022

ARTÍCULO 621

Modifíquese el artículo 38 de la Ley 640 de 2001, el cual quedará así:

"Artículo 38. Requisito de procedibilidad en asuntos civiles. Si la materia de que trate es conciliable, la conciliación extrajudicial en derecho como requisito de procedibilidad deberá intentarse antes de acudir a la especialidad jurisdiccional civil en los procesos declarativos, con excepción de los divisorios, los de expropiación y aquellos en donde se demande o sea obligatoria la citación de indeterminados.

PARÁGRAFO. Lo anterior sin perjuicio de lo establecido en el parágrafo 1o del artículo 590 del Código General del Proceso".

- *Nota de vigencia:* Este artículo fue derogado por el artículo 146 de la Ley 2220 de 2022 a partir del 30 de diciembre de 2022

ARTÍCULO 622

Modifíquese el numeral 4 del artículo 2o del Código Procesal del Trabajo y de la Seguridad Social, el cual quedará así:

"4. Las controversias relativas a la prestación de los servicios de la seguridad social que se susciten entre los afiliados, beneficiarios o usuarios, los empleadores y las entidades administradoras o prestadoras, salvo los de responsabilidad médica y los relacionados con contratos".

- CPTSS art. 12

ARTÍCULO 623

Modifíquese la parte final del numeral 4 del artículo 247 de la Ley 1437 de 2010 <sic, 2011>, la cual quedará así:

"Vencido el término que tienen las partes para alegar, se surtirá traslado al Ministerio Público por el término de diez (10) días, sin retiro del expediente".

- Artículo derogado por L 2080/2021 art. 67

ARTÍCULO 624

Modifíquese el artículo 40 de la Ley 153 de 1887, el cual quedará así:

"Artículo 40. Las leyes concernientes a la sustanciación y ritualidad de los juicios prevalecen sobre las anteriores desde el momento en que deben empezar a regir.

Sin embargo, los recursos interpuestos, la práctica de pruebas decretadas, las audiencias convocadas, las diligencias iniciadas, los términos que hubieren comenzado a correr, los incidentes en curso y las notificaciones que se estén surtiendo, se regirán por las leyes vigentes cuando se interpusieron los recursos, se decretaron las pruebas, se iniciaron las audiencias o diligencias, empezaron a correr los términos, se promovieron los incidentes o comenzaron a surtirse las notificaciones.

La competencia para tramitar el proceso se regirá por la legislación vigente en el momento de formulación de la demanda con que se promueva, salvo que la ley elimine dicha autoridad".

- art. 625

ARTÍCULO 625. TRÁNSITO DE LEGISLACIÓN

Los procesos en curso al entrar a regir este código, se someterán a las siguientes reglas de tránsito de legislación:

1. Para los procesos ordinarios y abreviados:

a) Si no se hubiese proferido el auto que decreta pruebas, el proceso se seguirá tramitando conforme a la legislación anterior hasta que el juez las decrete, inclusive.

En el auto en que las ordene, también convocará a la audiencia de instrucción y juzgamiento de que trata el presente código. A partir del auto que decrete pruebas se tramitará con base en la nueva legislación.

b) Si ya se hubiese proferido el auto que decrete pruebas, estas se practicarán conforme a la legislación anterior. Concluida la etapa probatoria, se convocará a la audiencia de instrucción y juzgamiento de que trata el presente código, únicamente para efectos de alegatos y sentencia. A partir del auto que convoca la audiencia, el proceso se tramitará con base en la nueva legislación.

c) Si en el proceso se hubiere surtido la etapa de alegatos y estuviere pendiente de fallo, el juez lo dictará con fundamento en la legislación anterior. Proferida la sentencia, el proceso se tramitará conforme a la nueva legislación.

2. Para los procesos verbales de mayor y menor cuantía:

a) Una vez agotado el trámite que precede a la audiencia de que trata el artículo 432 del Código de Procedimiento Civil, se citará a la audiencia inicial prevista en el artículo 372 del Código General del Proceso, y continuará de conformidad con este.

b) Si la audiencia del artículo 432 del Código de Procedimiento Civil ya se hubiere convocado, el proceso se adelantará conforme a la legislación anterior. Proferida la sentencia, el proceso se tramitará conforme a la nueva legislación.

3. Para los procesos verbales sumarios:

a) Una vez agotado el trámite que precede a la audiencia de que trata el artículo 439 del Código de Procedimiento Civil, se citará a la audiencia inicial prevista en el artículo 392 del Código General del Proceso, y continuará de conformidad con este.

b) Si la audiencia del artículo 439 del Código de Procedimiento Civil ya se hubiere convocado, el proceso se adelantará conforme a la legislación anterior. Proferida la sentencia, el proceso se tramitará conforme a la nueva legislación.

4. Para los procesos ejecutivos: Los procesos ejecutivos en curso, se tramitarán hasta el vencimiento del término para proponer excepciones con base en la legislación anterior. Vencido dicho término el proceso continuará su trámite conforme a las reglas establecidas en el Código General del Proceso.

En aquellos procesos ejecutivos en curso en los que, a la entrada en vigencia de este código, hubiese precluido el traslado para proponer excepciones, el trámite se adelantará con base en la legislación anterior hasta proferir la sentencia o auto que ordene seguir adelante la ejecución. Dictada alguna de estas providencias, el proceso se seguirá conforme a las reglas establecidas en el Código General del Proceso.

5. No obstante lo previsto en los numerales anteriores, los recursos interpuestos, la práctica de pruebas decretadas, las audiencias convocadas, las diligencias iniciadas, los términos que hubieren comenzado a correr, los incidentes en curso y las notificaciones que se estén surtiendo, se regirán por las leyes vigentes cuando se interpusieron los recursos, se decretaron las pruebas, se iniciaron las audiencias o diligencias, empezaron a correr los términos, se promovieron los incidentes o comenzaron a surtirse las notificaciones.

6. En los demás procesos, se aplicará la regla general prevista en el numeral anterior.

7. El desistimiento tácito previsto en el artículo 317 será aplicable a los procesos en curso, pero los plazos previstos en sus dos numerales se contarán a partir de la promulgación de esta ley.

8. Las reglas sobre competencia previstas en este código, no alteran la competencia de los jueces para conocer de los asuntos respecto de los cuales ya se hubiere presentado la demanda. Por tanto, el régimen de cuantías no cambia la competencia que ya se hubiere fijado por ese factor.

Sin embargo, los procesos de responsabilidad médica que actualmente tramitan los jueces laborales, serán remitidos a los jueces civiles competentes, en el estado en que se encuentren.

9. <Numeral eliminado por el artículo 15 del Decreto 1736 de 2012>

- *Nota de vigencia:* El texto subrayado fue declarado exequible en la sentencia de la Corte Constitucional C-755 del 30 de octubre de 2013, por el cargo analizado
- NOTA: Los numerales 4 y 7 fueron corregidos por el Decreto 1736 de 2012
- NOTA: el numeral 9 fue eliminado por el artículo 15 del Decreto 1736 de 2012
- Corte Constitucional. C-755 del 30 de octubre de 2013
- D 1736/2012. CE Sec. Primera sent. 2012-369/2018
- arts. 17 num. 1; 18 num. 1; 20 num. 1; 372; 373 y 392
- L 157/1887 art. 38 y 40

ARTÍCULO 626. DEROGACIONES

Deróguense las siguientes disposiciones:

a) A partir de la promulgación de esta ley quedan derogados: artículos 126, 128, la expresión "y a recibir declaración a los testigos indicados por los solicitantes" del 129, 130, 133, la expresión "practicadas las diligencias indicadas en el artículo 130" del 134, las expresiones "y no hubiere por este tiempo de practicar las diligencias de que habla el artículo 130" y "sin tales formalidades" del 136 y 202 del Código Civil; artículos 9o y 21 del Decreto 2651 de 1991; los artículos 8o inciso 2o parte final, 209A y 209B de la Ley 270 de 1996; el artículo 148 de la Ley 446 de 1998; 211 y 544 del Código de Procedimiento Civil; el numeral 1 del artículo 19 y la expresión "por sorteo público" del artículo 67 inciso 1o de la Ley 1116 de 2006; el inciso 2o del artículo 40 de la Ley 1258 de 2008; la expresión "que requerirá presentación personal" del artículo 71, el inciso 1o del artículo 215 y el inciso 2o del artículo 309 de la Ley 1437 de 2011; la expresión "No se requerirá actuar por intermedio de abogado" del artículo 58 numeral 4, el literal e) del numeral 5 del artículo 58 y el numeral 8 del artículo 58 de la Ley 1480 de 2011; el artículo 34 del Decreto-ley 19 de 2012; y, cualquier norma que sea contraria a las que entran en vigencia a partir de la promulgación de esta ley.

b) A partir del primero (1o) de octubre de dos mil doce (2012) quedan derogados: los artículos 19, 90, 91, 346, 449, y 690 del Código de Procedimiento Civil; y todas las que sean contrarias a las que entran en vigencia a partir del primero (1o) de octubre de dos mil doce (2012).

c) <Aparte subrayado corregido por el artículo 17 del Decreto 1736 de 2012. El nuevo texto es el siguiente:> A partir de la entrada en vigencia de esta ley, en los términos del numeral 6 del artículo 627, queda derogado el Código de Procedimiento Civil expedido mediante los Decretos números 1400 y 2019 de 1970 y las disposiciones que lo reforman; el Decreto número 508 de 1974; artículos 151, 157 a 159, las expresiones "mediante prueba científica" y "en atención a lo consagrado en la Ley 721 de 2001" del 214 la expresión "En el respectivo proceso el juez establecerá el valor probatorio de la prueba científica u otras si así lo considera" del 217, 225 al 230, 402, 404, 405, 409, 410, la expresión "mientras no preceda" y los numerales 1 y 2 del artículo 757, el 766 inciso final, y 1434 del Código Civil; artículos 6o, 8o, 9o, 68 a 74, 804 inciso 1o, 805 a 816, 1006, las expresiones "según las condiciones de la correspondiente póliza" y "de manera seria y fundada" del numeral 3 del artículo 1053, y artículos 2027 al 2032 del Código de Comercio; artículo 88 del Decreto número 1778 de 1954; artículos 11, 14 y 16 a 18 de la Ley 75 de 1968; artículo 69 del Decreto número 2820 de 1974; el Decreto número 206 de 1975; artículo 25 de la Ley 9ª de 1989; artículo 36 del Decreto número 919 de 1989; el Decreto número 2272 de 1989; el Decreto número 2273 de 1989; el Decreto número 2303 de 1989; artículos 139 al 147 y 320 a 325 del Decreto-ley 2737 de 1989; la expresión "Los procesos de disolución y liquidación de sociedad patrimonial entre compañeros permanentes, se tramitará por el procedimiento establecido en el Título XXX del Código de Procedimiento Civil y serán del conocimiento de los jueces de familia, en primera instancia" del artículo 7o y 8o parágrafo de la Ley 54 de 1990; artículos 10, 11, 21, 23, 24, 41, 46 al 48, 50, 51, 56 y 58 del Decreto número 2651 de 1991; artículos 7o y 8o de la Ley 25 de 1992; artículos 24 al 30, y 32 de la Ley 256 de 1996; artículo 54 inciso 4o de la Ley 270 de 1996, el artículo 62 y 94 de la Ley 388 de 1997; artículos 2o a 6o, 9o, 10 al 15, 17, 19, 20, 22, 23, 25 a 29, 103, 137, y 148 salvo los parágrafos 1o y 2o de la Ley 446 de 1998; artículos 43 a 45 de la Ley 640 de 2001; artículo 49 inciso 2o, el parágrafo 3o del artículo 58, y la expresión "Será aplicable para efectos del presente artículo, el procedimiento consagrado en el artículo 19 4 del Código de Comercio o en las normas que lo modifiquen, adicionen o complementen" del artículo 62 inciso 2o de la Ley 675 de 2001; artículos 7o y 8o de la Ley 721 de 2001; la Ley 794 de 2003; artículos 35 a 40 de la Ley 820 de 2003; el artículo 5o de la Ley 861 de 2003; artículo 111 numeral 5 Ley 1098 de 2006; artículo 25 de la Ley 1285 de 2009; artículos 40 a 45 y 108 de la Ley 1306 de 2009; artículos 1 a 39, 41, 42, 44, 113, 116, 117, 120 y 121 de la Ley 1395 de 2010; el artículo 80 de la Ley 1480 de 2011; y las demás disposiciones que le sean contrarias

- NOTA: El Decreto 1736 de 2012 art. 16 corrige lit. a). Corrección anulada mediante CE Sec. primera sent. 2012-369/2018; Art. 17 elimina lit. c). Eliminación anulada mediante CE Sec. primera sent. 2012-369/2018

ARTÍCULO 627. VIGENCIA

La vigencia de las disposiciones establecidas en esta ley se regirá por las siguientes reglas:

1. Los artículos 24, 30 numeral 8 y parágrafo, 31 numeral 2, 33 numeral 2, 206, 467, 610 a 627 entrarán a regir a partir de la promulgación de esta ley.

2. La prórroga del plazo de duración del proceso prevista en el artículo 121 de este código, será aplicable, por decisión de juez o magistrado, a los procesos en curso, al momento de promulgarse esta ley.

3. El Consejo Superior de la Judicatura dispondrá lo necesario para que los expedientes de procesos o asuntos en los que no se haya producido actuación alguna en los últimos dos (2) años anteriores a la promulgación de este código, no sean registrados dentro del inventario de procesos en trámite. En consecuencia, estos procesos o asuntos no podrán, en ningún caso, ser considerados para efectos de análisis de carga de trabajo, o congestión judicial.

4. Los artículos 17 numeral 1, 18 numeral 1, 20 numeral 1, 25, 30 numeral 8 y parágrafo, 31 numeral 6 y parágrafo, 32 numeral 5 y parágrafo, 94, 95, 317, 351, 398, 487 parágrafo, 531 a 576 y 590 entrarán a regir a partir del primero (1o) de octubre de dos mil doce (2012).

5. A partir del primero (1o) de julio de dos mil trece (2013) corresponderá a la Sala Administrativa del Consejo Superior de la Judicatura la expedición de las licencias provisionales y temporales previstas en el Decreto 196 de 1971, ~~así como la aprobación para la constitución de consultorios jurídicos prevista en el artículo 30 de dicho Decreto~~.

6. Los demás artículos de la presente ley entrarán en vigencia a partir del primero (1o) de enero de dos mil catorce (2014), en forma gradual, en la medida en que se hayan ejecutado los programas de formación de funcionarios y empleados y se disponga de la infraestructura física y tecnológica, del número de despachos judiciales requeridos al día, y de los demás elementos necesarios para el funcionamiento del proceso oral y por audiencias, según lo determine el Consejo Superior de la Judicatura, y en un plazo máximo de tres (3) años, al final del cual esta ley entrará en vigencia en todos los distritos judiciales del país.

- NOTA: el texto tachado fue derogado por el artículo 20 de la Ley 2113 de 2021 "Por medio del cual se regula el funcionamiento de los consultorios jurídicos de las instituciones de educación superior"
- *Nota de vigencia:* El numeral subrayado fue declarado exequible en la sentencia de la Corte Constitucional C-654 del 14 de octubre de 2015, por los cargos analizados
- Corte Constitucional. C-654 del 14 de octubre de 2015
- D 1736 de 2012 art. 18 corrige num 1°. Corrección anulada mediante CE Sec. primera sent. 2012-369/2018
- El CSJud Ac. No. PSAA15-10392/2015

SUPLEMENTO NORMATIVO

Constitución Política de Colombia de 1991

Decreto Legislativo 806 de 2020

Decreto 1736 de 2012

Ley Estatutaria 270 de 1996

Código Civil, Ley 84 de 1873

Código Procesal del Trabajo y la Seguridad Social, Ley 2452 de 2025

Código Sustantivo del Trabajo, Ley 3743 de 1950

Código de Comercio, Decreto 410 de 1971

Código Penal, Ley 599 de 2000

Código de Procedimiento Penal, Ley 906 de 2004

Código de Procedimiento administrativo y de lo Contencioso Administrativo, Ley 1437 de 2011

Ley 1563 de 2012

Ley 57 de 1887

Ley 153 de 1887

Ley 1996 de 2019

Ley 2213 de 2022

Ley 2220 de 2022

Ley 2388 de 2024

Ley 2541 de 2025

Ley 2445 de 2025

NOTAS

tirant
PRIME

Inteligencia jurídica
en expansión

Trabajamos para
mejorar el día a día
del **operador jurídico**

Descubre el universo
de **soluciones jurídicas**

 atencionalcliente@tirantonline.com

prime.tirant.com/co/